John Katzenbach

RETRATO EN SANGRE

EDICIONES **B**
GRUPO ZETA

Barcelona • Bogotá • Buenos Aires • Caracas • Madrid • México D.F. • Montevideo • Quito • Santiago de Chile

Título original: *The Traveler*

Traducción: Cristina Martín Sanz

1.ª edición: diciembre 2006

1.ª reimpresión: marzo 2007

© 1987 by John Katzenbach
© Ediciones B, S. A., 2006
    Bailén, 84 - 08009 Barcelona (España)
    www.edicionesb.com

Publicado por acuerdo con John Hawkins & Associates, Inc., New York.

ISBN: 84-666-0913-X

Impreso por Quebecor World.

John Katzenbach

RETRATO EN SANGRE

Traducción de Cristina Martín Sanz

Para Maddy

—La verdad es que jamás he oído hablar del diab..., de que usted reclamara la ciudadanía estadounidense —dijo Daniel Webster con sorpresa.

—¿Y quién podría tener más derecho a reclamarla? —replicó el desconocido con una de sus terribles sonrisas—. Cuando se maltrató por primera vez al primer indio, yo estaba presente. Cuando el primer barco esclavista partió hacia el Congo, yo me encontraba en la cubierta. ¿Acaso no estoy en vuestros libros, vuestros relatos y vuestras creencias, desde los albores de la civilización? ¿Acaso no se sigue hablando de mí en todas las iglesias de Nueva Inglaterra? Es cierto que el Norte afirma que soy del Sur, y que el Sur me considera del Norte, pero no soy ni del uno ni del otro; soy simplemente un honrado estadounidense como usted, y del mejor linaje. Porque, a decir verdad, señor Webster, aunque no me agrada alardear de ello, mi apellido goza de más antigüedad en este país que el suyo...

STEPHEN VINCENT BENÉT
El diablo y Daniel Webster

I

Las razones de la obsesión
de la detective Barren

1

Tenía un sueño inquieto.

Veía un bote a la deriva, primero a lo lejos, luego de repente más cerca, hasta que comprendió que ella se encontraba a bordo de dicho bote y que estaba rodeada de agua. Su primera reacción fue de pánico, buscar a su alrededor y encontrar a alguien a quien comunicar la importante información de que no sabía nadar. Pero cada vez que giraba la cabeza para mirar, su posición en la borda del bote se hacía más precaria y la acción de las olas levantaba en vilo la pequeña embarcación, que se sostenía momentáneamente en la cresta y después se precipitaba de nuevo hacia abajo de una forma brutal, haciéndola brincar sin ningún control. En su sueño, buscó algo sólido a que aferrarse; en el momento en que se agarró al mástil del bote con todas sus fuerzas, se disparó una alarma estridente, horrible, y supo que aquél era el ruido que hacía el bote al sufrir una vía de agua y que faltaban escasos instantes para que el agua del mar le lamiera los pies en un terrorífico cosquilleo. La alarma continuó sonando; ella abrió la boca, para gritar de miedo o pedir socorro, luchando mientras el bote se bamboleaba a su alrededor. En su sueño, de improviso la cubierta se inclinó bruscamente y ella lanzó un chillido, como si se dirigiera a su yo dormido: ¡Despierta! ¡Despierta! ¡Sálvate!

Y así lo hizo.

Aspiró una fuerte bocanada de aire y en un instante saltó del sueño a la vigilia. Se incorporó bruscamente entre las sábanas y dirigió rápidamente el brazo derecho hacia la base de la cama para asirse a algo sólido en medio de los vaporosos miedos de la pesadilla. Y entonces cayó en la cuenta de que estaba sonando el teléfono.

Maldijo para sus adentros, se restregó los ojos y encontró el aparato en el suelo, junto a la cama. Se aclaró la garganta antes de contestar:

—Al habla la detective Barren. ¿Qué ocurre?

No le había dado tiempo de evaluar la situación. Vivía sola, sin marido y sin hijos, y sus padres habían fallecido hacía muchos años, de modo que la idea de que sonara el teléfono en mitad de la noche no suponía para ella nada especialmente terrorífico, como habría sido el caso para tantas personas que no estaban acostumbradas a oír el insidioso timbre a horas intempestivas y que al momento habrían tomado aquella llamada nocturna precisamente por lo que era: una noticia terrible. Además, por ser su oficio el de detective, no era insólito que solicitaran sus servicios de noche, ya que el trabajo policial, por necesidad, a menudo se llevaba a cabo fuera de los horarios comerciales. Aquello era exactamente lo que esperaba, que por alguna razón de procedimiento se requiriera su capacidad como técnico de escenas del crimen.

—¿Merce? ¿Está despierta?

—Sí, estoy bien. ¿Quién es?

—Soy Robert Wills, de Homicidios. Yo... —Wills dejó la frase sin terminar.

—¿En qué puedo ayudarlo? —preguntó la detective tras aguardar un momento.

—Merce, siento mucho ser yo el que se lo diga...

De repente se imaginó a Bob Wills sentado a su mesa en la oficina de Homicidios. Era una oficina dura, abierta, nada acogedora, iluminada con una implacable luz fluorescente que siempre estaba encendida, repleta de archivadores metálicos y mesas coloreadas en tono anaranjado; para ella era como si aquella oficina estuviera manchada con todos los horrores que habían pasado por las mesas con tanta naturalidad, en confesiones y conversaciones.

—¿Qué? —Por un instante Barren experimentó una oleada de emoción, una especie de miedo delicioso, muy distinto del pánico que la había inundado durante la pesadilla. Luego, cuando su interlocutor hizo aquella pausa, comenzó a experimentar una sensación de vacío en el estómago, que rápidamente fue reemplazada por una oleada de ansiedad, que no pudo evitar transmitir al preguntar—: ¿Qué ocurre?

—Merce, usted tiene una sobrina...

—Sí, se llama Susan Lewis, está estudiando en la universidad. ¿Qué ha pasado? ¿Ha sufrido un accidente?

En ese instante la golpeó una súbita revelación: Bob Wills trabaja en Homicidios. Homicidios.

Homicidios.

Y entonces comprendió a qué se debía la llamada.

—Lo siento —estaba diciendo él, pero su voz parecía muy distante, y por un segundo ella deseó estar soñando todavía.

La detective Mercedes Barren se vistió a toda prisa y cruzó la noche, negra como el regaliz, típica de finales de verano de Miami, camino de la dirección que había anotado con una mano que se le antojó poseída por las emociones de otra persona; notaba cómo le latía el corazón, pero en cambio su mano permanecía firme, garabateando palabras y números en un cuaderno. Era como si fuese otra persona la que había finalizado la conversación con el detective de Homicidios. Había oído su propia voz, dura y sin inflexiones, solicitando la información disponible, la situación actual, los nombres de los agentes encargados, datos que ya se supieran acerca del crimen, opciones que estaban explorando los detectives. Testigos. Pruebas. Declaraciones. Persistió, procurando no dejarse desinflar por las evasivas y las excusas del detective Wills, pues se dio cuenta de que él no era el encargado del caso pero sabía lo que ella deseaba saber, y pensando todo el tiempo que en su interior estaba gritando, a punto de reventar a causa de algún sentimiento animal que pretendía quebrar su resistencia y disolverla simplemente en un quejido de dolor profundo.

Pero no quería permitirse pensar en su sobrina.

En un momento dado, al girar para tomar la interestatal que atraviesa el centro de la ciudad, cegada momentáneamente por los faros de un camión gigantesco que pasó amenazadoramente cerca y la obligó a hacer sonar la sirena a toda potencia, apartó el súbito temor a sufrir un accidente y descubrió que había sustituido dicha sensación por una imagen de sí misma en compañía de su sobrina, una situación vivida dos semanas antes: estaban tomando el sol junto a la piscina del pequeño edificio de apartamentos en la playa en el que residía ella, y Susan había reparado en el revólver reglamentario de su tía, que sobresalía aparatosamente de una bolsa, de manera tonta e incongruente entre toallas, crema para el sol y una novela de bolsillo. La detective Barren se acordó de la reacción de su sobrina adolescente: había calificado el revólver de «asqueroso», lo cual, para su mentalidad de detective, resultaba una descripción totalmente apropiada.

—¿Y por qué has de llevarlo encima?

—Porque técnicamente nunca dejamos de estar de servicio. Si descubriera un delito, tendría que reaccionar como un policía.

—Pero yo creía que ya no hacías esas cosas, desde lo de...

—Correcto. Desde el tiroteo. No, ahora soy una policía bastante tranquila. Para cuando llego al lugar del delito, el asunto ya está prácticamente zanjado.

—Qué asco. Con cadáveres, ¿no?

—Exacto. Y sí, es un asco.

Las dos rieron.

—Tendría gracia —comentó Susan.

—¿Qué es lo que tendría gracia?

—Que te detuviese una agente de policía en bikini.

Las dos rieron otra vez. La detective Barren contempló a su sobrina levantarse y zambullirse en el agua color azul opaco de la piscina. Luego la observó bucear sin esfuerzo hasta el extremo opuesto y a continuación, sin salir a tomar aire, girar sobre sí misma y regresar serpenteando. Por un instante la detective Barren experimentó un aguijón de envidia por la juventud perdida, pero enseguida lo dejó pasar pensando: «Bueno, tú tampoco estás en tan mala forma.»

Susan apoyó los codos en el borde de la piscina y preguntó a su tía:

—Merce, ¿cómo es posible que vivas al lado del mar y no sepas nadar?

—Forma parte de mi misterio —respondió ella.

—A mí me parece una tontería —dijo Susan al tiempo que salía de la piscina con el cuerpo reluciente del agua que se escurría de su delgada figura. Y continuó—: ¿Te he dicho que he decidido que este otoño escogeré como especialidad Oceanografía? Peces babosos, claro. —Rió—. Crustáceos con púas. Mamíferos descomunales. ¡Que se haga a un lado Jacques Cousteau!

—Eso es excelente —dijo la detective—. A ti siempre te ha encantado el agua.

—Pues sí —contestó Susan, y a continuación canturreó—: «Cuánto me gustaría una vida con sol, arena, el profundo mar y pescado para comer.»

Ambas rieron de nuevo.

Susan siempre estaba riendo, pensó la detective, y aceleró a través de la noche. A un costado estalló la explosiva blancura de las luces nocturnas del centro urbano, que iluminaban los bordes de los magníficos edificios que se elevaban hacia el cielo del Sur. Entonces la detective Barren sintió una fuerte oleada de calor en el corazón que la ahogó, y se obligó a concentrarse en conducir intentando borrar de su mente todos los recuerdos y pensando: ya veremos, ya investigaremos, procurando no relacionar la escena hacia la que se dirigía con los recuerdos que albergaba su mente.

La detective Barren salió de la carretera 1 y atravesó una zona residencial. Era tarde, ya bien rebasada la medianoche, y el amanecer se acercaba rápidamente. Había poco tráfico y ella se había dado prisa, apremiada por la sensación de urgencia que acompaña a toda muerte violenta. Pero a pocos kilómetros de su destino aminoró la marcha precipitadamente, hasta que su sedán sin marcas terminó poco más que arrastrándose por las calles vacías. Examinó las filas de casas, cuidadas y de clase alta, en busca de signos de vida; las calles estaban oscuras, igual que las viviendas. Intentó imaginar las vidas de los que dormían detrás de aquella ordenada oscuridad de barrio residencial. Ocasionalmente descubría una luz encendida en una habitación y se preguntaba qué libro, qué programa de televisión, qué discusión o qué preocupación mantendría despierto a su ocupante. Sintió una necesidad imperiosa de detenerse, de llamar a la puerta de una de aquellas casas que mostraban un débil signo de vida para preguntar: «¿Hay algún problema que no le deja a usted dormir? ¿Algo que se le mete en el cerebro y en el corazón y le impide conciliar el sueño? Cuénteme.»

Viró para entrar en la calle Old Cutler y supo que la distancia que la separaba de la entrada del parque era de tan sólo unos cientos de metros. La noche parecía impregnar el follaje; las grandes melaleucas y los sauces escondían negrura en sus hojas y en sus ramas estirándose sobre la calle a modo de brazos envolventes. Experimentó la sobrecogedora sensación de que se encontraba completamente sola en el mundo, de que ella era una única superviviente que se dirigía a ninguna parte en mitad de una noche sin fin. Apenas distinguió las letras blancas y descoloridas del pequeño letrero que había a la entrada del parque. Se sobresaltó cuando pasó corriendo una zarigüeya por delante de las ruedas del coche y clavó los frenos, temblando de miedo por unos instantes, hasta que respiró aliviada al ver que el animal había esquivado los neumáticos. Bajó la ventanilla y olió el aire salado; los árboles que la rodeaban habían encogido de estatura, las palmeras gigantes que bordeaban la autopista habían sido sustituidas por el ramaje enmarañado y nudoso de los manglares junto al agua. La calle se curvó bruscamente, y supo que cuando emergiera por el otro lado podría ver la amplia extensión de la bahía de Biscayne.

Al principio creyó que era el brillo de la luna, que se reflejaba en las aguas de la bahía.

Pero no era eso.

Detuvo el coche de repente y contempló la escena que tenía ante sí. Lo primero que advirtió fue el ruido mecánico de unos potentes generadores. Un golpeteo rítmico y regular alimentaba tres bancadas de luces de gran intensidad. Los reflectores delineaban un trozo de escenario recortado en la penumbra, al borde del aparcamiento del jardín, poblado por decenas de policías uniformados y detectives que se movían con cautela por aquella luminosidad antinatural. En la orilla del escenario se alineaban varios coches patrulla, una ambulancia y unas cuantas camionetas blancas y verdes de investigación de la escena del crimen, con sus luces de emergencia azules y rojas que proyectaban repentinos destellos estroboscópicos de color sobre las personas que estaban trabajando dentro de los parámetros de los reflectores.

La detective Barren respiró hondo y se encaminó hacia la luz.

Estacionó el coche al borde de la actividad y echó a andar en dirección al centro, donde descubrió un grupo de hombres. Estaban mirando algo que quedaba fuera del campo visual de ella. Sabía lo que era, pero se trataba de una apreciación nacida de la experiencia, no de la emoción. Toda la zona había sido rodeada con una cinta amarilla de siete centímetros de ancho. Cada tres metros más o menos se había colgado de la cinta un pequeño cartel blanco que decía: «Escena del crimen — no pasar.» Alzó la barrera y se coló por debajo. Ese movimiento captó la atención de un agente de uniforme que acudió enseguida a cortarle el paso con las manos en alto.

—Eh —le dijo—, señora, no puede entrar aquí.

Ella lo miró fijamente, y él se detuvo. Bajó las manos.

Exagerando sus movimientos y caminando muy despacio, la detective abrió el bolso y extrajo su placa dorada. El agente le echó una rápida ojeada y se apresuró a apartarse murmurando una excusa. Pero su llegada había sido advertida por los hombres que ocupaban el centro de la escena, y uno de ellos se separó del resto y se acercó para interceptarla.

—Merce, por el amor de Dios. ¿No te ha dicho Wills que no vinieras?

—Sí —contestó ella.

—Aquí no hay nada que debas ver.

—¿Cómo diablos vas a saberlo tú?

—Merce, lo siento. Esto va a ser...

Ella lo interrumpió furiosa.

—¿Qué va a ser? ¿Duro? ¿Triste? ¿Trágico? ¡Qué crees que va a ser!

—Cálmate. Mira, ya sabes lo que ocurre aquí; ¿te importaría esperar unos minutos? Ven, vamos a tomar un café. —Intentó tomarla por el codo y llevársela, pero ella se zafó rápidamente.

—¡Suéltame, maldita sea!

—Sólo un par de minutos, y luego te daré un informe completo...

—No quiero un informe completo. Quiero verlo yo misma.

—Merce... —El detective extendió los brazos para no dejarle ver nada—. Por favor.

Ella respiró hondo y cerró los ojos. Luego habló en un tono tajante, sucinto.

—Peter. Teniente Burns. Dos cosas. Una: la que está ahí tumbada es mi sobrina. Dos: soy policía profesional. Quiero ver la escena yo misma. ¡Yo misma!

El teniente se detuvo y la miró.

—Está bien. No quedan más que unos minutos para que el forense termine la exploración inicial. Cuando la pongan en una camilla podrás pasar. Incluso podrás llevar a cabo la identificación personal, si quieres.

—No quiero hacerlo dentro de unos minutos, ni cuando la pongan en una camilla. Quiero ver lo que le ha sucedido.

—Merce. Por el amor de Dios...

—Quiero verlo —dijo Barren con autoridad.

—¿Por qué? Vas a hacer que resulte más duro.

—¿Y qué diablos sabes tú? ¿Cómo diablos va a resultar más duro de lo que ya es?

Detrás del teniente surgió de pronto un destello de luz. El teniente se dio la vuelta, y la detective Barren vio a un fotógrafo de la policía situándose y retirándose de nuevo.

—Merce, yo...

—Ahora —insistió—. Quiero verlo ahora.

—Muy bien —cedió el teniente, haciéndose a un lado—. Para ti la pesadilla.

Ella se apresuró a dejarlo atrás.

Entonces se detuvo.

Aspiró profundamente.

Cerró los ojos una vez para visualizar la sonrisa de su sobrina.

Respiró hondo una vez más y se aproximó con cuidado al cadáver. Pensó: «¡Acuérdate de todo! Grábatelo en el cerebro.» Obligó a sus ojos a escudriñar el suelo que rodeaba la forma que aún no podía mirar. Tierra arenosa y hojas caídas. Nada que pudiera conservar una buena huella de pisada. Con ojo entrenado, calculó la distancia entre el aparcamiento y el lugar donde yacía la forma..., porque aún se le hacía raro llamarlo cadáver. Veinte metros. Demasiada distancia para arrojarlo. Intentó pensar de manera analítica: había un problema. Siempre era más fácil si..., una vez más su pensamiento flaqueó, y vaciló mentalmente. La víctima era descubierta en el punto en que se había cometido el homicidio, porque invariablemente había alguna prueba física. Continuó examinando el suelo, oyendo la voz del teniente a su espalda:

—Merce, ya hemos examinado detenidamente la zona, no es necesario que...

Pero ella lo ignoró, se puso de rodillas y palpó la consistencia del suelo. Y pensó: «Si se le ha pegado a los zapatos algo de este material, podríamos buscar coincidencias.» A continuación, sin volverse a ver si el teniente seguía allí, dijo en voz alta:

—Tomad muestras de tierra de toda la zona.

Tras una pausa instantánea, oyó un gruñido de asentimiento. Prosiguió, pensando: fuerza, fuerza, hasta que llegó a donde estaba la forma. «Muy bien —se dijo a sí misma—; mira a Susan. Memoriza lo que le ha sucedido esta noche. Mírala. Mírale todas las partes del cuerpo. No te dejes nada.»

Y entonces levantó los ojos y los posó en la forma.

—Susan —pronunció en voz alta, pero en tono suave. Era consciente de que había otras personas moviéndose alrededor de ella, pero tan sólo de modo periférico. Se daba cuenta de que tenían caras, de que eran personas que conocía, colegas, amigos, lo sabía, pero sólo de la manera más subliminal. Más tarde intentaría recordar quién había estado allí, en la escena, y no lo conseguiría—. Susan —repitió.

—¿Es tu sobrina, Susan Lewis? —Era la voz del teniente.

—Sí. —Pensó un instante—. Lo era.

De pronto se sintió inundada por un calor intenso, como si uno de los reflectores se hubiera centrado en ella y la hubiera envuelto en un haz compacto de una fuerte luminosidad. Tragó una gran bocanada de aire, después otra, para luchar contra la sensación de vértigo. Le vino a la memoria aquella ocasión, años atrás, en que se dio cuenta de que le habían disparado, recordó que el tibio calor que sintió era la sangre que se le escapaba, y luchó con esa misma intensidad para impedir que los ojos se le pusieran en blanco, como si abandonarse a la negrura de la inconsciencia fuera a ser tan fatal ahora como lo habría sido entonces.

—¿Merce?

Oyó una voz.

—¿Te encuentras bien?

Otra voz.

Ella estaba paralizada.

—¡Que alguien llame a los bomberos!

Entonces consiguió mover la cabeza negando.

—No —contestó—. Pero me recuperaré.

«Qué tontería de respuesta», pensó ella misma.

—¿Estás segura? ¿Quieres sentarte?

No sabía con quién estaba hablando. Volvió a negar con la cabeza.

—Estoy bien. —Alguien la estaba tomando del brazo. Ella se soltó de un tirón—. Examínale las uñas —dijo—. Es posible que se haya defendido peleando. Puede que el sospechoso tenga algún arañazo.

Vio que el forense se inclinaba sobre el cadáver, le levantaba con cuidado una mano y después otra, y acto seguido, con ayuda de un pequeño escalpelo, raspaba suavemente el contenido que halló debajo de cada uña y lo introducía en una bolsa de plástico para pruebas.

—No hay gran cosa —comentó.

—Tiene que haber luchado como un tigre —insistió la detective Barren.

—Quizás el asesino no le dio la oportunidad. Presenta un trauma severo en la nuca. Un instrumento romo. Probablemente ya se hallaba inconsciente cuando le hizo esto. —El médico señaló la media enrollada alrededor del cuello de la joven. La detective Barren contempló durante unos instantes el tono azulado de la piel.

—Examine el nudo —le ordenó.

—Ya lo he mirado —respondió el médico—. Es un nudo cuadrado simple. Página uno del manual del *Boy Scout*.

La detective Barren observó la media. Deseaba desesperadamente desanudarla, poner cómoda a su sobrina, como si por el hecho de hacer que pareciera dormida pudiera conseguir que fuera verdad. Se acordó de un día, cuando todavía era pequeña, no tendría más de cinco o seis años. La perra de la familia había sido atropellada por un coche y había muerto. «¿Por qué se ha muerto *Lady*?», preguntó la niña a su padre. «Porque se le han roto los huesos», contestó él. «Pero cuando yo me rompí la muñeca el médico me puso una escayola y se me curó, vamos a escayolar a *Lady*», replicó ella. «Pero es que también ha perdido toda la sangre», explicó su padre. La niña que vivía en su recuerdo insistió con desesperación: «Bueno, pues se la volvemos a poner.» «Ay, pequeña —dijo su padre—, ojalá pudiéramos. Ojalá fuera tan fácil.» Y a continuación la envolvió con unos enormes brazos mientras ella sollozaba. Fue la noche más larga de toda su niñez.

Contempló el cadáver de Susan y anheló de nuevo aquellos brazos.

—¿Y qué me dice de las muñecas? —preguntó—. ¿Hay algún signo de ataduras?

—No —respondió el médico—. Eso nos indica algo.

—Sí —dijo una voz desde un costado. La detective Barren no se giró para ver quién había hablado—. Nos dice que ese cabrón la dejó fuera de combate antes de divertirse con ella. Lo más probable es que no llegara a enterarse de lo que le pasó.

La mirada de la detective Barren se detuvo un poco más abajo del cuello.

—¿Eso que tiene en el hombro es un mordisco?

—Es posible, sí —dijo el forense—. Habrá que mirarlo al microscopio.

Posó los ojos un instante en la blusa desgarrada de su sobrina. Susan tenía los pechos a la vista, y a ella le entraron ganas de cubrírselos.

—Busque trazas de saliva en el cuello —dijo.

—Ya lo he hecho —replicó el médico—. Y también en los genitales. Tomaré más muestras cuando lleguemos al depósito.

La mirada de la detective Barren recorrió todo el cuerpo, centímetro a centímetro. Una pierna estaba colocada encima de la otra, casi en un gesto de pudor, como si su sobrina hubiera mostrado pudor incluso en la muerte.

—¿Había en los genitales algún indicio de laceración?

—Ninguno que sea visible de momento.

La detective Barren hizo una pausa, intentando asimilarlo todo.

—Merce —dijo el médico con suavidad—, se parece mucho a las otras cuatro. La forma de la muerte, la posición del cadáver, el terreno donde lo han abandonado.

La detective Barren levantó la vista de golpe.

—¿Hay otras? ¿Otras cuatro?

—¿No se lo ha dicho el teniente Burns? Opinan que se trata del individuo al que los periódicos denominan «el asesino del campus». Pensaba que ya se lo habían dicho...

—No... —repuso ella—. No me lo ha dicho nadie.

Hizo una inspiración profunda.

—Pues encaja perfectamente. Es exacto... —La detective Barren dejó la frase sin terminar.

En eso, oyó a su lado la voz del teniente.

—Probablemente es la primera del semestre. Quiero decir, no podemos dar nada por seguro, pero la pauta general es la misma. Vamos a asignarle el caso a él, para que el grupo especial pueda trabajar en ello. ¿No te parece que eso es lo mejor, Merce?

—Sí.

—¿Ya has visto bastante? ¿Quieres venir aquí, para que te diga lo que tenemos y lo que no tenemos?

Ella afirmó con la cabeza. Cerró los ojos y se giró de espaldas al cadáver. Esperaba que a Susan la trasladaran pronto, como si el hecho de sacarla de la maleza y la suciedad pudiera devolverle algo de humanidad, aliviara la violación de alguna forma, disminuyera en cierto sentido la totalidad de su muerte.

Aguardó pacientemente junto a los coches que pertenecían a los especialistas en escenas del crimen y a los técnicos de pruebas. Eran todos personas que conocía bien, que hacían el turno de noche en la misma oficina en que trabajaba ella. Uno por uno, todos interrumpieron lo que estaban haciendo detrás de la cinta amarilla y fueron a decirle unas palabras o a palmearle el hombro o a apretarle la mano, antes de regresar a su labor. Al poco volvió el teniente Burns con dos cafés. Merce cerró las manos en torno al vaso de plástico que él le entregó, helada de pronto, aunque aquella noche tropical hacía un calor opresivo. El teniente contempló el cielo, que justo empezaba a clarear y a teñirse de una luz gris, señal del primer asomo de la mañana.

—¿Quieres saberlo? —le preguntó él—. La verdad es que, dadas las circunstancias, quizá fuera mejor que simplemente...

Pero ella se apresuró a interrumpirlo.

—Sí quiero saberlo. Todo.

—Bien.

El teniente comenzó pausadamente. Merce sabía que estaba intentando valorar, para sus adentros, si el hecho de compartir información con ella podría suponer un obstáculo para la investigación. Ella sabía que estaba sopesando si estaba tratando con una policía o con un familiar medio enloquecido. El problema, pensó, era que en realidad estaba tratando con los dos.

—Teniente —le dijo—, lo único que quiero es ayudar. Poseo bastante experiencia, como bien sabes. Quiero ponerme a disposición del caso. Pero si tú opinas que podría estorbar, me retiraré...

—No, no, no —replicó él rápidamente.

Qué sencillo, pensó ella. Sabía que al ofrecerse a no formular preguntas obtendría permiso para formularlas todas.

—Mira —continuó el teniente—, hasta el momento las cosas son bastante inconexas. Por lo visto, Susan se fue con unas amigas a un bar del campus. Había mucha gente alrededor, muchos hombres distintos. Bailó con unos cuantos. A eso de las diez de la noche salió a tomar un poco el aire, sola. Y ya no volvió a entrar. Fue un par de horas más tarde, justo hacia las doce, cuando sus amigas empezaron a preocuparse y llamaron a los guardias jurados del campus. Más o menos a esa misma hora tropezaron con el cadáver un par de maricas que estaban por el parque, montándoselo entre los arbustos... —Alzó una mano en el aire—. No, no vieron ni oyeron nada. Tropezaron con ella literalmente. De hecho, uno de los dos se cayó encima del...

«Del cadáver —pensó Merce—. Cadáver.» Se mordió el labio.

—La chica desaparece del campus. Su cadáver es descubierto en un parque situado a unos tres kilómetros de distancia. No es difícil sumar dos más dos. No nos hemos movido de aquí. Ella llevaba tu nombre en el bolso, por eso te hemos llamado. ¿Es hija de tu hermana? —La detective Barren asintió—. ¿Quieres hacer tú la llamada?

Oh, Dios, pensó ella.

—Ya la llamaré. Cuando terminemos aquí.

—Ahí enfrente hay una cabina telefónica. Yo no les haría esperar. Además, es posible que tardemos un poco en terminar con esto...

Merce se dio cuenta de que estaba amaneciendo. La zona iba perdiendo poco a poco la negrura nocturna, los objetos iban tomando relieve y volviéndose nítidos a medida que se esfumaba la oscuridad.

—Está bien —dijo.

Pensó lo profundamente trivial y banal que era el acto de telefonear a su hermana. Por un segundo abrigó la esperanza de que no tuviera monedas para la cabina telefónica, y luego que ésta estuviera averiada. Pero no fue así. La operadora contestó con rutinaria eficiencia, como si fuera inmune a la hora del día. La detective Barren cargó la llamada a su oficina. La operadora le preguntó cuándo habría alguien allí para aceptar el importe. La detective Barren le dijo que siempre había alguien. Después oyó cómo se marcaba el número y de repente, antes de que pudiera prepararse para escoger la forma adecuada de expresarse, sonó el timbre del teléfono de la casa de su hermana. «¡Piensa! —La detective Barren pensó—. ¡Busca la manera de decirlo!» Y en eso oyó la voz de su hermana, ligeramente enturbiada por el sueño, al otro extremo de la línea:

—Sí, hola...

—Annie, soy Merce. —Se mordió el labio.

—¡Merce! ¿Cómo estás? ¿Qué...?

—Annie, escucha con atención. Ha ocurrido un... —Titubeó insegura. ¿Un accidente? ¿Un incidente? Siguió hablando, sin hacer caso, intentando mantener un tono de voz profesional, un tono calmado y sin inflexiones—. Por favor, siéntate y dile a Ben que se ponga al teléfono...

Oyó a su hermana lanzar una exclamación ahogada y llamar a su marido.

Al momento éste se puso al teléfono.

—Merce, ¿qué sucede?

Su tono de voz era firme. Ben era contable. Merce esperó que fuera igual de sólido que con los números. Respiró hondo y le dijo:

—No conozco ningún modo de decirte esto para que te resulte más fácil, así que te lo diré sin más. Susan ha muerto. La han asesinado esta noche. Lo siento.

De pronto la detective Barren vio a su hermana como era unos dieciocho años antes, sentada a su lado, inmensa en su embarazo, a una semana del parto, moviéndose con incomodidad en medio del opresivo calor del mes de julio que aplastaba, implacable, el seco valle Delaware. La detective Barren aferraba con fuerza la bandera que le había entregado el capitán de la guardia de honor y sentía la mente vacía, negra, aún reverberante con las palabras pronunciadas por el vicario castrense mezcladas con el ruido estentóreo de la salva de disparos lanzada por encima de la tumba. No tenía palabras para ninguno de los familiares y los amigos que habían ido acercándose a ella tímidamente, mudos ante la incongruencia de que una persona tan joven y vigorosa como John Barren hubiera muerto, aunque hubiera sido en combate. Annie se acomodó en el sofá junto a la detective Barren y, cuando nadie miraba, o al menos cuando creyó que nadie miraba, cogió la mano de su hermana, la posó sobre su abultado vientre y le dijo con una sencillez desgarradora: «Dios se lo ha llevado de forma injusta, pero aquí dentro hay una vida nueva, y no debes enterrar tu amor en la tumba con él sino volcarlo en esta niña.»

Aquella niña era Susan.

Por un momento, la detective Barren sonrió al recordar, pensando: «Esa niña me salvó la vida.»

Y entonces, de improviso, al regresar a la realidad, oyó cómo su hermana dejaba escapar el primer sollozo de angustia de una madre.

Ben quiso tomar el primer vuelo que hubiera a Miami, pero Merce logró disuadirlo. Sería más sencillo, les dijo, que ella se encargara de organizar con una funeraria todo lo necesario para enviar el cadáver una vez que el forense hubiera finalizado la autopsia. Ella acompañaría al cadáver de Susan a bordo del avión. Ben dijo que él llamaría a una funeraria local para coordinar los planes. La detective Barren les dijo que probablemente la noticia saldría en los periódicos, incluso en la televisión. Les recomendó que colaborasen; era mucho más fácil, y seguramente de aquel modo los periodistas los molestarían menos. Les explicó que los indicios preliminares apuntaban a que Susan había sido víctima de un asesino que llevaba un año merodeando por los campus de diversas universidades de Miami y que había un grupo especial de detectives asignado a aquellos casos. Dichos detectives se pondrían en contacto con ellos. Ben le preguntó si estaba segura de que había sido aquel asesino, y ella le respondió que no había nada seguro pero que parecía ser que sí. Ben empezó a alterarse, furioso, pero tras escupir unas cuantas palabras de rabia, cambió y pasó a adoptar una actitud de asentimiento y estupefacción. Annie no dijo nada; la detective Barren adivinó que se encontraban en habitaciones distintas y que cuando colgasen y se mirasen el uno al otro comenzaría a invadirlos la desesperación de verdad.

—Eso es todo lo que puedo deciros por el momento —dijo la detective Barren—. Ya os volveré a llamar, cuando sepa algo más.

—Merce. —Era su hermana.

—Sí, Annie.

—¿Estás segura?

—Ay, Annie...

—Quiero decir, lo has comprobado, ¿verdad? ¿Estás segura del todo?

—Annie. La he visto, la he mirado. Es Susan.

—Gracias. Necesitaba saberlo con seguridad —dijo Annie resignadamente.

—Lo siento mucho.

—Sí. Sí. Por supuesto. Ya hablaremos luego.

—¿Ben?

—Sí, Merce. Sigo aquí. Ya hablaremos luego.

—Está bien.

—Oh, Dios, Merce...

—¿Annie?

—Oh, Dios.

—Annie, sé fuerte. Tienes que ser fuerte.

—Merce, por favor, ayúdame. Tengo la sensación de que si cuelgo el teléfono será como matar a Susan. Oh, Dios. ¿Qué es lo que está pasando? Por favor. No entiendo nada.

—Yo tampoco lo entiendo, Annie.

—Oh, Merce, Merce, Merce...

La detective Barren oyó su propio nombre perdiéndose poco a poco. Comprendió que su hermana había dejado caer el teléfono de la mano a la cama; oyó sollozos, y fue como oír un corazón que se rompe. Se acordó de una ocasión, en el instituto, en que estaba viendo un partido de fútbol americano desde la cancha. Un jugador sufrió un golpe peculiar. El chasquido que hizo su pierna al quebrarse se elevó por encima del ruido de los cuerpos al chocar unos contra otros. Vio que uno de los jugadores vomitaba, mientras los entrenadores corrían a auxiliar al herido. Por un instante esperó oír ese mismo crujido. Sostuvo el teléfono en la mano durante un instante y después, con suavidad, como si no quisiera despertar a un niño dormido, volvió a depositar el auricular en su sitio. Permaneció así un rato, escuchando su propio corazón. Luego tragó saliva con fuerza y flexionó los músculos de los brazos una vez, después otra. Luego las piernas. Notó cómo se estiraban y se contraían la piel, los músculos y los tendones. «Soy fuerte —pensó—. Y aún tengo que serlo más.»

2

Mediaba la mañana cuando por fin se llevaron el cadáver de Susan. La detective Barren había permanecido al borde mismo de la escena del crimen, observando cómo recogían pruebas ordenadamente. Los policías de uniforme se esforzaron todo el tiempo por mantener alejada a la creciente multitud de curiosos, por lo cual se sintió agradecida. Los medios de comunicación de Miami habían llegado temprano y se insinuaban constantemente dentro de la escena del crimen. Las cámaras de televisión habían fotografiado la actividad policial mientras los periodistas se encargaban de interrogar al teniente Burns y a otros detectives. Ella sabía que era inevitable que uno de los periodistas terminara por enterarse de su relación personal con el cadáver y que ese hecho resultaría prominente en el relato de lo sucedido. Así que decidió limitarse a esperar las preguntas.

Se volvió de espaldas cuando dos técnicos forenses introdujeron cuidadosamente el cadáver de Susan en una bolsa negra. Fue hasta donde se encontraba el teniente Burns hablando con un par de detectives vestidos muy elegantemente con trajes de tres piezas, al parecer ajenos al calor cada vez más bochornoso. Cuando el teniente la vio acercarse, se volvió y procedió a hacer las presentaciones.

—Merce. Detective Barren. No sé si conoces a los detectives Moore y Perry, del departamento de Homicidios del condado. Son los que dirigen la investigación sobre el «asesino del campus».

—Sólo por su fama.

—Lo mismo digo —repuso el detective Moore.

Todos se estrecharon la mano, incómodos.

—Lamento que nos conozcamos en estas circunstancias —dijo el detective Perry—. Soy un admirador de su trabajo. Sobre todo por el caso del violador múltiple.

—Gracias —dijo la detective Barren.

Tuvo una breve visión de un rostro picado de viruela y una nariz torcida. Se acordó de que estuvo escudriñando dos decenas de expedientes, repasándolos una y otra vez hasta que dio con la pista que condujo a la detención. El violador, un individuo fornido y musculoso, siempre usaba una media para cubrirse la cara. Casi todas las víctimas afirmaron haberse fijado en que sufría de severo acné en la espalda. Un dermatólogo le había dicho que las personas con acné en la espalda suelen tener cicatrices también en la cara, pero ella creyó que aquella media era para ocultar algo más. Así que empezó a dejarse caer por los gimnasios de la zona, guiada más por una corazonada que por una causa probable. En el Gimnasio Calle 5.ª de Miami Beach, un lugar en el que los sueños de los aspirantes a boxeadores se mezclaban libremente con el sonido de los puñetazos propinados al saco, descubrió un peso ligero de baja estatura pero de constitución fuerte, con abundantes marcas de acné en la cara y en la espalda, una notoria nariz rota y una distintiva cicatriz de color rojo que le bajaba por la mejilla.

—Nunca hay que subestimar la intuición —comentó el detective Perry.

—Excepto si no sirve de nada con un juez cuando se necesita una orden judicial.

Todos sonrieron con timidez.

—Bien, ¿y en qué podemos ayudarla? —dijo el detective Perry.

—¿Se ha descubierto alguna cosa debajo del cadáver?

—Nada que tenga un valor como prueba. Había un papel un tanto raro.

—¿De qué se trataba? —preguntó la detective.

—En realidad era un fragmento. Como la parte superior de esas etiquetas que se ponen en el equipaje de mano al facturarlo en el aeropuerto, sólo que considerablemente más grande. De todos modos, era una especie de cartulina. —Levantó la mano—. No, no llevaba ninguna marca. Era sólo la parte del extremo, el resto había sido arrancado. Además, no había forma de saber cuánto tiempo llevaba allí. Podría ser que hubieran puesto a la víctima encima. No era más que basura, creo yo.

La detective Barren se imaginó a su sobrina tendida en medio de la basura. Sacudió la cabeza en un gesto de negación, en el intento de borrar la imagen.

—¿Qué van a hacer ahora? —inquirió.

—Vamos a pasarnos por el bar en cuestión, a ver si encontramos alguna persona que se haya fijado en si la víctima estuvo hablando con alguien o si la siguieron... —El detective Perry miró a la detective Barren—. Llevará un tiempo.

—El tiempo da lo mismo.

—Entiendo. —Perry hizo una pausa—. Mire, detective. Esto ha de ser imposible para usted. Si se tratara de una de mis hermanas, yo me volvería loco, me entrarían ganas de pegarle yo mismo un tiro a ese tipo. De modo que, en lo que a mí respecta, puede usted obtener la información que quiera acerca de la investigación, siempre que no intente entrometerse ni hacer nuestro trabajo por nosotros. ¿Le parece justo?

La detective Barren asintió:

—Desde luego...

—Una cosa más —agregó el detective Perry—. Si se le ocurre alguna idea, cuéntemela directamente a mí.

—No hay problema —contestó la detective Barren, sin saber muy bien si no estaría mintiéndole. Reflexionó unos instantes—. Una pregunta. Ésta es la quinta, ¿verdad? ¿En qué situación se encuentran las demás? ¿Tienen algún sospechoso de los casos anteriores?

Los detectives titubearon y se miraron el uno al otro.

—Buena pregunta. Tenemos algunas pistas. Un par de ellas, buenas. Venga a vernos dentro de un par de días y hablaremos, ¿le parece? Cuando se haya tranquilizado un poco.

«Cabrón condescendiente», pensó ella.

—De acuerdo —contestó.

Dejó a los hombres todavía conversando y regresó a las camionetas de recogida de pruebas. Un individuo delgado y de pinta ascética estaba cotejando los números escritos con rotulador negro en unas bolsas de plástico con una lista maestra que tenía en una tablilla en la mano.

—Hola, Teddy —le dijo.

El hombre se giró hacia ella. Poseía unas manos grandes y huesudas que parecían revolotear a su alrededor.

—Ah, Merce. Creí que ya te habías ido. No deberías estar aquí, ¿no te parece?

—Ya lo sé. ¿Por qué todo el mundo no deja de repetirme lo mismo?

—Perdona. Es que, bueno, en realidad nadie sabe cómo reaccionar. Supongo que nos pones nerviosos a todos; no estamos acostumbrados a vernos afectados por una muerte, ya sabes, y esto, en fin, el hecho de verte a ti, hace que sea menos un trabajo y parezca más algo real. ¿Me explico?

—Sí. —Le sonrió.

—Merce, no sabes lo mucho que lo sentimos todos por ti. Todo el mundo ha trabajado de firme en la escena del crimen. Espero que haya algo que nos conduzca al asesino.

—Gracias, Teddy. ¿Qué habéis recogido?

—No hay gran cosa. Ésta es la lista.

Le entregó la tablilla, y ella recorrió el folio con la vista.

1. Muestra de sangre cabeza de la víctima
2. Muestra de sangre entrepierna de la víctima (ver diagrama)
3. Muestra de saliva hombro de la víctima
4. Impregnación genitales de la víctima
5. Impregnación hombro de la víctima (marca de mordedura, ver diagrama)
6. Muestra de tierra A (ver diagrama)
7. Muestra de tierra B (ver diagrama)
8. Muestra de tierra C (ver diagrama)
9. Muestra de uña mano derecha (ver diagrama)
10. Ídem, mano izquierda (ver diagrama)
11. Sustancia desconocida/hoja
12. Posible muestra de ropa
13. Huella de sangre en hoja
14. Colilla de cigarrillo (ver diagrama)
15. Colilla de cigarrillo (ver diagrama)
16. Condón usado
17. Condón usado
18. Condón sin usar en papel aluminio (marca Ramses)
19. Lata de cerveza (Budweiser)
20. Lata de Coca-Cola
21. Botella de Perrier (175 cl)
22. Sustancia desconocida en envoltorio de aluminio

23. Sustancia desconocida en bolsa de plástico

24. Carrete película fotográfica Kodacolor Instamatic

25. Carrete película fotográfica Kodacolor Instamatic

26. Extremo caja carrete película Kodak 400 en blanco y negro para negativo

27. Loción de afeitar usada de 150 cl

28. Loción para mar y esquí 300 cl

29. Paquete de cigarrillos Marlboro aplastado (vacío)

30. Bolso de mujer (contenido en lista aparte)

31. Billetera de mujer (víctima)

32. Pendiente de mujer

33. Extremo de cartulina de papel de color amarillo de origen desconocido (hallado debajo del cadáver)

—¿Qué me dices de los condones? —preguntó la detective Barren.

Teddy negó con la cabeza.

—Merce, fíjate bien. Son las cosas que se encuentran normalmente en cualquier zona a la que la gente va a merendar. La sustancia desconocida parece atún. Y los condones tienen pinta de ser viejos, probablemente tengan varios días, por decir algo. Y fíjate en los diagramas; salvo por las muestras de piel y de sangre, toda esta basura se ha recogido por lo menos a sesenta centímetros de distancia. Son las típicas cosas que uno se lleva cuando va a tomar un rato el sol, no a cometer un asesinato en mitad de la noche.

Ella asintió:

—Ya, claro.

—¿Te resulta doloroso? ¿Quieres que...?

—Sí.

—Ya me lo figuraba. Sea como sea, no lo sabremos con seguridad hasta que llevemos todo esto al laboratorio, pero a mí y a casi todos nos da la impresión de que el asesino la dejó ahí. Probablemente se acercó con el coche y la arrojó un poco más lejos. Cuando encontremos su coche, entonces será cuando lo tendremos pillado. Ahí dentro tiene que haber sangre, piel, de todo. Esas cosas no se pueden ocultar. Pero ¿una prueba fehaciente de esta escena del crimen? Podemos tener esperanzas, pero yo no contaría con ello.

—Ella asintió de nuevo. Él concluyó—: No estoy diciendo nada que tú no sepas.

—Es verdad.

La detective Barren le devolvió la lista y se quedó mirando las filas de bolsas de plástico esmeradamente alineadas en la parte posterior de la camioneta. En realidad no sabía qué estaba buscando.

—¿Qué es eso? —preguntó señalando una bolsa concreta.

—El último objeto de la lista. Una especie de cartulina amarilla. Se ha encontrado debajo del cadáver.

Teddy se la entregó. Ella la examinó a través del plástico transparente, dándole vueltas una y otra vez, escudriñándola. «¿Qué eres? —se preguntó—. ¿Qué significas? ¿Qué estás intentando decirme? ¿Quién te ha puesto ahí?» De pronto sintió la imperiosa necesidad de sacudir agresivamente aquel trozo de papel, como si pudiera obligarlo a hablar. «Me acordaré de ti —le dijo al papel. Luego recorrió con la mirada todas las pruebas recogidas—. Me acordaré de todos vosotros.»

Se sentía superada por su propia obsesión. Volvió a dejar la bolsa de plástico en el interior de la camioneta.

Se le ocurrió que parecía una tonta; sabía que iba a llevar un tiempo procesar las pruebas, sabía que las posibilidades de encontrar algo de interés eran mínimas. De pronto se sonrojó y se dio media vuelta. Vio a los detectives subiendo a un coche sin marcas. Más allá descubrió a un fotógrafo de la policía, tomando fotos de lejos. La camioneta del forense estaba saliendo de la parte trasera del aparcamiento; los cámaras de televisión estaban en fila, filmando imágenes de la salida. Se sintió abrumada por un sentimiento de impotencia, como si su barniz de policía, cuidadosamente construido, que la había protegido durante toda la mañana, estuviera escurriéndose ahora que aquella multitud de técnicos, detectives y curiosos comenzaba a dispersarse. De súbito se sintió vulnerable, como si lo único que le quedara fueran sus sentimientos. Notó un grito que se le empezaba a formar en el pecho y le subía hacia la garganta; lanzó un fuerte suspiro, dio media vuelta y emprendió el regreso hacia su coche. Al abrir la portezuela sintió la bofetada de calor acumulado en su interior. Se deslizó rápidamente detrás del volante y cerró la portezuela. Permaneció unos instantes inmóvil en el asiento ardiente, dejando que aquel calor se filtrase dentro de su voluntad, y pensó en Susan. Pensó en la pesadilla que había tenido. Sintió deseos de gritarse a sí misma, tal como había hecho en el último tramo del sueño: «¡Despierta! ¡Sálvate!»

Pero no pudo.

La mujer de la floristería había observado de modo peculiar a la detective Barren, y finalmente le preguntó:

—¿Quiere las flores para alguna ocasión o acontecimiento especial? —La detective Barren dudó antes de responder, y la mujer continuó diciendo alegremente—: Si las quiere para una compañera de trabajo o una secretaria, puedo recomendarle uno de estos ramos. ¿Son para un enfermo o una persona inválida? Un ramo así quedaría muy bien. ¿Una persona hospitalizada, quizá? Según nuestra experiencia, a los pacientes de los hospitales les encanta que les regalen plantas, ya sabe, les gusta ver cómo echan raíces y crecen...

—Son para mi amante —dijo la detective Barren.

—Oh —dijo la mujer, ligeramente desinflada.

—¿Ocurre algo?

—No, es que es poco corriente. Por lo general, son los hombres los que entran a comprar flores, normalmente rosas, para sus..., es decir..., compañeras. Esto es un cambio. —Rió—. Hay cosas que no cambian nunca, por mucho que nos modernicemos. Los hombres compran flores a sus amigas y sus esposas, pero no al revés. Entran en la tienda y se quedan más bien con gesto tímido delante del mostrador refrigerado, mirando las flores con ojos como platos, como si esperaran ver una señal, algo que les diga: cómprame para tu mujer. O para tu novia. Y tampoco son hombres jóvenes; por lo visto, los jóvenes de hoy no entienden el valor de unas flores como Dios manda. Hay veces que pienso que nos hemos vuelto demasiado..., no sé cómo expresarlo..., científicos. Quiero decir, a mí me parece que dentro de poco querrán enviar tarjetas de San Valentín escritas por ordenador. Pero siempre son hombres, cariño, no mujeres. No, creo que nunca ha venido una mujer a... —La mujer sintió la mirada de la detective Barren, se interrumpió a mitad de la frase, pensó un instante y después prosiguió—: Oh, cielos. Estoy haciendo el ridículo, ¿verdad?

—Un poco —repuso la detective Barren.

—Oh, cielos —repitió la mujer.

—No pasa nada —la tranquilizó la detective Barren.

—Es usted muy amable —dijo la mujer. La detective observó cómo se apartaba un mechón de cabello gris de la frente y recobraba la compostura—. Voy a empezar otra vez por el principio —dijo—. ¿En qué puedo servirla?

—Quisiera comprar unas flores —contestó la detective Barren.

—¿Para alguien especial?

—Por supuesto.

—Ah, permítame que le sugiera unas rosas. Puede que sean lo menos original de todo lo que aquí tengo, pero nunca fallan. Y le gustan a todo el mundo, lo cual, naturalmente, es el motivo por el que compramos flores.

—Me parece bien —dijo la detective Barren.

—¿Una docena?

—Excelente.

—Las tengo rojas, blancas, rosas... —Se trataba de una pregunta. La detective reflexionó durante unos momentos.

—Rojas y blancas, creo.

—Excelente. Y también querrá un poco de verde alrededor, imagino.

—Quedan preciosas.

—Gracias.

La detective Barren pagó y la mujer le entregó la caja.

—A veces me embalo un poco —dijo la florista.

—¿Perdón? —contestó la detective.

—Verá, termino pasando la mayor parte del día hablando con las flores y las plantas. A veces se me olvida hablar con las personas. Estoy segura de que a su... amigo..., le encantarán.

—Mi amante —corrigió la detective.

Se guardó la caja de flores bajo el brazo e intentó recordar cuántos años llevaba sin visitar la tumba de John Barren.

El aire de principios de septiembre no contenía aún ni la más mínima insinuación del otoño. Pendía pesadamente con el calor residual del verano, y el cielo mentía con un tono azul roto por unas cuantas nubes blancas y enormes; hacía un día para holgazanear regodeándose en los recuerdos de agosto, ignorando la inevitabilidad de enero en el valle Delaware, con sus nieves, su viento frío proveniente del río, sus hielos y sus frecuentes visitas de lo que los nativos llamaban celliscas: una infortunada mezcla de hielo, aguanieve, nieve y lluvia que hacía imposibles las calles por impenetrables, gélidas y resbaladizas. Una de aquellas celliscas, pensó la detective Barren con una sonrisa breve, la sorprendió una vez fuera de casa, con la batería del coche averiada y las botas empapadas. Cuando por fin pudo regresar sintiéndose vacía, helada y sola, se prometió volver a empezar en un lugar donde hiciera calor. Miami.

Dejó las flores sobre el asiento del pasajero del coche alquilado y salió de Lambertville tomando el puente que cruza el río en dirección a New Hope. La localidad, poblada por gentes pintorescas, afectadas y de clase alta, se extendía a uno y otro lado del río; al cabo de unos instantes la ciudad quedó atrás y se encontró conduciendo despacio en mitad de una tibia tarde por una carretera umbrosa, camino del cementerio. En un momento se preguntó por qué la familia se habría mudado a vivir más cerca de Filadelfia, cuando el campo era tan hermoso. De pronto le vino una imagen de su padre, cuando se enteró de su nombramiento en la Universidad de Pensilvania, tomando a su madre en brazos y haciéndola girar como una peonza. Su padre era profesor de matemática teórica y mecánica cuántica; su inteligencia resultaba abrumadora, su conocimiento del mundo brillaba por su ausencia. Sonrió. Su padre no habría entendido en absoluto por qué ella era policía. Habría admirado parte del razonamiento deductivo, parte de las tácticas de investigación, parte de la aparente precisión de la labor policial, pero se habría sentido confuso y consternado por las verdades de esa profesión y por la perenne fricción contra el mal. Desde luego no habría entendido por qué su hija amaba tanto aquel trabajo, aunque sí habría admirado la simplicidad básica de su devoción: que constituía la manera más fácil de hacer un poco el bien en un mundo lleno de (titubeó mentalmente, cosa que le ocurría mucho en los últimos días) canallas que matan a niñas de dieciocho años rebosantes de vida y de bondad y a las que aguardaba un futuro prometedor. La detective Barren siguió conduciendo y el cálido recuerdo de su padre fue desvaneciéndose en las sombras, reemplazado por un bloc de dibujos mental mientras su imaginación intentaba hacer un bosquejo de las facciones del asesino. A punto estuvo de pasar de largo la entrada del cementerio.

Alguien había colocado una banderita estadounidense en la tumba de John Barren, y por un momento no estuvo segura de que le gustase verla allí. Pero luego cedió, pensando: «Si esto les produce satisfacción a los veteranos de guerra de aquí, ¿quién soy yo para oponerme?» «Para eso precisamente son las tumbas y las conmemoraciones —se dijo—, para los vivos.» No pudo mirar la lápida y la hierba marchita que cubría la fosa, e imaginarse a John allí abajo, metido en un ataúd. De pronto contuvo la respiración al acordarse.

«Restos no visibles.»

El ataúd tenía una etiqueta en el asa. Probablemente estaba previsto que la quitaran antes de que ella la viera, pero la vio.

En su rebelde aflicción, se quedó desconcertada al leerla.

«Restos no visibles.»

Al principio pensó, cosa extraña, que aquello quería decir que John estaba desnudo y que el Ejército, en una tonta actitud de pudor masculino, intentaba proteger a todo el mundo contra la vergüenza. Le entraron ganas de decir a los hombres que rodeaban el féretro: No sean tan memos; está claro que nos hemos visto desnudos el uno al otro, y además hemos disfrutado mucho con ello. Fuimos amantes en el instituto, en la universidad, en la noche en que él fue llamado a filas y en las horas antes de que tomase el autobús para recibir el entrenamiento básico, y también constantemente en las dos cortas semanas de permiso que tuvo él antes de partir al extranjero. En el verano, en la costa de Jersey, salíamos furtivamente de casa cuando nuestros padres ya se habían ido a la cama, nos juntábamos a la luz de la luna y retozábamos desnudos entre las dunas.

«Restos no visibles.»

Reflexionó sobre aquellas extrañas palabras. Restos: bueno, se trataba de John. No visibles: eso quería decir que no podía verlo. Se preguntó por qué razón. ¿Qué le habían hecho? Intentó preguntar a alguien, pero descubrió que a la joven esposa de un fallecido no le daban respuestas claras. En lugar de eso, la abrazaron y le dijeron que era mejor así y que había sido la voluntad de Dios y que la guerra era un infierno y no sé cuántas cosas más que, en su opinión, no tenían mucho que ver con el asunto. Empezó a impacientarse y a alterarse cada vez más, con lo cual sólo consiguió que las negaciones de los militares y los varones de la familia resultaran más frustrantes todavía. Por fin, cuando empezó a levantar la voz y a insistir con más agresividad en sus exigencias, sintió que una mano la agarraba con fuerza del brazo. Era el director del funeral, un hombre al que no había visto en ningún momento anterior. Él la miró con intensidad y acto seguido, para sorpresa de su familia, se la llevó a una oficina apartada. Con actitud muy profesional, la sentó en una silla frente a su mesa y se puso a revolver papeles mientras ella esperaba. Finalmente encontró lo que estaba buscando.

—No se lo han dicho, ¿verdad? —le preguntó.

—No —repuso ella. No sabía de qué estaba hablando.

—Lo único que le dijeron es que había muerto, ¿no? —Aquello era cierto. Ella afirmó con la cabeza—. En fin —continuó el director en tono duro, pero de pronto se suavizó—: ¿Está segura de querer saberlo?

«¿Qué es lo que tengo que saber?», se preguntó ella, pero afirmó otra vez:

—Sí, quiero saberlo.

—Muy bien —dijo él. Su voz estaba teñida de tristeza—. El cabo Barren resultó muerto cuando efectuaba una patrulla rutinaria en la provincia de Quang Tri. El hombre que lo acompañaba pisó una mina terrestre. Una grande. Murieron su marido y otros dos.

—Pero ¿por qué no puedo...?

—Porque no ha quedado mucho que ver de él.

—¡Oh!

Se hizo el silencio en el despacho. Ella no supo qué decir.

—Kennedy nos habría sacado de esta guerra —dijo el director del funeral—. Pero tuvimos que matarlo. Creo que fue el único disparo que efectuamos. Mi hijo está allí en estos momentos, y tengo mucho miedo. Tengo la impresión de que cada semana entierro a un muchacho. Lo siento mucho por usted.

—Debe de querer mucho a su hijo —dijo ella.

—Sí. Mucho.

—Él no era un patoso, ¿sabe?

—Perdón, ¿cómo dice?

—John. Era elegante de movimientos, muy buen atleta. Jugaba muy bien al fútbol, al baloncesto y al béisbol. Jamás hubiera pisado una mina.

«Restos no visibles.»

—Hola, amante —dijo. Y sacó las flores de la caja.

La detective Barren se sentó sobre la tumba con la espalda recostada contra la lápida, tapando el nombre de su marido y las fechas de su nacimiento y su muerte. Volvió la mirada hacia el cielo; contempló las nubes que recorrían lentamente el ancho azul con lo que ella consideró que era una admirable ociosidad. Jugó aquel juego infantil de intentar adivinar a qué recordaba la forma de cada nube; vio elefantes, ballenas y rinocerontes. Pensó que Susan sólo habría visto peces y mamíferos acuáticos. Se permitió una agradable fantasía: más allá de las nubes existía un Cielo y John se encontraba en él, esperando a Susan. Aquella idea la consoló en cierta forma, pero sintió brotar las lágrimas. Rápidamente se las enjugó. Estaba sola en el cementerio. Pensó que era afortunada, que su comportamiento era decididamente nada serio ni grave. Percibió una leve brisa que abrió una fisura en el aire caliente y agitó los árboles. Rió, no por humor sino de tristeza, y exclamó en voz alta:

—Oh, Johnny. Tengo casi cuarenta años y tú llevas dieciocho muerto, y todavía te echo muchísimo de menos.

»Supongo que fue Susan, ¿sabes? Tú habías muerto y nació ella, tan pequeña, tan indefensa, tan enfermita. Primero cólicos y luego problemas respiratorios y Dios sabe qué más. Annie se sintió desbordada. Y Ben, bueno, en aquella época acababa de arrancar su negocio y trabajaba todo el tiempo. De modo que la situación me atrapó. Me quedaba despierta toda la noche para que Annie pudiera dormir unas horas. Mecía a Susan en la cuna, la paseaba, arriba y abajo, arriba y abajo. Cuánto lloraba la pobre pequeña, lo mal que lo estaba pasando, todo aquello lo sentía también yo; era como si las dos, al llorar juntas, consiguiéramos sentirnos un poco mejor. Creo que si no hubiera sido por ella, yo no lo habría superado. ¡Fuiste un canalla! ¡No tenías derecho a dejarte matar!

De pronto se detuvo.

Se acordó de una noche en la que ambos estaban acostados juntos, muy apretados en la cama pequeña de John en su habitación de la residencia, cuando él le dijo que había decidido no presentar la solicitud de una prórroga por razones de estudios para incorporarse a filas. No era justo, dijo él; todos los chicos de zonas rurales y de guetos estaban siendo asesinados mientras los hijos de los abogados acudían a selectas universidades de la Ivy League sin correr riesgos. El sistema era injusto, perverso y nada equitativo, y él no pensaba participar en algo perverso. Si lo reclutaban, iría. Si superaba las pruebas físicas, iría. «No te preocupes —dijo—, el Ejército no me quiere; soy un alborotador, un anarquista, un agitador de masas. Sería un soldado penoso. Cuando gritaran ¡a la carga! yo preguntaría dónde y por qué, y cómo es que tenemos que cargar, y por qué no nos reunimos y votamos.» Ambos rieron ante la improbable imagen de un John Barren dirigiendo un debate de grupo o discutiendo si debían cargar contra el enemigo o no, aduciendo los pros y los contras. Pero en el caso de ella, aquella risa escondía un profundo y retorcido temor, y cuando llegó la carta que comenzaba con el saludo del presidente, ella insistió en que se casaran, en la sola idea de que necesitaba llevar su apellido, que era un detalle importante.

—Susan mejoró —dijo la detective Barren—. Se nos antojó una eternidad, pero al final mejoró. Y de repente se convirtió en una niña, y Annie ya era un poco más adulta y se asustaba menos de todo, y el trabajo de Ben dejó de ser tan duro. A mí me pareció adecuado en aquel momento convertirme en tía Merce, porque Susan iba a vivir, y porque también iba a vivir yo. —De improviso, la detective Barren se ahogó en sus recuerdos—. Oh, Johnny, ¡y ahora va no sé quién y la mata! A mi pequeña. Se parecía mucho a ti. Tú también la habrías querido mucho. Era como la hija que hubiéramos tenido nosotros. ¿No suena un poco trillado? No te rías de mí por ser una sentimental; te conozco, tú eras peor que yo. Eras tú el que siempre lloraba en las películas. ¿Te acuerdas de *Whisky y Gloria*, en el ciclo dedicado a Alec Guinnes? Primero vimos *Ladykillers*, y tú insististe en que nos quedáramos a ver la segunda sesión. ¿Te acuerdas? ¿Recuerdas cuando John Mills se pega un tiro y Guinnes enloquece y empieza a ejecutar una marcha fúnebre delante de los demás hombres del comedor de oficiales? Se oían suavemente las gaitas, y a ti te caían unos tremendos lagrimones por la cara, así que no digas que la emotiva soy yo. Y acuérdate en el instituto, cuando Tommy O'Connor no pudo lanzar contra los de St. Brendan y te pasó a ti el balón y tú te lanzaste de cabeza; la cancha entera chillando o conteniendo la respiración, con el campeonato a las puertas, a diez metros de la canasta. Había que marcar, dijiste tú, pero cada vez que yo sacaba el tema te echabas a llorar, so bobo. Ganasteis y eso te hizo llorar. Seguro que Susan hubiera llorado también. Ella lloraba por las ballenas enfermas que van a morir a la playa, por las focas que carecen de sentido común que las lleve a huir de los cazadores y por las aves cubiertas de petróleo. Ésas son las cosas por las que también habrías llorado tú.

La detective Barren hizo una inspiración profunda.

«Estoy loca», pensó.

Hablando con un marido muerto acerca de una sobrina muerta.

«Pero es que han matado a mi amor», se dijo a sí misma.

«Todo mi amor.»

La detective Barren mostró su placa a un agente de uniforme que estaba sentado detrás del mostrador, controlando todas las visitas que llegaban a la oficina del sheriff de Dade County. Tomó el ascensor hasta la tercera planta y se guió por su memoria hasta la división de Homicidios. Allí, una secretaria la hizo esperar en un incómodo sofá de plástico. Miró a su alrededor y observó la misma mezcla de equipamiento de oficina antiguo y moderno. El trabajo de policía tenía algo especial, pensó; aunque las cosas fueran nuevas, perdían su brillo casi de forma instantánea. ¿No habría alguna relación entre la mugre del oficio en sí y el ambiente nunca limpio de las oficinas de la policía? Su mirada fue a posarse en tres fotos que había en la pared: el presidente, el sheriff y un tercer hombre al que no reconoció. Se levantó y se aproximó a la foto del desconocido. Debajo del retrato del individuo en cuestión, sonriente, con un ligero sobrepeso y luciendo una banderita estadounidense en la solapa, había una pequeña placa de bronce que había perdido el lustre. Contenía el nombre de la persona y una inscripción que decía: «Muerto en el cumplimiento del deber», más una fecha de dos años antes.

Se acordaba del caso; fue una detención rutinaria, tras un episodio de violencia doméstica que terminó en homicidio. Un padre borracho y su hijo, en Little Havana. Un asesinato simple, el más fácil de todos los homicidios: cuando llegó la policía, el padre estaba de pie sobre el cadáver, sollozando. Se encontraba tan alterado que los agentes se limitaron a sentarlo en una silla, sin esposarlo. Nadie sospechó que explotaría cuando intentaron llevárselo afuera, que se apoderaría del arma de un policía y la volvería contra ellos. La detective Barren recordaba el funeral, los agentes con el uniforme completo e impecable, la bandera plegada y el saludo con los rifles, muy parecido a lo que ella misma había vivido poco antes. Pero qué manera tan tonta de morir, pensó. Luego, reflexionando de nuevo, se preguntó cuál era una manera útil de morir. Se dio la vuelta cuando entró en la habitación el detective Perry.

—Perdone que la haya hecho esperar —le dijo—. Vamos a mi despacho. —Ella lo acompañó por un pasillo—. En realidad es un cubículo, un espacio de trabajo. Lo cierto es que ya no tenemos despachos de verdad, con puertas. Supongo que es el progreso. —Ella sonrió, y él le indicó una silla—. ¿Y bien?

—Ésa es mi pregunta —replicó ella.

—Está bien. Aquí tiene.

Le entregó una hoja de papel que depositó sobre la mesa. Ella la cogió. Se trataba del dibujo de un hombre de cabello rizado y piel oscura, no mal parecido excepto por los ojos, muy hundidos, que le daban una expresión ligeramente cadavérica. «Aunque no lo bastante para echar atrás a alguien», pensó ella.

—¿Éste es...?

—Lo mejor que tenemos por ahora —la interrumpió él—. Ese retrato ha sido distribuido por toda la ciudad y por todos los campus universitarios. Cuando usted estaba en el funeral se emitió por las cadenas de televisión.

—¿Han tenido alguna reacción?

—La habitual. Todo el mundo cree que es idéntico a su casero, o al vecino que casualmente les debe dinero, o al tipo con el que sale su hija. Pero estamos comprobando todo muy despacio. A lo mejor tenemos suerte.

—¿Qué más?

—Bueno, cada uno de los asesinatos posee ciertos rasgos distintivos, pero si se pone todo sobre la mesa se parecen mucho entre sí. Todas las chicas han sido sacadas de una fiesta de estudiantes, o de un bar, o de una asociación estudiantil, o de la proyección de una película en el campus. Aunque sacar no es la palabra exacta; más bien habría que decir seguir. Nadie ha visto al tipo en cuestión llevarse a la víctima por la fuerza...

—Pero...

—Bueno, no hay peros. Estamos entrevistando gente. Estamos analizando a fondo a toda clase de personas: jardineros, estudiantes, parásitos, intentando dar con alguien que tenga experiencia en todos los campus y que sea lo bastante joven y puesto al día para mezclarse con los demás.

—Eso podría llevar bastante tiempo.

—Tenemos a una docena de agentes trabajando en ello.

La detective Barren reflexionó durante unos instantes. No era exactamente que Perry le estuviera dando evasivas, pero tampoco le estaba contando todo. Además, percibía en él una sensación de seguridad en sí mismo que no cuadraba con una imagen de trabajo de campo, horarios prolongados y frustración. Le daba la impresión de que se estaban riendo de ella. Y también sabía que iba a tener que formular la pregunta apropiada para abrir la puerta adecuada. Pensó unos momentos, y entonces se le ocurrió.

—¿Y las agresiones sexuales?

—¿Perdón? —dijo el detective Perry.

—Lo que me ha dicho hasta ahora es que tienen un poco de esto, un poco de aquello, pero nada que puedan sacar de los homicidios. ¿Y de una violación? Si ese tipo lleva haciendo esto, ¿cuánto?, un año o más, supongo que habrá tenido algún intento fallido, que la habrá cagado más de una vez. Lo habrá sorprendido otro estudiante cuando intentaba raptar a una víctima, algo así, ¿no? Cuénteme.

—Bueno —contestó Perry, alargando la palabra—, es una idea interesante...

—Que no se me ha ocurrido únicamente a mí.

—Bueno... —titubeó él.

—No me venga con chorradas, Perry.

—No es mi intención.

—Entonces responda.

Perry se mostró incómodo. Revolvió algunos papeles más; miró alrededor en busca de ayuda.

—No estaba previsto que tuviera que ser tan franco —reconoció.

—Ya.

—¿Podría dejar de agobiarme? Quiero decir...

—Ni lo sueñe —replicó la detective Barren—. Quiero saberlo.

—De acuerdo, pero no voy a darle demasiados detalles concretos... Dos veces.

Ella asintió y repitió:

—Dos veces.

—Dos veces la ha cagado ese cretino. La última fue la noche anterior a lo de su sobrina. Conseguimos parte de la matrícula y la marca del coche.

—¿Tienen un nombre?

—No puedo decírselo.

La detective Barren se puso en pie.

—Acudiré a su jefe, y también al mío. Acudiré a los periódicos...

Él le indicó que volviera a sentarse.

—Sí, tenemos un nombre. Y le hemos puesto una persona para seguirlo. Y cuando tengamos lo suficiente para obtener una orden judicial, se lo diremos a usted.

—¿Está seguro?

—Seguro no hay nada. Mire, los periódicos no dejan de hablar de este asunto y ya han aparecido muchos detalles en la prensa. De modo que estamos moviéndonos despacio, queremos cerciorarnos de que a ese tipo lo juzguen por asesinato en primer grado, no por intento de agresión sexual. Diablos, queremos pillarlo bien pillado. Y eso nos llevará un tiempo.

—Háganlo como es debido —dijo ella.

El detective Perry sonrió aliviado.

—Eso es lo que supuse que diría. —Ella lo miró—. Bueno, eso es lo que esperaba que dijera. —Se levantó de la silla—. Quiero que ese cabrón entienda lo que son las celdas. La primera celda es la que le estoy preparando yo; se meta donde se meta, yo voy a enterarme. No tendrá modo de escaparse. La segunda va a ser una de dos metros por tres en la «Riviera» de Raiford...

El corredor de la muerte, dedujo la detective Barren, y afirmó con la cabeza.

—Lo estoy siguiendo...

—Y la última ya se imagina usted cuál es.

Ella experimentó una momentánea oleada de satisfacción. Acto seguido se levantó.

—Gracias —dijo.

—¿Quiere estar presente cuando suceda?

—No me lo perdería por nada del mundo.

—De acuerdo. Ya la llamaré.

—Estaré esperando.

Se estrecharon la mano y ella se marchó, hambrienta por primera vez en varios días.

A: Detective Mercedes Barren

DE: Teniente Ted March

Merce: era la marca de una mordedura, pero estaba demasiado desgarrada para fabricar un molde nítido, y por lo tanto no posee mucho valor como prueba. El análisis de la saliva de la muestra tomada en esa zona del cuerpo arroja valores enzimáticos normales, pero debido a los restos de alcohol ha resultado difícil, si no imposible, averiguar el grupo sanguíneo. El tipo debió de tomarse una o dos copas. De todas formas, he enviado toda la muestra nuevamente al laboratorio y les he dicho que la analicen otra vez. Los dos condones recuperados en la escena del crimen contenían diversas muestras de esperma. Ambos estaban considerablemente deteriorados. Aun así, uno era del grupo A positivo, el otro 0 positivo. Están haciendo más análisis. De momento no hay huellas válidas en nada, pero van a probar con el evaluador por láser en las latas de refresco. Ya te mantendré al tanto. De momento parece ser que no hay nada, pero vamos a seguir intentando.

A: Detective Mercedes Barren

DE: Ayudante del Forense Arthur Vaughn

Detective: La causa de la muerte de la fallecida, una mujer blanca de dieciocho años de edad, identificada como Susan Lewis, de Bryn Mawr, Pensilvania, es un trauma masivo en la zona posterior derecha del hueso occipital, unido a asfixia por estrangulamiento con una ligadura de nylon alrededor del cuello. (En el protocolo de la autopsia encontrará una descripción más detallada.) Las muestras tomadas en los genitales han dado negativo. El test de fosfatasas ácidas ha dado negativo.

Detective: debido al golpe en la cabeza, la víctima se hallaba inconsciente cuando sufrió la agresión sexual. Probablemente no llegó a recuperar el conocimiento cuando el asesino la estranguló. Sin embargo, el acto sexual fue *pre mortem*. Pero no se han encontrado signos de eyaculación. Tal vez se deba al uso del preservativo.

Siento muchísimo todo esto. El protocolo de la autopsia responderá a cualquier pregunta que tenga, pero si no fuera así, no dude en llamarme.

La detective Barren se guardó los dos informes en la agenda de bolsillo. Echó un vistazo al protocolo de la autopsia, con su diagrama esquemático y sus varias páginas de descripción del cuerpo de su sobrina, transcrita de la grabadora del forense. Altura. Peso. Cerebro: 1.220 gramos. Corazón: 230 gramos. Estadounidense post-adolescente bien desarrollada. No se han hallado anomalías físicas. La vida reducida a tantos datos y cifras. Ninguna forma de medir la juventud, el entusiasmo ni el futuro. La detective Barren sintió el estómago revuelto y agradeció que el forense, en su compulsiva meticulosidad, hubiera olvidado enviar las diapositivas de la autopsia.

Aquella noche, de camino a casa, la detective Barren se detuvo en una pequeña librería. El dependiente era un hombre de ojos pequeños y brillantes que se frotaba las manos con frecuencia, puntuando lo que decía con movimientos corporales. La detective Barren se dijo que era la perfecta reencarnación del roquero Uriah Heep.

—¿Algo para evadirse? Una novela, supongo, una aventura, o quizás, una historia gótica de terror. Un romance, una de misterio. ¿Qué va a ser?

—La auténtica evasión —dijo la detective Barren— se logra sustituyendo una realidad por otra.

El dependiente reflexionó unos instantes.

—A usted le gusta la no ficción, ¿a que sí?

—No. Puede ser. Es que en este momento no me siento romántica. Pero sí quiero algo que me distraiga.

Salió con dos libros: una historia de la campaña británica en las Malvinas y una nueva traducción de la *Orestiada* de Esquilo. Calle abajo había una tienda del *gourmet*, y se dio el capricho de comprarse una ensalada de pasta y una botella de lo que el dependiente le aseguró que era un excelente *chardonnay* de California. Iba a cenar bien, pensó, y después leería un poco. Aquella noche había en televisión un partido de fútbol americano, que podría ver hasta quedarse dormida. Aquélla era una pasión secreta. Sonrió para sí; ante sus compañeros de trabajo no dejaba ver su entusiasmo. Ya se sentían bastante amenazados por la competencia femenina que ejercía ella. Si además intentara usurparles su deporte... Así que lo disfrutaba en privado, comprando entradas para ella sola, sentándose en las gradas al fondo del estadio, o bien quedándose en casa y tumbándose a solas delante del televisor. A lo mejor su única concesión a su condición femenina era el vino blanco servido en una copa de cristal tallado y de pie largo, en lugar de la lata de cerveza. Pero eso sí, se vestía para la ocasión. Si jugaban los Dolphins, se ponía la camiseta anaranjada y azul y veía el partido con las manos sudorosas, como cualquier macho entusiasta. Admitía cierto grado de estupidez en su comportamiento, pero se dijo que con ello no hacía daño a nadie y que así se sentía cómoda. Pensó en Susan, que vino de visita un domingo, el año anterior, y se quedó casi boquiabierta de asombro al ver a su tía la detective Barren maldiciendo de cuando en cuando, incapaz de quedarse quieta en su asiento, paseando angustiada por el salón de su apartamento, encontrando alivio tan sólo cuando los Dolphins marcaron un gol de cuarenta y nueve metros en los últimos segundos del partido. La detective Barren sonrió al recordarlo.

—Si ellos supieran... —dijo Susan en aquella ocasión.

—¡Chist! Es un secreto —replicó su tía—. No se lo digas a nadie.

—Oh, tía Merce —dijo Susan por fin—, ¿por qué nunca sé qué pensar de ti? —Entonces se abrazaron—. Pero ¿por qué el fútbol? ¿Por qué los deportes? —persistió su sobrina.

—Porque todos necesitamos tener victorias en nuestra vida —contestó la detective Barren.

3

Varias veces a lo largo de los días siguientes Mercedes Barren luchó contra el impulso de telefonear a los detectives de Homicidios del condado. Mientras se dedicaba a sus propias tareas: procesar otros delitos, trabajar con las pruebas, reprodujo mentalmente lo que estaba ocurriendo. Vio a la persona que seguía al asesino, actuando como una silenciosa sombra de todos sus movimientos mientras otros detectives intentaban dar con su paradero y empezaban a enseñar su foto a diversos testigos, juntando todas las piezas de un caso criminal.

Unos diez días después del asesinato de Susan, la detective Barren se encontraba en la silla de los testigos de un tribunal, por un caso de homicidio; a partir de los casquillos de bala hallados en el interior de la casa en la que habían sido acribillados un traficante de drogas y su novia, la detective había reconstruido el delito en su totalidad. Su testimonio era importante, pero no crucial; a consecuencia de ello, su examen por parte del carísimo abogado del asesino era más un acoso que una crítica feroz. Sabía que no podían debilitarla en cuanto a los datos; no obstante, estaba esforzándose mucho para no permitir que el abogado confundiera al jurado de tal manera que lo que ella dijese perdiera efecto.

Oyó al abogado formular cansinamente otra pregunta más:

—Así que, debido a que los casquillos de bala fueron hallados aquí, usted llegó a la conclusión de que el asesino estaba... ¿dónde?

—Si observa el diagrama, marcado por el Estado como la prueba número doce, verá que los casquillos se encontraron a unos sesenta centímetros de la puerta del dormitorio. Una Browning de nueve milímetros lanza los casquillos a intervalos constantes. Por lo tanto, se puede precisar con bastante certeza científica el lugar en el que se hallaba la persona que efectuó los disparos.

—¿No pudieron rodar?

—La alfombra que hay en esa parte de la habitación tiene un grosor de cinco centímetros, abogado.

—¿La midió usted?

—Sí.

El abogado consultó sus notas. La detective Barren clavó los ojos en el acusado. Éste era un inmigrante colombiano, de baja estatura y con mucho pelo, carente de estudios salvo en métodos y modos de matar. Sería condenado, pensó, y dentro de treinta segundos llegaría otro en el próximo vuelo de Avianca para ocupar su lugar. Los asesinos eran los pañuelos de usar y tirar de la industria de las drogas; se utilizaban unas cuantas veces y después se arrojaban a un lado sin contemplaciones.

Su mirada continuó más allá del acusado y se posó en el teniente Burns, que en ese momento entraba por el fondo de la sala. Por un instante lo relacionó con el asesino que estaba siendo juzgado, pero entonces lo vio hacer disimuladamente el gesto de pulgares arriba.

Y su imaginación dio un vuelco.

Observó cómo el teniente se acercaba caminando por el pasillo central de la sala y se inclinaba sobre la barrera para susurrar unas palabras al oído del fiscal, un individuo con expresión aburrida que de pronto se enderezó, se giró y a continuación se puso de pie.

La detective Barren miró al teniente, el cual le sonrió; pero fue sólo una expresión leve, un ligerísimo gesto de la comisura de los labios.

—Señoría —dijo el joven fiscal—, ¿podemos acercarnos al estrado?

—¿Es importante? —preguntó el juez.

—Pienso que sí —contestó el fiscal.

El abogado defensor, la estenógrafa del tribunal y el fiscal rodearon el estrado y se situaron al lado de juez para que el jurado no pudiera oírlos. Conversaron unos momentos y luego regresaron a sus asientos. El juez se volvió hacia el jurado.

—Vamos a hacer un breve receso, y después continuaremos con otro testigo. —Miró a la detective Barren—. Detective, por lo visto requieren sus servicios en otra parte. Podrá ser llamada de nuevo, así que no olvide que aún se encuentra bajo juramento. —La detective Barren asintió y tragó saliva; el juez frunció el ceño—.

Detective, la estenógrafa no puede registrar por escrito un gesto de asentimiento.

—Sí, señoría. Continúo bajo juramento. Lo he entendido.

La detective Barren y el teniente se apresuraron a salir de la sala. Tras atravesar una puerta de salida y pasar por un detector de metales, el teniente dijo:

—Hace aproximadamente noventa minutos han cazado a ese cabrón. Está en Homicidios, siendo interrogado. Ahora están registrando la casa y el coche. La orden judicial se ha emitido por fin esta mañana. Hasta es posible que tú misma te hayas topado con ella al venir hacia el juzgado. Hemos intentado dar contigo, pero estabas declarando. Así que he decidido venir a buscarte en persona.

La detective Barren afirmó con la cabeza.

Ambos corrieron al exterior del edificio. Era otoño en Florida, una sutil disminución del calor opresivo del verano. Una brisa suave hacía ondear las banderas de la fachada de los juzgados.

—¿Por qué lo han detenido? —quiso saber la detective.

—El tipo que lo seguía lo vio anoche en una tienda de veinticuatro horas, comprando dos pares de medias de mujer. Las guardó en una taquilla de la Universidad de Miami, junto con un martillo de bola.

—¿Quién es?

—Un tipo raro, y además extranjero. Es una especie de árabe. Como un estudiante profesional, me han dicho. Ha hecho cursos por todas partes. Y también se ha inscrito con un puñado de nombres distintos. Pronto sabremos más. —El teniente hizo una pausa junto a la portezuela de un monovolumen sin marcas—. ¿Deseas presenciar el interrogatorio o el registro de la casa?

Ella reflexionó unos instantes.

—Vamos a pasarnos por la casa, y después vamos a Homicidios.

—Como prefieras.

La ciudad fue pasando por el parabrisas mientras se dirigían en el coche a la vivienda del sospechoso. El teniente condujo deprisa, sin hablar. La detective Barren intentó hacerse una imagen del sospechoso en la cabeza, pero no pudo. Se reprendió a sí misma; el trabajo policial requería sacar sospechas y conclusiones basándose en hechos. Ella no sabía nada de aquel hombre, se dijo. «Espera. Absorbe. Recopila. Así es como llegarás a conocerlo.» El teniente aminoró la velocidad y tomó una salida en dirección al aeropuerto.

A unas cuantas manzanas del mismo, giró y se metió por una calle de aspecto anodino. Era una área de viviendas pequeñas y de color ceniciento, en las que vivían sobre todo familias latinas y de raza negra. Muchas casas estaban rodeadas por vallas metálicas y protegidas por grandes perros tras ellas. Aquello era cosa normal en la ciudad. Los canes más grandes vivían en las zonas del extrarradio, las barriadas obreras tan vulnerables a los robos, en las que el marido y la mujer tenían que salir a trabajar. Las viviendas estaban ligeramente retiradas de la calle, pero sin setos. La calle estaba desprovista de árboles, incluso de las palmeras que parecía haber por todas partes. A la detective Barren le resultó un lugar singular por lo poco acogedor; seguramente en verano el calor convertía la calle entera en un único espacio abrasador e insistentemente polvoriento en el que las tensiones y la cólera sin duda proliferaban con la misma intensidad que las bacterias.

Al final de la calle vio varios coches de policía alineados alrededor de la última de aquellas viviendas de color pardo. Había una camioneta de la brigada canina. El teniente la señaló con la mano.

—Parece ser que ese tipo tenía un fiel doberman. Uno de los de las brigadas especiales ha tenido que pegarle un tiro.

En ese momento les dio un susto de muerte un avión que pasó por encima de ellos con los alerones y el tren de aterrizaje bajados, ahogando en su ruidoso estruendo todo lo que el teniente se disponía a añadir. La detective Barren se dijo que si ella tuviera que oír aquel ruido frecuentemente, también se habría convertido en una asesina.

Aparcaron el coche y se abrieron paso por entre un reducido grupo de curiosos que contemplaban en silencio la escena. La detective Barren vio a un par de policías de Homicidios conocidos trabajando con los vecinos, cerciorándose de obtener cualquier pista viable antes de que se les echara encima la prensa. Saludó con la cabeza al jefe del equipo que estaba registrando la casa; era un ex policía de tráfico, no muy distinto de lo que era ella, que ya había trabajado con una identidad falsa en demasiadas ocasiones. En uno de sus últimos casos había habido un problema más bien singular acerca de un dinero procedente de la droga que se había confiscado en una redada. Cien mil dólares en billetes de veinte y de cien, además de un kilo de cocaína. Los acusados eran dos estudiantes universitarios del Nordeste; cuando tuvo lugar la redada habían dicho a asuntos internos que tenían más de un cuarto de millón en efectivo, lo cual dejaba unos ciento cincuenta mil dólares sin justificar. Una difícil situación que acabó con el traslado del policía y la imposición de condenas notablemente rebajadas a los dos estudiantes. El dinero no se recuperó jamás. La detective Barren se había negado rotundamente a extraer la conclusión obvia y prefirió creer que alguien había mentido y esperaba que no fuera el policía. Aun así, al acercarse a él pensó que era un detective sumamente competente, y se sintió extrañamente aliviada en cierto modo.

—¿Cómo te va, Fred? —le dijo.

—Bien, Merce. ¿Y a ti?

—Bien, supongo.

—Siento mucho la razón por la que estás aquí.

—Gracias, Fred. Te agradezco que me lo digas.

—Éste es el cabrón, Merce. Frío como una piedra. No tienes más que entrar, y lo notarás.

—Eso espero.

Él le sostuvo la puerta abierta para que pasara. Hacía fresco dentro de la pequeña vivienda. Se oía el fuerte ruido del aire acondicionado; probablemente lo habían encendido los policías, se dijo. Aun así, sintió un escalofrío y dudó que se debiera al súbito cambio de temperatura.

A primera vista la casa parecía la típica de un estudiante. Las estanterías para libros estaban hechas de ladrillos de ceniza y tableros de pino, y soportaban filas y filas de volúmenes en rústica que pugnaban por hacerse sitio. El mobiliario se veía modesto y austero: un sofá cubierto con una descolorida manta india para ocultar un desgarrón en la tela, un par de sillones tapados con un plástico, una gastada mesa de madera marrón llena de quemaduras de cigarrillos. En las paredes había carteles turísticos de Suiza, Irlanda y Canadá, todos con fotos de bucólicos paisajes de un verde exuberante. La detective Barren lo registró todo en su cerebro, pero hasta el momento pensó que no aportaba nada.

—Bastante corriente, ¿no crees?

Se giró hacia la voz.

—Fred, enséñame algo que sea interesante.

—Es que tienes que fijarte un poco más. Observa la máquina de escribir.

Sobre la mesa marrón había una máquina de escribir con una hoja de papel en el carro. La detective se acercó y leyó lo que había escrito:

impuro impuro impuro impuro impuro impuro impuro impuro impuro

impuro impuro impuro impuro impuro impuro impuro impuro impuro

Dios Dios Dios Dios Dios Dios Dios Dios Dios Dios Dios Dios Dios

Dios Dios

Matar

He de lavar el mundo

—También hemos encontrado su caja de trofeos.

—¿Su qué?

—Su caja de trofeos.

—No ent...

—Perdóname, Merce, se me había olvidado de dónde vienes. —El detective hizo una pausa—. Por lo visto, este tipo guardaba cosas de sus víctimas, o por lo menos de algunas de ellas. En el armario había una caja de zapatos con un manojo de recortes de periódico acerca de todos los asesinatos, hasta el de tu sobrina. También había varios pendientes y una o dos sortijas. Vamos a ver, un zapato de mujer y unas bragas con manchas de sangre.

Pensó un instante.

—Es la típica caja que nosotros siempre rezamos para encontrar en estos casos. No sé si ahí dentro habrá algo que relacione a ese tipo sin duda alguna con todos los asesinatos, pero hay objetos suficientes para relacionarlo con alguno. Y eso quiere decir que está pillado por los cojones.

Ella lo miró.

—Eso espero.

—Créetelo. No hay ninguna duda. Lo jodido es que estoy seguro de que hay un par de delitos que ha cometido este cabrón de los que nosotros no tenemos noticia siquiera.

La rodeó con el brazo y echó a andar hacia la salida.

—No te preocupes. Este registro es legal. Y ahí están las pruebas. Lo más probable es que este tipo esté ya eludiendo toda responsabilidad. Lo único que debe preocuparnos es esa nota tan rara. Seguro que es un pirado. ¿Por qué no vas a verlo por ti misma?

—Gracias, Fred.

—No pienses en ello. No dudes en llamarme, a la hora que sea, si necesitas saber cualquier cosa.

—Te lo agradezco. Ya me siento mejor.

—Genial.

Pero no era verdad.

Se volvió hacia el teniente Burns, que la estaba aguardando fuera.

—Quiero ver a ese individuo. En persona.

Y se alejó de la casa sin mirar atrás.

En la oficina de Homicidios del condado, ella y el teniente Burns fueron acompañados a una estancia tenuemente iluminada en la que había un espejo bidireccional que daba a otra habitación. Estrechó la mano a varios policías más que estaban reunidos observando el interrogatorio en la estancia contigua. En un rincón había un hombre manejando una grabadora. Nadie dijo nada. Por un momento aquella escena le recordó los cientos de películas y series de televisión que había visto. Alguien le ofreció una silla y le dijo en voz baja:

—Sigue negándolo todo, y parece fuerte. Llevan ya dos horas con él. Yo le doy tal vez cinco minutos más, o cinco horas más. Resulta difícil de saber.

—¿Ha pedido un abogado? —inquirió ella.

—Todavía no. De momento, todo bien.

La detective Barren pensó en la nota escrita a máquina.

—¿Tiene antecedentes?

Hizo la pregunta al tiempo que miraba al sospechoso por primera vez. Era un hombre de baja estatura, musculoso, dotado de una constitución muy fuerte, como un boxeador o un luchador de peso ligero. Tenía el cabello negro y ondulado y unos ojos azul brillante, una combinación que a la detective Barren le resultó extrañamente inquietante. Le parecía que estaba en tensión; se fijó en cómo se le contraían los músculos del brazo. Pensó lo potente que debía de ser aquel brazo, y de repente visualizó el golpe corto y tajante del martillo, un instantáneo estallido blanco de dolor en medio de la nada oscura.

—Es un tipo extraño. Hace un minuto citó el Corán. Escucha.

La detective Barren se concentró en los tres hombres que se

encontraban en la sala de interrogatorios. El detective Moore se encargaba de hacer las preguntas mientras que el detective Perry permanecía sentado y tomaba notas, pero la mayor parte del tiempo taladraba al sospechoso con una mirada dura e imperturbable, siguiendo con los ojos cada uno de los movimientos que realizaba éste, entornándolos mientras el interrogado pontificaba, se evadía o se salía por la tangente, entrecerrándolos con una expresión de amenaza y de maldad como si la falta de sinceridad lo estuviera poniendo furioso hasta el punto de llegar a la violencia. Cada vez que el detective se revolvía en su silla, el sospechoso se movía con inquietud. La detective Barren opinaba que era una actuación magistral.

—Dígame por qué compró las medias.

—Eran un regalo.

—¿Para quién?

—Para alguien de casa.

—¿Dónde está su casa?

—En el Líbano.

—¿Y el martillo?

—Para arreglar el coche.

—¿Dónde estuvo usted el ocho de septiembre?

—En casa.

—¿Lo vio alguien?

—Vivo solo.

—¿Por qué mató a todas esas chicas?

—Yo no he matado a nadie.

—Entonces, ¿cómo es que hemos encontrado en su casa un pendiente que pertenece a una joven llamada Lisa Williams? ¿Y qué me dice de unas bragas de color rosa manchadas de sangre, iguales que las que llevaba puestas Andrea Thomas cuando un cabrón la raptó del campus de Miami-Dade? ¿También eran para un regalo? Además, ha estado muy entretenido sacando recortes de los periódicos, ¿eh? Le gusta guardar artículos de periódicos, ¿no?

—¡Esas cosas son mías! ¡Son especiales! ¡No tenían derecho a tocarlas! ¡Exijo que me las devuelvan!

—Mira, hijo de puta, tú no puedes exigir nada.

—Usted es un demonio.

—Sí, puede ser, así que te veré a ti en el infierno.

—¡Jamás! Yo soy un verdadero creyente.

—¿Qué? ¿Uno que cree en el asesinato?

—En el mundo hay personas impuras.

—¿Las chicas jóvenes?

—Sobre todo las chicas jóvenes.

—¿Por qué son impuras las chicas jóvenes?

—¡Ja! Lo sabe de sobra.

—Dímelo de todas formas.

—No. Usted también es impuro. ¡Infiel!

—¿Sólo yo, o todos los policías?

—Los policías, todos los policías.

—Te gustaría pegarme un tiro, ¿verdad?

—Usted es un infiel. El Libro me dice que es santo matar a un infiel. El Profeta dice que es el camino que lleva al paraíso.

—Ya, bueno, pues el sitio al que vas a ir tú, amigo, no se parece mucho al paraíso.

—No significa nada. Es tan sólo la carne.

—Háblame de la carne.

—La carne es el mal. La pureza proviene del pensamiento.

—¿Y qué hay que hacer con la malvada carne?

—Destruirla.

—¿Cuántas veces has hecho eso?

—En mi corazón, muchas.

—¿Y con las manos?

—Esto es entre mi maestro y yo.

—¿Quién es tu maestro?

—Tenemos un único maestro, que reside en el jardín.

—¿Cómo lo sabes?

—Él habla conmigo.

—¿Con frecuencia?

—Cuando él lo ordena, yo le escucho.

—¿Y qué dice?

—Instrúyete en el estilo de vida del infiel. Aprende sus costumbres. Prepárate para la guerra santa.

—¿Cuándo empieza la guerra santa?

El sospechoso lanzó una sonora carcajada; se echó hacia atrás en su silla y abrió mucho la boca, dejando que sus gruñidos y sus resoplidos llenaran toda la estancia. Comenzaron a rodarle lágrimas por las mejillas. Siguió riendo por espacio de varios minutos sin que lo interrumpieran los detectives. La detective Barren escuchó las risotadas y tuvo la sensación de que le acuchillaban el corazón. Por fin el sospechoso se fue calmando poco a poco, hasta terminar por emitir alguna que otra risita ocasional. Entonces miró directamente al detective Perry y dijo en un tono de voz sereno, terrorífico:

—Ya ha empezado.

De repente Perry se levantó de la silla, se echó hacia delante y descargó ambos puños sobre la mesa que lo separaba del sospechoso. El ruido que hizo fue igual que un disparo, y la detective Barren vio que los hombres que la acompañaban se ponían rígidos.

—Una guerra contra las chicas jóvenes, ¿no es eso? ¿Y follarlas formaba parte del plan de batalla?

El sospechoso se quedó petrificado, mirando al detective.

Se hizo el silencio.

Cuando habló, lo hizo muy despacio, amenazante.

—Yo no sé nada de esas mujeres impuras.

Señaló al detective con un dedo.

—No pienso hablar más con usted.

De pronto el dedo cayó sobre un papel que el sospechoso tenía frente a sí. La detective Barren sabía que era un impreso de derechos constitucionales. El sospechoso comenzó a tamborilear con los dedos encima de él.

—No tengo por qué hablar con usted...

El dedo que tamborileaba sonaba igual que el tiroteo de una pistola de pequeño calibre.

—Quiero que esté presente un abogado.

El repiqueteo cobró intensidad.

—Nómbreme uno...

Los dedos se curvaron en un puño y golpearon la mesa.

—Conozco mis derechos. Conozco mis derechos. Conozco mis derechos. Conozco mis derechos. Conozco mis derechos.

Los dos detectives se pusieron en pie mirando malévolamente al preso.

—No me dan miedo —dijo él—. Dios está conmigo, y no temo en absoluto la justicia de ustedes, infieles. ¡Tráiganme a un abogado para que pueda hacer uso de mis derechos! ¡Para que pueda disfrutar de mis derechos! ¿Es que no me oyen? ¡Sadegh Rhotzbadegh requiere un abogado!

Los dos detectives salieron de la sala.

—¡Soy un verdadero creyente! —gritó él—. ¡Un verdadero creyente!

El sospechoso vio cómo se iban. A continuación se volvió hacia el espejo y levantó el dedo medio. La grabadora que funcionaba en silencio en el rincón captó otra carcajada, larga y estridente, antes de que la desconectara un policía que juró para sus adentros. La detective Barren se levantó y suspiró. «Por lo menos —se dijo—, el hombre que había matado a Susan resultaba fácil de odiar.» Y aquel pensamiento la consoló.

El tiempo transcurría alrededor de los sentimientos de la detective Barren.

Reanudó sus actividades cotidianas y desterró la detención del estudiante libanés a un lugar de prominencia disminuida. Lo pasó mal el día en que fue a la habitación de Susan en el campus a recoger todos los libros, los papeles y la ropa para enviárselos a su hermana. Se encontró con una carta de amor a medio terminar, dirigida a un muchacho llamado Jimmy, al cual no había conocido nunca, que estaba llena de la mezcla de efusiones típica de una jovencita que está dejando rápidamente atrás su infancia. Leyó la carta y la relacionó con un chico alto y desgarbado al que había visto en la iglesia durante el funeral, de pie al fondo, con actitud tímida, y después en el entierro, apartado a un lado, inseguro de cuál era su posición en medio de aquel dolor; sintiéndose violento, pensó la detective, igual que se había sentido ella en otra ocasión, ante la idea de estar viva, y horrorizada por la incómoda sensación de alivio que inunda a los jóvenes en los momentos de la muerte, como diciendo: Por lo menos mi vida continúa. La detective Barren leyó: «... No puedo esperar a que pase el año. A mitad del trimestre vamos a ir a las Bahamas a realizar un trabajo de laboratorio de una semana. Tomaremos el barco de investigación y pasaremos una semana bajo el agua. Ojalá pudieras estar aquí para compartirlo conmigo. Pienso en esas últimas noches y en lo que hemos compartido...» La detective Barren sonrió. ¿Qué habrían compartido? Durante unos instantes de perplejidad abrigó la esperanza de que su sobrina hubiera llegado a conocer la pasión y el abandono auténticos, que se hubiera entregado plenamente al deseo. Ello mitigaría en cierto grado la violación que vivió en sus últimos momentos.

Después apartó la carta a un lado. Por alguna razón, le pareció que el hecho de leerla era injusto. Pero experimentó un placer momentáneo, como si durante el más breve de los instantes Susan hubiera sido, si no resucitada, al menos restaurada. Aquello le provocó un profundo sentimiento de culpa, de modo que se dedicó a empaquetar y dejó a un lado la carta y otras pocas cosas parecidas para entregárselas al muchacho desgarbado.

«Mantente ocupada», se dijo a sí misma.

Diez días después de la detención de Sadegh Rhotzbadegh llamó al detective Perry, de Homicidios del condado. Era la tarde de un martes, el día en que solía reunirse el gran jurado. Él se puso al teléfono enseguida y habló en tono de disculpa.

—Merce, perdona que no te haya llamado, es que he estado de lo más liado...

—No tiene importancia —repuso ella—. ¿Has ido hoy al gran jurado?

—Pues sí y no.

—Explícame eso.

—Pues sí, hemos ido al gran jurado y sí, esperamos tener hoy mismo la acusación de asesinato en primer grado. Pero no en el caso de Susan ni en otro más.

—No lo entiendo.

—Verás, el *modus operandi* es el mismo en los cinco homicidios de Dade y en uno del condado de Broward, en el centro de educación superior. El acusado estuvo haciendo allí un curso de técnico electricista. Sea como sea, en su casa tenía recortes de periódico de los seis asesinatos. Su grupo sanguíneo coincide con el de una de las muestras de semen halladas cerca del cadáver de Susan, pero con la otra no. Y luego está la cuestión de la edad en la muestra que sí coincide. El grupo sanguíneo de ese tipo es muy común, y no ha sido posible concretarlo mucho más. Lo más que ha podido hacer el laboratorio ha sido clasificarlo en una categoría del percentil veinticinco.

—¿No han podido eliminar nada más?

—No. Lo mismo que en el caso de Broward.

—¿Y?

—En uno de los otros casos de Dade no hay nada, sólo los recortes de prensa.

—¿Y?

—Bueno, la conclusión es que lo relacionamos con tres de los seis homicidios gracias a la bisutería, a la ropa interior descubierta en su casa, a un zapato que sabe Dios por qué se lo quedó. Aunque relacionar no es la palabra adecuada; más bien hay que decir que lo tenemos bien cogido. De modo que significa que: resolvemos todos los casos, pero tenemos sólo tres acusaciones. Claro, podemos introducir pruebas de los otros si se llega a la fase de la pena de muerte, pero eso será más adelante.

La detective Barren permaneció en silencio, pensativa.

—Merce, lo siento mucho. De lo que se trata es de que ese tipo sea castigado. Puede que se le imponga la pena de muerte. ¿No es eso lo que cuenta?

—No os rindáis —dijo ella.

—¿Qué?

—¿Qué me dices del coche?

—Estaba limpio excepto por un pendiente que encontramos.

La detective Barren hizo ademán de ir a decir algo, pero se vio interrumpida.

—... No, ya sé lo que estás pensando. Pertenecía a una de las otras chicas. No hemos encontrado la pareja del pendiente hallado junto al cadáver de Susan. Si pudiéramos, la verdad, sería genial.

—No os rindáis.

—Merce, no vamos a rendirnos. Vamos a seguir con ello. Pero ya sabes cómo funciona esto. Tengo que justificar mano de obra y horas de trabajo ante mis superiores. Han dado el caso por resuelto. Vamos a obtener una condena. Ese tipo ya es historia. Mi burocracia no es muy distinta de la tuya.

—Maldita sea —dijo ella.

—No te lo reprocho.

—Me siento estafada.

—No lo mires de esa forma. Piensa en las personas que cometen un asesinato y salen impunes. Vamos, Merce, tú sabes lo insólito que es que consigamos detener a un asesino aleatorio como ese tipo. Deberías quedarte satisfecha con verlo metido en la cárcel por los casos que hemos podido asegurar.

—¿Nunca ha sido detenido?

—Qué va. Es demasiado listo para eso. De hecho, uno de los cursos que hizo en la universidad fue de derecho constitucional.

—No será...

—Ni de lejos. Quiero decir, estoy seguro de que alegarán que es un desequilibrado mental, y he de admitir que ese tipo no está jugando con una baraja completa; más bien parece que ha mezclado un par de barajas. Me refiero a que está claro que no se encuentra del todo en sus cabales. Pero aunque Alá le hubiera susurrado al oído que asesinara a esas chicas, seguro que no le ordenó que las violara también. No es así como funciona Alá, ni siquiera en sus peores tiempos. Y es seguro que tampoco funciona así un esquizofrénico paranoide.

Ambos guardaron unos instantes de silencio.

La detective Barren se sentía incómoda, como si de repente hubiera aumentado la temperatura de la habitación. Oyó la voz del detective Perry por la línea.

—Mira, Merce, no dudes en llamar. Si tenemos algo más, te lo comunicaré.

Ella le dio las gracias y colgó el teléfono.

Resultaba completamente injusto e irrazonable cómo funcionaba el sistema judicial. Se odió a sí misma por conocer tan bien las negociaciones y los métodos para ahorrar dinero que marcaba el sistema legal.

El hecho de que lo que le había sucedido a Susan fuera completamente comprensible desde el punto de vista de un policía la enfurecía todavía más. Se sentía escandalizada consigo misma por entenderlo.

Aquella noche no pudo dormir. Vio todos los programas de televisión de entrevistas y por fin leyó a Esquilo hasta que amaneció, momento en el que, cuando las primeras luces del alba se filtraron en su apartamento, cambió dicha lectura por las primeras *stanzas* de la *Odisea*, pero ni siquiera los clásicos lograron serenarla. Aquel día fue temprano al trabajo y salió muy tarde, pasó la jornada trabajando con fervor en tareas de oficina, rehaciendo informes, análisis y reconstrucciones de escenas de crímenes, dejándolo todo redactado lo más perfecto posible hasta que, por fin, otra vez mucho después de hacerse de noche, se fue a casa, se quedó en camiseta y ropa interior, puso en el suelo la almohada y una manta y se echó a dormir sobre el parqué, pensando todo el tiempo en que no quería conocer el consuelo.

La envolvió un tiempo líquido. Se sentía como si todos sus sentimientos hubieran sido puestos en modo de espera mientras aguardaba alguna resolución acerca de la muerte de Susan. Tras anunciarse el procesamiento por tres asesinatos en primer grado, la detective Barren fue a la oficina del fiscal del Estado a ver al jefe de procesamiento de homicidios y recordarle, mediante su presencia, que aunque el estudiante libanés no había sido acusado de la muerte de Susan, sí era responsable de la misma. La detective asistía a todas las vistas judiciales, a todas las reuniones celebradas por los dos jóvenes fiscales asignados a dichos casos. Revisaba el conjunto de las pruebas, las estudiaba y después volvía a revisarlas. Intentaba prever puntos débiles que podrían ser explotados por los abogados de oficio encargados de defender a Sadegh Rhotzbadegh. Enviaba informes a los fiscales en los que exponía todas sus opiniones, y después hacía un seguimiento de los mismos con una visita o por lo menos una llamada telefónica, hasta que quedaba convencida de que estaba cerrada la laguna que se percibía en el caso. Sabía que a ellos su conducta les resultaba irritante, sobre todo por la pedantería con la que trataba cada aspecto del caso; pero también había visto demasiados casos perderse debido a la falta de vigor por parte de la acusación o a la falta de previsión, y estaba decidida a no consentir que sucediera tal cosa.

Y cuando ya sentía agotadas la mente y la memoria en la constante revisión de las pruebas, iba a la cárcel del condado, en la cual el estudiante libanés ocupaba una celda individual del ala de máxima seguridad, una vez traspuestos los sistemas de cierre electrónicos, al final de pasillos que se habían vuelto grises debido a los delitos cometidos por los hombres, más allá de los detectores de metales y de un letrero que declaraba: LA ENTRADA EN EL ALA OESTE DE PERSONAS NO AUTORIZADAS SERÁ PERSEGUIDA POR LA LEY. Una vez en el pasillo que se extendía frente a la celda del estudiante libanés, acercaba una silla y se limitaba a observarlo. La primera vez que lo hizo, el libanés se echó a reír y le gritó una serie de obscenidades. Al ver que aquello no le alteraba el semblante, hizo exhibicionismo. Llegado un momento asió los barrotes de la celda y se puso a escupir, rabiar e intentar tocarla. Sin embargo, al final terminó por acobardarse y corrió a esconderse detrás del retrete, y sólo asomó la cabeza de vez en cuando para ver si la detective seguía estando allí. Ella tenía cuidado de no hablar con él en ningún momento, ni de escuchar lo que pudiera decir; dejaba que la fuerza de su silencio lo llenase, eso esperaba, de miedo.

No habló con nadie de sus visitas clandestinas. Y el personal de la cárcel, plenamente enterado de sus motivos, nunca registró sus entradas y salidas en ningún impreso oficial. Era, en palabras del capitán de la unidad de seguridad, lo menos que podían hacer.

Asistió a la vista en la que se analizaron las pruebas, cuando la defensa intentó suprimir los objetos hallados en la casa del estudiante. Ella se sentó en la primera fila, con los ojos clavados en la espalda del libanés. Sabía que él notaba aquella mirada, y sintió una gran satisfacción cuando lo vio agitarse en su asiento y girar la cabeza de vez en cuando para mirarla. Las pruebas no se suprimieron. Ella susurró: «esto va bien» a su amigo Fred, el detective del condado, cuando éste finalizó su testimonio. «Es pan comido», le susurró él a su vez al tiempo que salía de la sala con paso firme.

Asistió a una vista sobre la competencia mental de Sadegh Rhotzbadegh. Oyó a los abogados de la defensa argüir que su cliente estaba descompensado debido al fuerte estrés, lo cual, para gran satisfacción suya, el juez dijo que era un estado normal en alguien que se enfrenta a la pena de muerte.

Pasaron los meses. Llegó el invierno de Miami. La luz diurna pareció recuperar una nueva claridad, habiendo perdido el lastre del duro calor tropical. Por las noches la detective Barren se sentaba en el porche y dejaba que el aire fresco la inundara igual que un baño. Pensaba en pocas cosas, salvo el próximo juicio; su único placer o liberación de la concentración en el caso los encontraba cuando acudía al antiguo estadio Orange Bowl, llevando en la mano su entrada para la zona del extremo del campo, y se dedicaba a patalear, vitorear y agitar un pañuelo blanco contra el enemigo mientras los Dolphins jugaban según lo previsto. Cuando perdieron el partido que puntuaba para el campeonato en un día triste y lluvioso, propio de Nueva Inglaterra, en el que soplaba el viento en el extremo del estadio, con una fina llovizna que dejó helado a un público en mangas de camisa poco habituado a un tiempo que no fuera el caluroso, experimentó una horrible frialdad por dentro. La muerte de un admirador, pensó. Las pérdidas son inevitables, pero siguen siendo terribles. Seguir el partido era siempre, en última instancia, conocer la infelicidad de la derrota. Aquella noche consumió casi una botella entera de vino antes de irse a la cama. Se despertó con jaqueca y pensando que el equipo de Los Ángeles estaba repleto de jugadores libaneses.

Una tarde, una semana antes de la fecha del juicio, recibió una llamada del detective Perry. Parecía nervioso.

—Merce —dijo—, va a ser mañana.

—¿Qué?

—Van a declararlo culpable.

—¿Sin juicio?

—Sin juicio. Va a ir a prisión por los tres casos.

—¿Cuál es el trato?

—Que siga vivo. Eso es todo.

—¿Cuánto tiempo?

—El máximo por cada uno. Cumplirá los veinticinco de rigor, todo entero, sin reducciones ni nada. Todos consecutivos. Setenta y cinco años enteros. Y también pagará por unas cuantas agresiones, así que el juez va a añadir unos años más. Sumará unos cien, fácilmente. Bien podríamos ir a la prisión de Raiford y excavarle la tumba, porque es allí donde acabará sus días. No saldrá nunca.

—Deberían imponerle la pena de muerte.

—Merce, Merce. Tiene delante al juez Rule. Ese viejo cabrón tenía ante sí una docena de asesinatos en primer grado, incluido el caso del torturador ese de la moto, y todavía no ha mandado a nadie a la silla eléctrica. Te acuerdas de ese caso, ¿no?

—Me acuerdo.

—Aturdidores para ganado, encendedores Zippo.

—Me acuerdo, maldita sea.

—Esos tipos están cumpliendo condenas de veinticinco años.

—Aun así...

Pero él la interrumpió.

—Ya imagino que te cabrea. También cabrea a los familiares de las otras víctimas. Pero se conforman. Además, todo el mundo está un poco receloso con el alegato de demencia de ese tipo.

—¡Chorradas! A ese tipo se le podrían apretar un poco más las tuercas...

—Ya sé, ya sé. Pero los que lo defienden el año pasado metieron en un psiquiátrico al individuo ese que descuartizó a su novia con una sierra.

—Sí, pero...

—Nada de peros. ¿Quieres arriesgarte?

Ella reflexionó durante unos instantes. Antes de que respondiera, el detective Perry le leyó el pensamiento.

—Y que no se te ocurra ni por un instante que podrías encargarte de ese cabrón tú misma. Estoy enterado de todas esas visitas tuyas a la cárcel, Merce. Ni lo pienses.

—Merece morir.

—Y va a morir, Merce.

—Sí, claro —replicó ella—. Todos vamos a morir.

—Merce —dijo el detective Perry; su voz se había suavizado—, Merce, deja en paz el asunto. Ese tipo va a desaparecer del mapa. Ya es historia. Se acabó, ¿lo entiendes? No me obligues a soltarte este discurso. Además, seguro que ya te lo sabes de memoria. Se terminó. ¿Estamos?

—Se acabó.

—Eso es.

—Se acabó.

—Se acabará a las nueve de la mañana.

—Allí nos veremos —dijo ella, y colgó el teléfono.

Sadegh Rhotzbadegh parecía un ratón asustado, tímido y tembloroso, aunque la presión del público que se agolpaba en la sala creaba un ambiente denso y sofocante. Cuando descubrió al detective Perry sentado como de costumbre en la primera fila, se encogió hacia uno de sus abogados de oficio, el cual se volvió y dirigió una mirada fulminante al detective. Se produjo un momento de tensión cuando el juez entró en la sala. Era un hombre entrado en años, con un penacho de cabello blanco que le daba un ligero aire de chiflado. Recorrió rápidamente la sala con la mirada y se fijó en las familias de las víctimas, en los periodistas de la televisión y de la prensa, que llenaban todos los asientos y se apretaban contra las paredes. La sala era antigua, con muros oscuros jalonados de fotografías de jueces de aspecto distinguido que miraban hacia abajo, ahora hundidos en el más profundo anonimato.

—Trataremos primero el caso del señor Rhotzbadegh —anunció—. Tengo entendido que existe una declaración.

—Sí, señoría. —Uno de los jóvenes fiscales se había puesto en pie—. Dicho de manera sencilla, a cambio de una declaración de culpabilidad respecto de todos los cargos pendientes, el Estado renunciará a solicitar la pena de muerte. Entendemos que al señor Rhotzbadegh se le impondrán las condenas máximas en todos los cargos, que se cumplirán de forma consecutiva. Eso suma un total de ciento once años.

Y se sentó. El juez miró a la mesa de la defensa.

—Es correcto —dijo uno de los abogados defensores.

A continuación el juez miró al acusado. El estudiante libanés se puso de pie.

—Señor Rhotzbadegh, ¿le han explicado sus abogados lo que va a sucederle?

—Sí, señoría.

—¿Y está usted de acuerdo con la declaración?

—Sí, señoría.

—¿No ha sido coaccionado ni forzado a hacer dicha declaración?

—No, señoría.

—¿Lo hace por voluntad propia?

—Sí, señoría.

—¿Sabe que sus abogados habían preparado una defensa y que le asistía el derecho de enfrentarse a sus acusadores delante de un jurado y obligar al Estado a demostrar más allá de toda duda razonable y con exclusión de la misma las alegaciones que pesan contra usted?

—Lo entiendo, señoría. Estaban preparados para alegar que yo estaba desequilibrado mentalmente. Y no lo estoy.

—¿Tiene algo que desee añadir?

—Hice lo que hice porque estaba escrito y se me había ordenado hacerlo. De eso es de lo que soy culpable. A los ojos del Profeta, estoy libre de toda culpa. Espero con alegría el día en que él me acogerá en su seno y pasearemos juntos por los jardines.

La detective Barren oyó a los reporteros tomando apuntes, intentando anotar todo lo que dijera el sospechoso. El juez interrumpió:

—Muy bien, me alegro de que sus creencias religiosas le sirvan de consuelo...

—Así es, señoría.

—Bien. Gracias.

El juez hizo un leve movimiento con la mano y el estudiante libanés se sentó. Luego el juez recorrió la abarrotada sala con la vista.

—¿Se encuentran aquí los familiares de las víctimas?

La sala guardó silencio. Entonces se puso de pie una pareja de ancianos sentados a la derecha de la detective Barren. Ella también se levantó. La sala continuó sumida en un frágil silencio, y la detective reparó en que a Sadegh Rhotzbadegh le temblaban los hombros. «Miedo», pensó. El libanés mantenía la vista al frente, con decisión.

—¿Alguno de ustedes desea decir algo?

Hubo unos instantes de confusión. El cerebro de la detective Barren se llenó de cosas que decir sobre Susan, sobre lo que era, sobre lo que habría llegado a ser. Pero la ahogó la emoción y volvió a sentarse. En cambio, una de las otras personas que se habían levantado, un hombre alto y delgado, de aspecto distinguido, vestido con un traje a rayas azul y de buen corte, dio un paso al frente. Tenía los ojos enrojecidos. Por un instante contempló fijamente la mesa de la defensa con una mirada que pareció absorber todo el calor de la sala. Luego se volvió hacia el juez.

—Señoría. Soy Morton Davies, padre de Angela Davis, víctima...

Pensó un instante.

—Hemos aceptado este acuerdo porque comprendemos que el sistema preferiría estafarnos a nosotros, que hemos sufrido tan grave pérdida, antes que a este... —vaciló, buscando una palabra adecuada—... esta basura.

Hizo una pausa.

—Nuestra pérdida, señoría, nuestra pérdida...

Entonces se interrumpió.

Su última palabra quedó flotando en el aire de la sala, reverberando en el súbito silencio.

La detective Barren supo de forma instantánea por qué el hombre había dejado la frase sin terminar. Y todo el mundo lo supo igualmente, pensó. ¿Cómo se podía describir con palabras una pérdida? Sintió que también a ella se le cerraba la garganta, y por un instante experimentó tal sensación de pánico que creyó que no sería capaz de respirar mucho más, y desde luego nada en absoluto, si el hombre intentase continuar hablando.

Pero no fue así. El hombre giró sobre sus talones y atravesó la sala, traspuso las puertas del fondo de la misma y salió al pasillo. Hubo un repentino fogonazo de luz cuando los cámaras de televisión apiñados en el pasillo captaron su aflicción. La detective Barren volvió a girarse hacia el frente. Sadegh Rhotzbadegh se había puesto en pie, flanqueado por sus abogados; le estaban tomando las huellas dactilares y el juez estaba entonando la sentencia, leyendo los cargos y declarando la condena máxima. Los años iban sumándose rápidamente, y de pronto el juez concluyó y los dos abogados defensores se hicieron a un lado y fueron reemplazados por dos inmensos guardias de prisiones que, con firmeza y decisión, procedieron a llevarse a Sadehg Rhotzbadegh de la sala. Oyó al juez declarar un receso y desaparecer, con su toga negra ondeando, por una puerta lateral. Los reporteros estaban todos de pie alrededor de ella, llenando el aire de preguntas y respuestas. Una familia se abrió paso a su lado, moviendo la cabeza en un gesto negativo. Otra se detuvo para lanzar invectivas contra el sistema. La detective Barren vio que los fiscales estrechaban la mano al sonriente detective Perry. Entonces se adelantó y observó al estudiante libanés. Estaba casi en la puerta de salida de los presos, cuando de pronto se detuvo y giró la cabeza, buscando con la mirada. Se topó con la de la detective Barren, y los dos se observaron el uno al otro por espacio de unos instantes. Era la primera vez que los ojos del libanés no mostraban una expresión asustada, sino de profunda tristeza. Ambos se miraron. Él sacudió la cabeza enérgicamente, como si intentase insistir, como si intentase transmitirle la negación de algo importante. Ella vio que formaba con los labios una palabra o dos, pero no estuvo segura de cuáles.

Y entonces el libanés desapareció. Engullido. Oyó el golpe de la puerta y la llave en la cerradura.

Y entonces se apoderó de ella un completo vacío.

Al principio lo hizo todo en exceso. Acostumbrada a correr por las mañanas unos tres kilómetros a ritmo tranquilo, aumentó hasta ocho kilómetros en cuarenta y cinco minutos, tras lo cual quedaba dolorida y jadeando sin resuello. En el trabajo, repasaba dos o tres veces todos los aspectos de cada uno de sus casos, pues la precisión y la exactitud se convirtieron en un consuelo para ella. También empezó a beber más, ya que el sueño le resultaba esquivo a no ser que contara con un poco de ayuda. Una amiga le ofreció Valium, pero ella hizo uso de lo que tristemente consideró que eran los restos de su sentido común para rechazar los fármacos. Reconocía que estaba exhibiendo una conducta extraña, desesperada, y también sabía que tenía problemas. Sus sueños, cuando conseguía dormir, eran agitados, llenos de la presencia del estudiante libanés o de Susan o de su esposo muerto. A veces veía la cara del hombre que le había disparado, a veces la de su padre, que la miraba con curiosidad y con expresión llorosa, como si estuviera entristecido, incluso en la muerte.

Odiaba la idea de que todo hubiera terminado.

Conocía el procedimiento. Sadegh Rhotzbadegh sería enviado al centro de clasificación que había en el centro de Florida, donde le harían una exploración física y mental. A continuación, a su debido tiempo, sería trasladado a la unidad de máxima seguridad de Railford para iniciar su vida en prisión, el lugar donde acabaría sus días.

El hecho de que siguiera vivo le producía consternación.

En su imaginación, reproducía mentalmente una y otra vez el leve gesto que le había dirigido él, intentando descifrar, en medio de la confusión, el terror y la locura, qué habría querido decir con aquel último movimiento de cabeza.

Por las noches permanecía acostada en la cama, pensando.

Intentaba ralentizar aquel gesto, igual que hacían las cámaras en televisión, tratando de separar cada movimiento para estudiarlo de forma independiente. El libanés había inclinado la cabeza primero hacia la derecha, luego hacia la izquierda, después abrió la boca y formó unas palabras, pero éstas se evaporaron en medio del ruido.

Adoptó la costumbre de dedicar una parte del fin de semana a practicar en la galería de tiro. Le producía cierta satisfacción mejorar sus habilidades con la pistola del 38 habitual de la policía. La sensación del arma vibrando y sacudiéndose en su mano le resultaba sensual, relajante. Compró una Browning semiautomática de nueve milímetros, una pistola grande y violenta, y también aprendió a manejarla con destreza. Entonces fue a ver al teniente Burns y solicitó que la sacara de las tareas de analizar escenas del crimen y la devolviera a las calles.

—Me gustaría volver a patrullar.

—¿Qué?

—Con un horario fijo. Quizás haciendo la ronda.

—Ni hablar.

—Es una solicitud oficial.

—¿Y qué? ¿Tengo que permitirte que salgas a la calle a pegarle un tiro a un robabolsos? ¿Crees que estoy loco? Solicitud denegada. Si quieres pasar por encima de mí, de acuerdo. Si quieres acudir al sindicato, vale. Pero el resultado va a seguir siendo el mismo.

—Quiero salir.

—No es verdad. Tú quieres tener paz. Eso no puedo dártelo. Sólo te la dará el tiempo.

Pero ella sabía que no.

Llamó al detective Perry.

—Mira, Merce, al final estuvimos muy cerca de conseguir que lo condenaran por el asesinato de Susan. Teníamos los recortes de periódicos que encontramos en su casa, y cuando apareció su foto en la prensa fue reconocido por dos alumnas que estaban en el bar con Susan la noche del asesinato. Hubieran testificado que lo vieron allí aquella noche. El problema era que no lo vieron con ella ni tampoco lo vieron seguirla, y una de las chicas recordaba con toda nitidez haber visto a ese cabrón después de que Susan hubiera desaparecido. Así que estuvimos cerca, pero...

—¿Puedes darme sus nombres?

—Claro.

La detective los anotó. Tenía intención de ir a verlas.

Pensaba a menudo en el estudiante libanés moviendo negativamente la cabeza. Qué sería, pensaba una y otra vez; ¿qué sería lo que estaba diciéndole?

Estaba tendida en la cama, rodeada por la oscuridad. Habían transcurrido varias semanas desde que se dictó la sentencia; la primavera del trópico, con su arrollador impulso de crecimiento y lozanía, había envuelto la ciudad entera. Hasta la oscuridad parecía haber surgido de nuevo a la vida. «Supongamos que el libanés intentaba decir que no, que él no había matado a Susan. No seas ridícula. Él te odiaba», pensó. Estaba más loco que una cabra. Alá esto, Alá aquello, estaba buscando una especie de perdón. ¿De ella? Tenía demasiado miedo y era demasiado arrogante, una combinación imposible. Entonces, ¿qué estaba diciendo? Negó con la cabeza, eso fue todo. Olvídalo. ¿Cómo?

Entonces la invadió un miedo extraño, inquietante, como si hubiera algo muy obvio que se le había olvidado. Por un momento le dio vueltas la cabeza, y encendió la luz. Perforó la noche. Cruzó descalza la habitación y fue hasta una mesa pequeña en la que guardaba todas las copias de informes, pruebas y notas de la investigación y la resolución del asesinato de Susan. Las fue extendiendo lentamente a su alrededor; acto seguido, con cuidado, pensando para sus adentros: «Sé una buena detective, deja de actuar como un cachorrillo afligido», comenzó a examinarlos. «Mira bien —se dijo a sí misma—; encuéntralo, sea lo que sea. Ahí hay algo.»

Y en efecto lo había. Un algo pequeño.

Se encontraba en el informe de su jefe sobre la disposición de las pruebas.

Trazas de alcohol.

Leyó: «... El individuo debió de tomar una o dos copas. El alcohol siempre lo echa todo a perder...»

—Oh, Dios —dijo en voz alta sin dirigirse a nadie.

Corrió hasta una librería del cuarto de estar, tomó un diccionario y buscó «musulmán chií», pero no le fue de mucha ayuda. Descubrió un catálogo de asignaturas de la universidad que Susan había desechado en cierta ocasión. Lo cogió y lo abrió a toda prisa. Encontró Estudios sobre Oriente Próximo en la página 154. Subrayó el nombre del jefe de dicho departamento y tomó una agenda telefónica. El tipo figuraba en ella.

Consultó el reloj. Las tres de la madrugada.

Permaneció tres horas sentada sin moverse, intentando apartar a un lado el miedo.

«Lo siento», pensó cuando el reloj señaló las seis. Y marcó el número.

—Con Harley Trench, por favor.

—Vaya —dijo una voz soñolienta—. Soy yo. Nada de extensiones, ya se lo he dicho a todos en clase.

—Profesor Trench, soy la detective Mercedes Barren, de la policía de Miami. Se trata de un asunto policial.

—Oh, Dios, perdone. Suelen llamarme mis alumnos. Saben que suelo madrugar, y se aprovechan de mí...

La detective oyó que recobraba la compostura.

—¿En qué puedo ayudarla? —preguntó el profesor.

—Tenemos un sospechoso de un caso importante cuya extracción es de Oriente Próximo. Afirma ser musulmán chií.

—Ah, igual que ese horrible individuo que mató a esas jóvenes.

—Muy parecido.

—En fin, sí, continúe.

—Necesitamos saber, bueno, podemos excluirlo como sospechoso de un caso si podemos demostrar que bebió una copa.

—Se refiere usted a alguna bebida alcohólica.

—Exacto.

—¿Una cerveza, o una copa de vino, o un combinado más fuerte?

—Eso es.

—Bueno, es una pregunta sencilla, detective. Si es un chií sincero, como dijo que era ese pobre loco, de ninguna manera.

—¿Cómo dice?

—Es un pecado mortal, detective. Nada de alcohol. Ni tocarlo, en ningún momento. Es una norma bastante generalizada de los musulmanes fanáticos y de los reformistas. Un musulmán auténticamente observante no tocaría ni una gota. Seguramente piensan que el ayatolá en persona va a ir a por ellos. Claro que en este caso no estamos hablando de un saudita o de un musulmán del norte de África. Pero ¿un chií auténtico, de los que ponen los ojos en blanco y secuestran rehenes? Ni hablar. ¿Responde eso a su pregunta, detective? —La detective Barren guardó silencio—. ¿Detective?

—Sí. Perdone, estaba pensando. Gracias, sí, responde a mi pregunta.

«Trazas de alcohol», pensó.

Se sintió mareada.

Colgó el teléfono y miró largamente las palabras que tenía ante sí. Trazas de alcohol.

«Oh, Dios», pensó.

Vio la cabeza del libanés como a cámara lenta, sacudiéndose de un lado al otro, insistente.

Corrió al dormitorio y hojeó los papeles hasta dar con un inventario de todo lo que había en el interior de la casa de Sadegh Rhotzbadegh. De alcohol, nada.

«Pero sí que estuvo en el bar —pensó—. Lo vieron.»

«Pero ¿lo vieron beber?»

«Oh, Dios», pensó nuevamente.

Se puso de pie y fue al cuarto de baño. Por un instante se contempló a sí misma en el espejo. Vio sus ojos, abiertos por el miedo y el horror. Entonces le sobrevino una náusea, se inclinó sobre el retrete y vomitó con violencia. Se limpió y volvió a mirarse en el espejo.

—Oh, Dios —le dijo a su propia imagen reflejada—. Sigue por ahí suelto. Estoy segura de que sigue suelto. Quizás, quizás, oh, Dios, quizás. Oh, Susan, oh Dios mío, lo siento, pero es posible que ese hombre ande por ahí todavía. Oh, Susan, cuánto lo siento. Oh, Susan.

Y entonces, por primera vez desde aquella primera llamada telefónica meses atrás, dio rienda suelta a su pena y claudicó frente a todas las resonancias de su corazón que había suprimido con éxito para de pronto entregarse, de forma completa y sin restricciones, al llanto.

II

La asignatura de literatura inglesa

4

El resplandor que despedía la autopista inundó el parabrisas del coche y lo cegó durante un solo segundo, y revivió el modo en que miró a su hermano, sentado al otro lado de la mesa, y su hermano le dijo: «Sabes, me habría gustado que hubiéramos tenido una relación más cercana, al hacernos mayores...»

Luego recordó su propia respuesta, rápida, concisa, pero precisa: «Oh, la tenemos más cercana de lo que crees. Mucho más.»

Douglas Jeffers conducía con rumbo sur pensando en la mortecina iluminación de la cafetería del hospital que se reflejaba en el rostro de su hermano y le hacía perder relieve. «La luz —pensó—, siempre me acuerdo de la luz.» Pisó el acelerador y contempló cómo los pinos bajos y los arbustos que bordeaban la autopista parecían ganar velocidad y venir raudos hacia él.

«Estados Unidos en un borrón», pensó.

Habló en voz alta para sí mismo:

—Ciento cincuenta. Ciento cincuenta sobre ciento cincuenta.

Y de nuevo pisó el acelerador. Sintió el impulso del coche hacia delante y observó con cierto placer cómo el paisaje volaba al otro lado de las ventanillas. Experimentó la absurda sensación de que estaba de pie y el mundo pasaba a toda velocidad por su lado. Asió el volante con fuerza sintiendo la vibración del coche al adelantar a un camión de doble remolque, atrapado por un instante en el conflicto de velocidades de los dos vehículos. Sintió temblar el volante bajo sus dedos, como si percibiera una leve queja o una advertencia. Pero el motor le pareció que rugía de emoción, con un profundo tono de barítono, conforme iba tragando kilómetros. Bajó la vista para ver a qué velocidad iba, y cuando la aguja alcanzó los ciento cincuenta levantó bruscamente el pie hasta que el coche aminoró y se quedó en la modesta velocidad de cien por hora. Jugueteó un momento con la radio hasta obtener una señal nítida de Florence, Georgia, música muy *country* y nasal. El pinchadiscos estaba poniendo una petición, una melodía «para todos los conductores de autobuses escolares de Florence que están escuchándonos en el piquete...». Y a continuación dio la entrada a Johnny Paycheck, que cantó: «... puedes coger este empleo y metértelo por donde te quepa, no pienso seguir trabajando aquí...».

Jeffers se sumó al estribillo y pensó en la reunión que había tenido dos días antes con su hermano.

Aguardó pacientemente sentado a una mesa pequeña en un rincón de la cafetería del hospital a que Marty terminase las rondas de la mañana y entrase.

—Siento haberte hecho esperar —empezó su hermano pequeño, pero Douglas lo cortó con un rápido encogimiento de hombros para quitarle importancia al asunto. Durante unos minutos charlaron de cosas triviales haciendo caso omiso del estruendo de platos y de las voces que los rodeaban. La cafetería estaba iluminada por unas lámparas fluorescentes que prestaban al rostro de los dos hermanos un tono pálido y enfermizo.

—Aquí las luces consiguen que todos parezcamos pre-psicóticos —comentó Douglas Jeffers.

Martin Jeffers rió.

—¿Cuánto tiempo ha pasado? —preguntó.

—Un par de años. Puede que tres —contestó Douglas Jeffers.

—No parecía tanto.

—La verdad es que no.

—¿Has estado liado?

—Lo hemos estado los dos.

—Eso es verdad.

Douglas Jeffers pensó en la risa de su hermano pequeño y en las pocas veces que lo había oído reír. Su hermano pequeño, pensó, era más bien una persona callada y seria. Claro que aquello era lo que cabría esperar de un psiquiatra, incluso de uno que había pasado la vida entera rodeado del estrépito y los chillidos bruscos y disonantes de un gran hospital psiquiátrico del Estado.

—¿Por qué sigues aquí? —le preguntó.

Martin Jeffers se encogió de hombros.

—No lo sé exactamente. Aquí me siento cómodo, me pagan bien, tengo la sensación de que efectivamente estoy haciendo algo bueno por la sociedad... Son muchos factores.

«Penitencia», pensó Douglas Jeffers.

Pero no pronunció la palabra en voz alta.

«Mi hermano —pensó—, ve demasiado. Y por consiguiente, ve poco.»

Cuando su hermano bebía café, separaba el dedo meñique de la taza, igual que una tía viuda y cursi tomando el té. Su hermano tenía unas manos muy ocupadas. Siempre estaba toqueteándose la placa con su nombre que llevaba prendida a la bata blanca, o sacándose un bolígrafo del bolsillo, mordisqueándolo unos momentos y volviendo a guardárselo. Cuando reflexionaba sobre una pregunta, a menudo se ponía una mano detrás de la cabeza y se enrollaba un mechón de cabello en el dedo. Cuando el mechón ya estaba lo bastante estirado, era cuando contestaba.

—Bueno, ¿y qué tal va el negocio de los loqueros? ¿Viento en popa? —le preguntó Douglas Jeffers.

—Es un sector en crecimiento —respondió Martin Jeffers—. Pero sólo en cifras. Son siempre las mismas historias, una y otra vez, contadas en diferentes tonos y diferentes idiomas, pero siempre las mismas, sólo que individualizadas. Eso es lo que las hace interesantes. Aunque a veces envidio la variedad que tienes tú...

El hermano mayor frunció el entrecejo.

—No es tan diferente —dijo—. En cierto modo, para mí también las historias son siempre las mismas. ¿De verdad cambia algo las cosas que el disturbio se produzca en Jonestown o en Salvador o en Miami o en un barrio del este de Los Ángeles? La miseria es la misma, ya sea un 727 que se estrella en Nueva Orleans o un barco que se hunde en Filipinas. Una detrás de otra, una tragedia por semana, un desastre cada día. Eso es lo único que hago, en realidad. Voy pisándole los talones al mal, intentando vislumbrarlo antes de que se traslade a otro lugar.

Sonrió. Le gustó aquella descripción.

Su hermano, naturalmente, negó con la cabeza.

—Cuando lo dices de ese modo —dijo Martin Jeffers—, suena... poco atractivo. Más aún, en realidad suena agotador.

—La verdad es que no mucho.

—¿No te cansas de ello? Quiero decir, yo me enfado con mis pacientes...

—No, a mí me encanta la caza.

Su hermano no contestó.

Douglas Jeffers contempló la autopista de doble carril y vio cómo reverberaba el asfalto negro debido al calor. El molesto reflejo del sol en el capó del coche le hería los ojos. A lo lejos la carretera se veía vacía, de modo que dejó vagar la vista para apreciar los colores y las formas del paisaje de Georgia. A un centenar de metros del arcén se alzaban altos pinares que proyectaban su fresca sombra sobre el terreno, una sombra que invitaba a acercarse, y por un instante anheló hacer un alto y sentarse bajo un árbol. Sería muy placentero, se dijo, hacer algo simple e infantil. Pero sacudió la cabeza en un gesto negativo y continuó con la vista fija en la carretera, midiendo los kilómetros entre su coche y el bulto oscuro que se divisaba allá delante. Transcurrió un minuto, después otro, y entonces alcanzó la parte trasera de un monovolumen. Era un vehículo estadounidense grande, repleto de niños, maletas, el perro de la familia y los padres. La lona que cubría las bolsas sujetas al techo ondeaba al viento. La mirada de Douglas Jeffers se encontró con la de un niño pequeño que iba en el último asiento de atrás, de espaldas al sentido de la marcha, como si fuera rechazado por el resto de la familia. El pequeño levantó la mano con timidez hacia Jeffers, y éste le devolvió el saludo con una sonrisa. Luego se desvió al carril de la izquierda y aceleró para adelantarlos.

—¿Te acuerdas —le preguntó su hermano— de los libros que leíamos cuando éramos jóvenes?

—Por supuesto —contestó Douglas Jeffers—: *El mago de Oz, Robinson Crusoe, Capitanes intrépidos, Ivanhoe, El hobbit* y *El señor de los anillos...*

—*El viento en los sauces, El reloj mágico, La isla del tesoro...*

—*Peter Pan.* Sólo piensa en algo bonito...

—Y podrás volar.

Ambos rieron.

—Así es como los llamo yo —dijo Martin Jeffers.

—¿A quiénes?

—A los pacientes de mi programa. Es un chiste particular del hospital. A los pacientes del programa para delincuentes sexuales los llamamos los «niños perdidos».

—¿Lo saben ellos?

Martin Jeffers se encogió de hombros.

—Se sienten lo bastante importantes.

—Cierto —convino Douglas Jeffers—. No son los que sueles tener normalmente.

—No, en absoluto.

Guardaron silencio durante unos instantes.

—Dime una cosa —pidió su hermano—: ¿Qué es eso de que en fotografía te gusta lo mejor?

Douglas Jeffers estudió con cuidado la pregunta antes de responder.

—Me gusta la idea de que una fotografía es indeleble, un objeto que posee una cualidad prístina. Casi como si fuera algo inviolable. La fotografía no miente, no puede mentir. Captura a la perfección el tiempo y los hechos. Tú, en tu oficio, cuando necesitas recordar, tienes que zambullirte en un pasado que está envuelto en emociones, ansiedades, recuerdos enmarañados. Pero yo, no. Si necesito ver el pasado, puedo abrir un archivo, sacar una foto. Ya está. La verdad sin estorbos.

—No puede ser tan fácil.

Douglas Jeffers pensó que lo era.

—Voy a decirte lo que no me gusta —prosiguió—. Siempre da la sensación de que nuestros mejores trabajos acaban en el montón de los rechazados. Los editores de fotos siempre buscan la mejor ilustración para un acontecimiento, y rara vez es la mejor foto. Todo fotógrafo posee su galería privada, su colección secreta de imágenes, su propia recopilación de verdades.

Una vez más guardaron silencio. Douglas Jeffers sabía exactamente lo que le iba a preguntar su hermano a continuación. Le extrañó que se hubiera aguantado tanto tiempo.

—¿Y por qué ahora? —dijo Martin Jeffers—. ¿Por qué has venido a verme?

—Me voy de viaje. Quiero dejarte a ti la llave de mi casa. ¿Te viene bien?

—Sí, pero... ¿Adónde vas?

—Oh, iré de acá para allá. Regresaré a ciertos recuerdos. He pensado en revivir experiencias del pasado.

—¿No puedes quedarte un poco? Podríamos hablar de los viejos tiempos.

—Recordarás que nuestros viejos tiempos no fueron precisamente estupendos.

Su hermano afirmó con la cabeza.

—Está bien. Pero ¿adónde vas exactamente? —Douglas Jeffers no dijo nada—. ¿No quieres decirlo o no puedes decirlo?

—Digamos —contestó por fin— que se trata de un viaje sentimental. —Lo pronunció en tono de parodia—. Revelarte la ruta quitaría parte de..., en fin, de la aventura.

Martin Jeffers parecía turbado.

—No te entiendo.

—Ya lo entenderás. —Douglas lanzó una áspera carcajada que hizo que varias personas volvieran la cabeza—. Mira, sólo quería despedirme. ¿Tanto misterio tiene eso?

—No, pero...

El hermano mayor interrumpió:

—Dame ese capricho.

—Por supuesto —contestó al instante el menor.

Tomaron un pasillo del hospital y pasearon juntos en silencio. La luz de una serie de ventanales de cristal cilindrado se reflejaba en las paredes blancas del hospital bañando a los dos hermanos con un resplandor luminiscente. Al llegar a la entrada principal del edificio se detuvieron.

—¿Cuándo volveré a verte? —preguntó Martin.

—Cuando me veas.

—¿Estarás en contacto?

—Lo haré a mi manera. —Douglas Jeffers se percató de que su hermano estaba a punto de formular más preguntas, pero que en cambio se contuvo y cerró la boca—. Puede que tengas noticias mías —agregó.

El más joven asintió:

—Bueno, esperaré.

—Puede que te lleguen noticias acerca de mí.

—No entiendo.

Pero el mayor negó con la cabeza y le propinó a su hermano un puñetazo de broma en la barbilla. A continuación dio media vuelta y se encaminó hacia la salida. Pero antes de salir por las puertas, se giró, sacó con mano experta la cámara que llevaba en la mochila y se la acercó al ojo en un movimiento fluido; se agachó, enmarcó rápidamente a su hermano y tomó varias fotos seguidas. Después bajó la cámara y agitó la mano con gesto desenfadado. Martin Jeffers intentó sonreír y, tímidamente, con torpeza, levantó el brazo en un medio saludo.

Así fue como lo dejó. Douglas Jeffers soltó una carcajada al recordar la expresión que tenía su hermano en la cara.

—Mi hermano —dijo, hablando para sí mismo— ve pero no ve, oye pero no oye.

Por un instante se sumió en la tristeza. «Adiós, Marty. Adiós para siempre. Cuando llegue el momento, coge la llave del piso y aprende, si puedes. Adiós.»

De repente llamó su atención un coche de la policía aparcado junto a una pequeña arboleda. Echó una mirada rápida al cuentakilómetros; circulaba a cien por hora. Luego pensó: ¿Y qué más da?

Se hizo a sí mismo la advertencia de que a partir de Tallahassee iba a tener que estar mucho más atento. La idea de que su viaje se viera acortado por un encuentro accidental con un agente de policía lo instó a reducir la velocidad. Sin embargo, pensó que un coche que fuera demasiado lento llamaría tanto la atención como uno que fuera muy deprisa. Cíñete a la velocidad media. Introdujo una mano debajo del asiento del coche buscando a tientas el estuche de cuero que había metido en el hueco. Estaba donde lo había puesto. Visualizó mentalmente la pistola de cañón corto. No tenía tanta precisión como la nueve milímetros que llevaba guardada en la maleta, ni estaba tan bien hecha como el rifle semiautomático Ruger del calibre 30 que viajaba en el maletero, pero en las distancias cortas era muy eficaz. Y además cabía muy bien en el bolsillo de la chaqueta, y eso era un detalle muy importante a tener en cuenta. No convenía pasearse por el campus con una arma sobresaliendo por debajo de la ropa.

Pasó un cartel indicador. La frontera de Florida se encontraba a quince kilómetros.

«Nos vamos acercando», pensó.

Sintió una deliciosa oleada de emoción, como la de despertarse en la primera mañana de las vacaciones de verano. Bajó la ventanilla y dejó que el aire caliente e insistente del sur bañara el interior del coche. El calor lo rodeó y lo penetró, llenando sus huesos de lasitud. Notó que rompía a sudar en las axilas y volvió a subir la ventanilla para que el aire acondicionado se hiciera cargo de la situación.

Continuó conduciendo, dejando atrás el recuerdo de su hermano y concentrándose en la carretera. Salió de la interestatal y atravesó aquella estrecha franja de territorio, de camino a la capital. Le pareció que los árboles eran menos señoriales, más bajos, como si hubieran sido golpeados por el calor, encogidos por el sol.

Encontró un motel a unos quince kilómetros de la ciudad. Era un lugar destartalado y olvidable llamado Happy Nites Inn. Se propuso hacer una observación acerca de la ortografía del nombre a la mujer de aspecto cansado y cabello greñudo y gris que se encontraba detrás del mostrador del pequeño edificio que albergaba la oficina, pero lo pensó mejor. Firmó con apellido falso, dispuesto a ofrecer la debida identificación, pero ella no se la pidió. Pagó cinco noches por adelantado y cogió la llave del *bungalow* situado en el extremo, en la parte posterior del motel. Sospechaba que allí no lo molestaría nadie. Ni siquiera hizo falta preguntar. Las habitaciones costaban dieciocho dólares por noche, y no le extrañó lo que le dieron por ese dinero. La cama era inestable y estaba hundida, tenía las sábanas grisáceas y una manta deshilachada. Pero en su mayor parte, el cuarto estaba limpio y, según le pareció, perfectamente aislado. Metió las armas debajo del colchón, se dio una ducha y encendió la televisión, pero no era interesante y al cabo de unos minutos decidió irse a la cama.

Sin embargo, una vez tumbado en la cama lo acometió la indecisión.

Repasó todas las discusiones que llevaban varias semanas plagando su cerebro. Una vez más estudió la posibilidad de elegir la historia como especialidad. Una de esas chicas le proporcionaría un contexto, se dijo, una sensación de continuidad, de poder encajar las acciones en un esquema más amplio de las cosas. Pero ¿podrían escribir? ¿Tendrían la necesaria rapidez mental para permanecer alerta, preparadas para documentar al instante lo que él tenía en mente? Dudó. Quizá fuera mejor la especialidad de sociología. Tendrían un concepto mejor de las tendencias y verían las cosas en su justa perspectiva social. Pero volvió a hacer un alto, más preocupado por la flexibilidad individual. Desechó rápidamente la especialidad de sociología; se vería obligado a actuar con una especie de exactitud clínica que no le interesaba. Fue fácil descartar ciencias exactas y políticas; serían dogmáticas y probablemente estarían mal informadas. Y desde luego no deseaba pasar el tiempo libre hablando de política. También sabía que no quería alguien de matemáticas ni, ya puestos, de música ni de lingüística. Estarían demasiado ensimismadas en su propia especialidad para apreciar los acontecimientos.

Su primera idea seguramente era la correcta; debía elegir una especialidad en literatura o en periodismo. Le sería de utilidad una persona interesada por el periodismo; podría hablar de los muchos temas sobre los que había escrito, y de esa manera desviar parte del miedo y la ansiedad que eran lógicos. Pero por esa misma razón, reflexionó, una periodista en ciernes tal vez no comprendiera las cosas en su conjunto, sino que se conformaría con un infortunado relato que daría cuenta resueltamente de los hechos y pasaría por alto algunas de las sutilezas que él tenía pensadas. «Lo que voy a hacer —se dijo—, podría llenar un libro, de modo que lo que necesito es una amante de los libros, alguien del departamento de Literatura», decidió. Sintió una oleada de placer al tomar aquella decisión y al darse cuenta de que su primera intención, tras un detenido estudio y análisis, había sido correcta. Pero nuevamente dudó y se advirtió a sí mismo: «sé paciente, una persona solitaria y recluida sería desastrosa. En cambio, alguien demasiado popular sería echado de menos muy fácilmente. Así que ni ratones de biblioteca ni animadoras. Escoge con cuidado».

Notó que se abatía sobre él una suave quietud. De fuera le llegaron los zumbidos nocturnos de los mosquitos estrellándose contra la persiana y, más a lo lejos, el gemido de los grandes camiones que circulaban por la carretera.

«Cíñete al plan —pensó—. Es un plan bueno.»

Se sintió satisfecho y al cabo de unos segundos se quedó dormido.

Una brillante claridad inundaba los ventanales del McDonald's situado al borde del campus de la Universidad Estatal de Florida en Tallahassee. Apoyó una mano en el cristal y sintió el calor que comenzaba a hacer fuera. Oía el ruido del sistema del aire acondicionado peleando con el exterior, combatiendo el calor que despedían las freidoras y las chisporroteantes parrillas de las hamburguesas alineadas con precisión militar en la cocina. Aunque era por la mañana, el restaurante ya estaba abarrotado de estudiantes. Bebió un sorbo de su café y estudió el plano del campus contrastando cada sitio con un programa de clases que no le costó conseguir en la biblioteca de la universidad antes del desayuno.

Para el tercer café ya había logrado aislar varias asignaturas prometedoras en emplazamientos adecuados. Guardó el plano y el catálogo de asignaturas en su maletín. Antes de marcharse revisó su aspecto en el espejo del servicio de caballeros. Se enderezó la corbata y se alisó el cabello. Llevaba una americana azul de lino de estilo deportivo y unos pantalones caqui. A nadie le extrañaría lo más mínimo las gafas de sol oscuras; en un campus universitario de Florida todo el mundo lleva gafas de sol. Ordenó los bolígrafos que le sobresalían del bolsillo de la camisa y se arrugó ligeramente la chaqueta, a continuación sacó del maletín un ejemplar de bolsillo de *El coleccionista* de John Fowles y se lo embutió en el bolsillo de la chaqueta de tal modo que se viera el título. Había comprado el libro aquella mañana, y se había preocupado de doblar las páginas y combar un poco el lomo para que pareciera muy leído. Tenía que mostrar el suficiente sentido común como para llevar un ejemplar propio, pensó. En el otro bolsillo se guardó un fajo de papeles. Se echó un vistazo a sí mismo, complacido. Eres todo un licenciado que trabaja de profesor ayudante; tal vez un profesor un tanto joven, ligeramente aturdido por el mundo académico y profundamente preocupado por tener una plaza en propiedad, pero de todos modos simpático, extrovertido, un poco atractivo y, por encima de todo, inofensivo.

Echó a andar en dirección al campus. Seguro de sí, emocionado, contento con su aspecto físico y con su plan.

«Pero antes —se dijo—, una parada espiritual.»

Tomó una calle tranquila y bordeada de árboles. Se cruzó con algún que otro grupo de estudiantes a los que sonrió y saludó con un gesto de cabeza al pasar y siguió buscando la dirección. Esperaba un letrero en la fachada, la manera típica de indicar otras ubicaciones de hermandades. Hacía un día excepcional; caluroso pero sin agobiar, lo que suponía un cierto alivio del verano habitual de Florida. A su manera, se dijo, el típico día de verano de Florida se parece mucho a lo más crudo del invierno en el Nordeste. En Florida, el calor crea la misma sensación opresiva, la misma reacción de cerrarse sobre uno mismo que provoca el intenso frío del Norte. En los días peores, aventurarse a salir a la calle resulta igual de difícil. En Florida, uno se refugia detrás del aire acondicionado. Levantó la vista hacia el sol, que cruzaba un cielo sin nubes, y se protegió los ojos con la mano. Pensó en Jack London e hizo una extrapolación: no, un hombre no puede pasear a solas en Florida cuando sube la temperatura...

Douglas Jeffers sonrió para sí y se detuvo un momento bajo las ramas oscuras de un inmenso roble. Más allá de un prado verde se veía una casa de madera blanca de dos pisos, alejada veinte metros del camino. Vio salir a dos adolescentes por la ancha puerta principal y desvió la mirada para contemplar la calle hasta que pasaran de largo. Iban riendo juntas, y él dudó que se hubieran percatado de su presencia. Volvió a mirar la casa blanca, estudiando la fachada. Tenía muchas ventanas y una salida lateral. En el césped de la entrada había un cartel con dos letras griegas; las leyó dos veces para sus adentros y luego sonrió.

Ji Omega.

«Aquí estamos —pensó—. Aquí es donde sucedió.»

Visualizó mentalmente la escena con prontitud profesional.

«Totalmente de frente —pensó—. Capta la luz que da en el cuadrante derecho de la fachada. Simplemente una foto de álbum, hazla deprisa. Que no se fijen en ti.» Hubiera querido esperar a que viniera alguien andando por el camino o entrando por la puerta, para darle al edificio la perspectiva adecuada respecto al tamaño, pero esa persona podría haberse dado cuenta y complicar las cosas. Enmarcó la foto visualmente de modo que un roble grande que había a un costado del césped verde y segado proporcionara una medida vertical. Luego se apartó unos metros para situarse ligeramente en ángulo. Miró rápidamente arriba y abajo de la acera. Entonces se agachó sobre una rodilla, como si fuera a atarse el zapato, abrió el maletín y cogió la cámara. Antes de sacarla ajustó la velocidad y el diafragma. A continuación, en un solo movimiento, fluido y veloz, se llevó la cámara al ojo y giró hacia la casa de la hermandad enfocando al mismo tiempo. Giró la lente y disparó una foto. El motor zumbó, y pulsó nuevamente el obturador. Y otra vez más. Cuando quedó satisfecho, volvió a guardar la cámara en el maletín, se ató de verdad el zapato y se puso de pie. Miró a su alrededor para cerciorarse de que no lo había visto nadie y se fue caminando a buen paso por la calle.

Recorrió a toda prisa una docena de manzanas, salió al campus y no se detuvo hasta que descubrió un banco vacío debajo de un árbol. Se sentó en él y de pronto cayó en la cuenta de que tenía la respiración agitada, aunque comprendió que no se debía al esfuerzo físico, sino a la emoción.

—¿Has conseguido hacer la foto? —se preguntó a sí mismo. En su imaginación, su voz tenía el tinte de desesperación de un director de periódico acosado.

«Siempre consigo hacer la foto», se respondió en silencio.

«Pero ¿has conseguido hacer ésta?»

«¿Te he fallado alguna vez?»

«Por favor, contéstame: ¿has conseguido hacer la foto?»

«Sin problemas.»

Un buen diálogo dentro de su cabeza. Y lanzó una fuerte carcajada.

«Vaya turista —pensó—. Mientras que todo el que viene a Florida se dirige a Disney World o a Epcot Center o se da una vuelta por los Cayos, tú vienes de visita al lugar en que...» ¿Qué? Reflexionó un momento. La mayoría de la gente, al ver una foto de la casa Ji Omega del campus de la Universidad Estatal de Florida, la recordaría como el lugar en que habían sido brutalmente asesinadas dos jóvenes mientras dormían en su cama, y una tercera malherida. Por un instante Jeffers reflexionó sobre aquella expresión: brutalmente asesinadas. Era jerga de periodistas, un lenguaje que tan sólo guardaba una ligera relación con el inglés. Los asesinatos siempre eran brutales. Igual que las palizas, excepto cuando eran salvajes. Los clichés del mundo de la prensa creaban una especie de taquigrafía sin riesgos: los lectores podían absorber la expresión «brutalmente asesinadas» sin tener por qué saber que el asesino estaba tan enloquecido que le seccionó el pezón a una chica de un mordisco y aporreó a la otra con una rama de roble, como si fuera un salvaje prehistórico. Douglas Jeffers pensó en las jovencitas a las que había visto salir riendo de la casa; por un segundo se preguntó si por la noche ella y las otras chicas de la hermandad cerrarían la puerta con llave y echarían un cerrojo macizo, recordando lo sucedido. Jeffers se imaginó la casa. Ellas la consideran un lugar de residencia en el que reina la camaradería durante los cuatro años de universidad, pensó, pero en realidad se trata de un monumento erigido a algo mucho más importante: marca el sitio en el que un prolífico asesino empezó a perder el control y a encaminarse hacia su propio fin.

Jeffers se acordó del hombre bajito y de pelo castaño y ondulado que vio por primera vez durante una misión en un juzgado de Miami, muchos meses después de aquella noche terrible en la casa de la hermandad.

¡Idiota!, pensó.

Su mente segmentó aquel recuerdo en imágenes. ¡Clic! El asesino se giró. ¡Clic! El asesino lo vio. ¡Clic! Los dos se miraron el uno al otro, fijamente. Jeffers se preguntó si aquel tipo podría ver más allá de su pequeño escenario. ¡Clic! El asesino abrió la boca y comenzó a pronunciar una palabra que se evaporó en una sonrisa irónica, levemente torcida. ¡Clic! El asesino se giró otra vez, sonriendo satisfecho, comentando con poca sinceridad el juicio que se desarrollaba ante él, enfadando al juez, perdiendo la simpatía del jurado, asegurando lo inevitable del resultado. ¡Clic! Jeffers captó aquella sonrisa satisfecha, aquel siniestro toque de locura y de furia, justo antes de que fuera disimulado con sarcasmo y arrogancia. Aquélla era la foto que había guardado en su archivo particular.

«¡Qué necio!», pensó de nuevo.

Jeffers sintió un vuelco en el estómago al recordar. ¡Y los periódicos lo habían calificado de inteligente!

Sacudió la cabeza. ¿Qué clase de inteligencia era ésa, incapaz de controlar sus emociones? ¿Qué se había hecho de la autodisciplina? ¿Dónde estaba la meticulosidad, la planificación, la invención, en eso de irrumpir en plena noche en una hermandad atestada de gente y cometer salvajadas con las ocupantes de la misma? Sin control. Arrollado por el deseo. «Debilidad», pensó Jeffers. Una tolerancia tonta, de colegial, nacida del engreimiento.

Recordó la furia que sintió por dentro cuando sus colegas de los periódicos y de la televisión se maravillaron, mudos de asombro, de la incongruencia de que un hombre culto y elocuente fuera un asesino en serie. Hablaba y se comportaba como una persona normal. ¿Cómo era posible que fuese lo que la policía afirmaba?

Jeffers escupió enfadado.

Imposible, pensó Jeffers.

Demasiado simplista. Demasiado necio. De modo que era un tipo inteligente, simpático incluso.

Y bien, ¿le gustaría el corredor de la muerte?

Se lo merecía, decidió Jeffers.

Estupidez en Primer Grado.

Se puso de pie y advirtió nuevamente que el calor iba en aumento. Decidió pasarse por la asociación de alumnos para almorzar algo antes de efectuar un último reconocimiento y ejecutar su plan.

La cafetería, ruidosa y anónima, se encontraba abarrotada. Jeffers se llevó la bandeja a una mesa en un rincón y comió despacio, con el plano y la lista de asignaturas extendidos frente a sí. De vez en cuando se atrevía a levantar la vista para observar la mezcolanza de alumnos. Se le ocurrió que había una bella simetría en su conducta; recordó los pocos meses que había pasado en la universidad antes de abandonarla para iniciar su carrera de fotógrafo. En aquel entonces pasaba el tiempo de forma muy parecida a ahora: solo. En silencio. Encerrado en sí mismo, observando más que relacionándose con los demás. Escuchando más que hablando. Recordó lo extraño que se sentía, a solas en su dormitorio, separado de la apacible acogida de la comunidad universitaria. En el Norte era invierno entonces, un día helador, desgraciado, gris y húmedo con amenaza de nevada; metió sus escasas prendas de ropa en un petate, cargó sus cámaras y salió al borde del campus, saludando a la libertad con el dedo pulgar, haciendo autoestop rumbo al oeste del país. El recuerdo de aquel viaje lo hizo sonreír; una semana después vendió su primera fotografía. Recordó que se sentó a una mesa en un comedor popular del centro urbano de Cleveland. Estaba solo, como siempre; un viejo indigente intentó sentarse a su lado, rozando su rodilla contra la de él por debajo de la mesa mientras se metía en la boca grandes cucharadas de un guiso grasiento e intentaba comportarse con una despreocupación anticuada, rancia. Jeffers le enganchó la pierna con sus pies bajo la mesa y tiró de improviso hacia atrás y hacia un lado, con lo que retorció brutalmente la frágil rodilla del indigente. La pierna emitió un crujido y el hombre se aferró a la mesa, a punto de soltar un alarido de dolor, pero se quedó quieto al oír la tranquila amenaza de Jeffers:

—Di una sola palabra, vocea, grita, haz cualquier cosa, y te la romperé, y este invierno morirás en las calles.

El hombre huyó a toda prisa cuando Jeffers lo soltó. Momentos después, justo cuando estaba apurando lo que le quedaba del guiso con un pedazo de pan blanco y gomoso, Jeffers oyó sirenas, muchas, que se acercaban por la calle y se detenían a una manzana de distancia. Cogió la bolsa de las cámaras y se acercó a la escena del suceso, un incendio en un edificio de viviendas. Las familias estaban pasando a los niños desde la ventana a los bomberos, chillando presas del pánico, y Jeffers lo captó todo en imágenes. Pero la fotografía que vendió fue la de un bombero, con témpanos de hielo en el traje y en el casco, envolviendo en una manta a una niña de seis años aterrorizada y poniéndola a salvo. El director del *Plain Dealer* se mostró escéptico, pero permitió a Jeffers utilizar el cuarto de revelado. Había sido un día lento en noticias, y estaba deseoso de conseguir algo llamativo que poner en la página de sucesos locales. Jeffers recordó el esmero que puso, encerrado a solas en la habitación oscura, mezclando sus productos químicos con muchísima precaución, empapando despacio la foto hasta que comenzó a formarse la imagen. Fueron los ojos los que vendieron aquella foto, pensó Jeffers, aquella benévola mezcla de agotamiento y profunda emoción en la expresión del bombero, como contrapunto al terror acumulado que mostraba el rostro de la pequeña. Fue una foto con mucha fuerza, y el director la designó para la portada.

—Una foto genial —comentó el director—. Cincuenta pavos. ¿Adónde enviamos el cheque?

—Sólo estoy de paso.

—¿No tienes dirección?

—La YMCA.

—¿Adónde te diriges?

—A California.

—Todo el mundo quiere ir a la tierra de promisión. —Soltó un suspiro—. Libertad de expresión, amor libre, orgías y drogas. Haight-Ashbury y rock duro. —Rió—. Joder, la verdad es que no suena nada mal.

El director extrajo la cartera y le entregó dos billetes de veinte y otros dos de cinco.

—¿Por qué no te quedas un poco más por aquí a hacer unas cuantas fotos para nosotros? Te pagaré.

—¿Cuánto?

—Noventa a la semana.

«En Cleveland hace frío», pensó. Y así lo dijo:

—En Cleveland hace frío.

—Y también en Detroit y en Chicago. En Nueva York es terrible, y en Boston no digamos. Muchacho, si quieres que haga calor, vete a Miami o a Los Ángeles. Si lo que quieres es trabajar, prueba aquí mismo. Estamos en invierno. Voy a decirte una cosa: te daré noventa y cinco y te compraré un chaquetón y unos calzoncillos largos.

—¿Qué quiere que fotografíe?

—Nada de exposiciones florales ni reuniones en la Cámara de Comercio. Lo mismo que has fotografiado ya.

—Probaré —dijo Jeffers.

—Genial, muchacho. Pero hay una cosa.

—¿Cuál?

—Es una apuesta. Esta foto de hoy..., en fin, ha sido un golpe de suerte. Quiero decir que si no me traes más como ésta, te vuelves a California. ¿Lo pillas?

—Dicho de otro modo, me enseña la puerta.

—Lo has pillado. ¿Te sigue interesando?

—Claro. ¿Por qué no?

—Muchacho, con esa actitud llegarás lejos en este negocio. Ah, y otra cosa: Cleveland es una ciudad de clase trabajadora. Córtate el pelo.

Pasó once meses en Cleveland, con el pelo corto.

Recordó: Un joven que protestaba contra la guerra golpeado en la espalda por un reaccionario que portaba una gruesa estaca. Disparó una foto con teleobjetivo a 1/250 de velocidad, diafragma f-16, desde el edificio de al lado. El grano de la película acentuó la violencia. Un funeral de la mafia, con un guardaespaldas explotando de rabia frente al nutrido grupo de fotógrafos y cámaras. Él pulsó el disparador deprisa, aprovechando hasta el último segundo, captando el puñetazo de aquel tipo musculoso y trajeado de negro que enseñaba los dientes, a 1/1000 y f-2.4, con película de alta velocidad. Otro funeral, éste con bandera, el de un aviador que había recibido demasiado fuego antiaéreo cuando sobrevolaba Haiphong y había regresado con su F-16 al portaaviones *Oriskany* con la intención de ponerse a salvo, sólo que durante la aproximación había perdido potencia y se había estrellado contra el agitado oleaje antes de que el equipo de rescate tuviera tiempo de acudir en su ayuda. «La familia parecía resignada —pensó Jeffers—, hubo pocas lágrimas.» Los captó en una instantánea alineados, contemplando la tumba, como si estuvieran desfilando, a 1/15 y f-22, y dejó la foto un poco más de tiempo en la cubeta para resaltar el gris del cielo. También recordó el cuerpo congelado y rígido de un drogadicto que, buscando el calor de una jeringa, se aventuró a dormir en la calle en una noche de febrero y simplemente se murió de frío. Ocurrió junto al muelle; la foto captó la luz del Cuyahoga reflejada en un mundo cubierto de hielo, a 1/500 y f-5.6. Pero, como siempre, cada vez que se acordaba de Cleveland pensaba en la chica.

Él se encontraba en el cuarto de revelado. En el rincón sonaba un pequeño transistor que había comprado con su primer cheque y que llenaba la habitación con las duras letras de las canciones de los Doors. Cada vez que encendía la radio se oía *Light My Fire*. Llevaba dos abrasadores días de verano saliendo a caminar por la mañana con uno de los últimos policías que patrullaban a pie por la ciudad. Las fotos se convirtieron en algo rutinario, demasiado blandas. El policía era extrovertido y hablador; allá donde iba era saludado, aplaudido, bienvenido. Jeffers se burló de las fotos. ¿Dónde estaba lo interesante? ¿Dónde estaba la tensión? Deseaba que alguien le disparara un tiro al policía, rezaba para que ocurriese, y decidió pasar un día más en la calle. Absorto en la música, en la oscuridad y en sus planes, casi no oyó la voz del director, que lo llamaba a gritos.

—¡Jeffers, pedazo de vago, sal de ahí!

Él dejó sus cosas con sumo cuidado, moviéndose despacio. Jim Morrison estaba cantando: «Sé que no sería sincero...» No había tardado en aprender que el director sólo existía en dos estados: el aburrimiento y el pánico.

—¿Qué? —preguntó al tiempo que salía de su cubículo.

—Un cadáver, Jeffers, cien por cien muerto, justo en mitad de los Heights. Una adolescente blanca de un barrio rico, completamente muerta. Date prisa. Allí te encontrarás con Buchanan. ¡Vamos!

Él paseó, nervioso, junto al perímetro establecido por la policía, manteniéndose apartado de los demás reporteros y cámaras de televisión que aguardaban todos apiñados, haciendo chistes, intentando enterarse de algo, pero sobre todo dispuestos a esperar hasta que viniese un portavoz o un detective a informarlos en masa. «¿Dónde está la foto?», se preguntó a sí mismo. Se desplazó a derecha y a izquierda, entró y salió de las sombras de primeras horas de la tarde, hasta que por fin, cuando nadie miraba, se subió a un árbol grande en el intento de tener una vista despejada. Estirado en una rama igual que un francotirador, acopló un teleobjetivo a la cámara y observó a los policías que trabajaban meticulosamente alrededor del cadáver de la joven. Tragó saliva al captar la primera imagen de una pierna desnuda lanzada de cualquier manera hacia un lado por el asesino. Jeffers se esforzó por ver mejor, enfebrecido, tomando una foto tras otra, enfocando la cámara de cerca sobre la víctima. Necesitaba verle los pechos, el pelo, la entrepierna; ajustó el ángulo y el enfoque y continuó accionando la cámara como si fuese una arma, girándola, manipulándola, acariciándola para acercarse más al cadáver. Se secó el sudor de la frente y una vez más apretó el disparador, lanzando un juramento cada vez que un detective irrumpía en su línea visual, haciendo zumbar el motor de la cámara cuando se le ofrecía una imagen nítida.

Aquellas fotos se las guardó para sí.

En el periódico se publicaron otras tres: una del personal de bomberos sacando el cadáver de la víctima en una camilla, metido en una bolsa de plástico; otra, con teleobjetivo, al nivel de suelo, de los detectives arrodillados junto al cuerpo, el cual quedaba oculto detrás de ellos salvo por un brazo delgado que sobresalía de forma llamativa, retirado del torso, sostenido con suavidad por uno de los agentes; y una imagen de un grupo de adolescentes temblorosas, a las que el miedo y la curiosidad habían empujado a acercarse a la escena del crimen, contemplando sorprendidas y con lágrimas en los ojos cómo sacaban el cadáver de entre los arbustos. La foto que más le gustó fue ésta; se aproximó con prudencia a las chicas para preguntarles cómo se llamaban y les sonsacó fácilmente la información hablándoles con dulzura. La foto, pensó, describía el efecto causado por el crimen. Los ojos de una de las jóvenes expresaban una fuerte impresión, mientras que la de al lado se había cubierto la cara con las manos y asomaba los ojos por encima de unos dedos rígidos por el terror. Una tercera chica tenía la boca muy abierta, mientras que una cuarta apartaba la vista de la escena. En opinión del director, aquella foto era la mejor de todas. Salió en la primera página. «Puede que haya una gratificación», dijo el director, pero Jeffers, aún embargado por la emoción, pensó que su auténtica gratificación seguía siendo el revelado en el cuarto oscuro, y en cuanto hubo visto las fotos escogidas y cómo quedaron, se apresuró a regresar a su soledad.

Sonrió.

Todavía conservaba aquellas fotos, casi veinte años después.

Siempre las conservaría.

Oyó unas risas y se volvió hacia un grupo de alumnos que estaban sentados no muy lejos. Estaban gastándole bromas a uno de ellos, que se lo tomaba todo con buen carácter. Jeffers captó sólo retazos de la conversación, pero hablaban de un trabajo que había entregado el compañero, nada de gran importancia, cosas típicas de estudiantes. Jeffers consultó su programa de clases y su plano y decidió que ya era hora de empezar.

Cruzó rápidamente el campus. Era casi la una de la tarde y quería estar en su asiento antes de que empezara la clase de «La conciencia social en la literatura del siglo XIX». Subió en cuatro brincos el corto tramo de escaleras que conducía al edificio de las aulas y se quitó las gafas de sol al entrar en el vestíbulo en penumbra. Luego se metió con decisión en el aula 101 uniéndose a la marea de alumnos, los cuales pasaban algunos de uno en uno, otros por parejas. El aula fue llenándose rápidamente; Jeffers encontró enseguida un asiento junto al pasillo, hacia el fondo. Sonrió a la joven que tenía a su lado, y ella le devolvió la sonrisa sin interrumpir la conversación con un muchacho. Jeffers lanzó una rápida ojeada a su alrededor; había como una docena de conversaciones similares a la que tenía lugar a su lado, el ruido suficiente para quebrar el silencio del aula. A su derecha espió a un alumno leyendo un periódico, a otro pasando las hojas de un libro. Otros ordenaban sus cuadernos. Él hizo lo mismo, intentando detectar algo en una conducta determinada, un leve movimiento que revelara una actitud indicativa de un candidato adecuado.

Descubrió a una muchacha, sentada sola al otro lado del pasillo y varias filas más abajo. Estaba leyendo a Ambrose Bierce, con la cabeza inclinada sobre *En mitad de la vida*. Jeffers enarcó las cejas y pensó que aquélla era una combinación extraordinaria: un escritor que podría haber vendido su alma a una joven de diecinueve años. Interesante, se dijo, y tomó la determinación de observar a la chica durante la clase.

Sentada unos cuantos asientos más allá se encontraba otra joven. Estaba dibujando ociosamente en un cuaderno. Jeffers distinguía a duras penas las formas que trazaba con el lápiz. Por un instante reflexionó, excitado, sobre la posibilidad que planteaba aquella artista, y se preguntó si sabría hacer lo mismo con las palabras. Una persona capaz de recrear la realidad en arte, pensó, quizá fuera un buen candidato. Y decidió vigilarla a ella también.

Justo a la una y un minuto entró el profesor.

Jeffers frunció el ceño. Aquel individuo tenía treinta y tantos años, aproximadamente la misma edad que él, y parecía tener mucha labia. Inició la clase con un chiste acerca de la narración que hacía David Copperfield de su propio nacimiento, como si ello fuera una rareza de Dickens, una estupidez arcaica. De pronto le entraron ganas de levantarse y chillar, pero en vez de eso continuó en su asiento explorando el auditorio en busca de alguien que no estuviera riéndose de las ingeniosidades del profesor.

Hubo una persona que llamó su atención.

Estaba sentada a su izquierda en línea recta. Alzó la mano.

—Sí, señorita..., esto...

—Hampton —terminó la joven.

—Señorita Hampton. ¿Tiene una pregunta?

—¿Está insinuando que debido a que Dickens escribía novelas por entregas adaptó sus ideas y su estilo para que se ajustaran al formato de las publicaciones semanales? ¿No cree usted que era más bien lo contrario, que Dickens entendía de manera implícita lo que pretendía decir y que, haciendo uso de su considerable habilidad, lo encajaba en segmentos manejables?

Jeffers notó que se le ralentizaba el corazón, que su mente se centraba.

—Bueno, señorita Hampton, sabemos que para Dickens la forma era muy importante...

—¿La forma, señor, por encima del contenido?

Jeffers escribió aquello en letras mayúsculas y lo subrayó: «¿La forma por encima del contenido?»

—Señorita Hampton, usted malinterpreta... Por supuesto, a Dickens le preocupaba el impacto político y social de sus obras, pero debido a las necesidades de la forma, ahora apreciamos limitaciones. ¿No se pregunta usted cómo habrían sido sus personajes y sus argumentos si no se hubiera visto obligado a desempeñar el papel de un escritor de panfletos?

—No, señor, la verdad es que no me lo he preguntado.

—Eso era lo que pretendía decir, señorita... Hampton.

«Pues no era gran cosa, además», pensó Jeffers,

Observó que la joven volvía a inclinar la cabeza sobre su cuaderno y escribía rápidamente unas palabras. Tenía un cabello rubio oscuro que le caía de forma descuidada sobre la cara ocultando lo que en opinión de Jeffers era una considerable belleza natural. Entonces se fijó en que la chica estaba flanqueada por dos asientos vacíos.

Sintió que su cuerpo se estremecía de forma involuntaria.

Aspiró profundamente y soltó el aire despacio.

Otra vez, pensó al tiempo que inhalaba una gran bocanada de aire y la exhalaba lentamente. A hurtadillas se llevó una mano al pecho e intentó tranquilizarse: no esperaba encontrar una biógrafa en la primera clase que visitara. Precaución, precaución. Simple precaución. La chica tenía potencial. Lo que debía hacer era esperar. Observar. Se obligó a sí mismo a estudiar a las otras dos jóvenes en que se había fijado antes. Tuvo una súbita imagen de sí mismo como si fuera una fiera pequeña, oscura, agazapada, esperando, previendo, escondida en las sombras debajo de una piedra suelta en un sendero muy trillado. Sonrió y pensó para sí con placer: progresa.

III
Boswell

5

El sol de la tarde se filtraba débilmente por la ventana de la biblioteca e incidía sobre el cuaderno abierto que descansaba en la mesa de Anne Hampton haciendo desaparecer las rayas azules, que quedaban difuminadas en el fuerte resplandor. La joven miró las palabras que estaba escribiendo, las observó con tal intensidad que los bordes de las letras se volvieron borrosos y confusos y la página entera se transformó en un objeto flotante y vaporoso. Aquello la hizo pensar en campos nevados en invierno, en su hogar en Colorado. Se imaginó a sí misma de pie en lo alto de una larga bajada, el sol iluminando aquella extensión de nieve todavía no hollada por los esquiadores. Serían las primeras horas de la mañana, el sol no prometería calentar mucho, sino tan sólo aportar una luz fría que inundara el blanco de la nieve. Pensó para sí cómo aquel reflejo parecía elevarse, intangible, y fundirse con el aire gélido y con el viento, creando un mundo sin fronteras, un enorme y solitario hoyo blanco en el mundo que esperaba a que ella suprimiera aquella vacilación momentánea que constituye el límite del miedo y se lanzara hacia abajo, en un impulso mareante, experimentando la sensación que provocaba la nieve al estallar a su alrededor como un sinfín de conchas marinas mientras ella iba cortando su superficie.

Soltó una carcajada. A continuación, al acordarse de dónde estaba, se llevó una mano a la cara fingiéndose avergonzada y se reclinó en la silla a la vez que miraba por la ventana un grupo de palmeras que se agitaban suavemente. «Las palmeras —pensó—, son capaces de dar con una brizna de viento incluso cuando no existe; juntan las hojas como si estuvieran ejecutando un saludo, como si sintieran la más mínima ondulación en el aire y la acogieran y la agradecieran, pensó con una insólita envidia, aun cuando ella era incapaz de detectar el más leve movimiento de alivio en el calor del verano.»

Volvió a mirar los libros que tenía esparcidos alrededor. «Tiene que ser fácil descubrir los más importantes en literatura», pensó. Dividió el montón de libros en dos grupos: a un lado del cuaderno Conrad, Camus, Dostoievski y Melville, y al otro Dickens y Twain. «La oscuridad y la luz», se dijo. Sacudió la cabeza; no iba a leer ni la mitad de aquellos libros, y en realidad no entendía por qué era tan importante que fuese a todas partes cargándolos en la mochila. Pero era precisamente lo que hacía, meterlos dentro todos los días, junto a los trabajos en curso, como si el peso de las palabras importantes sobre su espalda pudiera de algún modo filtrarse en su visión y motivar su conducta. Se preguntó si tendría algún límite de tiempo inconsciente para cargar con libros ya leídos. Se dijo que podía desarrollar un sistema de clasificación para la literatura: los libros que transportara durante más de un mes después de haberlos terminado eran auténticos clásicos; tres semanas suponía menos grandeza; dos semanas, probablemente debía cargar con ellos debido al tema que trataban, si no por cómo habían sido escritos; una semana indicaba tal vez un personaje interesante, pero no un libro interesante; ¿menos de una semana? Aspirantes.

«Sin embargo —pensó—, existe un peculiar consuelo en el hecho de saber que uno tiene cerca de sí palabras de categoría.»

A veces se preguntaba si los libros no estarían vivos, si después de cerrar la tapa los personajes, los lugares y las situaciones no cambiarían, discutirían, debatirían, para regresar a su sitio en el momento en que alguien abriese otra vez la tapa. Resultaría apropiado. Contempló el ejemplar de Camus, que descansaba en lo alto del montón correspondiente a la oscuridad. «A lo mejor —se dijo—, Sísifo descansa cuando el libro está cerrado; se sienta jadeando, con la espalda derrumbada contra su roca, preguntándose si esta vez la roca se tambaleará al llegar a la cima y luego, de modo milagroso, se quedará quieta. Luego, al percibir que las páginas del libro se abren por donde se habla de él, se incorpora, arrima el hombro contra la roca y, sintiendo el reconfortante frescor de la dura superficie, flexiona los músculos, hace acopio de fuerzas y vuelve a empujar.»

De repente se sintió tentada de alargar la mano y abrir el libro de improviso, para ver si pillaba a Sísifo descansando.

Sonrió otra vez.

Levantó la vista y sus ojos se cruzaron momentáneamente con

los de un hombre que se hallaba sentado al otro extremo de la sala. Estaba leyendo, aunque no logró distinguir el título. Al parecer, él había levantado la vista en el mismo instante. Sonrió. Ella le sonrió a su vez. «Será un joven profesor», pensó. Desvió la mirada y la dirigió hacia la ventana. Después dejó que sus ojos volvieran a posarse en aquel individuo. Había vuelto a su lectura.

Miró sus libros. Miró sus apuntes. Miró otra vez por la ventana. Miró de nuevo al hombre, pero éste había desaparecido.

De pronto se acordó de la queja de su madre:

—¡Pero en Florida no vas a conocer a nadie!

Y en la respuesta que ella le dio:

—Pero es que no necesito conocer a nadie.

—Pero vamos a echarte de menos..., y Florida está muy lejos —dijo la madre con tristeza.

—Yo también os echaré de menos, pero necesito tiempo para escapar.

—Pero si allí hace calor todo el tiempo.

—Madre.

—Está bien. Si es lo que quieres.

—Es lo que quiero.

«No hacía calor todo el tiempo», se dijo. Su madre estaba equivocada. En invierno hacía un frío inevitable, alguna masa de aire ártico a la deriva que, perdida en su persecución del estado de Massachussets, tropezaba con el centro del país y terminaba aterrizando despatarrada sobre la península de Florida. Era un frío cruel, carente de la belleza y la aterradora quietud de las montañas de Colorado. Era simplemente un frío irritante; las palmeras parecían encogerse sobre sí mismas, los edificios, mal dotados en lo que se refería a aislamiento, parecían aguantar tenazmente en medio del aire helado. Eran jerséis y chaquetones bajo un cielo que por lo visto sólo sabía hablar con propiedad de playas. Le resultaba irónico que hubiera pasado mucho más frío en un día de enero en Tallahassee de lo que había pasado en su casa en toda su vida.

Contempló el sol que iluminaba su mesa. Había que dar gracias a Dios por el calor del verano, se dijo. La sorprendió la curiosa observación de que en tres años y medio no había conseguido hacer una sola amistad, a pesar del calor, a pesar de la familiaridad que éste fomentaba.

«Amigos de pizzas», pensó.

«Amigos de cervezas, amigos de playa. Amigos de los que te preguntan qué tal te ha ido en el examen. Amigos de los que quieren acostarse contigo.»

«De ésos no había muchos», dijo riendo para sí.

Pero no porque no lo hubieran intentado.

Acercó el cuaderno y escribió en el margen: Afróntalo, eres una persona fría. Se sintió complacida. Era una fácil asociación de ideas: una persona fría y Camus.

Se recostó en su silla y continuó leyendo.

Ya estaba anocheciendo cuando Anne Hampton salió de la biblioteca y emprendió el regreso lentamente hacia el campus. Por el oeste el sol poniente había teñido el cielo de un sorprendente tono púrpura e iluminaba unas enormes, imponentes, formaciones de nubes que pendían sobre algún punto del golfo de México. Pensó en lo mucho que le gustaba pasear a aquella hora; la residual luz diurna parecía muy tenaz en su empeño de dar forma a las cosas y de intentar, en pugna con la creciente oscuridad, prestar solidez al mundo antes de cederle el paso a la noche.

Hora de morir, pensó.

Recordó cómo los últimos retazos de sol parecían estar atrapados en el regulador del buceador cuando éste emergió por el agujero en el hielo del estanque de su abuelo cargando con la forma de su hermano en brazos. La luz resbalaba del brillante aparato de aluminio de aquella extraña criatura acuática y tocaba apenas los rígidos rasgos faciales del niño. Después lo perdió de vista; al instante Tommy fue rodeado por una multitud de bomberos y personal de rescate, y lo único que acertó a ver fue una masa oscura llevada a toda prisa ladera arriba en dirección a una luz roja pulsante. Vio sus patines, con los cordones cortados, arrojados a un lado; entonces se zafó de la mano de su abuelo, que la aferraba afligido, y los recuperó.

Naturalmente, pensó mientras caminaba, el pequeño no murió en aquel momento; técnicamente falleció dos horas más tarde, en medio de los murmullos, los zumbidos y los pitidos de los modernos aparatos médicos. La unidad de cuidados intensivos del hospital era una maravilla de luces, pensó; allá donde mirase había otra luz, llenando todos los ángulos, sondeando todos los rincones. Era como si al negarse a permitir que hubiera oscuridad en las habitaciones, de algún modo pudieran mantener la muerte a raya.

Reparó en el gráfico de un médico; tenía una casilla para la Hora de la Muerte, y una enfermera había anotado en ella las 6.42 de la tarde. Aquello se le antojó inexacto. ¿Cuándo había muerto Tommy? «Estaba muerto cuando yo oí crecer bajo mis pies las pequeñas telarañas en la superficie del hielo, pensó. Murió cuando yo lo llamé y él me respondió agitando el brazo con irritación y exceso de confianza. Murió cuando cayó al agua.» Recordó lo poco espectacular que había sido: el pequeño estaba deslizándose, dándose impulso con los brazos, y al instante siguiente lo tragó aquel agujero oscuro que se había materializado debajo de él, y murió cuando lo envolvió la fría oscuridad. Su cabeza no emergió a la superficie ni una sola vez. Le vino el súbito recuerdo del dolor y el entumecimiento que sintió en los pies cuando echó a correr, después de quitarse los patines, en dirección a la casa de su abuelo. Cada paso que daba parecía más frío, más duro, la nieve más profunda y más traicionera. Cayó media docena de veces, sollozando. Pensó: «Yo no era más que una niña. Y para entonces él ya estaba muerto.»

Una brisa tibia le levantó la blusa, y se pasó una mano por el pelo. El sol casi había desaparecido ya, con gran entusiasmo y alegría de vivir, reemplazado por una lasitud estival en medio del calor.

En Florida no había hielo que pudiera romperse, pensó.

Nunca.

Cruzó el campus pasando junto a grupos de alumnos que se dirigían a cenar, a una fiesta, a estudiar o a lo que fuera, y giró en la calle Raymond para dirigirse a su apartamento. Llenó su mente con las triviales imágenes de envases de yogur, queso fresco y fruta que tenía en la nevera; se planteó brevemente la posibilidad de parar a comprarse una hamburguesa, pero descartó la idea. «Come frutos secos y alimentos sanos», se dijo a sí misma, riendo. Visualizó a sus padres; ambos tenían tendencia a la gordura, pensó. Odiaba las comidas a base de puré de patatas y filetes que inevitablemente le ponían sobre la mesa en las raras visitas que hacía a casa. «Deben de pensar que soy anoréxica —se dijo—. Pues no lo soy. Soy selectiva.»

Atajó por debajo de la farola de brillo de mercurio que había en el cruce entre las calles Raymond y Bond maravillándose, como siempre, del color púrpura fluorescente con que la luz de la farola teñía la ropa y la piel. Tuvo una breve visión de sí misma como estrella de alguna película de terror de los años cincuenta; tras sufrir accidentalmente una singular dosis de radiación, ahora iba a convertirse en... ¿En qué?, se preguntó. ¿En la «increíble mujer más fea del baile»? ¿En la «fantástica petarda»? ¿En la «alumna seria y aplicada»? De pronto oyó unas risas estridentes que salían de una ventana abierta, mezcladas con un acorde que se repetía insistentemente en un estéreo con el volumen a tope. «El de verano —pensó—, es el menos serio de todos los semestres.» Era el que prefería ella, reconoció; hacía que su trabajo destacara entre toda la gente que suspendía en una materia o en otra.

Siguió caminando, ahora tarareando una música sin nombre que había tomado prestada del estéreo a toda pastilla, hasta que dobló la calle Francis. Estaba a dos manzanas de su apartamento y no vio al hombre hasta que lo tuvo casi encima.

—Disculpe —le dijo él—. ¿Puede ayudarme? Me parece que me he perdido.

Ella se sobresaltó. El hombre se encontraba medio en sombras, al lado de la portezuela abierta de su coche.

—¿Eh...?

—¿La he asustado? —preguntó.

—No, no, en absoluto...

—Perdone si...

—No, no pasa nada. Es que venía pensando.

—¿Tenía la mente en otra parte?

—Eso es.

—Conozco esa sensación —dijo el hombre, acercándose a ella—. Un pensamiento lleva a otro, después a otro, y antes de que uno se dé cuenta está en mitad de una pequeña ensoñación. Perdone que me entrometa.

—La realidad —puntualizó ella— siempre se entromete.

Él rió.

Ella lo miró con atención a la luz mortecina de una farola que había a media manzana de distancia.

—¿No le he visto esta tarde en la biblioteca? —preguntó.

Él sonrió.

—Sí, he estado poniéndome al día con ciertas lecturas...

Anne advirtió que él le estudiaba el rostro.

—¿No eres tú, perdón, no es usted la que tenía todos aquellos libros? Pensé que no conseguiría irse nunca, si tenía que leerse todo aquello.

Ella sonrió.

—Una parte, no todos. Algunos ya los he leído.

—Debe de ser estudiante de literatura.

—Así es.

—No resultaba difícil adivinarlo —dijo él con tono cordial.

—No, supongo que no —contestó Anne—. Es curioso, eso mismo estaba pensando yo hace un rato.

—Entiendo —dijo Jeffers—. Buenos instintos.

Ella sonrió y él le devolvió la sonrisa.

Ambos pasaron unos momentos sin decir nada. Anne pensó que aquel individuo era apuesto, alto y tenía un cierto atractivo desaliño natural. Probablemente era por la americana de lino que llevaba, se dijo; a casi todos los hombres les da un leve toque de descuidada familiaridad.

—¿Es usted profesor?

—Algo así —respondió él.

—Pero no es de por aquí, ¿verdad?

—No. Es la primera vez que vengo. Y por lo que parece no consigo dar con la calle Garden. He mirado por todas partes... —El hombre se volvió y señaló primero en una dirección, luego en otra. Anne pensó por un instante que estaba buscando algo, ya que su mirada se detenía en cada dirección antes de volver a posarse en ella.

—La calle Garden es bastante fácil de encontrar —dijo ella—. Al llegar a la esquina tiene que girar a la izquierda, pasa dos calles y después tuerce a la derecha. Garden es la que cruza dos manzanas más abajo. No recuerdo cómo se llama la calle de bajada, pero no está muy lejos.

—Tengo un mapa pequeño, no muy bueno —dijo el hombre—. ¿Le importaría enseñarme dónde estoy exactamente? —Sonrió—. Claro que ésa es una pregunta filosófica, pero esta vez me conformaré con el sentido topográfico.

Ella rió.

—Cómo no.

Se situó a su lado mientras él desplegaba el mapa sobre el techo del coche. Introdujo la mano en el bolsillo buscando un lápiz al tiempo que decía para sí:

—... A ver, aquí es donde creo que estoy... —Y de repente exclamó—: ¡Maldita sea! ¡No se mueva!

—¿Qué pasa?

—Se me ha caído la llave de la habitación.

Se agachó.

—Tiene que estar por alguna parte... —Anne también hizo ademán de agacharse para ayudarlo a buscar, pero él se lo impidió—. Mire a ver si puede señalarme en el mapa dónde estamos.

Ella se acercó al borde del coche y consultó el mapa. Se quedó perpleja un instante; aquel mapa no era de Tallahassee, sino de Trenton, Nueva Jersey.

—Este mapa no es...

Pero no tuvo tiempo de terminar la frase.

Bajó la vista un instante y vio que el hombre tenía en la mano un objeto pequeño y de forma rectangular.

—Buenas noches, señorita Hampton —le dijo.

Antes de que ella pudiera moverse, Jeffers la agarró de la pierna y le apretó el objeto contra el muslo. Se oyó un crujido; Anne sintió un enorme dolor que le inundó el cuerpo, como si alguien se le hubiera metido dentro, le hubiera aferrado el corazón y se lo estuviera retorciendo con saña. «¿Cómo es que sabe mi apellido?», pensó. Entonces notó que sus ojos se ponían en blanco y que se abatía sobre ella una densa negrura. El crujido cesó al tiempo que pensaba: «Se ha roto el hielo.»

Y entonces penetró en la oscuridad.

6

El primer pensamiento al despertar fue que la muerte no era
como ella esperaba. Después, conforme fue recuperando poco a
poco sus facultades, se dio cuenta de que estaba viva. A continuación notó el dolor, como si todos los huesos y los músculos de su
cuerpo hubieran sido forzados hasta su límite y luego los hubieran
golpeado o retorcido. Le dolía la cabeza, y el muslo le escocía en el
punto donde la habían herido. Dejó escapar un gemido lento, intentando abrir los ojos a pesar del dolor.

Oyó la voz de él, cercana pero sin cuerpo.

—No intentes moverte. No forcejees. Procura relajarte.

Ella gimió otra vez.

Parpadeó y abrió los ojos pensando que no debía ceder al pánico, aunque el miedo iba superando rápidamente la sensación de dolor
y cubriéndola igual que un sudario. No pudo evitar soltar un gemido.
Oyó la voz otra vez.

—Procura conservar la calma. Ya sé que es difícil, pero inténtalo. Es importante. Míralo de esta forma: si te mantienes serena, alar-
garás tu vida. Si te entra el pánico… Ya sé que estás a punto de ponerte histérica…, en fin, eso será peor para los dos. Respira hondo
y procura controlarte.

Anne Hampton hizo lo que le decía.

Abrió los ojos e intentó valorar la situación. Había sólo una
pequeña luz, en un rincón; la estancia se encontraba a oscuras en su
mayor parte. No alcanzaba a ver al hombre, pero lo oía respirar.
Gradualmente fue dándose cuenta de que no podía moverse. Estaba tendida de espaldas sobre una cama, con las manos amarradas y
sujetas al cabecero y los pies atados al somier. Disponía de cierta
holgura en las ligaduras; así que se giró todo lo que éstas dieron de
sí para intentar ver dónde estaba.

—Ah, la curiosidad. Bien, eso demuestra que estás pensando.

Anne Hampton se vio abrumada de pronto por dos rápidos sentimientos. Primero la invadió una desesperación violenta, absorbente, ante su vulnerabilidad, y dejó escapar un sollozo. Fue como si se hubiera caído desde una gran altura y bajara dando tumbos, cada vez más deprisa. Después, con la misma brusquedad con la que había aparecido, aquella sensación se replegó y en su lugar experimentó un acceso de cólera. «Viviré —se dijo—. No pienso morir.»

Pero aquella declaración interior que había comenzado a inundarla se vio interrumpida por la voz fría y calma del hombre:

—Hay muchas clases de dolor en el mundo. Yo conozco la mayoría de ellas. No pongas a prueba mi destreza.

Anne Hampton no pudo reprimir el sollozo. Sintió que se le llenaban los ojos de lágrimas. Empezó a preguntarse qué iba a pasar, pero consiguió dominarse, pensando: nada bueno. En cambio salieron de su boca unas palabras como si las hubiera pronunciado otra persona, una niña desamparada.

—Por favor. Por favor, suélteme. Haré lo que usted quiera, pero suélteme. —Se produjo un silencio. Anne Hampton sabía que el hombre no estaba estudiando la petición que acababa de hacerle—. Por favor —repitió. Le extrañó lo inútil que resultaba incluso el sonido de aquella súplica—. Dígame qué quiere de mí —rogó. Por su mente cruzaron un sinfín de posibilidades, pero se negó a ponerles nombre. Oyó al hombre exhalar aire lentamente. Fue un sonido horrible.

—Tú eres una estudiante —dijo—. Tendrás que aprender.

Por un instante, Anne Hampton tuvo la impresión de que se le había parado el corazón.

El hombre apareció a la luz por primera vez, simplemente salió de las sombras y entró en su visión periférica. Ella torció el cuello para verlo. Se había cambiado de ropa y había reemplazado la chaqueta de lino y los pantalones caqui por unos vaqueros oscuros y una camisa deportiva negra. Aquello la desorientó, y tuvo que mirar dos veces para cerciorarse de que se trataba de la misma persona. También su rostro parecía distinto; había desaparecido aquella sonrisa relajada y natural, de pronto parecía todo aristas y ángulos. Los ojos del hombre se clavaron en los de ella, y Anne Hampton tuvo la sensación de verse atraída hacia él, impotente, por la rigidez de su mirada, y tragó saliva.

—No luches —le dijo él. Calló unos instantes—. Si luchas, sólo conseguirás prolongar las cosas. Es más inteligente dejarse llevar por el... programa.

—Por favor —dijo ella—. No me haga daño. —Se escuchó a sí misma. Las palabras le salían solas, sin trabas, sin poder evitarlo—. Haré lo que usted quiera.

—Naturalmente que lo harás. —El hombre no apartó su mirada de la de ella. La absoluta certeza de lo que dijo la golpeó como un mazo—. Lo que yo quiera. Pero ésa es una respuesta aprendida. Condicionada. Y la lección no ha hecho más que empezar. —Sostuvo en alto el objeto rectangular para que ella pudiera verlo. Anne Hampton se estremeció involuntariamente y retrocedió. El hombre pulsó un botón que había a un costado del artilugio y ella vio una corriente eléctrica que saltaba de un polo al otro—. Ya conoces esto —le dijo. De repente Anne percibió agudamente el dolor que sentía en todo el cuerpo y dejó escapar un medio gemido que también era un medio sollozo—. ¿Sabes que en los estados de Georgia, Alabama, Missouri, Montana, Nuevo México y por lo menos otra media docena más se puede comprar un aturdidor sin necesidad de licencia? También se puede adquirir por correo, pero eso es más fácil de localizar. Claro que ¿qué motivo puede tener alguien para utilizar un objeto así? —Respondió él mismo a la pregunta—: Excepto para infligir dolor.

Anne Hampton sintió que le temblaba el labio inferior, y dijo con una voz trémula que era nueva:

—Por favor, haré lo que sea, por favor.

Él bajó el artilugio.

—No sería justo —dijo— utilizarlo de nuevo, después de haberte permitido experimentarlo una vez. —Ella sollozó, casi agradecida y lanzó una exclamación ahogada cuando él acercó su cara a la de ella y siseó—: Pero imagínate. Cuando lo utilicé contra ti, lo tenía ajustado en la posición más suave. Imagínate. Imagina lo que sería si aumentara la intensidad. Piensa en ese dolor. ¿No tuviste una sensación como si te agarrasen el alma y te la arrancasen del cuerpo? Piensa en ello.

Anne Hampton tuvo una súbita visión de un dolor profundo que le recorrió todo el cuerpo. Y se oyó responder:

—Sí, sí, sí. Dios, por favor.

—No reces —se apresuró a decir él.

—No, no, no rezaré. Lo que usted diga. Por favor.

—No supliques.

—Vale, vale. Sí, sí...

—Sólo piensa.

—Sí, sí, sí. —Anne asintió enérgicamente.

—Bien. Pero recuerda. Nunca anda muy lejos.

—Lo recordaré, lo recordaré.

De repente su tono de voz cambió y se volvió más solícito.

—¿Tienes sed?

Aquella palabra la hizo caer en la cuenta de que tenía la garganta reseca. Afirmó con la cabeza. El hombre desapareció de su vista. Oyó que se abría un grifo de agua. El hombre regresó a su lado con una toalla mojada y empezó a acariciarle los labios con ella. Ella chupó la humedad.

—Resulta fascinante el alivio que podemos obtener de algo tan simple como una toalla mojada en agua... —Ella afirmó—. Pero..., que lo mismo que nos proporciona alivio pueda aterrorizarnos.

Mientras pronunciaba la última palabra, de improviso empujó la toalla contra la boca y la nariz de Anne Hampton. Ella, asfixiada, boqueó en un intento de gritar, pero su grito quedó sofocado por la toalla. «¡Oh, Dios! —pensó—. ¡Voy a morir! ¡No puedo respirar!» Comprendió que estaba ahogándose y tuvo una súbita visión de su hermano en medio del hielo, agitando los brazos hacia ella. Sintió como si le estuvieran arrancando los pulmones del pecho. Puso los ojos en blanco y se debatió contra las ligaduras mientras en su cerebro, anegado por el pánico, todo se tornaba negro.

Y entonces él la soltó.

Ella luchó por respirar y llenó desesperadamente los pulmones.

—Ahora sentirás alivio —le dijo él. Empleó la toalla para secarle la frente. Ella sollozó otra vez.

—¿Qué va a hacerme?

—Si te lo dijera, se desvelaría el misterio.

Los sollozos se apoderaron de su cuerpo y se echó a llorar sin tapujos.

—¿Por qué?

Él no le hizo caso y la dejó llorar un momento.

Las lágrimas cesaron, y Anne Hampton lo miró.

—¿Más preguntas?

—Sí. No. No puedo...

—Está bien —repuso él con suavidad—. Esperaba que sintieras curiosidad. —Reflexionó durante un minuto. El tiempo pareció reflexionar con él—. ¿Alguna vez has leído una noticia en el periódico, acerca de un crimen, que sugería que a lo mejor le ocurrió eso a una persona pero que no estaba claro del todo, y tu imaginación tuvo que abrirse paso por entre los eufemismos y las analogías para poder llegar a entenderlo bien? ¿Te ha pasado alguna vez?

—Sí. No. Creo que no. Lo que usted diga.

Él la miró enfadado.

—Bueno, pues eso es lo que te ha ocurrido a ti. Estás atrapada en una de esas historias. Eres un reportaje de las noticias... —Se echó a reír—. Sólo que esta noticia no ha sido escrita todavía. Y aún hay que inventar el titular. ¿Lo entiendes? ¿Entiendes lo que estoy diciendo?

Ella negó con la cabeza. Intentó hablar:

—N...

—Quiere decir que tienes una oportunidad de vivir.

Ella emitió un sollozo. No sabía si debía sentirse agradecida.

En eso, él le propinó una fuerte bofetada en la boca, y a ella le dio vueltas la habitación. Luchó para no perder el conocimiento. Sintió el sabor de la sangre en las encías y le pareció que se le había aflojado un diente.

—Pero también quiere decir que a lo mejor no la tienes. Tenlo en cuenta. —Aguardó unos instantes, observando el efecto de sus palabras en el rostro de ella. Anne Hampton sabía que no podía ocultar el terror que sentía, y le tembló el labio—. Eso no me gusta —concluyó en tono resuelto.

Y entonces la abofeteó de nuevo. Su mano se movió como a cámara lenta. Ella se sorprendió de sentir el dolor. Se relajó preguntándose cómo había podido sentirlo, pero esta vez se rindió al sufrimiento y se desmayó.

Cuando emergió de la noche de la inconsciencia tuvo cuidado de reprimir todo sonido de dolor, que era la reacción involuntaria al retorno de sus facultades. Notó que tenía el labio hinchado y sintió un gusto a sangre seca. Aún estaba atada y había vuelto el dolor de las articulaciones y los músculos, menos agudo pero con un vigor renovado que le dio miedo.

No oía al hombre, pero sabía que estaba cerca.

Aspiró despacio, luchando contra el dolor, y se obligó a hacer una valoración de cuanto la rodeaba. Sin mover la cabeza, dejó que sus ojos explorasen el techo. De él colgaba una única bombilla desnuda, pero estaba apagada. Distinguió que la estancia era pequeña, y supuso que se encontraba en un apartamento o en la habitación de un motel. Giró ligeramente la cabeza de un lado al otro y vio unos cuantos muebles de mal gusto y una ventana con la persiana bajada. Parecía haber un pequeño pasillo más allá de donde le alcanzaba la vista, y se figuró que sería el de entrada. No veía de dónde provenía la escasa iluminación, pero supuso que habría un baño contiguo y que su captor habría dejado la luz encendida. No supo decir qué hora era ni cuánto tiempo llevaba inconsciente.

Cayó en la cuenta, con una punzada de desesperación, de que no recordaba el día de la semana ni la fecha, y rápidamente intentó hacer memoria. «Estuve trabajando en la biblioteca un martes —se dijo—. Estamos en julio, a finales de julio. En la última semana. Sólo quedan tres semanas para que finalice el semestre.»

¿O eran cuatro? Se mordió el labio inferior y sintió que se le agolpaban las lágrimas en los ojos. «¡Acuérdate!», se exigió a sí misma. Creía que iba a estallarle el cerebro en su intento de recordar la fecha.

¿Cuánto tiempo llevaba allí? Se echó a llorar.

En ese momento, como si le hubiera leído el pensamiento, su raptor dijo:

—A partir de ahora, yo seré quien controle el tiempo. —Su voz tenía un tono duro y tajante, y Anne no pudo contener las lágrimas. De su boca escapó un sollozo, después otro, hasta que por fin todo su cuerpo terminó estremeciéndose de desesperación. Él la dejó continuar. Anne no supo cuánto tiempo estuvo llorando, si fueron minutos u horas. Cuando cesó el llanto, lo oyó suspirar y añadir—: Bien. Ahora podremos continuar.

Se puso tensa, como en un movimiento reflejo. Fuera de su campo visual lo oyó hurgar en el interior de una bolsa.

—¿Qué va a hacer? —le preguntó.

De inmediato lo tuvo a su lado.

—¡Nada de preguntas! —masculló él en tono agresivo y le dio una bofetada—. ¡Nada de preguntas! —La abofeteó otra vez—. ¡Nada de preguntas!

La abofeteó por tercera vez.

Todo sucedió tan deprisa que el dolor y la sorpresa parecieron confundirse.

—No, no, no, lo siento... —se disculpó ella.

Él la miró.

—¿Alguna pregunta? —inquirió.

Ella negó rápidamente con la cabeza.

Él soltó una breve carcajada.

—Ya sabía yo que no.

Una vez más Anne sintió que se le encogía el corazón de desesperación. Luchó por reprimir una súbita oleada de histeria.

De pronto oyó un leve chasquido y volvió la cabeza para ver de qué se trataba.

—¿Qué me...?

—Ha llegado el momento de descubrirse —anunció él, que sostenía en la mano unas tijeras quirúrgicas de acero.

La sensación del metal contra la piel le dio frío. Se estremeció y a continuación escuchó. Entonces dejó escapar un gemido y comprendió lo que era. Oh, Dios, lo sabía. El hombre, sin prisa pero sin pausa, estaba cortándole la tela de los vaqueros.

Cortó primero una pernera desde el tobillo hasta la cintura, después la otra. Luego dobló con cuidado el pantalón hacia atrás para dejar a la vista las piernas. Ella sintió un escalofrío. Notó que él le introducía una mano por debajo del cuerpo y le empujaba la espalda hacia arriba, separándole las nalgas de la cama, y volvía a soltarla tras retirar el vaquero. Lo oyó arrojar la prenda destrozada contra un rincón. Cerró los ojos y sintió cómo las tijeras le trabajaban la camisa con una calma y una precisión aterradoras. Notó que le quitaba el sujetador, y a continuación el tacto del acero en las caderas mientras le cortaba las bragas.

Dejó escapar otro sollozo.

Se sentía abrumada por el dolor y la vergüenza. Derrotada. Lo inevitable de lo que estaba a punto de sucederle se le antojaba demasiado sordo, obvio, ineludible; casi no le daba miedo. Pensó: «Hazlo ya, por favor, acaba de una vez.»

Esperó a que él la violara.

Los segundos se transformaron en minutos, y Anne Hampton se dio cuenta de que tenía frío. Se estremeció, con los ojos aún cerrados.

No oía nada salvo la respiración de él, muy cerca.

Era consciente de que iban transcurriendo los minutos.

Una idea terrible acudió a su mente: ¡Dios mío! ¿Y si no podía? ¿Y si esa frustración...? Entonces dejó de pensar y abrió los ojos muy despacio. Lo encontró simplemente sentado al lado de ella. Cuando él vio que había abierto los ojos, le recorrió todo el cuerpo con los suyos.

—Te darás cuenta, por supuesto, de que podría hacer contigo lo que quisiera —dijo.

Ella asintió con la cabeza.

—Abre las piernas.

Ella separó las piernas todo lo que le permitían las ataduras.

Oyó el zumbido del motor de una cámara fotográfica y detrás de sus párpados entornados el mundo se tornó rojo de repente, al producirse un destello de luz. Luego hubo otra explosión, y después otra. Entonces abrió los ojos lentamente.

—¿Va a...?

—Muy bien —dijo él. Estaba guardando de nuevo la cámara en una bolsa.

Ella intentó volver a cerrar las piernas, nerviosamente.

—¿Va a...? —empezó a decir otra vez, pero sus palabras se ahogaron en otra bofetada que le cruzó la cara.

—Pensaba que eso ya lo habíamos aprendido —dijo él.

Y la golpeó otra vez.

Ella no pudo evitar llorar.

—Lo siento, lo siento —se disculpó—. Por favor, no me pegue más.

Él se limitó a mirarla.

—Está bien. Puedes formular la pregunta. ¡Vamos!

Ella sollozó.

—¿Va... va a... violarme?

Él guardó silencio y después dijo:

—¿Tengo que hacerlo? —Le puso una mano en la entrepierna.

Ella sintió cómo su piel se encogía bajo aquellos dedos. Y entonces la abofeteó de nuevo. Ella lanzó una exclamación ahogada—. Te he hecho una pregunta. No me hagas esperar.

—Oh, Dios, no, sí, no lo sé, lo que usted quiera, por favor.

—Bien —repuso él, y se acercó a los pies de la cama. Ella alzó la cabeza de la almohada y lo vio sostener en alto algo pequeño y brillante—. ¿Ves lo que es esto?

Ella lanzó un gemido. Por su mente cruzó una sombra siniestra.

—Siempre me ha fascinado la sencillez de una cuchilla de afeitar —añadió él—. Podría cortarte el cuello con tal sutileza que lo primero que sentirías sería la sangre brotando de tu gaznate.

Anne Hampton lo miró con ojos desorbitados por el pánico.

Él la miró a los ojos. A continuación, lentamente, con sumo cuidado, bajó la cuchilla y la pasó por la gruesa piel del dedo gordo del pie.

—Por favor —empezó ella, pero calló al ver el centelleo en los ojos de su torturador.

Él se colocó a un costado y le apoyó el filo de la cuchilla en la cadera. Anne Hampton no sintió nada, pero vio aparecer en su piel una delgada raya de sangre como de tres o cuatro centímetros de largo.

—Considérame una cuchilla de afeitar —le dijo él mientras se situaba un poco más arriba y deslizaba la cuchilla por el antebrazo, justo en el borde de la visión periférica de su presa. Ella alcanzó a distinguir solamente otra raya roja. Tuvo la mareante sensación de estar girando sobre sí misma, intentando mantenerse alerta, dominarse, para gritar, para hacer algo. De pronto lo tuvo delante de la cara, y vio la cuchilla entre sus dedos. Él le propinó con la mano un golpe en la nariz y en la boca al tiempo que mascullaba—: ¿Quieres que te haga un arreglito en la cara?

Y entonces Anne Hampton se sumió en el vacío.

Anne despertó dulcemente, pensando en prepararse un desayuno tranquilo y abundante, en disfrutar de unos huevos con tostadas y beicon, café, quizás un bollito, y después leer reposadamente el periódico de la mañana. Imaginó que el desayuno y las noticias desagradables le vendrían muy bien para librarse de la pesadilla que había sufrido, un sueño horrible lleno de cuchillas de afeitar y locos dementes. Medio dormida, intentó darse la vuelta para levantarse de la cama, pero topó una vez más con las ligaduras que la sujetaban. Por un momento se quedó confusa, como si pudiera sacudirse la somnolencia de los ojos y terminar de una vez con aquella nebulosa pesadilla que invadía la solidez de su vida diaria. Y entonces la tensión de las muñecas y los tobillos se hizo real y comprendió que en realidad el sueño era lo que acababa de pensar, y lanzó un sollozo de admisión y derrota.

Entonces se acordó de su cara.

Su mano saltó de forma involuntaria hacia los ojos, pero se vio retenida por las ataduras. Intentó doblarse hacia las manos; «¡necesito tocarme! —gritó para sus adentros—. ¿Qué me ha hecho?».

La invadió un terror rebelde, incontrolable. «¿Sigo siendo yo?», rugió su cerebro. Torció el cuello para mirarse el corte que le había hecho la cuchilla en el antebrazo. Le produjo un miedo inmenso no notar nada, aunque veía el coágulo de sangre seca transformado en una costra marrón. No experimentaba ni dolor ni ninguna otra sensación. «¡La cara! ¿Qué me ha hecho en la cara?» Intentó segmentar su rostro en varias zonas; movió la nariz, la cual pareció reaccionar con normalidad; arqueó despacio las cejas intentando sentir una vacilación en la carne que delatara un corte en la piel; empujó el mentón hacia delante y estiró la piel de la barbilla y del labio inferior. No estaba segura del todo, porque todavía tenía el labio hinchado. Ordenó a su boca que ejecutara una sonrisa, después una sonrisa más ancha, y sintió cómo la carne de las mejillas se contraía y se tensaba. Intentó arrugar la frente al mismo tiempo, y a continuación mantuvo aquella mueca grotesca, inspeccionándola como si estuviera viéndola desde atrás, a oscuras, como un ciego en una habitación conocida que de pronto se da cuenta de que alguien ha cambiado de sitio los muebles que a él le ha costado tanto memorizar.

No podía estar segura, y aquello la asustaba tanto como lo que más. Cerró los ojos y rezó en silencio para que aquella vez pudiera abrirlos encontrándose de vuelta en su habitación, rodeada de sus cosas. Apretó los ojos con fuerza y trató de recordar su dormitorio. Pensó en las fotografías colocadas sobre el escritorio: sus padres, sus abuelos, su hermano ahogado, el viejo perro ovejero de la familia. En el centro, entre las fotografías, tenía una cajita, un joyero antiguo de madera tallada a mano, en el que guardaba pendientes, sortijas y collares que entre todos valían mucho menos que el joyero en sí. Trató de recordar aquella mañana de Navidad en la que lo desenvolvió y el beso y el abrazo que dio a sus padres como agradecimiento. Trató de recordar la textura lisa y agradable de la madera pulida. El dibujo en forma de volutas de la tapa era de una finura y una delicadeza especiales, y se esforzó por buscar en su memoria la sensación que experimentó al pasar las yemas de los dedos por aquella madera.

Pero era un recuerdo lejano, como algo recogido de un sueño a la deriva, y por primera vez se preguntó si algo que había existido tan pocas horas antes podía ser real.

Sintió un estremecimiento, pero no porque tuviera frío.

¿Dónde estará?, se preguntó.

No lo oía respirar, pero eso no le indicó nada; sabía que el hombre estaba muy cerca. Alzó la cabeza para captar su entorno iluminado por la misma luz tenue que la perfilaba a ella. No vio a su captor, pero lo que sí vio perforó su cerebro salvajemente y se le clavó en el corazón con profundo terror.

Dejó caer la cabeza otra vez sobre la almohada y permitió que los sollozos le sacudieran todo el cuerpo. Fue entonces cuando, por primera vez, conoció una violación de verdad.

La había vestido.

Llevaba puestos una braga, un sujetador, un pantalón y una camiseta.

Pensó: «soy una niña».

Y rompió a llorar desconsoladamente.

Pasó varios minutos sin darse cuenta de que el hombre se hallaba sentado en una silla, justo a su espalda. Cuando el llanto fue cesando, él le tocó otra vez los labios con un paño mojado. A continuación, suavemente, comenzó a lavarle la cara. Siguió realizando dicha tarea mientras ella iba superando poco a poco sus miedos; Anne Hampton se concentró en el tacto del paño contra su piel procurando estar atenta a cualquier vacilación o dolor que pudiera dar fe del trabajito que le había practicado él con la cuchilla. Pero no hubo nada, de modo que se permitió suspirar para sus adentros.

Sintió que se le relajaban los músculos y luchó por mantener la rigidez, pensando que debía estar preparada para algo. Entonces se dio cuenta de que el control de su mente sobre su cuerpo se había rendido, que ya no iba a poder ordenar nada a sus miembros, que de algún modo en las pasadas horas, en el miedo y la tensión, había renunciado a una parte de su autocontrol. Entonces él empezó a hablar con suavidad, amablemente. Ella odió el sonido de su voz, pero fue incapaz de resistirse al efecto que ejercía.

—Bien —dijo el hombre—. Relájate. Aspira y espira despacio. —Luego permaneció en silencio—. Cierra los ojos y haz acopio de fuerzas. —Ella pensó: no es eso lo que pretende; lo que pretende es que me quede sin fuerzas—. Escucha los latidos de tu corazón —prosiguió—. Todavía estás viva. Has llegado hasta aquí. Has hecho progresos.

A Anne Hampton se le ocurrieron un centenar de preguntas, pero las reprimió todas.

—Yo... y...

—No digas nada —dijo él. Anne notó que su respiración se había serenado y que los latidos de su corazón ahora eran más lentos. Se refugió detrás de sus párpados cerrados, consciente de que él se había apartado de su lado. Lo oyó alejarse unos pasos y luego, con la misma rapidez, regresar junto a ella—. Eso es. Sigue con los ojos cerrados —ordenó. Su voz tenía un tono sosegado. Le acarició la frente con suavidad—. ¿Crees que soy capaz de hacerte daño? —le preguntó con voz queda.

—No —respondió ella pausadamente. Seguía con los ojos cerrados.

—Pues te equivocas —replicó él con aquella voz aterciopelada.

Sintió un estallido de luz detrás de los ojos cerrados cuando la golpeó. El sonido que produjo su mano contra la mejilla fue agudo, horrible, y respondió con una exclamación ahogada que era una mezcla de sorpresa y dolor. Abrió los ojos de golpe y vio la mano de él tomando impulso para abofetearla de nuevo, el único objeto estable en medio de una habitación que giraba de modo vertiginoso.

Cerró los ojos con fuerza e intentó hundirse en la almohada.

—No, no, no, otra vez no, por favor —exclamó.

Entonces se hizo el silencio.

En la oscuridad de sus ojos cerrados, la mente de Anne Hampton giraba a toda velocidad. Por primera vez no pudo pensar en nada que no fuera el dolor, lo odiaba y lo temía, ansiaba librarse de él.

Al cabo de un momento él habló.

—Te debo otro golpe —le dijo—. Piensa en eso.

Acto seguido lo oyó alejarse de la cama e internarse en lo que, empezaba a entender, era la vasta oscuridad de la pequeña estancia en la que se encontraba. Permaneció con los ojos cerrados, sintiéndose completamente abandonada salvo por el incesante dolor.

Dejó de tener conciencia plena de si estaba despierta o dormida. La distinción entre la fantasía y la realidad, entre la vigilia y el sueño, se había evaporado. Se preguntó por un instante si la barrera entre la vida y la muerte se volvería también igual de borrosa.

Aterrorizada ante aquel pensamiento, intentó darse ánimos. «Todavía estoy viva —pensó—. Si su intención fuese matarme, ya lo habría hecho, y al principio. No me mantendría con vida, provocándome dolor, para terminar matándome. No, me necesita. Y esa necesidad explica el que no haya acabado conmigo.»

Sin embargo, enseguida el negro desánimo se abatió de nuevo sobre ella y la hizo pensar en la posibilidad de que estuviese equivocada. Tal vez él la necesitaba sólo por lo que ella le proporcionaba: una víctima inmovilizada. Tal vez, sencillamente, estaba aumentando la tensión hasta llegar a un clímax. Y una vez alcanzado éste, ¿qué sería ella? ¿Se transformaría en un objeto desechable? Intentó librarse de semejantes pensamientos encerrándolos en algún rincón oscuro de su mente, pero una vez que los visualizó comenzaron a crecer poco a poco hasta terminar dominando su imaginación. Vio escenas que parecían sacadas de un telediario nocturno: un pelotón de cámaras, una brigada de detectives, una masa pululante de curiosos, todos congregados alrededor de su cadáver desnudo. En su visión intentó gritarle a la muchedumbre que estaba viva, que respiraba, lloraba y pensaba, pero nadie le hacía caso. Para ellos estaba muerta, a pesar de lo mucho que insistiera en lo contrario, y en dicha pesadilla despierta se vio a sí misma, paralizada por el miedo, trasladada sobre una camilla al depósito de cadáveres. Era como si sus gritos de superviviente fueran mudos, insonoros, y se perdieran en el cielo sin que los oyera nadie.

El hombre se introdujo en aquella ensoñación, y Anne Hampton vio que empuñaba una pistola.

—Tengo otras armas —dijo en su habitual tono tranquilo.

Por un instante a Anne le costó trabajo discernir si se trataba de una visión o de la realidad. Luego, paulatinamente, reparó en la luz tenue, en las paredes color crema, en las correas que la sujetaban, y regresó de la pesadilla a la habitación del motel.

—Levanta las caderas —ordenó él.

Ella obedeció.

Él dejó la pistola y, mientras Anne Hampton sostenía el cuerpo en vilo, le bajó los pantalones y las bragas que él mismo le había puesto y la dejó medio desnuda.

—Una pistola es un objeto sumamente frío —le dijo. Puso la pistola sobre el liso vientre de Anne Hampton. Ella sintió su peso y el frío del metal. Su captor la dejó allí durante unos momentos. Después volvió a cogerla y añadió—: Si quisieras destruir tu identidad, ¿no empezarías disparándote un tiro en la entrepierna?

Y apuntó con el arma entre las piernas.

—¡Oh, Dios, no! —exclamó Anne Hampton.

Anne oyó el chasquido del percutor y se puso a forcejear frenéticamente contra las ataduras sin apartar la vista del negro y redondo agujero del cañón de la pistola, que parecía gigantesco, capaz de tragársela entera. Tiró con fuerza una vez más de la ligadura que la retenía, pero se derrumbó sobre la cama resignándose a la derrota. No cerró los ojos, sino que los mantuvo fijos en el cañón de la pistola. Por un instante creyó ver la bala salir de él.

El hombre la miró, vaciló por un instante y apretó el gatillo.

El percutor se accionó con un chasquido.

—Vacío —dijo el hombre. Apretó el gatillo otra vez. La pistola emitió otro chasquido que indicaba que, en efecto, no tenía balas.

Anne Hampton sintió de pronto que se le escapaba todo el aire del cuerpo, como si le hubieran dado un puñetazo en la espalda, y boqueó intentando respirar.

Él la observó atentamente. A continuación extrajo de su bolsillo un puñado de balas y comenzó a introducirlas lentamente en el cargador de la pistola.

Anne Hampton sintió náuseas.

—Por favor —rogó—, voy a vomitar...

Él se acercó rápidamente a la cabecera de la cama. Había arrojado la pistola a un lado, y Anne Hampton sintió que le ponía una mano detrás de la cabeza y se la sostenía. Tenía en la mano un pequeño vaso de plástico desechable. Tuvo una arcada, pero no expulsó nada. El hombre volvió a depositarle la cabeza despacio y enseguida se puso a acariciarle los labios con el paño húmedo. Ella lamió aquella humedad y dejó escapar otro sollozo.

—Levanta las caderas. —Ella obedeció una vez más. Él se apresuró a ponerle de nuevo la braga y el pantalón y se los ajustó con movimientos eficientes. Luego cogió la pistola y se la enseñó—. También soy un experto en esto, pero ya lo sabías, ¿verdad?

Ella asintió.

—Sí..., sí.

—De hecho —continuó él—, en lo que se refiere a maneras y estilos de matar, soy sumamente versado. Poseo gran experiencia. Aunque eso no necesito decírtelo, ya lo sabes de sobra, ¿no es así? —Al ver que ella negaba con la cabeza, añadió—: Estás aprendiendo. —La recorrió con la mirada e hizo una pausa antes de proseguir—. Habrás leído a Dostoievski, ¿verdad?

Ella asintió.

—Algo... —repuso.

—¿*Crimen y castigo*? ¿*Los hermanos Karamázov*? ¿*Apuntes del subsuelo*?

—Sí. Y también *El idiota*.

—¿Cuándo?

—El año pasado, en el seminario de primer curso.

—Bien. Bueno, entonces recordarás lo que le sucedió a ese famoso autor antes de que lo enviaran a un campo de trabajo en Siberia.

Ella negó con la cabeza y él prosiguió:

—Lo situaron junto con otros condenados en fila contra una pared, frente al pelotón de fusilamiento del zar. Preparados, chilló el capitán, y los hombres se echaron a temblar. Apunten, dijo después, mientras los hombres rezaban a toda prisa sus últimas oraciones y miraban impotentes a sus verdugos. El capitán alzó su sable, pero antes de que pudiera bajarlo hacia el suelo y gritar la orden de fuego, irrumpió un jinete agitando frenéticamente un papel. Era el indulto del zar. Los condenados, agradecidos, cayeron de rodillas. Unos comenzaron a balbucear, dementes de pronto, pues en el breve momento en que vislumbraron la muerte habían perdido la razón. Otros murieron de todas formas, pues tenían el corazón demasiado débil para soportar algo semejante. Y todos fueron enviados a los campos. ¿Cómo se sobrevive en los campos?

Anne tardó unos segundos en comprender que se le había formulado una pregunta. Su mente voló a la pequeña aula en la que se habían reunido ella y otras nueve alumnas para hablar de las novelas rusas. En su recuerdo vio el sol que se reflejaba en la superficie lisa y verde de la pizarra.

—Mediante la obediencia —contestó.

—Bien. ¿Te parece que aquí ocurre lo mismo?

—Sí.

El hombre vaciló unos instantes, mirándola con atención.

—Dime, de todo lo que te ha sucedido hasta ahora, ¿qué ha sido lo peor? ¿Qué es lo que más miedo te ha producido? ¿Qué es lo que más dolor te ha provocado? —Se sentó en el borde de la cama, aguardando a que ella respondiera.

Anne Hampton se sentía invadida por una oleada de emociones y recuerdos, y aquella pregunta hacía que su estado de desesperación fuese aún mayor. Se acordó de la pistola que apuntaba a su entrepierna y luchó contra el sabor amargo de la bilis que le subió a la boca; pensó en la salvaje descarga eléctrica del aturdidor; en la cuchilla flotando por encima de su rostro; en la sensación de ahogo que la aplastó cuando él le apretó la toalla contra la nariz y la boca; y en los golpes que le había propinado. Todo ello le había dolido, la había aterrorizado. Y entonces se preguntó para qué querría saberlo. ¿Por amabilidad...? En tal caso, ¿de qué clase de amabilidad se trataba? No logró pensar con claridad; la idea de que ella dispusiera de algún poder, de alguna capacidad de influir en la situación, le produjo pánico. Entonces la invadió un terror nuevo: tal vez él quisiera saberlo para eliminar las demás torturas y quedarse sólo con la peor de todas. «Oh, Dios —pensó—, ¿cómo voy a saberlo?»

—Vamos —la apremió él en tono de impaciencia—. ¿Qué ha sido lo peor?

Anne Hampton dudó. Por favor, rezó para sus adentros.

—La cuchilla —respondió. Y se echó a llorar.

—¿La cuchilla? —repitió él. Se puso de pie mientras ella seguía llorando. Se marchó y regresó al cabo de un momento, con la cuchilla en la mano—. ¿Esta cuchilla?

—Sí, sí, sí... Por favor... Oh, Dios mío, por favor.

Él se la acercó a la cara.

—¿Esto es lo que te da más miedo?

—Por favor, por favor...

Él situó la cuchilla a pocos centímetros de su nariz.

—Así que no lo soportas, ¿eh?

Ella se limitó a sollozar, atenazada por el miedo.

—Muy bien —añadió él mientras ella lo miraba a través de las lágrimas—. Muy bien, no volveré a usar la cuchilla. —Calló unos instantes—. Excepto para afeitarme. —Soltó una carcajada y agregó—: Puedes sonreír. Ha sido una broma. —Anne Hampton continuó llorando. Él no dijo nada mientras ella sollozaba minuto tras minuto. Por fin, cuando empezó a recuperar un poco el dominio de sí misma, la miró fijamente y le preguntó—: ¿Te gustaría ir al cuarto de baño?

Nuevamente se quedó sorprendida por la sencillez de aquella oferta.

—Sí —respondió asintiendo con la cabeza.

—Muy bien —dijo su captor. Le soltó las ligaduras. Sin embargo, antes de desatarle las muñecas la miró detenidamente y añadió—: ¿He de explicarte las reglas, o crees que ya las tienes aprendidas?

Ella volvió a sentirse confusa. No sabía de qué le estaba hablando.

—No —continuó él—, me parece que sabrás comportarte. El baño está aquí mismo, al doblar esa esquina. Por supuesto, tiene una ventana pequeña que te planteará una disyuntiva. Para algunas personas una ventana abierta significa la libertad. Pero puedes tener por seguro que lo cierto es lo contrario. Sólo existe un modo de obtener la libertad: cuando yo lo decida. A estas alturas ya deberías saber eso de sobra. Aun así, la ventana existe, de modo que debes elegir tú.

Le desató las muñecas. Ella pasó las piernas a un lado de la cama e intentó ponerse de pie, pero se le fue la sangre de la cabeza y de pronto sintió un mareo. Se agarró con fuerza a la cama para conservar el equilibrio.

—Oh..., oh...

—No tengas prisa. No vayas a caerte.

Él había permanecido sentado, sin moverse.

Anne Hampton se levantó despacio y sintió que todos los músculos del cuerpo se le contraían dolorosamente. Dio un paso diminuto, y después otro.

—No pue...

—Pasitos cortos —le dijo él—. Eso es.

Anne se apoyó en la pared con una mano y luego con la otra. Sirviéndose de la pared para guiarse, salió al breve pasillo y maniobró para entrar en el cuarto de baño. La luz le hirió los ojos, y se los tapó. Su primer pensamiento fue el espejo y se obligó a abrir los ojos, lo cual le produjo un dolor que simplemente se sumó a todos los demás que asediaban su cuerpo. Alzó la cara hacia el espejo para examinar los daños. Tenía el labio hinchado, pero eso ya se lo esperaba. En la frente había una contusión de un golpe que no recordaba haber recibido. El mentón también lo tenía rojo y magullado a causa de las bofetadas. Pero por lo demás estaba intacta. Dejó escapar un sollozo de gratitud. Le temblaron las manos cuando abrió el grifo y se salpicó la cara con agua, lo cual alivió parte del dolor. De repente cayó en la cuenta de que tenía mucha sed, y empezó a beber con ayuda de la mano hasta que empezó a sentir un fuerte malestar. Experimentó una oleada de náuseas; se inclinó sobre el retrete y vomitó violentamente. Cuando hubo terminado, alargó una mano y se aferró del lavabo para recuperar el equilibrio. Se lavó otra vez la cara.

Entonces levantó la vista y descubrió la ventana.

Estaba abierta, tal como él había dicho.

Se permitió un breve instante de fantasía y después comprendió que él la estaría esperando al otro lado. Lo supo con una certeza absoluta. Aun así, se acercó y apoyó una mano en ella, como si esperase que el ligero frescor del aire nocturno del verano fuera a consolarla. Contempló la negrura de la noche. «Está ahí», pensó. Vio su figura moverse, justo en la periferia de su visión; vio las ramas de los árboles agitarse en la brisa, pero sabía que él estaba allí, aguardando. Me mataría, pensó, aunque la palabra «matar» no tomó tanta forma en su cerebro como las palabras «sufrimiento» y «dolor».

«¡Estoy tardando demasiado! —pensó de pronto—. ¡Va a enfadarse!» Volvió rápidamente al lavabo y, lo más deprisa que pudo, se echó otra vez agua por la cara y bebió un poco más. «¡Date prisa! —se dijo—. ¡Haz lo que él quiere!»

De nuevo apoyándose en la pared, regresó tambaleándose a la habitación.

—Estoy esperando —oyó decir a su captor.

Cruzó la habitación con paso inseguro hacia la cama. Sin que se lo ordenaran, se acostó sobre ella y estiró las manos hacia arriba para que él pudiera atárselas con facilidad. A continuación tendió las piernas para que hiciese otro tanto, y sintió cómo se apretaban las cuerdas.

—Ya...

—¿Mejor? —le preguntó él—. ¿Quieres dormir, o prefieres que te responda a unas cuantas preguntas?

De repente Anne se sintió abrumada por el cansancio, como si la excursión al baño hubiera supuesto una cumbre imposible de escalar.

—Entonces, duerme —lo oyó decir.

Cerró los ojos y se sumió en un sueño profundo.

Cuando despertó lo encontró sentado a los pies de la cama.

—¿Cuánto tiempo he...? —empezó a decir, pero él la interrumpió.

—Cinco minutos. Cinco horas. Cinco días. Lo mismo da.

Asintió, pensando que él tenía razón.

—¿Puedo hacer preguntas?

—Sí —respondió él—. Es un buen momento.

—¿Va a matarme? —quiso saber ella. Pero en cuanto aquellas palabras salieron de su boca, se arrepintió de haberlas pronunciado.

—No, a menos que me obligues —repuso él—. Compréndelo, eso no ha cambiado: tu destino todavía depende de ti misma.

Ella no le creyó.

—¿Por qué me está haciendo todo esto? No lo entiendo.

—Tengo un trabajo para ti, y necesito estar seguro de que vas a llevarlo a cabo. Necesito poder fiarme de ti. Y también sentirme cómodo.

—Haré lo que usted quiera. No tiene más que decirlo...

—No —replicó él—. Gracias por tu ofrecimiento, pero necesito algo más que tu promesa verbal. Debes conocer hasta dónde llega mi poder, y saber lo cerca que estás de la muerte. —Se levantó y le desató las manos del cabecero para volver a atárselas por delante—. Ahora he de irme. No tardaré en volver. No necesito recordarte lo que tienes que hacer. —Se alejó en dirección a la puerta.

—Por favor —suplicó ella—, no me deje sola. —Se sorprendió de su tono de voz, y aún se sorprendió más de las palabras que había pronunciado impulsivamente.

—Volveré enseguida —repitió él—. No te va a pasar nada.

Anne se echó a llorar otra vez al verlo salir por la puerta. Entrevió brevemente la oscuridad que se extendía más allá y pensó que aún debía de ser de noche.

A solas en la habitación, ella miró alrededor. Todo estaba igual que antes, pero con su captor ausente se le antojó más aterrador. Sintió un escalofrío. Pensó: «esto es una locura, él es quien te está haciendo esas cosas». Entonces se asustó más, pensando que no había cerrado la puerta con llave, que podía entrar cualquiera y encontrarla así. De pronto le dio miedo la posibilidad de que llegase otra persona y la violase, y eso sería por nada. Su captor se pondría furioso, la consideraría mercancía defectuosa y se desharía de ella como si fuera basura. Siguió razonando para sus adentros, debatiéndose entre dos facetas de ella misma; una le gritaba haciéndole ver la terquedad de aquellos pensamientos. «¡Pero si es él! ¡Coge la pistola y mátalo! ¡Ahora es tu oportunidad!»

En cambio, se quedó quieta donde estaba.

—¡Desátate! —se oyó decir a sí misma—. ¡Huye!

Huir... Pero ¿hacia dónde?

¿Dónde estoy? ¿Adónde puedo ir?

«Va a matarme —pensó—. Todavía no me ha matado, pero lo hará si intento escapar. Está justo al otro lado de la puerta, esperando. No llegaría a dar ni cuatro pasos.»

«¡No, huye! ¡No huyas!»

Se echó a llorar de nuevo y probó a pensar en las clases, en sus amigos, en su familia. Sin embargo, todos parecían tremendamente lejanos, efímeros. «Lo único que es real —se dijo—, es esta habitación.»

Procuró consolarse y se puso a tararear en voz baja una canción infantil que recordaba de su infancia. Se acordó de que se la cantaba a su hermano pequeño y éste se quedaba dormido. Sintió que le acudían lágrimas a los ojos. «Pero está muerto —pensó—. Oh, Dios, se murió.»

Apoyó la cabeza en la almohada y esperó a que regresara su captor. Intentó dejar la mente en blanco, pero los pensamientos y los miedos no dejaban de inmiscuirse en ella. Se dio cuenta de que ya no podía calcular el tiempo que iba fluyendo a su alrededor, como si aquel hombre de algún modo hubiera eliminado su capacidad para medir los momentos que pasaban. ¿Cuánto tiempo habría transcurrido? ¿Una hora? ¿Cinco minutos? La rodeaba un silencio absoluto, una oscuridad agresiva y amenazadora. Aguzó el oído pero no percibió ningún sonido reconocible. Levantó las manos hacia los ojos y cerró éstos con fuerza, pensando que por lo menos podría replegarse hacia su propia oscuridad y tal vez encontrar allí algo sólido a que aferrarse. Otra vez intentó pensar en algo pequeño, rutinario y común, en algún objeto reconocible que hablara de su existencia, algún recuerdo que le trajera a la memoria su pasado y le proporcionara algo concreto sobre lo que luchar por su futuro. Pensó en sus padres en casa, allá en Colorado, pero le parecieron espectros. Se obligó a concentrarse en el rostro de su madre; en su imaginación reconstruyó sus facciones igual que quien pinta un retrato. Fijó en su cerebro los ojos, la boca, la sonrisa que debería resultarle tan familiar. Y entonces se preguntó si aquel recuerdo no sería más que un sueño, y abrió lentamente los ojos.

Tuvo un sobresalto y dejó escapar una exclamación sofocada.

El hombre estaba de pie frente a ella.

—No lo he oído entrar —le dijo.

Advirtió que él tenía el semblante tenso. Se limitó a mirarla durante unos instantes sin pestañear.

—Bienvenida de nuevo a la realidad —dijo. Y a continuación la abofeteó con rabia—. Te lo crees, ¿verdad?

—Sí, sí..., por favor... —suplicó ella.

La abofeteó otra vez. Anne Hampton sintió que el cuerpo se le nublaba de dolor.

—¿Quieres vivir?

Otra bofetada. Ella asintió enérgicamente:

—Sí, sí, sí...

—No te creo —replicó él.

La abofeteó por cuarta vez.

—Sí, sí —suplicó ella.

Un quinto golpe le cruzó la cara.

Y después un sexto, un séptimo, un octavo, en rápida sucesión, hasta que le empezaron a llover golpes de seguido, con ambas manos, como si aquel hombre estuviera avivando el fuego de la histeria de Anne Hampton. Ella intentó sollozar «por favor» en los segundos de intervalo entre una bofetada y otra, pero finalmente, se rindió ante aquellos golpes que le venían de la oscuridad y levantó las manos atadas a modo de súplica, dejando que las lágrimas hablaran por ella. Él tan sólo se detuvo cuando se quedó sin resuello debido al esfuerzo.

Se sentó en el borde de la cama mientras ella lloraba en silencio. Al cabo de unos segundos habló con una voz que sonó distante, como si procediera de algún punto lejano, más allá del dolor y las lágrimas.

—Me decepcionas —dijo, y de pronto le bajó nuevamente los pantalones—. ¿Me estás escuchando?

—Sí, sí —contestó ella abriendo los ojos y mirándolo. Vio que tenía la pistola en la mano.

—Estás resultando un problema —dijo él con tono áspero—. Tenía esperanzas en ti, pero veo que no quieres aprender. Así que voy a joderte y matarte, que es lo que debería haber hecho al principio.

Aquellas palabras se abrieron paso entre el intenso dolor, arrancando a Anne de su aislamiento.

—Por favor, no, no, no... Haré lo que sea, deme una oportunidad, dígame qué es lo que quiere, lo que necesita, haré cualquier cosa, por favor, por favor, lo que quiera, lo que sea, por favor, no, no, no, por favor, deme otra oportunidad, seré buena, haré lo que sea, cualquier cosa, dígamelo, por favor, no me di cuenta, por favor, lo que sea, lo que sea...

Él se puso de pie y le apuntó con la pistola.

—¿Lo que sea?

—Oh, Dios, por favor, por favor... —sollozó ella. Quiso pensar en algo distinto, pasar sus últimos momentos de alguna otra forma, pero lo único que veía era el terrorífico cañón del arma. Gimió mientras transcurrían los segundos.

—¿Lo que sea? —preguntó otra vez él.

—Oh, sí, sí, sí, por favor, lo que sea...

—Muy bien —contestó—. Ya veremos. —Se marchó y regresó al cabo de unos segundos. Traía el aturdidor eléctrico. Se lo puso en la mano—. Hazte daño con esto —le ordenó, señalando su entrepierna—. Ahí.

De repente, a Anne le pareció que todos los dolores que había soportado hasta el momento eran insignificantes. El terror inundó su mente, sintió que la asfixiaba como si, finalmente, las cosas que le había hecho aquel hombre le cayeran encima todas juntas. Pero en medio de aquella confusión de sufrimientos tuvo un pensamiento claro: no debía titubear, por nada del mundo.

Entonces se apretó el aturdidor contra el cuerpo y en esa misma fracción de segundo intentó hacerse fuerte contra el dolor que sabía que iba a administrarse.

Pero no sintió nada.

Lo miró, perpleja.

—Está desconectado —dijo él. Le quitó el aturdidor de la mano y, entre risas, añadió—: Un indulto. Del zar.

Anne se echó a llorar de nuevo.

—¿Entonces...?

—Hay esperanza para ti —declaró él, y al cabo de un segundo, agregó—: Lo digo en sentido literal.

Acto seguido desapareció en las sombras y la dejó llorar a sus anchas.

El primer pensamiento que tuvo Anne Hampton cuando se le agotaron las lágrimas fue que algo había cambiado. No sabía con seguridad de qué se trataba, pero se sentía igual que un escalador que cae por una grieta pero se ve frenado de pronto por una cuerda de seguridad. Tenía la nítida sensación de estar girando como un yoyó en el extremo de un hilo, consciente de que corría peligro pero a salvo por el momento. Se permitió por primera vez pensar que tal vez obedeciendo tuviera una posibilidad de salir viva. Intentó imaginarse a sí misma, pero no pudo. Recordó haber tenido sueños y aspiraciones en otro tiempo, pero ya no se acordaba de lo que eran. Se permitió pensar que quizá pudiera recordarlos algún día, y en ese mismo pensamiento decidió hacer lo que fuera preciso para seguir con vida. Miró hacia arriba y vio al hombre, que le observaba fijamente el rostro y afirmaba con la cabeza como si quisiera certificar que ella le resultaba adecuada.

—No vamos a necesitar esto de momento, ¿verdad? —Desató las cuerdas que la sujetaban a la cama—. Quítate la ropa —ordenó. Ella obedeció. No sintió nada cuando él le recorrió el cuerpo con la mirada—. ¿Por qué no te das una ducha? Te sentirás mejor —le propuso.

Ella asintió y se encaminó con paso vacilante hacia el cuarto de baño. Cuando llegó a la puerta, se volvió para mirar al hombre, pero éste se hallaba sentado, absorto en la lectura de un mapa bajo la luz tenue.

Cayó sobre ella el agua caliente, y Anne Hampton no pensó en nada excepto en la sensación del jabón y el calor. No se había dado cuenta del frío que tenía. Por primera vez su mente parecía renovada, vacía y serena. Miró la ventana abierta, pero sólo vio la luminosidad gris del amanecer que iba cortando lentamente la oscuridad.

Experimentó una extraña tristeza al cerrar el grifo del agua, como si se hubiera desprendido de algo viejo y familiar. Se secó deprisa envolviéndose una toalla en la cabeza como un turbante y otra alrededor de la cintura. Procuró darse prisa, pero sintió un mareo y tuvo que agarrarse al marco de la puerta para conservar el equilibrio. Vio que el hombre alzaba la vista.

—Ve con cuidado —le dijo—. No te resbales. Tardarás un poco en recuperar las fuerzas.

Ella se sentó en la cama.

—Ya casi es de día —dijo—. ¿Desde cuándo estoy aquí?

—Desde siempre —respondió el hombre. Se puso de pie y se acercó a ella—. Tómate esto —le dijo tendiéndole una pastilla y un vaso de agua.

Ella hizo ademán de preguntar qué era, pero se contuvo y se tragó la pastilla de inmediato. Él sabía lo que estaba pensando.

—No es más que un analgésico. Codeína, para ser más precisos. Te ayudará a dormir.

—Gracias —contestó ella. Dirigió la mirada al mapa—. ¿Cuándo nos vamos?

Él sonrió.

—Esta noche. Es importante que yo también descanse un poco.

—Por supuesto —dijo ella, y se tendió en la cama.

Él hurgó por unos instantes en el petate que contenía sus armas y extrajo unas esposas.

—Esto te resultará más cómodo que las cuerdas —dijo—. Siéntate.

Anne obedeció. Él le puso una esposa en una muñeca, la otra en la suya y ordenó:

—Túmbate.

Anne Hampton apoyó la cabeza, y él se tendió a su lado.

—Felices sueños —le dijo con naturalidad.

Y, como si fueran dos amantes extenuados, ambos se quedaron dormidos.

Anne Hampton despertó al oír el ruido de la ducha. Enseguida se dio cuenta de que nuevamente estaba esposada a la cama. Se hizo un ovillo lo mejor que pudo, adoptó la postura fetal y aguardó. La toalla que se había envuelto alrededor del cuerpo había desaparecido, y ahora estaba desnuda. Por un momento se preguntó si su captor la violaría cuando saliera del baño, pero aquella idea se desvaneció rápidamente, reemplazada por una lúgubre aceptación.

Oyó que la ducha se cerraba y momentos después apareció el hombre secándose. Estaba desnudo.

—Lo siento —dijo—. He tenido que coger tu toalla. Este lugar es barato, son muy tacaños con las toallas. No —añadió tras una pausa—. Es hora de irnos.

Anne Hampton asintió.

—Bueno.

—Bien —respondió él.

Lo observó ponerse la ropa interior, unos vaqueros y una sudadera. Se fijó distraídamente que se encontraba en una forma excelente. Después se peinó deprisa y se sentó en el borde de la cama para ponerse unos calcetines y unas zapatillas.

Mientras él recogía sus cosas, ella permaneció a la espera de una orden. Vio que guardaba el aturdidor y la pistola en una bolsa pequeña; a continuación sacó una maleta de debajo de la cama, y Anne Hampton alcanzó a ver brevemente la chaqueta de lino, doblada y guardada.

—Vuelvo enseguida —anunció él. Anne lo observó mientras salía por la puerta. Era de noche. Regresó al cabo de un momento, trayendo un petate de tamaño mediano y de color rojo que tenía varios compartimientos con cremallera—. Perdona —dijo a toda prisa—, es que he tenido que pensar el tamaño y el color. Pero normalmente se me dan bien estas cosas.

Le quitó las esposas y retrocedió unos pasos para mirarla bien. El petate estaba lleno de ropa. Había pantalones militares, vaqueros, un pantalón corto, una cazadora, un jersey y una sudadera. También dos blusas de seda, una de ellas con un estampado de flores, y una falda a juego. En un compartimiento había una maraña de ropa interior, y en otro medias y calcetines.

—Ponte los vaqueros —le dijo—. O los otros pantalones, si quieres. —Se volvió y le entregó dos cajas de zapatos. Anne Hampton no había visto dónde las tenía. Contenían unas sandalias de vestir y unas zapatillas—. Ponte las sandalias —ordenó. Luego la contempló mientras se vestía—. Estás muy guapa —agregó cuando ella hubo acabado.

—Gracias —contestó Anne Hampton. Le daba la sensación de que era otra persona la que hablaba. Por un instante de perplejidad se preguntó quién podría haberse unido a ellos, hasta que cayó en la cuenta de que era ella misma.

El hombre le entregó una bolsa de papel que llevaba impreso el nombre de una farmacia. Ella la abrió y descubrió un cepillo de dientes, dentífrico, maquillaje, unas gafas de sol y una caja de Tampax. Cogió la caja azul y la miró con extrañeza; un miedo inquietante, provocado por aquella caja, comenzó a invadirla lentamente.

—Pero si en este momento no tengo...

—Podrías tenerla antes de que terminemos —la interrumpió su captor.

A Anne le entraron ganas de llorar, pero se mordió el labio inferior.

—Arréglate y nos vamos —agregó él.

Anne entró en el baño con cautela y empezó a usar aquellos artículos de higiene. Primero se lavó los dientes. Después se maquilló un poco para intentar disimular los morados. Él permaneció en la puerta, observándola.

—Desaparecerán dentro de uno o dos días.

Ella no dijo nada.

—¿Lista?

—Sí.

—Antes usa el retrete. Vamos a pasar bastante rato en la carretera.

A Anne Hampton le gustaría saber qué había sido de su pudor. Una vez más tuvo la sensación de que era otra persona la que estaba sentada en la taza del váter mientras aquel hombre la observaba, y no ella. Una niña, quizá.

—Llévate la bolsa —ordenó él.

Ella metió el cepillo de dientes y los demás artículos en uno de los compartimientos y a continuación levantó la bolsa. Tenía una correa para llevarla al hombro, y se la echó sobre el brazo.

—Puedo llevar algo más —ofreció.

—Toma —dijo él—. Pero ten cuidado. —Le entregó una manoseada bolsa de fotógrafo y le sostuvo la puerta abierta para que pasara.

Anne salió a la noche y se sintió engullida por el cálido aire de Florida, que pareció filtrarse en sus músculos y sus huesos. Se sintió mareada y titubeó. Él le puso una mano en el hombro y la guió hacia un Chevrolet Camaro azul oscuro aparcado enfrente del pequeño *bungalow*. Ella levantó la vista un momento y vio el cielo lleno de estrellas; descubrió la Osa Mayor y la Osa Menor, y también Orión. De pronto experimentó una sensación de calor, como si se encontrara en el centro de todas las luces del cielo y su propio brillo se confundiera con el de ellas. Reparó en una estrella en particular, una entre aquella masa incontable, suspendida en el oscuro vacío del espacio, y pensó para sus adentros que ella era aquella estrella y que aquella estrella era ella: sola, desconectada, flotando en la noche.

—Vamos —dijo el hombre. Había ido hasta un costado del coche y le sostenía la portezuela abierta.

Ella se acercó.

—Hace una noche preciosa —dijo.

—Hace una noche preciosa, Doug —la corrigió él. Al ver que ella lo miraba con expresión interrogante, le ordenó—. Dilo.

—Hace una noche preciosa, Doug.

—Bien. Llámame Doug.

—De acuerdo.

—Así es como me llamo. Douglas Jeffers.

—De acuerdo. De acuerdo, Doug. Douglas. Douglas.

Él sonrió.

—Eso me gusta. De hecho, prefiero Douglas a Doug, pero puedes llamarme como te resulte más cómodo.

Ella debía de tener una expresión de extrañeza, porque él sonrió y agregó:

—Es mi nombre auténtico. Es importante que comprendas que no voy a mentirte. Nada de falsedades. Todo será verdad. O algo que pase por serlo.

Anne Hampton asintió con la cabeza. Ni por un instante dudó de él. Se preguntó por qué, pero enseguida desechó la idea.

—Hay un problema —dijo Douglas Jeffers. De repente su voz había adquirido un tono siniestro que la asustó.

—No, no, no, problemas no, por favor —se apresuró a decir Anne.

Él levantó la vista al cielo. A Anne le pareció que estaba reflexionando profundamente.

—Opino que tienes que cambiarte el nombre —dijo él—. No me gusta el que tienes, viene de antes, y necesitas uno nuevo para ahora y a partir de ahora.

Ella asintió. Le sorprendió que a ella misma le pareciera una idea razonable.

Jeffers indicó el coche, y ella se acomodó en su asiento.

—El cinturón —dijo él. Ella obedeció—. Vas a convertirte en biógrafa —le anunció.

—¿Biógrafa?

—Eso es. En la guantera encontrarás cuadernos y bolígrafos. Son para ti. Cerciórate de llevar siempre suficientes para anotar lo que yo diga.

—No lo entiendo exactamente —dijo Anne Hampton.

—Ya te lo explicaré por el camino.

La miró y sonrió.

—A partir de ahora eres Boswell —dijo.

—¿Boswell?

—Sí. —Sonrió—. Una pequeña broma literaria, si no te importa. —Cerró la portezuela, dio la vuelta al coche y se subió al asiento del conductor. Ella lo observó ponerse el cinturón de seguridad y encender el contacto—. Prueba el tirador de tu puerta —indicó. Anne Hampton puso la mano en el tirador y tiró. La manilla se movió, pero la puerta no se abrió—. Uno de los aspectos más interesantes del diseño del Chevrolet Camaro es que los tiradores de las puertas son notablemente fáciles de desconectar. Así que cada vez que paremos tendrás que esperar a que yo salga y te abra la puerta. ¿Entendido?

Anne Hampton afirmó con la cabeza.

—Sí, entiendo.

—Eso lo aprendí en Cleveland, cuando cubría el entrenamiento de un jugador de fútbol americano al que le gustaba recoger prostitutas y hacer exhibicionismo. Cuando intentaban bajarse del coche, no podían. Eso era lo que lo excitaba de verdad. —Douglas Jeffers la miró—. Verás, cosas como ésas son las que tendrás que escribir. —Señaló con la cabeza la guantera.

Anne experimentó un momento de pánico y se apresuró a alargar la mano para abrirla.

Pero él la detuvo.

—No pasa nada, sólo estoy poniéndote un ejemplo. —La miró—. Es que Boswell toma nota de todo.

Anne Hampton asintió.

—Bien —dijo él—. Boswell.

A continuación metió la marcha y aceleró suavemente, internándose con lentitud en la oscuridad de la autopista. Anne Hampton giró la cabeza y contempló una vez más las estrellas. De pronto se acordó de aquella canción infantil y la repitió para sí: «Estrellita, estrellita, la primera de esta noche, haz que mi deseo se haga realidad.»

«El deseo de vivir», pensó.

IV

Una sesión habitual
de los «niños perdidos»

7

Las obscenidades rasgaban el aire a su alrededor, pero él no les prestaba atención. En lugar de eso, imaginaba a su hermano sentado en la cafetería del hospital, sonriendo con una despreocupación que a él le parecía más propia de un adolescente, pero que en el rostro de adulto de su hermano adquiría una expresión extrañamente inquietante. Intentó acordarse del régimen de sus pensamientos, pero se atascó únicamente en el momento en que él le dijo con necio sentimentalismo: «¿Sabes?, me habría gustado que hubiésemos tenido una relación más cercana, al hacernos mayores...»

Y la respuesta de su hermano, cruel, críptica, insondable: «Oh, la tenemos más cercana de lo que crees.»

«¿Cómo de cercana creo yo?», se preguntó Martin Jeffers.

A su derecha, las voces de dos de los hombres habían ido aumentando de volumen poco a poco, incrementando gradualmente el tono y el contenido hasta rozar la rabia. Jeffers se volvió y los miró intentando valorar la índole y el fondo de aquella disputa, prudente, cauteloso, comprendiendo que la confrontación era un elemento integrante de la terapia, pero igualmente que aquéllos eran hombres violentos y que él no deseaba formar parte del salvajismo que, estaba seguro de ello, eran capaces de infligirse el uno al otro. Tuvo la idea un poco extraña de que se parecían a unas ancianas peleándose, discutiendo menos por una idea o un auténtico conflicto que por el gusto mismo de discutir. De modo que decidió no intervenir.

—No creo que hayas dicho eso en serio.

Aquél era uno de sus comentarios de costumbre. Sabía que los hombres se sentían frustrados debido a las posturas ambiguas que adoptaba él; en su mayoría, eran personas de ideas y sentimientos concretos. Lo que deseaba él era hacerlos pensar y después sentir, en abstracto. Una vez que fueran capaces de empatizar, pensaba, podrían recibir un tratamiento.

Se acordó de un profesor de la facultad de medicina que les decía a sus alumnos: «Pensad en la experiencia de la enfermedad. Considerad cómo controla nuestros sentidos, nuestros sentimientos, nuestras emociones. Y luego recordad que, por muy capaces que os creáis como médicos, solamente valéis lo que valga vuestro último diagnóstico acertado.» A lo cual, una década más tarde, Martin Jeffers pensó que debería haber agregado: «Y vuestro último tratamiento.»

Jeffers contempló a los dos hombres que discutían.

—Que te jodan —dijo el primero, apartándolo con un gesto de la mano un tanto desvaído.

—Primero jódete tú —intervino el segundo—. Y más te vale que lo disfrutes, porque no vas a joder a nadie más en mucho tiempo...

—Mira quién habla.

—Exacto, deberías mirar con quién hablas, hombrecillo.

—Oh, mira cómo tiemblo. Me están temblando las manos de miedo.

Jeffers observó detenidamente a los dos hombres. Buscó en cada uno de ellos indicios de que la discusión fuera a levantarlos de sus asientos. Aquella discusión en particular no lo preocupaba en exceso; Bryan y Senderling se peleaban con frecuencia. Mientras se intercambiasen insultos, todo iba a quedar en un enfrentamiento verbal. En circunstancias distintas, supuso Jeffers, probablemente los considerarían amigos. Era el silencio lo que lo preocupaba a él. A veces dejaban de hablar. No era ese silencio de no saber qué decir o causado por el aburrimiento, o por estar esperando a que alguien diga algo; era un silencio forzado por la ira. Luego podía ser un entornarse de los ojos y el hecho de clavarlos en el oponente lo que presagiaba un ataque, o a veces una sutil tensión en los músculos. Jeffers se dijo que con frecuencia pasaba el tiempo buscando nudillos blancos en los dedos que aferraban los reposabrazos de las sillas. Recordó Jeffers que en una ocasión hubo un hombre de un grupo que siempre se sentaba en el borde de la silla, con las piernas cruzadas en forma de aspa. Una mañana, cuando descruzó las piernas, Jeffers se puso al punto en pie, dispuesto a interceptar la explosión que tuvo lugar segundos después. Jeffers comprendió, conforme fueron pasando los meses, que había llegado a conocer a cada hombre de aquel grupo no sólo como una colección de recuerdos y experiencias, sino también por una postura física reconocible. El hecho de que hubiera en su despacho doce expedientes repletos de anotaciones era algo que cabía esperar; no resultaba fácil reunir los requisitos adecuados para ser uno de los «niños perdidos». Hacían falta dos cosas: depravación y la mala suerte de sentirse comprometido con ello.

—¡Jódete!

—¡Jódete tú también!

Las obscenidades eran el código de aquel grupo, y corrían por todas partes como si fueran monedas de escaso valor. Se preguntó ociosamente cuántas veces habría oído aquel día la palabra «joder». ¿Cien veces? Seguro que más. Mil, quizá. Para él, aquella palabra ya no tenía ninguna relación con el acto sexual. Se empleaba en cambio como una forma de puntuación en aquel grupo. Algunos de ellos utilizaban la palabra «joder» como otros usaban comas. Le vinieron a la memoria las famosas actuaciones de Lenny Bruce, el cómico, que empezaba mirando al público y diciendo: «Me pregunto cuántos negratas habrá aquí esta noche» antes de repetir lo mismo refiriéndose con apelativos ofensivos a hispanos, irlandeses, judíos, italianos, ingleses o lo que fuera, y terminaba haciendo tan comunes aquellos insultos que al final ya resultaban inofensivos y vacuos. Desde luego tenía poco que ver con los crímenes de los que se habían declarado culpables, aunque todos ellos eran delincuentes sexuales.

—¡Aaah, vete a la mierda! —dijo uno de los hombres. Era Bryan. Se volvió hacia Jeffers—. Oiga, doctor, ¿no podría curar a este hijo de puta? Todavía no se ha enterado de por qué está aquí.

—Oye, gilipollas —replicó Senderling—. Sé perfectamente por qué estamos aquí. Y también sé que no vamos a irnos a ninguna parte de momento. Y cuando nos vayamos, será a la prisión estatal, a cumplir una condena bastante larga.

En eso intervino otro individuo que primero juntó los labios como para dar un beso y después hizo un ruido lo bastante fuerte para captar la atención de todos. Jeffers lo miró y vio que se trataba de Steele, que se sentaba al otro extremo de la sala y al que gustaba especialmente echar carnada a Bryan y Senderling.

—Y ya sabéis, cariñitos, lo mucho que aprecian allí a los chicos como vosotros...

Los tres se miraron entre sí con cara de pocos amigos y después se volvieron hacia Jeffers. Éste se dio cuenta de que esperaban alguna reacción por su parte. Ojalá hubiera estado un poco más atento.

—Ya sabéis todos cuáles son las reglas.

Le respondieron con un silencio malhumorado.

«La primera lección de la residencia psiquiátrica —pensó—. Cuando tengas dudas, no digas nada.»

Así que la sala se llenó de un inocuo silencio. Jeffers intentó mirar a todos los hombres a los ojos; algunos le devolvieron una mirada furiosa, otros desviaron el rostro. Varios parecían aburridos, distraídos, con la mente en otra parte; a otros se los veía calmados, deseosos, ávidos. Jeffers reflexionó momentáneamente sobre la dinámica de ese grupo; había doce miembros en el grupo de los «niños perdidos», cada uno de ellos único en el estilo del delito que había cometido, típico en la naturaleza del mismo. A Jeffers lo asombró la idea de que todos aquellos hombres sufrían de lo mismo: en cierta ocasión, durante la infancia de cada uno, se habían sentido perdidos. Abandonados, tal vez, era un término más apropiado. «El accidentado camino de la niñez —pensó—. La oscuridad y la crueldad de la juventud. La mayoría de las personas lo superan y cargan con sus cicatrices internamente, para siempre, y aprenden a adaptarse.» Pero los «niños perdidos», no.

Y el castigo que habían infligido al mundo adulto era verdaderamente lamentable.

Doce hombres. Entre todos compartían probablemente cerca de un centenar de delitos denunciados. Otros muchos, fácilmente el doble de dicha cantidad, permanecían ocultos, sin que nadie hubiera dado parte de ellos, sin resolver, sin atribuir, desde vandalismo y pequeños hurtos hasta una violación, o dos, o media docena, una docena, una veintena o más. También había entre los «niños perdidos» tres asesinos, individuos que, en el peculiar sistema de ponderación de la justicia criminal, se las habían arreglado para segar unas vidas que por alguna razón tenían menos valor y por consiguiente requerían un castigo más leve, aunque a Jeffers a veces le resultaba difícil entender las distinciones entre un asesino sanguinario y un homicida en primer grado, sobre todo desde el punto de vista del cadáver.

El silencio en la sala persistía, y Jeffers pensó otra vez en su hermano. Había sido típico de Doug llamar de improviso y presentarse al minuto siguiente. Habían transcurrido tres años desde la última visita, meses de una informal conversación telefónica a otra, actuando como si nada se saliera de lo corriente. Le había dejado la llave de su apartamento junto con las indescifrables instrucciones de costumbre. Típico.

¿Qué estaría haciendo?, se preguntó Jeffers. Reprodujo mentalmente el encuentro. Pero antes pensó: ¿qué cosas eran típicas de Doug?, y experimentó un ligero nerviosismo por verse falto de una respuesta rápida.

Recordó a su hermano sentado ante él, el sol incidiendo sobre su mata de pelo color arena. Doug tenía esa imagen descuidada, luminosa, atrayente, ese aire relajado e informal que no se debe a un físico apabullante sino a una actitud despreocupada ante la vida. Por un instante envidió a su hermano por aquella informalidad de vaqueros y zapatillas que acompañaba al trabajo de fotógrafo profesional y sintió un breve rencor por la seria formalidad de su oficio. «Yo soy rígido», pensó. Envidió la vida al aire libre que llevaba su hermano, rodeado de cosas que estaban ocurriendo de verdad, en lugar de que hablasen de ellas. A veces no puedo soportar la constancia de las habitaciones pequeñas y las puertas cerradas, los comentarios y las observaciones sugerentes y las miradas calladas y elocuentes que conforman mi profesión, se dijo.

Entonces negó con la cabeza, para sí, y concluyó que, naturalmente, podía soportarlo. No sólo eso, además le encantaba.

No obstante, por un momento se preguntó ociosamente si era como ver la vida a través de una lente.

«Oh, la tenemos más cercana de lo que crees. Mucho más.»

«¿Tan distinto es eso?», pensó de pronto. Sin duda. Él veía las cosas con una inmediatez definida por el acontecimiento mismo, el momento. «Yo oigo el relato de lo sucedido después de que ha pasado.»

Se sintió consternado al comprender de pronto que no se acordaba de la primera cámara de su hermano. Le parecía que Doug siempre había tenido una, ya desde la escuela primaria. Le gustaría saber de dónde había sacado la primera; seguro que de sus padres, no. Lo único de sustancia que les habían dado ellos eran desgracias, pensó Martin Jeffers. Los dos hermanos nunca habían discrepado a ese respecto.

De repente se acordó de la noche en que los detuvo la policía, y al instante se preguntó por qué llevaba tanto tiempo sin pensar en ello. Rememoró el intenso aguacero que golpeaba las ventanas de la comisaría, que a su vez repiqueteaban con el viento de aquella tormenta de verano. El edificio estaba sumido en las sombras, pero el duro banco de madera en el que se hallaba sentado él, aferrado con fuerza a la mano de su hermano, estaba bañado por una luz artificial. Era muy tarde y ambos eran muy pequeños; la emoción que los embargaba no era la de trasnochar en Nochebuena, sino la que les producía un profundo pánico, y lo único que sabían era que estaban atrapados en un misterio de los adultos que había tenido lugar cuando lo natural era que sus ojos de niño estuvieran cerrados y sus mentes capturadas por el sueño; habían visto algo que no debían ver, a unas horas en las que no correspondía que ellos estuvieran despiertos. Se le encogió el estómago al recordar que levantó la vista en medio de aquella luz y vio por primera vez a su prima, con el semblante tenso, rígido y adusto, que les dijo: «Vuestra mamá se ha ido, lo cual ya nos esperábamos hace un tiempo. Ahora vais a estar con nosotros. Seguidme.» Y después la visión de aquella espalda pequeña y encorvada que daba media vuelta y los alejaba de la tormenta.

Pensó: «Yo tenía cuatro años, y Doug tenía seis.»

Intentó desechar aquel recuerdo, preguntándose por qué no habrían hablado nunca de su verdadera madre. Contempló fijamente la ventana de la sala e intentó recordar las facciones de su madre, pero no pudo. Únicamente retenía que carecía de ternura y que siempre parecía enfadada. No era muy distinta de aquella prima que se convirtió en madre suya. A ella la vio fácilmente, el cabello castaño y ralo estirado hacia atrás en un severo moño, unos contradictorios labios anchos, pintados de un color vivo, que nunca se expandían en una sonrisa. En el coche, bajo la lluvia, con los limpiaparabrisas produciendo un sonido repetitivo que parecía un canto fúnebre, aquella nueva mujer-madre se había girado hacia ellos y les había dicho: «Ahora vuestros padres somos nosotros. Yo soy vuestra mamá. Él es vuestro papá. Y no hay más que hablar.»

Recordó que su primer terapeuta le preguntó en una ocasión: «Pero ¿qué le sucedió a tu verdadera madre?»

Y la respuesta que dio él: «No lo he sabido nunca.»

El terapeuta guardó silencio. El clásico silencio de la duda; él mismo lo había utilizado un millar de veces.

«¿Qué sucedió?», se preguntó a sí mismo.

Era simple: su madre había desaparecido. Muerta. Huida. ¿Qué más daba? Los dos tuvieron que ponerse a trabajar en la farmacia de sus padres. Él tenía que limpiar los frascos de las medicinas y mantener pulcramente ordenados en las estanterías los envases de los medicamentos, y se había hecho médico. El trabajo de Doug consistía en barrer el cuarto oscuro, después mezclar los productos químicos para el servicio de revelado de fotos y finalmente ocuparse del revelado él mismo, cuando fue más mayor, así que se convirtió en fotógrafo. Fue simple.

«Hemos terminado superándolo», se dijo a sí mismo.

«Pero ¿en qué nos hemos convertido?»

«No hay nada simple.»

Eso lo sabía. Fue lo primero que aprendió durante su residencia. Las cosas de la mente pueden parecer claras y directas, pero rara vez permanecen así. Aunque las formulaciones de la psiquiatría tenían lógica —las teorías, los diagnósticos y los planes de tratamiento—, las realidades de la conducta siempre le resultaban extrañamente inexplicables. Entendía por qué los «niños perdidos» eran delincuentes sexuales, en un sentido clínico y nítido, pero se sentía derrotado por un interrogante más grande que lo eludía. Era capaz de imaginar la fuerza física que hacía falta para agarrar a una víctima por el brazo y forzarla, pero no lograba imaginar la fuerza de voluntad que también se precisaba para ello.

Movió la cabeza en un gesto de negación. «Doug entiende las realidades; yo entiendo las teorías.»

Pensó en su propia vida.

«He sobrevivido. Diablos, hemos sobrevivido los dos. Lo hemos hecho muy bien, fenomenal.»

Luego reflexionó sobre lo extraordinario que era que uno pudiera adquirir toda la educación y la experiencia de las flaquezas y el sufrimiento humanos y aun así no poder aplicar todo ese conocimiento a su propia persona.

Se rió de sí mismo. «Eres un mentiroso.»

«Y no muy bueno.»

Se preguntó por qué sería que la visita de su hermano había removido tantos recuerdos, pero enseguida se dijo que era una pregunta tonta; naturalmente que la visita de su hermano incitaba a la introspección.

Sintió calor, y cayó en la cuenta de que el sol que entraba por la ventana le estaba dando en el pecho. Se revolvió en la silla, le resultó insatisfactorio y desplazó ésta ligeramente.

—¿Sabes qué es lo que más odio? —dijo uno de los «niños perdidos»—. Que me traten como si fuéramos una pandilla de pirados en un programa de televisión.

Jeffers alzó la vista para ver quién estaba hablando. Vislumbró brevemente a Simon, el celador del hospital encargado de velar por el orden entre los «niños perdidos». Simon parecía estar dormitando al sol, ajeno a la conversación. Era un negro inmenso cuya corpulencia estaba bien disimulada por la bata blanca y holgada que usaban los celadores. Además, Jeffers sabía que poseía un cinturón negro de karate y que había sido boxeador profesional. La presencia de Simon era el supremo elemento disuasorio para ejercer la violencia.

—Pirados, pirados, pirados. Eso es lo que somos.

El que hablaba era Meriwether. Aquél era uno de los temas preferidos de dicho hombrecillo. Meriwether era un individuo de mediana edad menudo y cetrino, dueño de una modesta oficina de contabilidad y que se había declarado culpable de la violación de la hija de un vecino. Sólo después de que entrara a formar parte de los «niños perdidos» descubrió Jeffers en él un apego compulsivo hacia los jóvenes. Meriwether se encontraba en la lista de dudosos: Jeffers dudaba que el delito por el que había sido condenado fuera el único que había cometido, y también dudaba que el programa pudiera hacer algo por él. Algún día, pensaba Jeffers, irá andando por la calle, cogerá a un adolescente que resulte demasiado para él y le cortará el cuello para quitarle el dinero que lleva en el bolsillo. Jeffers se negaba a sentir vergüenza por sus poco científicas suposiciones.

—No soporto cómo nos miran —dijo Meriwether.

—Cómo te miran a ti —replicó Miller, sentado al otro lado del círculo. Miller era un criminal de buena fe además de violador. Dos veces había matado a personas en peleas de bares, tres veces había ido a la cárcel por agresión, extorsión y robo. A Jeffers le caía bien principalmente por su actitud sin tapujos en las sesiones de terapia. Miller las odiaba. Sin embargo, no figuraba en la lista de dudosos; Jeffers pensaba que era posible que Miller pudiera aprender a no ser un violador. Lo que quedaría de él, no obstante, sería un delincuente normal a jornada completa.

—Mira, pequeñajo, a ti se te nota algo, algo baboso que tienes por dentro. Lo notamos todos, tío, todos. Y lo hace a uno pensar, ¿no crees?

Meriwether no titubeó:

—Ya, puede que noten algo en mí, pero lo único que tienen que hacer es echarte un vistazo a ti a la cara, y lo comprenderán. ¿Lo pillas? Lo comprenderán.

Miller soltó un gruñido y después se echó a reír. Jeffers apreció el hecho de que Miller no entrara nunca al trapo, aunque se preguntó qué dominio de sí mismo tendría con una copa encima.

Los demás hombres que se hallaban sentados en el relajado círculo de terapia también rieron o sonrieron. Wright; Weingarten; Bloom, que parecía preferir a los niños; Wasserman, que con sus diecinueve años era el más joven de todos y en el baile del instituto había violado a una chica que no quiso bailar con él; Pope, de cuarenta y dos años, el mayor, intratable y malévolo, con el cabello gris y músculos y tatuajes de camionero. Jeffers estaba seguro de que había cometido muchos más delitos de lo que sospechaba la policía. Permanecía casi todo el tiempo en silencio y encabezaba la lista de los dudosos. Parker y Knight completaban el grupo de los «niños perdidos». Formaban una pareja afín, los dos malhumorados y con acné, de veintitantos años, ambos habían abandonado los estudios universitarios. Uno había sido programador informático y el otro trabajador social de media jornada. Se burlaban de buena parte de lo que se hacía, pero Jeffers pensaba que con el tiempo llegarían a comprender que tenían una oportunidad en la vida.

Las risas se acallaron, y Meriwether irrumpió en aquel silencio.

—Sigue sin gustarme.

—¿El qué, pequeñajo?

—No estamos locos. ¿Qué estamos haciendo aquí?

Enseguida saltaron varias voces.

—Estamos aquí para que nos curen...

—Estamos aquí por el programa...

—Estamos aquí, pedazo de idiota, porque todos hemos sido condenados en virtud de las leyes estatales contra los delincuentes sexuales. ¿Lo tienes claro ahora, baboso?

—Tío, puede que tú no sepas lo que estás haciendo aquí, pero yo sí...

El último comentario provocó más risas. Éstas cesaron al cabo de un momento, y Jeffers observó que Meriwether esperaba a que se hiciera el silencio.

—Ya veo que sois más idiotas de lo que pensaba... —empezó. Surgieron silbidos y aullidos. Meriwether esperó nuevamente. Jeffers se fijó en la sonrisa irónica que mostraba, y que denotaba claramente que estaba disfrutando de ser el centro de atención del grupo—. Pensadlo un minuto, pirados. Estamos aquí, en una jaula para lunáticos, pero ¿estamos alguno loco de verdad? Si de verdad fuéramos delincuentes, ¿no creéis que nos encerrarían? Pero en vez de eso nos han traído aquí y nos aplican lo del palo y la zanahoria. Cumple el programa, nos dicen, aprende a amar, aprende a odiar lo que eras antes. Y luego te enderezan y te lanzan otra vez al mundo... —Hizo una pausa para lograr más efecto—. ¿Sabéis lo que me cabrea a mí? Cada vez que entro en una de las salas de psicología todo el mundo se aparta a un lado. ¡Por mí! Es como para echarse a reír, ¿no, Miller, tipo duro? Pero ellos lo saben, ¿no? Lo saben.

Soltó una carcajada.

—Sigue —dijo una voz benévola.

—Todos los que estamos aquí, en nuestro interior, sí, muy en el fondo nos figuramos que el loquero no ve nada, nos figuramos que vamos a poder con esto. Que simplemente con seguirle el juego el tiempo suficiente y decir lo correcto..., en fin, que vamos a salir de aquí. ¡No van a poder cambiar nuestra forma de ser! —Se volvió hacia Jeffers—. Métase por donde le quepan sus terapias de aversión. Métase sus presiones de grupo. Yo soy más inteligente que todo eso.

—¿Es eso lo que piensas? —contestó Jeffers.

Meriwether rió.

—Vaya pregunta más insulsa. ¿No ve que es lo que pensamos todos en el fondo?

Reflexionó.

—¿Eso crees? —preguntó Jeffers sin ironía.

—En el fondo. Muy en el fondo. Donde no lo pueda tocar usted.

Miller soltó un gruñido.

—Habla por ti, gilipollas.

—Eso hago —repuso Meriwether.

Los dos hombres se miraron el uno al otro, y Jeffers pensó de nuevo en su hermano. Recordó la sorpresa que se llevó al descubrir que Doug robaba dinero habitualmente de la caja registradora de la farmacia. Él pensaba que su hermano hacía mal, pero no porque robar no estuviera bien sino porque si lo descubrieran las consecuencias serían graves. Recordó la risa despreocupada de su hermano y su insistencia en que el dinero era el motivo sólo en parte.

—¿No lo entiendes, Marty? Cada vez que cojo un poco tengo la sensación de estar vengándome de él. El dinero que tanto quiere. Un poco aquí, otro poco allá. Así tengo la impresión de no ser sólo una víctima.

Doug tenía trece años. Y estaba equivocado. «Sus víctimas éramos los dos.»

Le propinó una paliza a Doug, recordó Jeffers. ¿Por qué a mí no? Supuso que era por la insistente y obvia rebeldía de su hermano. Luego negó con la cabeza, pensando que probablemente aquello era verdad sólo en parte. Era cierto que Doug era irrefrenable, pero había algo más, algo que su padre había visto y que lo catapultó a la cólera y el salvajismo.

—Pequeñajo —dijo Miller—, me estás cabreando.

—La verdad siempre duele —replicó Meriwether.

—Dime qué crees tú que es la verdad —dijo Miller—. Ya que sabes tanto, jodido pequeñajo de mierda. ¡Dime qué es lo que sabes tú de mi vida!

Meriwether lanzó una carcajada.

—A ver que lo piense —dijo. Escudriñó a Miller igual que un comprador examinando una mercancía agrietada—. Bueno —empezó despacio, consciente de tener sobre sí la atención de todo el grupo—, probablemente odiabas a tu madre...

Todo el mundo rió, excepto Miller.

—Sigue hablando, cagarruta.

—Ella quería a todos salvo a ti... —Meriwether sonrió a su público y prosiguió—: Y ahora, como no puedes castigarla a ella...

—¿Como que no puedo castigarla?

La sala lanzó una carcajada ante aquel tópico.

—Castigas a los demás. —Meriwether pensó un instante. Después, sonriéndole al público, dijo—: ¡Ya está! ¡Las verdades básicas sacadas a la luz!

Pero Miller no sonrió. Jeffers, una vez más, intentó recordar el rostro de su propia madre, pero no pudo. Cuando pronunciaba para sus adentros la palabra «madre», lo único que veía era a la esposa del farmacéutico, su prima-madre, que se sentaba por las tardes en un rincón de la casa a abanicarse y tomar té, con independencia de que fuera verano o invierno.

—Sigue hablando, cabrón. Ya la has cagado a base de bien, así que puedes darle a la lengua todo lo que quieras —provocó Miller.

Jeffers se preguntó brevemente si Miller terminaría explotando, aunque lo dudaba; conocía demasiado bien a los pacientes. Si opina que necesita vengarse, se vengará cuando le resulte cómodo. Esperará y hará tiempo, todos los reclusos sabían que lo que tenían en abundancia era tiempo, y el hecho de saborear la venganza podía suponer un placer tan grande como meterle entre las costillas un cuchillo de fabricación casera. Jeffers garabateó una nota en el bloc de la sesión para recordar que había que vigilar por si surgía un conflicto entre ambos hombres.

—Bueno —dijo Meriwether—, qué edad tenía aquella última chica, la que apaleaste y robaste además de..., ¿cómo decirlo delicadamente? Además de, esto..., gozar de ella... ¿Podría tener veinte? No, quizá más. ¿Treinta, entonces? No, todavía sería un poco tímida. ¿Cuántos, cuarenta? No, qué va, ni de cerca... ¿Cincuenta? ¿Sesenta? ¿Qué tal setenta y tres? ¡Bingo!

Meriwether cerró los ojos y se recostó en su silla.

—Qué interesante —dijo una voz.

—Lo bastante vieja, diría yo, para ser tu madre —opinó Meriwether. —Calló unos instantes antes de girarse hacia Jeffers—. ¿Sabe, doctor? Debería pagarme por hacer su trabajo.

Jeffers no dijo nada más que:

—Mi trabajo...

—Así que —continuó Meriwether— dinos, tipo duro. ¿Qué tal fue la cosa?

Miller había entornado los ojos. Aguardó hasta que se hizo el silencio.

—Mira, bocazas, fue perfecto. Como siempre. —Hizo una pausa—. ¿No es así, pirado?

Meriwether asintió.

—Sí.

Jeffers recorrió la sala con mirada atenta, esperando con escaso entusiasmo que se alzara alguna voz para oponerse, pero dudando que hubiera alguna. Había llegado a entender que existían determinadas cualidades que el grupo no podía frustrar, y una de ellas era la idea del placer. Anotó que debía realizar un seguimiento en la sesión individual normal de cada paciente. «El grupo —pensó—, sólo sirve para reforzar las ideas impartidas en las sesiones terapéuticas diarias. A veces —sonrió para sí— funciona la magia. Y otras veces, no.»

—Miller —dijo Jeffers—, ¿le estás diciendo al grupo que propinar una paliza y violar a una mujer de setenta y tres años te pareció una experiencia sexual satisfactoria?

Él no iba a ser tan franco con algunos de los presentes.

Miller negó con la cabeza.

—No, doctor. Si lo expresa de ese modo, no. —Se burló—. Una experiencia sexual satisfactoria, sea lo que sea eso. Lo que digo es, y ese pirado de ahí sabe a qué me refiero, ¿no, gusano?, es que ella estaba allí, y también estaba yo. Formaba parte de la escena, nada especial.

—¿No crees que para ella sí fue algo especial?

Miller intentó hacer un chiste.

—Bueno, a lo mejor nunca se lo había pasado tan bien...

Surgieron unas breves carcajadas que cesaron enseguida.

—Vamos, Miller, agrediste a una anciana. ¿Qué clase de persona hace una cosa así?

Miller lanzó una mirada furiosa a Jeffers.

—No está escuchándome, doctor. Ya le digo que esa mujer estaba allí. No fue gran cosa.

—Ése es el problema, que sí lo fue.

—Bueno, pues para mí no.

—Y si no fue para tanto, ¿en qué pensabas mientras lo hacías?

—¿En qué pensaba? —Miller vaciló—. Y yo qué sé. Me preocupaba que pudiera reconocerme, ya sabe, así que le aplasté las gafas y procuré tener cuidado, no quería despertar a los vecinos...

—Vamos, Miller. Dejaste huellas dactilares por todas partes y te pillaron intentando quitarle las joyas a la anciana. ¿En qué estabas pensando?

—Yo qué sé.

Se cruzó de brazos y se quedó con la mirada fija.

—Prueba otra vez.

—Oiga, doctor, lo único que recuerdo es que estaba furioso. Estaba de lo más cabreado. Todo me había salido mal, así que estaba jodido de verdad. Así que estaba de muy mal humor. Y lo único que recuerdo en realidad es que estaba cabreado, tan cabreado que tenía ganas de chillar. Tenía ganas de hacerle daño a alguien, ¿sabe? Eso es todo, tenía ganas de joder a alguien, unas ganas tremendas. Lamento mucho que esa vieja se cruzara conmigo, pero es que estaba allí, y era precisamente lo que quería yo. ¿Lo entiende? ¿Le vale con eso?

Jeffers se reclinó en su asiento y pensó para sí: no se me da nada mal, para ser un recién llegado.

—Está bien —dijo—. Vamos a hablar de la ira. ¿Alguien?

Se hizo un breve silencio hasta que Wasserman, que tartamudeaba, intervino:

—A-a m-mí a veces me da la impresión de que siempre estoy enfadado.

Jeffers se reclinó en su silla al oír a uno de los hombres intervenir con una pregunta:

—¿Enfadado por qué?

Sólo quedaban unos minutos de sesión, y sabía que la dinámica de grupo se apoderaría del curso de lo que se decía; la ira siempre era un tema muy fructífero. Todos los «niños perdidos» estaban furiosos. Era algo que conocían muy de cerca.

Recorrió la sala con la mirada. Era una estancia abierta y aireada, pintada de blanco, con una hilera de ventanas que daban al área de ejercicio. El mobiliario era viejo y barato, pero qué cabía esperar de una institución del Estado. Contra una pared había una mesa de ping-pong plegada que rara vez se utilizaba. En otro tiempo hubo una mesa de billar, pero un día un palo de billar en las manos de un paciente psicótico llevó a dos celadores a la enfermería, así que ahora ya no había ninguna. Había revistas que se agitaban cuando la brisa encontraba una ventana abierta y un televisor que parecía estar poseído para emitir sólo culebrones y películas antiguas. Y también un piano vertical desafinado. Periódicamente se acercaba alguien y tocaba unas cuantas notas, como si esperase que se afinara solo, mediante algún proceso de ósmosis. Jeffers pensó «el piano es como los pacientes; tocamos sin cesar las teclas con la esperanza de dar con una melodía, y normalmente descubrimos una disonancia». A Jeffers le gustaba aquella sala; tenía un aire callado y benévolo, y a veces le daba la impresión de que la estancia en sí reducía la tensión. Sería un lugar incongruente para una pelea.

No recordaba ninguna ocasión en la que se hubiera peleado con su hermano.

Aquello no era habitual. Si todos los hermanos se pelean, ¿por qué iban a ser ellos distintos? Pero seguía sin poder hallar un solo recuerdo de furia fraternal, agresiva y desatada, de esa que lo invade a uno de pies a cabeza un instante y se evapora al instante siguiente.

Recordó una ocasión en la que Doug lo aprisionó contra el suelo, fácilmente, con los brazos retorcidos hacia atrás; pero fue para impedirle que fuera detrás de su madre, que estaba llevando la cartilla de las notas al farmacéutico. Había suspendido una asignatura por primera vez, francés, y estaba avergonzado. Recordó que su hermano lo sujetó de tal manera que no podía moverse. Doug no dijo nada, simplemente lo inmovilizó. Él no tenía muy seguro lo que quería hacer con la cartilla: cogerla, destruirla, no sabía. Lo único que sabía era que el farmacéutico iba a escandalizarse, y así fue. Durante una semana, todas las noches lo encerró con llave en su habitación. Pero en el semestre siguiente sacó un notable alto, y en el semestre final un sobresaliente.

—¡Eh, Pope! —Era Meriwether el que había hablado—. Vamos, Pope, tú que eres un asesino, cuéntanos lo enfadado que tienes que estar para matar a alguien.

Jeffers aguardó, lo mismo que todos los presentes. Es una buena pregunta, se dijo, tal vez no estrictamente desde un punto de vista terapéutico, pero sí desde el de la curiosidad.

Pope lanzó un resoplido. Tenía los ojos negros y entrecerrados y unos hombros que resultaban demasiado grandes para su débil constitución. Jeffers le imaginó una fuerza descomunal.

—Nunca he matado a nadie con quien estuviera enfadado de verdad.

Meriwether rompió a reír.

—Oh, venga, Pope. Mataste al tipo ese del bar. Nos lo contaste la otra semana. En una pelea, ¿no te acuerdas?

—Eso no es enfadarse. No fue más que una pelea.

—Pero él murió.

—Cosas que pasan. Un puñetazo afortunado.

—Querrás decir desafortunado.

Pope se encogió de hombros.

—Desde donde estaba él, supongo que sí.

—¿Quieres decir que te peleaste con él, el tipo la diñó, y ni siquiera estabas cabreado con él?

—No entiendes muy bien las cosas, ¿verdad, tío listo? Claro que el tipo ese y yo nos peleamos. Habíamos estado bebiendo. Una cosa llevó a otra, y él no debería haberme insultado. Pero eso no tiene nada de especial. Ocurre en todos los bares a diario. En cambio, nunca he estado furioso con alguien con quien haya estado sentado y sobrio hasta el punto de buscar una manera de cargármelo. Eso ya te lo puedes figurar.

Aquello tenía lógica, y el grupo guardó silencio.

—Yo me puse furioso en una ocasión —dijo Weingarten. Jeffers advirtió que había permanecido callado la mayor parte de la sesión. Era un exhibicionista de pelo grasiento que se entusiasmó demasiado con sus numeritos en un centro comercial y terminó agarrando a una joven. Ésta consiguió zafarse de él, al día siguiente lo identificó en una rueda de reconocimiento, y el hombre fue a aterrizar en el grupo de los «niños perdidos». Jeffers dudaba que el programa tuviera mucho éxito con él; acababa de empezar a progresar en su conducta desviada. Lo más probable era que siguiera estando demasiado fascinado con su nueva visión del mundo para eliminarla tan pronto. Los «niños perdidos» no sufren enfermedades corrientes. Recordó el énfasis que se ponía en la facultad de medicina en la conveniencia de pillar una enfermedad en su fase temprana, antes de que avanzara más. «Pero aquí no sucede eso, pensó; aquí uno tiene que pillar la enfermedad cuando ya se ha desarrollado y manifestado en su plenitud, y luego tratar de erradicarla.» Por lo general era una propuesta con pocas posibilidades de triunfo, comprendió con tristeza, a pesar de las infladas tasas de éxito que se inventaban para garantizar la financiación constante del programa.

—Quiero decir que me entraron ganas de matarlo y todo.

—¿Qué hiciste? —le preguntó Jeffers.

—En el instituto había un individuo que siempre estaba encima de mí. Ya sabe, el típico tío que se te acerca delante de todo el mundo y te da un puñetazo fuerte en el brazo sólo para que pongas mala cara, porque sabe que tú no puedes devolvérselo. ¿Sabe lo que quiero decir? Un auténtico matón, un chiflado...

—Mira quién fue a hablar —comentó Meriwether.

Weingarten lo ignoró y continuó.

—Al principio sólo pensé en matarlo. Mi padre tenía una escopeta de caza, porque le gustaba cazar ciervos, cosa que a mí me parecía horrorosa, pero de todas formas tampoco se molestaba en llevarme con él. La escopeta era de largo alcance, y en un momento dado tuve a ese tipo a tiro, justo en la mira. Debería haberlo hecho en aquel momento, pero entonces me lo pensé mejor y decidí que debía vengarme de él haciéndole lo mismo que me había estado haciendo él a mí. Algo llamativo, en público. Así que esperé y supuse que ya lo agarraría justo antes del gran partido de antiguos alumnos. Lograría que lo suspendieran, iba a ser así de simple. El entrenador ordenó un descanso, y yo sabía que ese cabrón siempre se lo hacía con una animadora. Así que los seguí hasta el lugar en el que a todos los críos les gustaba aparcar y esperé. No tardaron mucho en ponerse a ello. Estuve observándolos un rato, después me acerqué sin que me vieran y ¡bam! Un pinchacito de nada en cada neumático. Sabía que jamás conseguirían regresar a tiempo. ¡Premio! Seguro que lo suspenderían. La chica era la hija del entrenador, ¿sabe? Así que el plan era infalible.

—¿Y qué ocurrió?

—Que no llegaron hasta las cuatro de la mañana.

—¿El entrenador suspendió a ese cabrón?

Weingarten dudó.

—Era el puto defensa. De todo el condado. Tenía una beca para el puto Notre-Dame. Y era el puto partido de antiguos alumnos. ¿Qué cree usted? —Todos los «niños perdidos» se echaron a reír, y Jeffers se sumó a ellos. Weingarten también rió—. Tío, era un auténtico cabrón. Tendría que haberse hecho policía.

Las carcajadas de los «niños perdidos» llenaron la sala.

Su hermano, pensó Jeffers, podría haber sido un atleta estupendo. Cuando jugaba, siempre parecía que el balón lo seguía a él. Poseía velocidad y coordinación, y también una fuerza increíble; no era que estuviera tan musculado, sino que era más fuerte que los demás. Doug siempre tenía además una habilidad adicional, la de ser capaz de pasarse el día corriendo si era preciso. Poseía una vitalidad increíble. Le venía de la rabia. Cuanto más lo animaban sus padres a hacer atletismo, menos quería tener nada que ver con ello. Era otra de sus mini-rebeliones. Le vino a la memoria una ocasión en la que se sentó con su hermano en la habitación de ambos, por la noche y con las luces apagadas, y lo escuchó hablar sobre el odio. Lo sorprendió descubrir lo hondo que era éste en su hermano: «No pienso hacer nada por ellos —dijo—. Nada. Nada que les haga sentirse bien. Nada.»

Ahora, pensó Jeffers, diría que dicha actitud era reflejo de un fundamental odio hacia sí mismo. Pero aquel recuerdo de su infancia era más poderoso. Lo único que recordaba él era la fuerza de lo que dijo su hermano en aquella habitación a oscuras. No le veía la cara, pero en cambio se acordaba del paisaje nocturno que se divisaba desde la ventana de la habitación, el jardín y más allá la calle, con el resplandor de la luna filtrándose entre los árboles. Era una casa modesta en un barrio modesto de las afueras, y contenía todo aquel odio en su interior.

—La única persona con la que yo me he cabreado lo bastante como para querer matarla fue mi vieja. —Jeffers levantó la vista y vio que estaba hablando Steele—. No paraba de quejarse, día y noche. Por la mañana, al mediodía, por la tarde. A veces llegué a pensar que se quejaba incluso dormida...

Los demás rieron. Jeffers vio que algunos asentían con la cabeza.

—Sigue, por favor.

—Sabe, daba igual dónde estuviéramos o qué estuviéramos haciendo. Ella siempre lograba que me sintiera... como pequeño, ¿sabe? Poca cosa.

Hubo unos instantes de silencio y después Steele continuó. Jeffers tuvo un breve vislumbre del expediente de aquel paciente. Buscaba a sus presas en su propio barrio, salía de su trabajo de fontanero a las horas de comer y encontraba a las amas de casa solas.

La sala estaba en silencio.

—¿Que te sintieras como pequeño...?

—Supongo —dijo Steele— que si se me hubiera ocurrido un modo de vengarme de ella, no estaría aquí ahora.

Jeffers hizo una anotación, pensando: «pero sí te vengaste».

Consultó su reloj. La sesión estaba a punto de finalizar. Por un instante se preguntó por qué su hermano no había querido cenar con él, ni pasar la noche, ni alargar un poco la visita.

«Es un viaje sentimental...»

¿Qué habría querido decir? Él mismo sintió una oleada de furia. Doug era capaz de hablar con una franqueza rayana en lo ofensivo y al momento siguiente expresarse con una ambigüedad impenetrable. Experimentó una repentina sensación de vacío y se preguntó hasta dónde conocía a su hermano. Y luego añadió, como de memoria: «¿Hasta dónde me conozco a mí mismo?» Tuvo una rápida imagen de lo que iba a ser el resto de sus días: rondas. Varias sesiones de terapia individual. Cena a solas en su apartamento. Un partido en televisión, un capítulo de un libro, una cama. Y a la mañana siguiente, más de lo mismo. «La rutina es una especie de protección», se dijo. ¿Qué habría encontrado su hermano para protegerse? ¿Y de qué? «Eso tiene fácil respuesta», pensó mirando a su alrededor.

Nos protegemos tan sólo de nosotros mismos.

«Le voy pisando los talones al mal...»

Sonrió. Aquél era Doug. Con una vena dramática. Por un instante sintió unos celos competitivos, luego los dejó pasar pensando: bueno, somos lo que somos, y entonces se sintió avergonzado. Te habrás quedado calvo, se dijo a sí mismo. Y se preguntó otra vez: «¿Hasta qué punto estamos unidos el uno al otro?»

A su derecha, Simon el celador se removió un poco. Se estiró y se puso de pie.

Oyó que los miembros del grupo empezaban a agitarse en sus sillas, y le vino a la mente una aula de primaria momentos antes de que sonase el timbre del descanso.

—De acuerdo —dijo Martin Jeffers—. Por hoy ya está bien.

Se levantó y pensó: «estamos más unidos de lo que crees».

Martin Jeffers observó cómo los pacientes iban levantándose y saliendo de la sala de terapia de uno en uno o por parejas. Le llegó alguna que otra risa ocasional en el pasillo de fuera. Cuando se quedó solo, recogió sus papeles y sus notas, escribió unas cuantas cosas en su cuaderno y paseó unos momentos por la sala sintiendo el calor del sol en la espalda. En la estancia reinaba el silencio, y pensó que la sesión había sido un éxito; no había habido peleas ni discusiones irreconciliables, aunque Miller y Meriwether iban a ser vigilados. Habían avanzado un poco, y se dijo que tal vez la historia que había contado Weingarten pudiera dar para hacer un seguimiento después. Decidió sacar el tema de los celos en la próxima sesión y cerró la puerta al salir.

El pasillo del hospital estaba desierto, y pasó rápidamente por delante de la entrada de una de las salas. Se asomó por la ventanilla de la puerta y vio la misma imagen letárgica que veía todos los días: unas cuantas personas de pie, dispersas por la sala y hablando, otras hablando para sí mismas. Algunos leían, otros jugaban al ajedrez o a las damas. En un hospital psiquiátrico, una buena parte del tiempo se empleaba simplemente en pasar de un día al siguiente. Los pacientes se volvían expertos en el arte de alargar el tiempo: las comidas eran interminables. Las actividades se prolongaban muchísimo. Se desperdiciaba el tiempo a propósito, apasionadamente. Aquello no resultaba tan irrazonable, pensó, para unas personas para las cuales el tiempo había perdido toda su urgencia.

Cuando llegó a su despacho descubrió una nota pegada en la puerta: «Llame al despacho del doctor Harrison lo antes posible.» El doctor Harrison era el administrador del hospital. Jeffers observó la nota preguntándose de qué asunto se trataría. Abrió la puerta con la llave y dejó los papeles sobre la mesa. Por un momento contempló la vencida estantería abarrotada de papeles, expedientes y libros de texto. En una pared había un calendario con paisajes de Vermont. De pronto le vino un recuerdo agradable a la memoria; allí había diversión. Pescar, acampar. Se acordó de una trucha que pescó Doug y después devolvió al agua mientras su padre se reía: «Se morirá», comentó el farmacéutico. «Al tocarlas, les quitas parte de la baba que les protege el cuerpo, así que se enfrían y se mueren. No se puede devolver una trucha al agua, no, señor.» Luego su padre siguió riéndose, señalando a su hermano. Martin Jeffers se preguntó por un momento si aquello sería verdad, porque nunca lo había consultado. Sintió una absurda vergüenza al pensar cómo le habría ido en la vida estando convencido, a partir de aquel momento, de que no se puede devolver una trucha al agua sin matarla al mismo tiempo. Al doctor Harrison le gusta pescar, pensó: «Mira tú por dónde, se lo voy a preguntar a él.»

Cogió el teléfono y marcó la extensión de administración. Contestó la secretaria.

—Hola, Martha. Soy Marty Jeffers. He visto tu nota. ¿Qué tiene en mente el jefe?

—Oh, doctor Jeffers —respondió la secretaria—, no lo sé exactamente, pero ha venido una detective desde Florida. Desde Miami, según dice, y desea hablar con usted...

La secretaria calló un momento, y Jeffers se imaginó playas y palmeras.

—Yo no he estado nunca en Miami —aseguró—. Aunque siempre he querido ir.

—Oh, doctor —continuó la secretaria—. La detective dice que se trata de la investigación de un asesinato.

Jeffers se preguntó por un instante si la trucha sabría, después de que la hubieran tocado, que estaba condenada a morir, si se marcharía nadando en busca de algún solitario remolino oculto tras unas piedras donde extinguirse tiritando, cruelmente confundida y traicionada por su propio entorno.

—Enseguida voy —dijo.

V

Una persecución singular

8

Aquellas palabras se repetían en su interior: «trazas de alcohol».

Al principio se preguntó si no tendría las mejillas surcadas de cicatrices a causa del llanto, igual que sentía el corazón roto y destrozado por la pena inconsolable. Se miró en el espejo, esperando a medias ver en su piel unos surcos rojos y perennes que marcasen la trayectoria que había seguido su dolor. Pero no había ninguno. Se frotó los ojos con fuerza y sintió un profundo agotamiento en todo el cuerpo, una fatiga que apartaba y arrollaba las barreras de la perseverancia y la decisión y se apoderaba de su interior. Expulsó el aire lentamente para combatir la sensación de vértigo y las náuseas residuales.

La detective Mercedes Barren deseaba desesperadamente organizar sus ideas, pero se veía derrotada por las emociones. Asió los bordes del lavabo y se mantuvo así unos instantes, intentando vaciar su mente de todo, como si creando una tabla rasa pudiera controlar lo que pensaba y sentía. Respiró hondo y, con movimientos exageradamente lentos, abrió los grifos. Se notaba congestionada y acalorada, así que se echó agua fría en las muñecas, recordando que había sido su marido el que le dijo que aquello servía para refrescarse rápidamente, un truco de atletas. A continuación se mojó la cara y volvió a mirarse en el espejo para contemplarse detenidamente.

«Soy vieja», pensó la detective Barren.

«Soy delgada, frágil, estoy cansada, me siento desgraciada y tengo arrugas en la frente y unas patas de gallo en los ojos que hace poco no tenía.» Se miró las manos y contó las venas del dorso. «Son manos de vieja.»

La detective Barren dio la espalda al espejo y regresó al cuarto de estar de su pequeño apartamento. Miró momentáneamente las varias pilas de informes y expedientes repletos de declaraciones, análisis de pruebas, fotografías, transcripciones, informes psicológicos y listas de objetos encontrados que conformaban la sustancia en papel de una investigación criminal. Todo estaba amontonado sin orden ni concierto sobre su pequeño escritorio. Fue hasta allí y comenzó distraídamente a ordenar y colocar los documentos, con la intención de imprimir un poco de razón en aquella montaña de material. El legado de Susan..., y una vez más hubo de reprimir las lágrimas.

Se preguntó cuánto tiempo llevaba llorando.

Se acercó a la ventana y contempló el cielo azul claro de la mañana. Estaba libre de nubes y despedía una luminosidad que resultaba opresiva. Tuvo la impresión de que el aire estaba lleno del reflejo del sol, que explotaba sobre aquella extensión de mar azul, tan cerca de la ciudad. Hacía un día sin oscuridad, sin ni siquiera una pizca de desorden, y eso la irritó. Apoyó una mano en el cristal de la ventana y sintió el calor tropical. Por un instante le entraron ganas de echar hacia atrás el puño y estrellarlo contra la ventana; deseó oír cómo el cristal se hacía pedazos y caía al suelo. Quería sentir dolor físico. Pero se contuvo al darse cuenta de que su mano ya se había cerrado en un puño por sí sola, se apartó de la ventana y recorrió el apartamento con la vista.

—En fin —se dijo a sí misma en voz alta—, pues ya está. —Se sintió como si hubiera finalizado algo y estuviera iniciándose otra cosa distinta, pero no estaba segura de qué era exactamente. Se enjugó una lágrima del ojo y respiró hondo una vez, después otra. En lo alto de la estantería de libros había una foto de su sobrina en un sencillo marco de plata, y fue hasta allí, despacio, para mirarla de cerca—. En fin —repitió—, supongo que ha llegado el momento de volver a empezar.

Dejó la foto donde estaba y sintió una oleada de tristeza que le invadió todo el cuerpo, como un viento frío que sopla momentos antes de que caiga un aguacero.

Lo sentía, realmente lo sentía muchísimo.

Pero no estuvo muy segura de a quién pedía disculpas.

La agente del mostrador de recepción de la Oficina del Sheriff de Dade County fue brusca:

—¿Tiene usted cita?

—No. No creo que necesite cita... —replicó la detective Barren.

—Pues lo siento, pero no puedo dejarla pasar a Homicidios a no ser que la esté esperando alguien. ¿A quién quiere ver?

La detective Barren suspiró audiblemente, irritada, y se apresuró a sacar su placa dorada del bolso.

—Quiero ver al detective Perry. De inmediato. Coja el teléfono, agente, y llame a su despacho. Inmediatamente.

La mujer tendió una mano para ver la placa. La detective Barren se la entregó, y ella anotó cuidadosamente el número en un formulario. Acto seguido se la devolvió y, sin mirar a la detective a los ojos, marcó el número de Homicidios. Al cabo de un momento pidió:

—Detective Perry, por favor. —Hubo una pausa momentánea—. ¿Detective Perry? Aquí hay una tal detective Barren, que desea verlo. —Otra pausa. La agente colgó—. Tercera planta —dijo.

—Ya lo sé —replicó la detective Barren.

El trayecto en ascensor se le antojó mucho más largo de lo que recordaba. De pronto deseó que hubiera un espejo a mano; quería revisarse el maquillaje, cerciorarse de que todas las señales externas de dolor hubieran quedado debidamente disimuladas. Irguió la postura. Aquella mañana había seleccionado la ropa que ponerse con más esmero que de costumbre, pues sabía que las apariencias eran importantes cuando guardaban relación con lo que iba a decir. Había descartado los trajes azul oscuro y gris que usaba para el juzgado, a favor de una sencilla americana de algodón de color claro y una falda sport. Quería ofrecer una imagen libre, cómoda y relajada, es decir informal. La chaqueta tenía un corte estiloso por lo grande. En otra época, pensó mientras se la ponía, la habrían considerado ancha; ahora era de talla grande. Pero resultaba excelente para ocultar la sobaquera en la que llevaba su nueve milímetros. No era el arma que solía elegir. Por lo general simplemente se metía en el bolso un revólver treinta y ocho de cañón corto y se olvidaba de él durante el resto del día. Pero esta vez, después de vestirse, la había invadido una inseguridad irracional, levantó la vista de pronto al oír un ruido al otro lado de la puerta y sintió que se le erizaba el vello de la nuca. Se sorprendió a sí misma calzándose la gran pistola automática sin pensarlo siquiera, y ahora notaba su peso y su bulto y se sentía mejor.

Las puertas del ascensor se abrieron con un susurro.

—¡Eh, Merce! ¡Es por aquí!

Se giró y vio al detective Perry haciéndole señas desde un pasillo. Fue deprisa hacia él. Perry tenía la mano extendida y ella se la estrechó. Él también se la agitó ligeramente, y echó a andar en dirección a su mesa.

—Ven por aquí... ¿Quieres un café? Bueno, ¿y qué tal te va? —le preguntó, pero tras apenas una pausa esperando una posible respuesta, aceleró—: ¿Sabes?, el otro día me acordé de ti. Encontramos a un violador asesino, el del sur de Miami, justo al lado del canal. Es probable que lo hayas visto en los periódicos. Y lo único que se me ocurrió fue que debía de ser ese tipo que detuviste tú. La intuición no sirve para obtener una orden judicial, ¿no fue eso lo que dijiste? Sea como sea, tuve la corazonada de que ese homicida en realidad no era un asesino. Me refiero a que fue una violación en toda regla, pero la chica tenía el cráneo fracturado. Cuando murió se hallaba inconsciente, según el forense. Y me dio por pensar que a lo mejor él ni se enteró, ¿sabes? A lo mejor no se dio cuenta de que la había golpeado demasiado fuerte. Así que me llevé a un par de tíos y a una mujer policía vestida de adolescente y anoche estuvimos vigilando el lugar en cuestión, el mismo punto, ¿te lo puedes creer?, donde tuvo lugar el primer crimen, y ¡premio! Quién se iba a acercar hasta nuestra agente, sino un tipo cubierto de marcas de arañazos por toda la cara. ¿Quieres pasarlo bien?, pregunta el cabrón. Y va y le contesta ella: yo sí que tengo diversión para ti. El tipo se entregó por fin, después de un par de horas negándolo todo. ¿Sabes una cosa, Merce? Todos nosotros estaríamos de más si los malos no fueran tan memos la mayoría de las veces. Así que, como puedes ver, he tenido una nochecita de aúpa, de las que hacen que esto merezca la pena... —Antes de proseguir miró a la detective Barren, quizás esperando una respuesta por parte de ella, o una opinión. Prosiguió—: De modo que aquí estaba yo, terminando el papeleo antes de irme a casa con mi mujer y mis hijos, y hete aquí que me llaman desde el vestíbulo. Imagino que no se trata de una visita de cortesía, ¿a que no? Siéntate. —Indicó una silla que había frente a su mesa, y ambos tomaron asiento—. Estás de lo más callada.

—Parece un buen arresto. Muy bueno. —Pensó que le caía bien el detective Perry, y de pronto se entristeció porque sabía que no le iba a caer bien a él cuando terminaran la conversación—. Algo es algo —dijo.

—¿El qué?

—Que tantos de ellos sean unos memos.

Él se echó a reír y miró a la detective Barren por encima del montón de papeles.

—Merce —le dijo en tono suave—, ¿a qué has venido?

Ella titubeó unos segundos antes de responderle en el mismo tono suave:

—No lo hizo él.

El detective Perry se la quedó mirando mientras a ambos los envolvía el silencio. A continuación se levantó de su asiento y se puso a pasear. Ella lo observó con atención.

—Merce —respondió por fin el detective Perry—. Déjalo.

—No fue él.

—Déjalo, Merce.

—¡No fue él!

—Está bien. Digamos que no fue él. ¿Cómo lo sabes? ¿Cómo puedes estar segura?

—Por lo del alcohol.

—¿Qué?

—Las trazas de alcohol. Se tomaron muestras en la marca de mordisco que tenía Susan en el cuerpo y se encontró saliva que fue analizada. Han encontrado trazas de alcohol.

—Sí, me acuerdo. ¿Y qué?

—Él dijo que era musulmán chií.

—Así es.

—Y sincero.

—Sí, eso fue lo que dijo. ¿Y?

—No puede tocar ni una gota de alcohol. Ni una cerveza, ni un whisky, ni un vaso de vino.

El detective Perry se sentó dejándose caer.

—¿Y ya está?

—Ya está para un principiante.

—¿Tienes algo más?

—Aún no.

—Merce, ¿por qué te estás haciendo esto a ti misma?

—¿Cómo?

—¿Por qué te castigas?

—No me castigo. Simplemente estoy intentando encontrar al asesino de Susan.

—Ya lo hemos encontrado. Está en la cárcel, para toda la eternidad. Y cuando se muera probablemente se irá al infierno. No hay ninguna duda. Merce, ríndete.

—¡No me estás escuchando, maldita sea! ¡Han hallado trazas de alcohol!

—Merce, por favor... —Su voz tenía un deje de derrota y tristeza—. Estoy cansado, cansado de verdad. Tú sabes tan bien como yo que ese tipo escogía a la mitad de sus víctimas en bares o en asociaciones de alumnos. ¿Me estás diciendo que nunca se tomó una cerveza? ¡Chorradas! ¡Es un loco, Merce! Es un loco enfermizo. Hubiera hecho cualquier cosa, ¡cualquier cosa!, con tal de captar a sus víctimas. Lo demás, toda esa basura religiosa, no es más que... No sé, una mierda para justificarse, encubrimiento, locura, yo qué sé...

—Tú que sabes...

El detective Perry se echó hacia atrás en su silla.

—Estoy cansado, Merce. Precisamente a ti no hace falta que te diga que las malditas pruebas de saliva dan trazas de alcohol si el criminal se enjuaga la boca con un colutorio antes de cometer el crimen. Pero si tú lo sabes mejor que yo. La experta eres tú.

—No lo hizo él.

—Merce, lo siento, pero fue él. Él la mató. Las mató a todas. Vas a tener que aprender a vivir con ello. Por favor, Merce. Por favor, aprende a vivir con ello.

La detective Barren miró al detective Perry. Por un instante vaciló, sopesando toda la tristeza y el desánimo que transmitía su voz. Se imaginó lo neurótica que debía de parecer; después pensó en su sobrina vagamente, de forma no definida, vaporosa, y se endureció enseguida.

—¿Vas a ayudarme?

—Merce...

—¿Vas a ayudarme, maldita sea?

—Dame un respiro...

—¡Vas a ayudarme!

—Merce. Busca ayuda. Acude al loquero del departamento. Habla con tu sacerdote. Tómate unas vacaciones. Lee un libro. Diablos, no sé, pero no me pidas que te ayude.

—Entonces déjame el expediente.

—Por Dios, Merce, ya tienes todo lo que hemos descubierto nosotros. Te lo di todo antes de la declaración de culpabilidad.

—¿No te has guardado nada?

Un chispazo de cólera cruzó el semblante del detective Perry.

—¡No! ¡Maldita sea! ¿Qué coño de pregunta es ésa?

—Necesitaba saberlo.

—¡Pues ya lo sabes! —Ambos guardaron silencio, mirándose el uno al otro. Al cabo de un momento volvió a hablar el detective Perry. Su tono de voz era lento y triste—: Lamento mucho que te sientas así. Mira, el asesinato de tu sobrina ha quedado resuelto. Si por casualidad te encuentras con una prueba de importancia, en fin, siempre puedes volver aquí a que le echemos un vistazo. Pero esto se ha acabado, Merce. Al menos debería haberse acabado. Ojalá lo vieras tú de ese modo... —Dudó antes de continuar—: Porque te sentirías mucho más feliz.

Ella esperó para asegurarse de que el detective hubiera terminado.

—Gracias... —Él sacudió la cabeza en un gesto de estar negando y quiso decir algo, pero ella lo interrumpió—: No, en serio. Ya sé que estás convencido de lo que dices. Además, siempre has jugado limpio conmigo, y te lo agradezco. Ya sé lo que estás pensando, pero te equivocas. No estoy neurótica. Y un par de semanas sin pensar en ello no van a hacerme cambiar de opinión. El asesino sigue en libertad.

—No creo que estés neurótica, Merce, sino que...

No encontraba la palabra adecuada.

—No pasa nada —contestó ella—. Entiendo tu postura. —Se levantó—. No me importa, pero voy a seguir buscando al asesino de Susan. —Dejó pasar unos momentos—. Y cuando lo encuentre, ya te lo comunicaré.

No estaba del todo segura de lo que iba a decirle a su propio jefe. ¿Que no creía que aquel árabe hubiera matado a Susan, que el asesino seguía en la calle, que ella no descansaría hasta que lo descubrieran? Cada vez que formulaba frases para describir la situación en que se encontraba, le sonaba todo absurdo, melodramático y poco convincente. Pensó: «La venganza tiene algo de ordinario y trillado, es un impulso muy común que surge de circunstancias poco comunes. Lleva consigo un sentimiento de culpa, incorporado e inevitable.» Sabía que no estaba bien desearla tanto, pero no era capaz de decir con precisión por qué.

La puerta del despacho del teniente Burns estaba entreabierta. Llamó con los nudillos, insegura, y a continuación asomó la cabeza al interior.

Lo encontró sentado a su mesa. Enfrente tenía esparcidas dos docenas de fotografías en color de veinte por veinticinco. Cuando establecieron contacto visual, el teniente alzó la vista y le sonrió.

—Ah, Merce, justo la persona que necesitaba. Pasa a ver esto...

Ella entró en el despacho lentamente.

—Fotos de un muerto...

—Ven aquí. Fíjate en éstas.

Ella observó el despliegue de instantáneas. Vio un cadáver en posición fetal dentro del maletero de un coche. Se trataba de un hombre joven, que hubiera parecido dormido a no ser por un enorme manchón de sangre que le cubría el pecho. La detective Barren miró atentamente las fotos, asombrada de la extraña calma que desprendía la expresión del muerto. Observó imágenes tomadas desde diferentes ángulos del maletero, y en todas vio la misma tranquilidad, la misma sangre. Se preguntó distraídamente qué habría hecho aquel joven para merecer morir así, y supo la respuesta de manera intuitiva: nueve veces de cada diez, por lo menos en Miami, juventud y muerte se traducen en drogas.

—¿Sabes, Peter?, lo que me sorprende es que no estuviera asustado.

El teniente Burns la miró con curiosidad.

—¿Por qué lo dices?

—Quiero decir que sabemos lo bastante acerca de la fisiología de la muerte como para especular un poco. Y este individuo parece, en fin, demasiado cómodo. Si a ti o a mí nos secuestraran, nos metieran en el maletero de un coche y nos llevaran a... ¿adónde?

—A una cantera de piedra del sur de Dade...

—Vale, a una cantera. Y luego nos dispararan con una escopeta..., porque ha sido con una escopeta, ¿no? Lo digo porque este tipo tiene el pecho destrozado...

—Del calibre doce. Un solo disparo.

—En fin, a donde quiero llegar es que veríamos por todas partes indicios de miedo. Los ojos estarían abiertos, probablemente. La boca rígida. Los dedos en tensión. Mira. Este tipo ni siquiera tiene las manos atadas ni esposadas. Cuando lo sacasteis de ahí, ¿cuánto de él se os quedó dentro?

—Un poco de sangre y otro poco de tejido.

—¿No mucho?

—Una cantidad mediana.

—Y luego está el coche. Parece un BMW apenas estrenado, ¿no?

—Tiene seis meses.

—Apuesto —dijo la detective Barren— a que el propietario es un traficante de drogas de nivel medio, uno de veinte o veinticinco kilos de droga al mes, no un auténtico peso pesado.

—Correcto otra vez.

—¿Dice el informe si es robado?

—Estoy averiguándolo.

—Bueno, esto no es de mi incumbencia, y naturalmente no es más que una suposición, pero si quieres mi opinión, yo diría que a este pobre chico le disparó alguien de quien no se esperaba una actitud hostil precisamente, no sé si me entiendes...

—¡Merce...!

El teniente Burns lanzó una risa irónica.

—Después esas personas lo metieron a toda prisa en el maletero de un coche convenientemente robado un poco antes, se lo llevaron hasta la cantera..., un sitio en el que sabían que lo iban a encontrar con facilidad, no como aquí, en el Everglades, y lo dejaron allí. A mí me da la impresión de que esto ha sido idea de algún traficante colombiano con escaso cerebro que quería quitarse de en medio a un competidor. Quizás alguien que se propone crear mala sangre entre organizaciones y éste es el primer triunfo que se ha apuntado. Claro que todo esto es especular. Pero tampoco sé si yo emitiría una orden de arresto para el propietario del coche.

—Merce, ¿sabes por qué me gusta trabajar contigo?

—No, Peter. ¿Por qué?

—Porque piensas igual que yo.

La detective Barren sonrió.

—Gracias, Peter.

—Bueno, estoy de acuerdo con lo que piensas sobre el crimen.

He pedido a los forenses que analicen las zapatillas de este tipo. No han encontrado restos de arena de la cantera. Pero sí que han visto manchas de hierba recientes. ¿Tú crees que hay hierba en esa cantera? A mí me parece que no. Merce, ¿nunca te ha dado por pensar que el mundo pertenece a los narcotraficantes? A mí a veces me hace reír el pensar que son los nuevos empresarios de nuestra sociedad. Hace un siglo o dos, la gente venía a este país, trabajaba de firme, echaba raíces y mejoraba su calidad de vida. El sueño americano. ¿Cuál es el sueño americano actualmente, Merce? Cien kilos de droga y un BMW grande y nuevecito. —Se puso en pie y juntó todas las fotos—. Me estoy volviendo demasiado pesimista. En fin, sea como sea, supongo que me daré un paseo hasta Homicidios a hablar con los detectives. Tengo que decirles a qué se enfrentan. Y supongo que también debería llamar a Narcóticos. —Miró a la detective Barren y volvió a sentarse—. Pero antes, ¿en qué puedo ayudarte?

La detective Barren pensó en el joven de las fotos y se preguntó por qué una persona tan joven podía ser tan tonta como para involucrarse en el tráfico de drogas. No más tonta que John Barren yendo a la guerra en virtud de un principio absurdo y muriendo y dejándola a ella para que siguiera adelante sola. La invadió súbitamente un sentimiento de tristeza por todos los jóvenes tontos que morían de una forma o de otra, seguido al momento por otro de rabia e impaciencia. «Qué inútil —pensó—. Qué terriblemente inútil y egoísta.» Alguien estaría llorando desconsoladamente sobre el cuerpo destrozado de aquel joven.

—¿Merce?

—Peter, necesito un poco de tiempo.

—Por lo de tu sobrina.

—Exacto.

—Tal vez fuera más fácil que hablaras con un psicólogo y continuaras trabajando. Ya sabes, por mantenerte ocupada. Dicen que unas manos vacías son lo que más le gusta al diablo. —Sonrió.

—No voy a estarme con las manos vacías.

—A lo que me refiero es que no quiero que te recluyas deprimida en tu apartamento. ¿Qué vas a hacer?

«¡Buscar al asesino de Susan!», gritó de pronto su mente. Pero no dijo nada y se obligó a ser diplomática.

—Verás, Peter, en ningún momento han podido reunir un caso por el cual juzgar a Rhotzbadegh por el asesinato de Susan. No quiero dar a entender que los del condado no hayan hecho lo que tenían que hacer. Simplemente es que, en fin, que esto me pone furiosa. Quisiera indagar un poco por ahí, a ver qué me encuentro. Y luego quizá pasar una temporada con mi hermana, ya sabes, para ayudarla a superar la situación. Lo está pasando muy mal.

El teniente Burns la miró fijamente a los ojos. Ella no se movió.

—No sé qué opino acerca de eso de que indagues por ahí respecto de ese caso. Para mí está cerrado. En cuanto a lo otro, bueno, naturalmente...

—¿Cuánto tiempo puedes concederme? —preguntó ella. «Lo mismo da —pensó—, pienso tomarme todo el tiempo del mundo. Me haré vieja y me saldrán canas, y todavía seguiré buscando.»

El teniente Burns abrió un cajón de la mesa y hurgó en una carpeta. Extrajo un folio con el nombre de ella escrito en la parte superior.

—Bueno, tienes tres semanas de vacaciones y por lo menos dos semanas de compensación por horas extra... Qué demonios, que sean otras tres semanas. Aparte, las normas del departamento permiten tomarse una baja por circunstancias especiales. Podría darte una baja, pero con ello perderás parte del sueldo. ¿Cuánto tiempo calculas que vas a necesitar?

No tenía ni idea.

—Es difícil de decir.

—Claro. Lo entiendo. —La miró fijamente, con cierta precaución—. ¿Por qué llevas encima el cañón?

—¿Qué?

Le señaló la chaqueta.

—La pistola para elefantes. ¿Qué es, una cuarenta y cinco o una nueve milímetros?

—Una nueve milímetros.

—¿Necesitas eso para examinar fotos?

—No.

—Entonces, ¿para qué?

La detective Barren no contestó. A ambos los envolvió el silencio. El teniente Burns miró el expediente y luego la miró a ella.

—Déjalo en paz, Merce. Se acabó. Ese tipo está en la cárcel, que es donde debe estar... —Se puso rígido y su voz adquirió un tono de autoridad—. Es una orden: no te metas en el caso. Está cerrado. Lo único que vas a conseguir es sufrir todavía más. Si quieres un permiso, de acuerdo, tómatelo. Pero no para trabajar, sino para recuperarte. ¿Entendido? —Ella no respondió. El teniente la miró y suavizó el tono—. Está bien. Al menos te he echado el sermón oficial...

Ella sonrió.

—Gracias.

—Pero, Merce, por favor, hazlo por mí: cúrate y vuelve al trabajo. ¿De acuerdo?

—Es lo que tengo intención de hacer —repuso ella.

—Bien, primero disfruta de las horas extra, y luego, si necesitas más, tómate vacaciones. Después de eso, llámame y ya pensaremos algo. Ordenaré que te envíen los cheques a casa. Con una condición.

—¿Cuál?

—Que antes vayas a ver al loquero del departamento. Mira, de todas formas, cuando vuelvas van a obligarte a ir a su consulta, así que fíate de mí. Lo único que te va a decir es que te tomes unos días y un par de aspirinas y que vayas a verlo cuando vuelvas. —Ella aceptó con la cabeza—. De acuerdo. Entonces ya está todo. —Se levantó y cogió el montón de fotos—. ¿Quieres acompañarme a Homicidios? Esos idiotas suelen necesitar que los convenzan, sobre todo cuando la cosa consiste en que al final van a tener que salir a buscar testigos y pruebas ellos solitos.

—No, gracias —contestó ella. Pensó que la próxima vez que fuera a Homicidios sería para llevarles un caso.

Se mordió el labio. O para entregarse ella misma.

La visita al psicólogo del departamento fue tan superficial como había sugerido el teniente Burns. Le describió un cierto grado de agitación, insomnio e incapacidad para concentrarse, así como ataques de depresión. Le dijo que se sentía culpable de la muerte de Susan. Afirmó que necesitaba un tiempo para asimilar dicha pérdida. Se escuchó a sí misma hablar, pensando lo fácil que resultaba inventar una mentira creíble mezclando en ella un poco de verdad. El psicólogo le preguntó si quería pastillas para dormir; ella declinó la oferta. Él le dijo que probablemente seguiría sintiéndose hundida por la depresión hasta que tratara el sentimiento de pérdida con terapia, pero que estaba de acuerdo en que unos días de baja le resultarían beneficiosos. Dijo que le rellenaría los apropiados impresos del departamento para que pudiera tomarse una baja por razones médicas, lo cual le permitiría continuar cobrando casi la totalidad del sueldo. A ella le sorprendió que todo el mundo estuviera tan preocupado por el dinero. Después, el psicólogo le dijo que quería verla con regularidad al cabo de un mes y le concertó una cita. Finalmente rellenó una tarjeta y se estrecharon la mano. La detective le dio las gracias y tiró la tarjeta nada más cerrar la puerta de su despacho.

Fue mucho más fácil de lo que esperaba.

No tardó mucho en llevarse de su mesa lo que iba a necesitar, pese a las interrupciones de los demás miembros de la sección de análisis de pruebas, que no dejaron de acercarse a presentarle sus condolencias, hacerle invitaciones y ofrecerle su amistad, lo cual la conmovió. Pero ella se sentía emocionada, complacida y deseosa de terminar de una vez y marcharse.

Cuando salió por las puertas del departamento de policía de la ciudad, hacía un calor intenso. Los macizos ladrillos rojos del edificio parecían resplandecer como carbones encendidos. Aspiró despacio, como si tuviera miedo de quemarse los pulmones, alzó la cabeza y contempló el cielo protegiéndose los ojos de la fuerte claridad. Por un instante se sintió como si la hubieran atrapado bajo un foco para observarla.

Pero esa sensación desapareció y la embargó otra de ilusión, casi de euforia. Por primera vez en varios meses sentía que la depresión se le iba del pecho. «Estoy haciendo algo», pensó. Un pie detrás del otro, paso a paso. De pronto se acordó de una ocasión en casa de su hermana en la que se levantó en mitad de la noche al oír los primeros gemidos de dolor y hambre de la pequeña. Lo recordaba como una especie de ritual: retirar la manta, sacar los pies y ponerse las zapatillas al mismo tiempo, coger la bata de donde la había dejado la vez anterior, a los pies de la cama. «Ya voy», decía, en tono lo bastante alto para que la pequeña la oyera y para que su hermana supiera que ella iba a hacerse cargo del problema y volviera a dormirse. «Voy enseguida, cálmate, mi niña», pronunciando las últimas palabras con la entonación propia de una nana para dormir.

—Ya voy —dijo en voz alta, pero no había nadie que pudiera oírla.

Y entonces se puso a tararear una canción y echó andar por la acera.

niña, pronunciando las últimas palabras con la entonación propia de una nana para dormir.

9

Lo primero que hizo fue comprar tres planchas baratas de corcho para anuncios y una pizarra verde para niños. Se las llevó a su apartamento y las colocó junto al escritorio. A continuación escribió «Susan» en un trozo de cinta adhesiva y pegó ésta en la cabecera del primer tablón de anuncios, «Rhotzbadegh» en el segundo y «otros» en el tercero. La pizarra la situó en el centro. Apartó una estantería de libros, gruñendo por el esfuerzo, y la desplazó unos metros para disponer de más espacio. Acto seguido cogió unas chinchetas y clavó un grupo de fotografías en color de veinte por veinticinco de la escena del crimen en el centro del tablón de Susan. Luego colgó también la lista de pruebas halladas y las declaraciones de los dos homosexuales que habían descubierto el cadáver. El tablón de Rhotzbadegh también se llenó rápidamente, con las listas de pruebas de su casa y las copias de los artículos de periódico que había recortado. Tomó una foto de él y la colocó en el tablón, donde pudiera verla.

Experimentó una extraña liberación realizando aquella actividad. «Sé una detective —pensó—. Monta un caso.»

«Pero antes, destruye el que tienen ellos.»

El interior de la asociación de alumnos de la universidad parecía oscuro y cavernoso. No había resultado difícil encontrar a las personas con las que estuvo Susan la noche en que murió. Era época de exámenes y estaban ansiosas de hablar. De charlar, más bien. Lo que fuera, pensó la detective Barren, con tal de romper la pesadez de tener que estudiar, aunque sus rostros bronceados indicaban que estaban pasando más tiempo tomando el sol que encerradas en la biblioteca.

—¿Cómo estás tan segura? —le preguntó la detective Barren a una chica, una joven de cabello oscuro que tenía la incómoda costumbre de mirar a los ojos a la persona mientras escuchaba la pregunta y después dejar vagar los suyos por toda la habitación al dar la respuesta. «Debe de desquiciar a sus profesores», pensó la detective Barren—. ¿Por qué estás tan segura de que Susan desapareció antes de las once de esa noche?

—Porque habíamos quedado en irnos a las once. Era importante, las dos teníamos clase a primera hora y prometimos que, por muy bien que lo estuviéramos pasando, íbamos a marcharnos. O la recogía yo a ella, o ella me recogía a mí. Estuvimos bailando y la perdí de vista. Pero a las diez y media empecé a buscarla en serio, y a las once menos cuarto les pedí a los chicos que me ayudaran a encontrarla. Teddy incluso salió al aparcamiento y echó un vistazo por los alrededores. Quiero decir que no pudimos dejar de verla, ni siquiera entre la gente. ¿Sabe?: Susan siempre destacaba, no podía esconderse, ni siquiera con este lugar abarrotado. Ella era así.

«Ya lo sé», pensó la detective Barren.

—¿No la viste con alguien especial, alguien a quien no conocías?

—Pues el problema es que fue a principios del semestre. Todo el mundo era nuevo, todos eran desconocidos. Había tantos chicos de primer curso como alumnos graduados. También había varios profesores nuevos, pero ésos se fueron temprano. Quiero decir que todo era nuevo, emocionante, buen ambiente. Pero yo no la vi hablando con nadie sospechoso, si se refiere a eso.

La detective Barren suspiró y pasó a otro alumno, un muchacho enorme y fornido que llevaba una camiseta. Le extrañó que no tuviera frío en aquella estancia con exceso de aire acondicionado.

—Explícame cómo es que sabes que Rhotzbadegh estuvo aquí hasta la medianoche.

—Ya se lo he contado a los otros detectives, pero voy a contarlo otra vez. En realidad es muy simple. Había quedado con una chica con la que tenía que verme a las doce...

—¿A las doce?

—Sí. Suena romántico, ¿a que sí? Es que, en fin, ella estaba haciendo un curso sobre la historia del cine y tuvieron que ir a ver una película de no sé qué tipo ruso. Era un rato de larga, de modo que no iba a poder salir hasta pasadas las once. Así que quedamos en vernos aquí. Yo me escondí en un rincón del bar, desde donde pudiera vigilar la puerta. Ella era muy guapa y yo no quería, no sé, no quería que tuviera que ponerse a buscarme, ya sabe. Seguro que habría un montón de tíos dispuestos a ayudarla, no sé si me entiende. En fin, me puse a hablar con el colega que tenía al lado. Era un tipo raro, uno de las ligas mayores. Pero también era un poco bobo, por cómo hablaba de las chicas y de lo malas que eran. Pero cuando decía esas cosas, yo lo miraba y se echaba a reír, yo me reía también y no me lo tomaba muy en serio. Pero de todos modos no es una conversación de la que uno se olvide...

La detective Barren levantó la vista de su bloc de notas.

—¿Qué estabas bebiendo?

—Dos cervezas. Ése es el límite. El equipo aún entrenaba dos veces al día, y la verdad, si bebes demasiado te da por vomitar hasta que se te salen las tripas.

Los demás alumnos lanzaron silbidos.

—Di más bien dos paquetes de seis —dijo uno.

La amiga de Susan agregó:

—Esa noche te vi yo, Tony. Ibas ciego.

—Bueno, puede que un poquito...

—Dos cervezas es lo que les dijiste a los entrenadores, ¿verdad? —dijo la detective Barren.

El joven afirmó con la cabeza.

—¿Qué ocurrió al día siguiente en el entrenamiento?

—Que vomité.

—Bien. Así que, ¿cuántas tomaste en realidad?

El chico intentó esbozar una sonrisa, pero ésta se esfumó rápidamente.

—Bastantes.

—¿Y cómo estás seguro de que eso sucedió la noche en que desapareció Susan?

—Por la película. Sólo la pasaron una vez.

—¿Cuál era el título?

El muchacho dudó, y al momento se le iluminó la cara.

—Trataba de un barco de guerra en el que hubo una revolución...

La detective Barren pensó de repente en un cochecito de niño cayendo a trompicones por un ancho tramo de escaleras.

—¿*El acorazado Potemkin*?

—¡Eso!

—Pero, Tony —interrumpió la chica morena—, me parece que ésa fue la que pasaron la noche siguiente. La noche en que desapareció Susan pusieron la de guerra, ya sabes, esa en la que salen caballeros y se parte el hielo. Creo.

—No me acuerdo de ésa —dijo Tony.

—*Alexandr Nevsky* —apuntó la detective Barren con un suspiro—. Aun así, estás seguro de que el sospechoso no se movió del sitio en ningún momento.

—Bastante seguro. Bueno, estuve bailando un poco, y también tuve que pasar un rato en el servicio. Además, ya sabe, era una fiesta. Cuando entraba alguno de los del equipo tenía que levantarme para ir a saludarlo...

—¿Así que no estuviste todo el tiempo sentado a su lado?

—Pues... todo el tiempo, no.

La detective Barren se fijó en la muñeca del joven. Un testigo estupendo. Borracho. Dispuesto a mentir a sus entrenadores y probablemente a quien hiciera falta. No se acuerda de los detalles. Probablemente ni siquiera recuerda qué día era. Volvió a mirarlo. «Espero que llegue a profesional. No me extraña que su relato no fuera tenido en cuenta por los detectives del condado; un gran jurado se hubiera reído de él.»

—¿Alguna vez llevas reloj?

—Qué va. Te lo roban de la taquilla del gimnasio.

—Así que no puedes estar seguro de la hora que era.

—Pues... exactamente, no.

—Bien. ¿Qué estuvo bebiendo el sospechoso?

—Lo invité a tomar algo. Una tónica. Ya le digo que era un tipo raro.

—¿Algo más?

—Solamente tónica. Con un chorrito de lima.

—Sigue.

—Bueno, no hay mucho más. Los dos estuvimos allí sentados todo el tiempo, hasta que dieron las doce, y entonces apareció Cenicienta por la puerta. Y yo la agarré antes de que se le echaran encima los lobos, no sé si me entiende. Quiero decir que algunas noches este lugar se alborota un poco. De lo que ese tipo hiciera después, no tengo ni idea. El ambiente estaba decayendo...

La amiga de Susan sonrió.

—Susan sabía eso, ¿sabe? Por eso las dos hicimos el pacto de largarnos. No nos hubiéramos quedado hasta las doce, pues, permita que se lo diga, este sitio se convierte en un zoo. Jamás hubiéramos salido vivas...

Aquello fue una broma que todos conocían, y los demás alumnos la rieron juntos.

—En el caso de Susan, así ocurrió —replicó la detective Barren.

Aproximadamente dos semanas después de tomarse la baja del departamento, en una tarde de un calor achicharrante, la detective Mercedes Barren fue en coche hasta el parque en el que se había descubierto el cadáver de Susan. Era verano y el calor se elevaba del asfalto delante del vehículo formando una cortina de vapor. Pensó para sus adentros que había llegado a un punto decisivo en su investigación. Los días que había pasado moviéndose por la Universidad de Miami y repasando los documentos forenses la habían convencido de dos cosas: en primer lugar que Sadegh Rhotzbadegh era el sospechoso lógico y evidente del asesinato. Se encontraba en la escena de la desaparición de la víctima, había recortado el artículo de prensa que hablaba del asesinato, igual que hizo con los demás, y el crimen en sí había sido ejecutado siguiendo su estilo personal. Todas las otras víctimas habían sido apaleadas y estranguladas. Reflexionó para sí que si aquel caso fuera de ella, hubiera empleado todos sus esfuerzos en buscar algún vínculo no circunstancial entre Susan y Rhotzbadegh. La más mínima de las conexiones hubiera dado como resultado una condena por asesinato en primer grado, sin duda. Y en segundo lugar: la detective Barren estaba segura igualmente de que él no había perpetrado el crimen, principalmente porque no existía ninguna relación que constituyera una prueba.

«Es demasiado simple», pensó.

Se acordó del leve gesto de cabeza.

«No ha sido él —pensó—. Es demasiado obvio. Y hallaron trazas de alcohol.»

Frunció el ceño y se castigó mentalmente: ¡Busca algo!

Avanzó por la calle hasta el parque, el cual, a la claridad del día, no daba la impresión de ser tan siniestro como lo recordaba ella en la noche del asesinato de Susan. Dobló la esquina para penetrar en el área principal del aparcamiento y contempló las aguas opacas y de color claro de la bahía, que parecían fundirse con el cielo formando un todo azul porcelana. No hacía viento, y las pequeñas olas iban a morir a la orilla besando los nudosos manglares y haciendo un ligero ruido no muy diferente del de un grifo que gotea. La detective Barren percibió olor a comida; había familias haciendo barbacoas para almorzar al aire libre. El inevitable ruido de niños pequeños jugando parecía lejano, como una música de fondo.

Aparcó y dudó, mirando, más allá del aparcamiento prácticamente vacío, la zona de árboles y vegetación en donde había aparecido oculto el cadáver. Después, con un suspiro, se bajó del coche, lo cerró con llave y echó a andar en dirección al lugar en cuestión. Empezó a contar a partir del borde del asfalto. Susan pesaba cincuenta y cuatro kilos; se imaginó a su sobrina cargada al hombro, como hacen los bomberos. Un peso muerto cuesta más trabajo, es menos flexible. Recordó lo menudo que era el árabe, pero sabía que aquello no significaba nada, porque tenía unos brazos muy fuertes. Podría haber cargado con Susan sin grandes dificultades. Pero aquello no quería decir nada. Contó la distancia mentalmente, un metro, dos, hasta veintidós, antes de detenerse y observar el suelo arenoso. «El asesino ya la había matado —pensó—, no notó dificultad en la descarga de aquel peso.»

El asesino. Quienquiera que fuera.

Pero ¿dónde? El coche del árabe estaba limpio, limpio del todo. Se habían analizado microscópicamente las alfombrillas del puesto del acompañante y la tapicería de los asientos delantero y trasero. También se examinaron bajo el espectrógrafo muestras del maletero. No había sangre, ni cabellos, ni piel; ningún residuo de muerte.

Añadió mentalmente aquello a su hoja de datos.

Se agachó y palpó el suelo en que había yacido el cadáver de Susan. «Vamos —pensó—. Algún mensaje cósmico. Alguna idea. Algo.»

Pero no notó nada.

Lo único que percibió fue que estaba caliente. Había niños jugando. Y el asesino de Susan andaba por ahí suelto.

Volvió a observar el suelo y tuvo una visión de Susan tendida ante ella. Recordaba con espantosa nitidez la media enrollada al cuello, la mancha de sangre en la nuca, la violación... Pensó en el modo descuidado en que la habían arrojado al suelo, con las piernas abiertas en jarras y el sexo a la vista.

Cuánta crueldad.

Y entonces negó con la cabeza.

—Ha de haber algo. Piensa.

Reflexionó sobre el golpe contundente que presentaba Susan en la nuca. «Si pudiera encontrar el arma —se dijo—. O el escenario concreto del asesinato; los lugares donde se comete el crimen casi siempre dan indicios de una personalidad.» Repasó mentalmente todas las pruebas forenses que se le habían hecho al cadáver de Susan. «Si tuviera un sujeto —pensó—, a lo mejor podría descubrir algo.» Pensó otra vez en la media y se le ocurrió una idea.

Se incorporó, dio media vuelta a toda prisa y regresó al coche.

Reparó en una niña que la estaba observando. Tenía el pelo rubio y un rostro abierto y travieso. Llevaba un traje de baño consistente en un bikini de niña, y aquello hizo sonreír a la detective Barren. La pequeña estaba comiéndose un cucurucho de helado de vainilla que se le estaba derritiendo alrededor de la boca y formando un cerco blanco en torno a su sonrisa tímida. La detective Barren la saludó con la mano, y la niña le devolvió el saludo a medias antes de volverse y echar a correr.

—No te fíes de nadie —susurró la detective Barren al ver desaparecer a la pequeña entre los árboles y las sombras, en dirección a la playa y a la zona de juegos.

»No te fíes de nadie ahora. Hazte mayor y no te fíes de nadie.

Siempre había odiado hacer visitas al depósito de cadáveres, y no debido a los cuerpos que se fileteaban allí, sino por las luces fuertes e hirientes que iluminaban todas las estancias con un brillo de otro mundo. Le daba la sensación de que aquella luz se mezclaba, de una forma inusual, con el olor del formaldehído y de los antisépticos que invadía todo el edificio. Ella prefería considerar la muerte como algo siniestro y privado, lo cual era lo contrario del ambiente que reinaba en el depósito, un lugar en el que entraba y salía gente en un continuo desfilar. Observó desde un extremo de la sala cómo el médico forense extraía varios órganos de un cadáver abierto mientras hablaba al micrófono de una grabadora que pendía de arriba. Su voz fue monótona hasta que encontró algo que captó su interés, momento en el cual el tono subió una octava y se convirtió en una voz infantil. Lo vio hurgar en el interior del cadáver y finalmente sacar de aquella masa sanguinolenta una pequeña forma que levantó y acercó a la luz, canturreando encantado y con cierto soniquete:

—¿Ve, detective, lo pequeña que puede ser la muerte? —Ella no respondió, y él depositó la forma en un recipiente de muestras—. En la arteria coronaria izquierda, aproximadamente a tres centímetros, un fragmento de bala, casi intacto, al parecer del calibre veintidós o quizás el veintitrés. Ésta ha sido la causa de la muerte, un impacto que ha seccionado la arteria y ha provocado una súbita y masiva pérdida de sangre, conmoción, fallo cardíaco instantáneo... —Miró por encima de su hombro a la detective Barren—. Dicho de otro modo, dio de lleno en el corazón... A los chicos de la prensa les gustan los tiroteos con escopetas y ametralladoras, y todas esas cosas espectaculares que salen en la televisión. Pero hay cosas que no han cambiado en veinte años. ¿Quiere usted matar a alguien de manera fría y profesional? Use una bala de pequeño calibre con una buena pistola disparada a quemarropa, directo al corazón. O, si necesita una variante, justo aquí, en la base del cráneo... —Se tocó la nuca con el dedo índice—. Un chasquido imperceptible, y su víctima será historia. Sin aspavientos, sin llamar la atención, sin que nadie se tire al suelo para protegerse, sin que resulten heridos curiosos inocentes, sin explosiones. Y, desde mi punto de vista, tiene una gran ventaja. Un pequeño orificio, justo aquí... —Se palmeó el pecho, y el ruido que hizo levantó eco en la pequeña sala—. Una Uzi o una Ingram causa un destrozo tremendo en una persona. Hacerlo con esas armas no tiene clase, no tiene ninguna clase en absoluto. —Volvió a observar la forma depositada en el recipiente—. Así es como mataría yo. No tengo ninguna duda. Simple, directo y al grano. Si me permite, gracias, señora. —Sacudió la cabeza en un gesto negativo y miró a la detective Barren—. Tengo entendido que está usted de baja médica. ¿Qué la trae por aquí?

—Necesito hablar de...

—De su sobrina, ¿verdad?

—Sí.

—Bueno, ¿y cuál es la pregunta?

—Verá...

El forense se giró a uno de los celadores, que estaba volviendo a introducir el cadáver cubierto por una sábana en un contenedor refrigerado.

—¡Eh, Jesús! Tráeme el expediente número ochenta y seis, guión, uno, once, cuatro, ¿quieres? Pronto, por favor. El nombre es Susan Lewis.

La detective Barren observó al celador salir.

—Susan...

—No tardará más de uno o dos minutos —dijo el forense—. Y bien, ¿qué es lo que la preocupa?

—Susan fue...

—Asfixiada. La causa de la muerte fue estrangulamiento. El método consistió en enrollarle una media al cuello. Estaba inconsciente. Pero usted ya sabe todo eso; estuvo en el lugar y vio el informe.

—¿El golpe en la nuca fue lo que la dejó inconsciente, doctor?

—Pues... sí, probablemente.

—¿Es que no está seguro?

—Bueno, el trauma de la nuca era severo. Podría haberle causado la muerte por sí mismo. Pero desde el principio me ha dejado un poco perplejo. —Regresó el celador y le entregó un sobre de papel manila—. Bien. Aquí está... —Leyó por espacio de unos momentos—. Sí. Hemisferio izquierdo..., pérdida de tejido..., pérdida de masa encefálica... Lo que me intrigó fue que en la escena del crimen no había muchos restos de ese golpe. Quiero decir que, para tratarse de una herida tan grave, únicamente había lo que cabe esperar de un porrazo corriente.

—Perdone, no entiendo...

—Verá, la golpearon y después la estrangularon. Bien, en teoría ese árabe la secuestró de la asociación o club de alumnos en la universidad, la dejó inconsciente de un golpe, la metió en el coche, se la llevó al parque, y allí la violó, la estranguló y la abandonó. Pero la verdad es que para mí eso no tiene sentido.

—¿Por qué no?

—Porque el golpe que recibió Susan en la cabeza, como digo, debería haberla matado. Y probablemente bastante pronto. El coche habría quedado hecho un asco, tanto que el asesino no podría haberlo limpiado lo bastante, hay que ser realistas, como para superar la prueba del espectrógrafo. Y si Susan murió de camino al parque, el estrangulamiento y el acto sexual habrían tenido lugar *post mortem*. Y todo sería muy distinto. Quiero decir, para un médico forense habría una gran diferencia, no sé si lo capta en su justa medida.

—Creo que voy entendiendo...

—Y había otra cosa más. Debajo de la marca circular que dejó la media en el cuello, encontré una serie de leves hematomas.

—Eso es lo que quería preguntarle —dijo la detective Barren—. En uno de los informes usted mencionó esas marcas, pero no en los demás. ¿Qué eran? ¿Podrían ser hematomas causados por la presión de los dedos?

—Bueno, la respuesta a esa pregunta es sí. Pero si me hace subir al estrado y me pregunta bajo juramento si esos hematomas fueron causados por un par de manos, yo no podría testificarlo con ninguna certeza médica. Quiero decir que las marcas coincidían con un estrangulamiento con las manos, pero no son concluyentes. Además, apenas eran visibles.

—Explíqueme más...

El forense vaciló un instante antes de continuar.

—Mire, odio esto. Prefiero las cosas que encajan con la teoría del homicidio que proponen los detectives. Si añadimos a todo esto el estrangulamiento manual, ¿dónde lo ponemos? ¿Cuándo?

—¿Tuvo ocasión de medir la distancia entre un hematoma y otro?

El forense sonrió.

—Buena pregunta. Usted siempre hace buenas preguntas, detective. Sí. Pero sólo hay una combinación posible...

Se quitó los guantes quirúrgicos con sumo cuidado y se aproximó a la detective Barren.

—¿Qué combinación?

—El problema, médicamente hablando, estriba en encontrar la posición exacta de los dedos y la mano... —Rodeó con las manos la garganta de la detective Barren. El forense era un individuo bajo y menudo, de facciones ratoniles y con unas gafas permanentemente colgadas de la punta de la nariz. Pero la detective Barren dio un respingo al sentir la fuerza de aquellos delgados dedos que se cerraban con gesto teatral alrededor de su cuello—. Éste es el estrangulamiento clásico, típico del Hollywood de los años treinta, cara

a cara. Pero, si se fija, si yo fuera un poco más alto —se alzó de pun-
tillas—, el ángulo cambiaría. También cambia si usted forcejea...
—El médico hablaba sin dejar de mover las manos sobre la garganta
de la detective Barren. Ella lo observaba como observaría un caballero a un barbero del que no se fiara del todo, y que en ese momento se acercara con la navaja de afeitar—... Y si se hace desde atrás,
una vez más el ángulo cambia... Catorce centímetros.

—¿Desde dónde hasta dónde?

—Mi opinión, y no es más que una opinión, jamás lo afirmaría
ante un tribunal bajo juramento, se lo repito, es que las manos del
asesino tenían que medir por lo menos catorce centímetros desde el
pulgar hasta el dedo índice. —El forense lanzó un resoplido—.
Odio esto —se quejó—. De verdad. A veces me siento profundamente frustrado con algunas cosas.

—¿Usted cree que Rhotzbadegh...?

Él no le dejó terminar la pregunta.

—Por supuesto que sí. —La miró fijamente—. ¿Quién si no,
dígame? Ese tipo sintió deseo. Se encontraba en el lugar mismo. El
crimen se ajusta a su pauta habitual. La mató él..., eso es seguro. En
serio, no me cabe ninguna duda.

—Pero...

—Pero no exactamente tal como creen.

—¿Ha hablado con ellos de esto?

El médico lanzó otro resoplido.

—¡Naturalmente!

Se volvió y regresó al cadáver que tenía sobre la mesa de autopsias. Contempló el cuerpo que tenía ante sí y luego dijo:

—El problema es que no existe un indicador irrefutable de que
no ocurriera como creen ellos. Y en el fondo, ¿qué más da? Lo hizo
él, tan seguro como que yo estoy aquí de pie y respirando, y que
este joven está aquí muerto...

Tocó el cadáver varias veces con el dedo, como si estuviera comprobando que estaba en lo cierto.

—Pero...

—Pero, pero, pero. El pero es que soy una persona a la que le
gustan las cosas en orden. Así es como funciona el organismo: uno
le quita una cosa, y *voilà!*, deja de funcionar como es debido. Si te
tuerces un tobillo empiezas a cojear; si recibes una bala en el cora-

zón te mueres. Todo se estropea y se descompone. Las cosas se tuercen y se complican. Lo odio, de veras. Por eso me gusta ver un disparo certero. Hurgas un poco, y ¡premio! Ahí está la bala. No hay duda, está muerto. Ahí está la razón. No soporto los cabos sueltos...
—Hizo otra pausa—. Verá, da lo mismo, y puede que sea una manía que tengo. Al fin y al cabo, eso fue lo que me dijo el fiscal. —Se volvió para mirar a la detective Barren—. ¿Sabía usted —dijo con un deje de tristeza— que si se muestran los mismos hechos a dos forenses distintos, éstos llegan a conclusiones diferentes? Siempre sucede lo mismo. Puede estar segura. Somos un gremio de lo más pendenciero y discrepante. A todos nos gusta pensar que, como tratamos con los muertos en vez de con los vivos, no estamos supeditados a los mismos caprichos del diagnóstico y a las suposiciones a las que están supeditados ustedes. Pero sí que lo estamos.

Hizo una aspiración profunda.

—Doctor...

—Y eso me entristece.

El forense parecía tener la vista fija en el pecho abierto del cadáver que estaba examinando. La detective Barren aguardó un instante antes de hablar.

—¿Catorce centímetros?

—Así es. Para que conste.

Ella dio media vuelta con la intención de marcharse.

—O sea que: catorce centímetros...

—Pero eso no va a probar nada —le dijo el forense cuando ya se iba.

Al dirigirse hacia las puertas de la sala de autopsias, se volvió y vio al médico inclinado sobre los restos, absorto una vez más en su trabajo.

Aquella noche, en su apartamento, la detective Barren se sirvió una copa de vino tinto recordando lo que había dicho el dependiente de la tienda de licores para asegurarle que aquel *cabernet* de California era igual de bueno que otros que costaban el doble. Ella no le dijo que apenas sabía apreciar la diferencia, ni que le gustaba echar un cubito de hielo en la copa. Tras la visita al depósito de cadáveres se quitó la ropa y se dio una larga ducha, en la que se frotó con furia (patológicamente, bromeó para sí) en el afán de eliminar el persistente olor de la sala de autopsias. «En realidad no lo huelo», se dijo a sí misma al salir de la ducha, pero luego se detuvo, olfateó el aire y por fin dijo en voz alta:

—Y una mierda que no.

Permaneció de pie en su habitación, desnuda, bebiendo el vino, sintiendo el cosquilleo del alcohol al bajar por dentro de su cuerpo. Respiró hondo. Por un momento le entraron ganas de quedarse desnuda, apagar todas las luces y dejar que la oscuridad le sirviera de bálsamo. Aquella idea le hizo soltar una risita y pensar que llevaba mucho tiempo sin hacer algo espontáneo y excéntrico, algo que le recordase que en el mundo no todo eran asesinatos y muertes. Pero meneó la cabeza en un gesto negativo y sacó unos pantalones cortos y una camiseta vieja de los Dolphins de Miami de uno de los años de la Super Bowl, y se vistió.

Fue descalza hasta el cuarto de estar llevando la copa de vino y la botella. Se acercó a la estantería, cogió un álbum de fotos con tapas de cuero, se instaló en un sillón y, con la copa de vino posada en la rodilla, lo abrió. Había una fotografía en concreto que quería ver.

Fue pasando fotos de sí misma, de Susan y sus padres, y se detuvo momentáneamente en varias de ellas, una fiesta de cumpleaños aquí, una graduación allá. Se sintió inundada por el calor de los recuerdos, reconfortada. Por fin dio con la foto que buscaba.

Era una sencilla instantánea de doce por diecisiete centímetros de la detective Barren a los veintiún años, de pie entre John Barren y su padre. Y pensó: «Fue el verano antes de casarnos, el verano en el que falleció papá.» Se fijó en el paisaje de fondo, una extensión de olas de color verdiazul que rompían suavemente, benévolas, contra la costa de Jersey. En la foto los tres estaban en traje de baño, y la detective Barren recordó que los dos hombres se habían burlado sin piedad de ella porque no sabía nadar pero en cambio la atraía mucho la playa. Recordó que pasaba horas y horas tendida en la arena, leyendo al sol, tranquila y relajada. Cuando el calor se hacía insoportable cogía un cubo rojo de plástico, se acercaba hasta la orilla y se dejaba caer sobre la arena mojada a esperar que llegara una ola un poco más grande que proyectara una pequeña corriente de agua playa arriba, hacia ella. El líquido frío y espumoso le inundaba los dedos de los pies, se arremolinaba alrededor de sus nalgas y la refrescaba. Si era preciso, cogía el cubo, lo llenaba de agua y se lo echaba por la cabeza sin contemplaciones. John se reía y la señalaba, y le suplicaba de nuevo que aprendiera a nadar, pero no en serio, porque sabía que ella no iba a hacerlo, por muy ridícula que resultase.

No nadaba por la más simple de las razones.

Era muy pequeña, apenas mayor que un bebé, a sus cinco años. Cerró los ojos en el apartamento y sintió cómo la traspasaba aquella familiar ansiedad, como ocurría siempre que le venía a la cabeza aquel recuerdo en particular. Su corazón pareció acelerarse momentáneamente, el sudor de la nuca se volvió ligeramente pegajoso e incómodo, el estómago se le puso en tensión. Pensó un momento en la potencia del miedo, que no había disminuido ni siquiera tras varias décadas de recuerdos. Ella estaba sentada en la arena con su madre, su padre se encontraba en el agua, zambulléndose en las olas y emergiendo de nuevo con aquella vitalidad juvenil de la que siempre hacía gala en la playa. Su madre la miró y le dijo: «Merce, cariño, acércate a tu padre y dile que ya es hora de comer.» Fue una petición de lo más inofensiva; incluso sentada ahora en su apartamento le parecía muy fácil.

La detective Barren cerró los ojos y lo recordó todo paso a paso, con nitidez bañada por el sol. Se levantó de un salto, se dio la vuelta y echó a correr hacia el agua con la vista fija en su padre, que en aquel momento le había dado la espalda para recibir una gigantesca ola que se acercaba a la playa a toda velocidad. Al tiempo que abría la boca para llamarlo, miró hacia arriba y vio que se había metido debajo de una ola muy cerrada. La fuerza del agua al romper por encima de su cabeza la tiró de espaldas e hizo salir todo el aire de sus pulmones de niña. El agua de pronto se tornó verde oscura, después negra, y fue como si el mundo hubiera quedado borrado del todo. Se debatió frenéticamente buscando la superficie, y en eso cayó sobre ella algo grande y pesado que la hizo hundirse aún más y no le permitió ver el resplandor del sol. Todavía recordaba con previsible incomodidad la sensación del roce de la arena en la espalda. La cabeza le dio vueltas, la vista se le nubló, sintió una quemazón en sus pequeños pulmones, el corazón se le encogió al verse rodeada por la oscuridad. La verdad era que no sabía lo que era la muerte, pero en aquel increíble instante tuvo la seguridad de haberla visto de cerca.

Y entonces, de repente, se vio sacada de aquella negrura y alzada, sin aliento, hasta la luz del sol.

Era su padre.

La zambullida de él lo había arrastrado directamente encima de su hija. Había sido él quien la había hundido más, y también él quien la había sacado.

Recordó unas pocas lágrimas que se secaron rápidamente al calor de la tarde. El resto del día lo pasó jugando a salvo en la arena; pero por la noche, acurrucada en su cama, cuando la luz del día ya se había oscurecido y su habitación se hallaba sumida en las sombras, lloró amargamente y juró no volver a meterse en las olas nunca más, no volver a experimentar nunca aquella sensación del mar cerrándose por encima de ella y no volver a meterse jamás en el agua.

Qué cabezota. Una niña cabezota que cumplió la promesa que se había hecho a sí misma.

Rió suavemente: aquella niña no había cambiado lo más mínimo en treinta y tantos años. Y probablemente no cambiaría jamás.

Miró otra vez la foto y sonrió. John poseía un cuerpo esbelto y musculoso, cubierto de gotitas de agua que relucían al sol. Se acordó de cómo se burlaba su padre de su pecho sin un solo pelo y cuánto presumía del propio, con su mata de vello negro y rizado, hinchándolo exageradamente para parodiar a un culturista.

«Aquéllos eran buenos tiempos», se dijo.

Se fijó en el rostro de su padre. El sol le hacía guiñar los ojos, apenas, y ello le daba una expresión a lo Elvis Presley. Ahora sí que rió y dijo en voz alta.

—¿Qué dirías tú acerca de este caso?

Se lo estaba preguntando al hombre de la foto.

La matemática, le sermonearía su padre con su mejor estilo académico, prefiere una procesión calmosa de datos para llegar a una conclusión esquiva. Pero ése no era siempre el caso: a veces se puede probar un teorema mediante la ausencia de información en contra.

De pronto sintió un espasmo de desesperación.

No iba a haber forma de probar que Sadegh Rhotzbadegh no había cometido el asesinato de su sobrina.

Probar algo negativo. Su padre negaría con la cabeza y sonreiría. Claro que eso, diría él, requiere un intelecto de verdad, un poco de razonamiento puramente matemático.

A ella le entraron ganas de gritar.

Entonces respiró hondo y bebió un sorbo de vino.

Reflexionó, irritada, sobre el concepto de prueba. Una prueba legal. Una prueba que se presenta y se tiene en cuenta en un tribunal. Una prueba que resuelve casos de asesinato. Una prueba circunstancial más oportunidad es igual a suposición de culpa, y, por último, la ausencia de hipótesis alternativas equivale a un veredicto. El cuadrado de la hipotenusa es igual a la suma de los cuadrados de los catetos. «La lógica —se dijo—, es insidiosa. Toda la lógica apunta al árabe. Vivimos en un mundo que insiste en la acomodación. Para cada acción existe una reacción igual y opuesta.»

Pero todos los instintos apuntan en otra dirección.

¿Qué tenía? Un asesinato que tiene lugar no exactamente como quisieran los investigadores. Un sospechoso que encaja casi a la perfección en el nicho en que se quiere que encaje..., salvo por uno o dos detalles cruciales.

«Empieza por el origen del dilema», hubiera dicho su padre.

Aquello era bastante fácil, pensó. Y supo adónde debía dirigirse a la mañana siguiente. Sintió una oleada de emoción y apuró lo que quedaba en la copa de vino. Contempló por última vez la foto del álbum que descansaba sobre sus rodillas.

Dos semanas después de que su madre tomara aquella foto, terminó el verano. Guardaron en el viejo y ajado monovolumen las esterillas, las toallas, las sombrillas y el resto de la parafernalia de viaje. El regreso al final del período de vacaciones fue horrendo, un coche pegado al parachoques del de enfrente, todos a noventa y cinco por hora. Recordó a su padre aferrando el volante y maldiciendo en voz baja, quejándose mientras los demás vehículos daban volantazos y se les echaban encima. Una invitación al asesinato, eso fue lo que comentó él. Lo decía todos los años cuando hacían las maletas al finalizar las vacaciones y emprender el regreso a casa. «No me extraña que muera tanta gente en la carretera —se quejó—. Se dejan el cerebro en la playa.» Una hora se convirtió en dos, luego en tres, hasta que por fin tomaron la calle que llevaba a su casa. Recordó que su padre adoptó su mejor acento a lo Charles Laughton y se apoyó contra el volante exclamando: «¡Repugnante perspectiva!», mientras la agotada familia lanzaba vítores. Contempló una vez más la instantánea y vio de nuevo a todos descargando el coche y a su madre volviéndose hacia su padre y diciéndole: «En casa no hay nada para cenar, échate una carrera hasta la tienda de la esquina y compra unas hamburguesas.» Su padre asintió, subió otra vez al coche y se despidió asegurando: «Vuelvo dentro de quince minutos.»

Pero no volvió.

Ella y John se encontraban en el césped de la entrada, metiendo las cosas en casa, y oyeron a lo lejos las sirenas de la ambulancia y de la policía; levantaron la vista, pensaron que no era nada y continuaron cargando cosas.

Dos adolescentes bebidos se habían saltado una señal de stop y se habían estrellado de costado contra él. El impacto lo desplazó del asiento y resultó aplastado por el vehículo, que le pasó por encima.

La detective sonrió. Seguro que su padre habría apreciado la ironía de que un matemático se convirtiera en una estadística de las fatalidades del fin de semana del fin del período de vacaciones. «Todavía lo echo de menos, pensó. Todavía los echo de menos a todos.» Volvió a mirar la foto. Ella estaba de pie entre los dos hombres de su vida, y los dos la tenían abrazada por la espalda. Recordó los momentos que precedieron a aquella instantánea; había tenido lugar una discusión en broma entre su padre y su novio acerca de cuál de los dos iba a rodearle la espalda a ella con el brazo. Los dos se querían, pensó ella, y ella los quería a los dos. La embargó un recuerdo placentero, como si pudiera percibir físicamente el peso y la presión de aquellos brazos apoyados en sus hombros y el calor que irradiaban aquellos dos cuerpos que la aprisionaban.

Los mejores momentos de la vida.

Cerró el álbum y se fue a la cama.

10

Estaba protegiéndose los ojos de la fuerte claridad del mediodía, y casi pasó de largo el pequeño letrero cuadrado y de color verde que había a un lado de la carretera. Se encontraba colocado unos metros más atrás que la mayoría de los carteles, lo cual, en opinión de la detective Barren, suponía una concesión al mal gusto. Nadie quiere tener de vecina una cárcel. El cartel decía: «Centro Lake Butler de clasificación y evaluación de la Universidad de Florida, próximo desvío a la derecha.» A cien metros del cartel había un camino negro y polvoriento, pavimentado con piedra, que discurría entre dos grupos de pinos muy altos cuyas agujas se habían tornado de un verde pardusco bajo el implacable sol del verano de Florida. La detective Barren condujo despacio por dicha senda, pasando por debajo de un enorme sauce que proyectaba desafiante su sombra. El camino describió una curva y atravesó un campo de color marrón en el que vio algo de ganado pastando beatíficamente, y entonces divisó por primera vez un conjunto de construcciones bajas y de color gris que parecían resplandecer al calor del mediodía. Detuvo el coche para leer un cartel grande, negro y amarillo, que dominaba el costado del camino: «Atención: se registrará a todo el que rebase la línea amarilla. Se procederá judicialmente, hasta sus últimas consecuencias, contra todo el que introduzca material de contrabando en el Centro Lake Butler.» Pintada de través en el camino había una ancha banda amarilla. La detective Barren aceleró suavemente y vio por primera vez una valla metálica de tres metros y medio de altura y coronada por alambre de espino que rodeaba el conjunto de edificios.

Aparcó el coche en el área designada como «visitas» y fue a pie hasta unas amplias puertas acristaladas. Otro cartel la informó de que en aquel edificio se encontraba la administración de la prisión, aunque no mencionaba la palabra «prisión». Era típico.

«Vivimos en una época ilustrada que está supeditada a los eufemismos», pensó. Así que las prisiones eran correccionales, no eran vigiladas por guardias sino por funcionarios del correccional, y los reclusos eran pacientes. Si cambiamos la designación, de algún modo nos convencemos de que la realidad es menos malvada y desagradable, aunque de hecho no cambie nada. Traspuso las puertas y pasó al interior del edificio, fresco y oscuro, en el que quedó cegada por el súbito cambio de iluminación. Sus ojos fueron adaptándose poco a poco. Entonces se dirigió a la recepción.

Minutos después había entregado su arma automática a un guardia de seguridad uniformado que la miró con suspicacia cuando ella sacó la pesada pistola y la acompañó hasta un pequeño despacho que lucía un rótulo con el nombre y el cargo de Arthur González, Encargado de Clasificación. Era un espacio reducido, lleno de armarios archivadores, una mesa pequeña y atestada de objetos y dos sillas. Había una ventana que daba a la zona de ejercicio de los reclusos. La detective Barren se asomó por ella y vio a un grupo de hombres jugando al baloncesto. Estaban desnudos hasta la cintura y el sudor daba lustre a sus cuerpos mientras se movían de un lado a otro de la cancha. La ventana estaba cerrada para que no se escapara el aire acondicionado, con lo cual la detective Barren no pudo oírlos, pero sabía qué ruidos estaban haciendo: la fricción de las zapatillas contra el cemento y el choque de los cuerpos unos con otros.

Pensó distraídamente en su marido, que adoraba el baloncesto. «Hay una zona, Merce, un momento, supongo, no sé, en que te vas calentando. No se parece a ningún otro deporte, pero es que uno se siente poseído por la sensación de poder lanzar cualquier cosa hacia la canasta, que entrará. Un calor, una corriente eléctrica, supongo. Resulta difícil de describir, pero hay ocasiones en que uno tiene la sensación de poder saltar un poco más, un poco más rápido, y que la canasta de pronto parece estar más cerca, que el aro es más ancho, y entonces tienes la seguridad de que todo lo que lances va a entrar. Y eso sólo pasa durante el partido. No sé por qué. Y luego, justo cuando experimentas esa sensación, desaparece otra vez. El balón empieza a rebotar y se sale. Se te paran los pies. La magia se evapora. A lo mejor se traslada a otro jugador. De pronto, tristemente, te vuelves mortal. Pero esos momentos de inmortalidad,

Merce, son increíbles. Es como si uno hubiera sido tocado por algo divino, por algún dios del atletismo. Y hasta que ese estado de ánimo se transforma y se traslada a otro jugador, uno está exultante...»

Sonrió.

En verano, John la llevaba algunas mañanas a las canchas al aire libre y se ponían a jugar el uno contra el otro. Al principio él se limitaba a lanzar sólo con la mano izquierda. Pero una mañana ella lo venció con una carrera y un salto magníficos.

Sonrió de nuevo, pensando qué tontos se ponían los hombres con sus deportes. Tontos pero a la vez maravillosos. Lo que le gustaba de John era que la mañana en que le ganó en la cancha él fue el primero en anunciar el acontecimiento a la familia de ella. Sin coartada, además. Naturalmente, al día siguiente de pronto cambió el balón de izquierda a derecha y se escabulló por delante de ella. Así fue como anunció que las reglas del juego habían cambiado.

—¡Tramposo! —vociferó ella.

—No, no, no —replicó él—. No hago más que volver al debido equilibrio entre sexos.

Aquella noche él fue especialmente tierno y tímido al tocarla.

La detective Barren sacudió la cabeza y no pudo evitar que aquel recuerdo la hiciera sonreír.

Se giró al oír que se abría la puerta a su espalda. El recuerdo y la sonrisa se esfumaron.

Entró un individuo corpulento, vestido con un pantalón de punto recio de color tostado y una guayabera blanca. Extendió una mano y la saludó:

—Hola, detective, ¿en qué puedo ayudarla?

Se lo dijo en un tono que indicaba que le apetecía verla o ayudarla tanto como pillar una enfermedad contagiosa. Al instante enterró la cabeza en los montones de papeles, como si quisiera indicar que la presencia de ella exigía tan sólo una porción mínima de su atención. Ella recordó que todos los detectives odian tratar con el personal de prisiones. Porque siempre actúan de este modo. Les preocupa la logística, la contención, quién es enviado al centro y qué cama ocupa. No las cuestiones de inocencia o culpabilidad.

La detective Barren se sentó justo enfrente de él.

—Sadegh Rhotzbadegh.

—Es uno de mis clientes, sí...

Un nuevo eufemismo, se dijo la detective Barren.

—Quisiera interrogarlo, por favor.

—¿Se trata de otro caso como los otros en los que se ha defendido?

—Sí.

—¿Y ésta es una petición oficial?

—No, en realidad no. Es informal.

—¿No? Aun así, creo que aconsejaría a mi cliente que solicitara asistencia legal antes de hablar con usted...

«Pero ¿de parte de quién está usted?», pensó la detective Barren, irritada. Sin embargo se guardó sus pensamientos para sí.

—Señor González, ésta es una investigación informal. Estoy convencida de que al señor Rhotzbadegh se le ha relacionado injustamente con un crimen, y creo poder aclarar el asunto rápidamente. Por supuesto, él tiene derecho a solicitar un abogado. Le leeré sus derechos, si es necesario...

Lanzó una dura mirada al otro lado de la mesa.

—... Pero está más claro que el agua que usted no tiene derecho a decirle nada. Y mucho menos a darle consejos. Bien, si desea que hable con su supervisor... —dijo González de mala gana.

—No, por supuesto que no, eso no es necesario.

Revolvió más papeles, nervioso.

—Bien, en estos momentos el señor Rhotzbadegh se encuentra en un período de actividades. Después viene un rato de descanso, justo antes de la cena. Entonces podrá usted hablar con él..., si él accede a verla. Le asiste el derecho a negarse...

—Pero usted se encargará de que no ejerza ese derecho —afirmó la detective.

—Bueno, yo no puedo...

—Claro que puede. No he hecho un viaje de tres horas y media en coche para que un asesino convicto me diga: «No, gracias, hoy no.» Vaya a buscarlo y llévelo a una sala en la que podamos hablar. Si él quiere sentarse y no decir nada, en fin, eso será algo entre él y yo. A usted no le incumbe.

—Puedo organizar lo de la sala, pero...

—Pero ¿qué?

—Bueno, acabamos de terminar la evaluación, y él tiene programado salir de este centro a finales de semana...

—¿Sí?

—En fin, lo enviarán al centro psiquiátrico de Gainsville. Opinamos que no está a salvo con la población normal.

—¡Opinan que no está a salvo! —exclamó ella.

—Bueno, es inestable...

—¡Opinan que hay que protegerlo!

—Ésa es la opinión del personal de evaluación y clasificación. —dijo González con desapego.

—¿De modo que van a enviarlo a un club de campo? —preguntó la detective conteniendo la indignación.

—Es una unidad de máxima seguridad.

—Claro.

—Pues ahí es adonde va a ir —concluyó González.

—No lo entiendo.

—Detective, si lo enviamos a la prisión estatal, lo matarán. Es un individuo..., en fin, no hay otra palabra para describirlo, odioso y casi psicótico. A los otros hombres no les gusta oírlo musitar sus oraciones. Ni sus posturas engreídas. Los violadores ya tienen bastantes problemas con la población general, que no muestra esas..., en fin..., características. ¿Qué puedo decir?

La detective Barren asimiló lentamente la noticia. Tenía la boca seca y el estómago revuelto. Movió la cabeza en un gesto negativo.

—Usted prepare la sala de interrogatorios —dijo.

Sadegh Rhotzbadegh entró en el pequeño despacho moviendo los ojos a un lado y al otro, casi como si intentara grabar la distribución del mismo en su cerebro. Tras aquella valoración momentánea, por fin posó la mirada en la detective Barren, que se hallaba sentada pacientemente detrás de la pequeña mesa colocada en el centro. Aquella mesa y dos sillas constituían todo el mobiliario. Rhotzbadegh la observó fijamente y a continuación dio un paso adelante, se detuvo y retrocedió otra vez; sus ojos reflejaron primero ira, luego miedo, y por último adoptaron una expresión de confusa obediencia. Permaneció inmóvil, esperando a que la detective hiciera algún movimiento, y lo hizo: le indicó con la mano la silla vacía que tenía enfrente. La detective Barren advirtió que el preso había engordado y perdido parte de esa fuerza fibrosa que tenía.

Pensó en el exceso de féculas de la comida de la cárcel. Rhotzbadegh tomó asiento, se removió unos momentos en la silla y por fin se quedó sentado en el borde, ligeramente inclinado hacia delante y con la mirada fija en la detective Barren. Ella le sostuvo la mirada hasta que él desvió el rostro. Luego habló:

—En primer lugar deseo informarlo de cuáles son sus derechos. Tiene derecho a guardar silencio, tiene derecho a un abogado...

Él la interrumpió.

—Ya sé esas cosas. Las he oído muchas veces y no necesito oírlas otra vez más. ¡Dígame por qué ha venido a ver a Sadegh Rhotzbadegh! ¿Por qué ha interrumpido su descanso?

—Ya sabe por qué.

Él se echó a reír.

—No, dígamelo usted.

—Por Susan Lewis. Mi sobrina.

—Me acuerdo del nombre, pero un poco en una nebulosa. Dígame algo más para que me acuerde mejor.

—Septiembre. En una asociación de alumnos de la Universidad de Miami.

—Para mí sigue siendo un misterio. —Rió otra vez, y luego continuó—: ¿Por qué habría de acordarme de esa persona? ¿Qué motivos tengo para acordarme de esa persona? ¿Se trata de algún personaje notable? ¿Alguien importante, quizá? Me parece que no. Por consiguiente, no existe motivo alguno para que Sadegh Rhotzbadegh se acuerde de esa persona.

Lanzó una risita femenina.

Rhotzbadegh se reclinó en su asiento, se relajó y cruzó los brazos sobre el pecho con una sonrisa de íntima satisfacción.

La detective Barren aspiró profundamente antes de hablar y empleó un tono de voz grave y lento:

—Porque si no empieza a acordarse, le destrozaré personalmente la cara, aquí, ahora mismo.

Rhotzbadegh se puso rígido de pronto en su silla y se tornó tímido de inmediato.

—¡No puede hacer eso!

—No me ponga a prueba.

Se inclinó hacia delante, flexionó el brazo y le enseñó a la detective Barren lo abultado de sus músculos.

—Si cree que tiene fuerza suficiente...

Pero ella lo interrumpió y se echó adelante con ansia.

—¿Qué cree usted?

Los ojos del recluso intentaron medir la profundidad de sus intenciones. Ella también entornó los ojos hasta que éstos se convirtieron en dos rendijas, con la cara en tensión. De repente Rhotzbadegh dejó escapar un sollozo y se cubrió la cara.

—Tengo pesadillas —dijo.

—Merecido lo tiene —replicó la detective Barren.

—Veo caras, gente, pero no recuerdo sus nombres.

—Yo sé quiénes son.

En los ojos del árabe comenzaron a brotar lágrimas, y se los frotó.

—Dios no está conmigo. Ya no, ya no. Me ha abandonado.

—A lo mejor es que no estaba muy contento que digamos con lo que hacía usted.

—¡No! ¡Me lo dijo él!

—Pues lo entendió mal.

Rhotzbadegh calló unos instantes. Sacó un manoseado pañuelo de un bolsillo y se sopló la nariz tres veces, con fuerza.

—Eso —dijo en un tono teñido de desesperación— es una posibilidad. —Se limpió la nariz enérgicamente—. Aun así pienso buscarlo de nuevo. Aprenderé sus mensajes y encontraré el camino verdadero. Y entonces me acogerá en su seno en el jardín, donde residiré por toda la eternidad.

—Genial. Me alegro por usted.

Él no captó el sarcasmo.

—Gracias —contestó.

La detective Barren metió la mano en su bolso y extrajo una sencilla regla, de las que llevan los niños en la cartera del colegio.

—Extienda la mano —ordenó—. Abra los dedos.

Rhotzbadegh obedeció. Ella puso la regla junto a la mano. La distancia entre el dedo pulgar y el índice era de catorce centímetros y medio. «Maldición —pensó—. Podría haber sido él el autor de las marcas.»

—Mis manos se elevan hacia Dios —dijo Rhotzbadegh.

—Si consigue tocarlo, dígamelo —replicó ella.

Rhotzbadegh volvió a recorrer la habitación con la mirada.

Luego empujó su silla hacia atrás y se levantó. Dio unos pasos y apoyó la espalda firmemente contra una de las paredes. Acto seguido, contando en voz alta, midió la distancia en pasos y chocó con la pared de enfrente cuando llegó a veintiuno. Ejecutó una media vuelta de estilo militar y regresó a su asiento.

—Veintiún pasos —declaró, meneando la cabeza como si estuviera sorprendido—. Veintiún pasos enteros.

Entonces volvió a levantarse de un brinco y se situó junto a la pared enfrente de la detective Barren. A continuación echó a andar desde allí pasando junto a la detective sin mirarla.

—¿Veintiún pasos hacia dónde?

—¡Diecinueve pasos! —Y volvió nuevamente a su silla—. Mi celda mide sólo nueve pasos por ocho. A veces me da la sensación de tener el corazón enjaulado. —Puso la cabeza entre las manos y lanzó un sollozo—. No me permiten salir al patio con los demás hombres —gimió—. Temen por mi seguridad. Creen que me ejecutarán. No puedo dormir por las noches. No puedo comer. La comida me sabe a veneno. Han puesto algo en el agua para adormecerme, y entonces vendrán a matarme. Tengo que luchar contra ellos a cada paso.

—¿Y las chicas?

—Ellas son lo peor. Se me aparecen en sueños y ayudan a esos hombres que quieren matarme.

—¿Quiénes son?

—No lo sé...

—¡Y una mierda que no! ¡Piense! Maldita sea, quiero respuestas. Rhotzbadegh levantó la nariz en un falso gesto de esnobismo.

—Mis sueños me pertenecen, y no tengo por qué compartirlos con usted ni con nadie.

La detective Barren observó fijamente a aquel hombre menudo, pero suspiró para sus adentros. «Es inútil —se dijo—. Su mente divaga por todas partes excepto por donde yo quiero.» Volvió a rebuscar en su bolso y extrajo una sencilla foto de su sobrina, del libro de fin de curso.

—¿Se le aparece ésta en sus sueños?

Rhotzbadegh contempló la foto. La tomó de la mesa, se la acercó a la cara y luego la sostuvo a la distancia de un brazo.

—Ésta, no exactamente.

—¿Qué quiere decir?

—Que aparece en mis sueños, pero lo único que hace es observar a las demás. Llorar a solas. Son las otras las que me atormentan. —Se inclinó sobre la mesa en actitud conspiradora y añadió en voz baja—: ¡A veces se ríen! Pero soy yo el que vive y ríe el último.

La detective Barren cogió la foto y la sostuvo directamente en la línea visual de Rhotzbadegh. Alzó el tono de voz, exigente, insistente, dando miedo, resumiéndolo todo en una única pregunta:

—¿Mató usted a esta joven? —Hubo silencio—. ¿La secuestró en el aparcamiento situado delante de la asociación de alumnos de la Universidad de Miami? —Más silencio—. ¿Le destrozó la cabeza, se la llevó al parque Matheson-Hammock y la dejó morir allí?

El recluso no respondió.

La detective Barren bajó la foto y miró fijamente a Rhotzbadegh. Sintió que el odio se escapaba de su corazón y lo dejaba vacío de emociones. A él se le habían vuelto a llenar los ojos de lágrimas, acobardado por la cólera de sus preguntas. Ella no sintió ninguna compasión, nada, tan sólo la necesidad de llenar el gran vacío que notaba dentro.

Susurró:

—¡Dígamelo!

Él hundió la cara en las manos momentáneamente, y a continuación elevó éstas hacia el techo.

—¡No puedo decirle nada! —sollozó—. ¡No puedo decirle nada!

Respiró hondo y giró en su silla, como si lo abrumara un gran dolor.

—Parece como un recuerdo. Suena a algo que haría yo. Recuerdo la asociación de alumnos, con aquella corrupción de baile, alcohol y risas. Un lugar perverso. Algún día Dios lo purificará con un inmenso fuego. Estoy seguro de ello...

—¡La chica! —lo interrumpió la detective Barren.

—Yo estaba allí. Con los cuerpos a mi alrededor. Estoy seguro. Pero lo demás... —Negó con la cabeza—. Ella aparece en el sueño, pero no la conozco, no es como las demás.

—¿Por qué recortó el artículo del periódico?

—¡Tenía que dejar constancia de ello! De lo contrario, ¿cómo iba a saber Dios que había actuado según sus deseos? ¡Era una prueba!

—¿Para qué necesitaba una prueba de esta chica?

—Eso es lo que me tiene confuso —lloró—. De las otras cobré un... un premio. Pero de ésta no me acuerdo.

—Cuando se le aparece en el sueño, ¿qué dice?

—No dice nada. Se queda a un lado y observa. Yo no la odio tanto como a las otras. —Hizo una pausa—. Necesito dormir. Dios me concederá el sueño. ¿Puede ayudarme usted, detective, ayudarme a dormir? Estoy muy cansado, y sin embargo no puedo dormir. No debo. Vienen y me atormentan en sueños. Mis enemigos conspiran mientras yo tengo los ojos cerrados. Un día no despertaré.

Y continuó llorando en silencio.

—¿Eso le da miedo? —le preguntó la detective Barren.

De pronto él se revolvió, se levantó bruscamente de la silla y se plantó de pie ante ella, rígido, con el pecho hinchado y los músculos en tensión. Su voz ya no era un sollozo, sino un bramido:

—¿Miedo? No hay nada que dé miedo a Sadegh Rhotzbadegh. ¡Yo no temo a nada! —Se golpeó el pecho—. ¡Óigame! ¡Nada! Dios está conmigo. Él me protege. ¡No tengo miedo de nada!

Rhotzbadegh miró fijamente a la detective Barren. Ella dejó que flotara el silencio en la habitación antes de contestar muy despacio:

—Pues debería.

Ya era tarde cuando la detective Barren llegó por fin a su apartamento. Había regresado del centro de clasificación conduciendo a una velocidad calmosa, mínima, dejando que los demás vehículos la adelantaran mientras ella se ceñía al límite de velocidad permitida. Sentía un difícil vacío en su interior, una sensación rebelde, incómoda, como si sus órganos internos se hubieran movido, como si hubieran cambiado de sitio. Sonrió al pensar cómo reaccionaría su amigo el médico forense. No le costó imaginárselo con su voz aguda alcanzando nuevos niveles de soprano al diseccionarla: «Pero ¿qué es esto? ¡El apéndice está fuera de su sitio! ¡El bazo se ha desplazado! ¡El estómago se ha ido a otro lugar! ¡El corazón ha hecho las maletas y se ha marchado!» La detective Barren lanzó una sonora carcajada.

Aquello no resultaba tan descabellado, pensó.

Le vino a la memoria una visita, dos años después de que falleciera John, de un individuo esbelto que tartamudeaba, aunque sólo levemente. Había formado parte del pelotón de John, se sentó frente a ella en un restaurante y le habló de su marido. Había sido muy valiente, aseguró aquel hombre. En una ocasión en que estaban atrapados, salió y echó a correr para rescatar al soldado que marchaba a la cabeza de la patrulla, que había caído herido. Los del Vietcong siempre hacían eso, dijo, abatir al soldado que encabezaba el pelotón. Después derriban al médico, porque el médico siempre es rescatado. Y después de él derriban a los hombres que necesitan al médico, que son todos los demás.

—John era el mejor de nosotros —aseguró. Ella afirmó con la cabeza y no dijo nada. Era algo que ya sabía sin que se lo dijeran—. Sólo quería que lo supiera —dijo el hombre, y se levantó.

—Gracias —contestó ella, más por él que por sí misma—. Algo ayuda.

Pero sabía que era mentira.

—Así lo espero —repuso el hombre. Pensó un instante—. El que iba a la cabeza del p-p-p-pelotón era yo.

Ella asintió.

—Ya me lo he imaginado. —Se miraron el uno al otro. Tras un breve silencio ella preguntó—: ¿Qué va a hacer ahora?

El hombre sonrió.

—Me toca regresar al hospital de veteranos. Más cirugía en las tripas. Ése es el problema de haber sido herido. Las balas te lo destrozan todo. Los cirujanos de guerra son grandes improvisadores; son como el chaval al que conocía todo el mundo en el instituto, el que sabía arreglar cualquier motor, un apaño aquí, un ajuste allá, hasta que conseguía que aquello funcionara. Eso es lo que me están haciendo a mí. Se encuentran con intestinos que van para el norte, otro tramo que va para el sur. Dentro de poco lo tendrán todo sobre el mapa tal como quieren.

—¿Y después?

Él se encogió de hombros. En su recuerdo, la detective Barren a menudo se imaginaba que aquel joven hundía los hombros contra la realidad. Cada vez que pensaba en la guerra, era eso lo que recordaba: un hombre herido que se encogía de hombros ante el futuro.

A veces se preguntaba si John habría hecho lo mismo. Él no

había tenido la oportunidad de conocer la desilusión. No llegó a conocer la frustración, ni la negación, ni la mala suerte. Nunca lo despidieron de un trabajo, ni lo rechazaron, ni le dijeron que se fuera a la mierda ni que se diera el piro. Jamás conoció la pérdida. Al contrario que ella.

La detective Barren arrojó el cuaderno y el maletín sobre su pequeño escritorio, se quitó los zapatos de cualquier manera y fue a la cocina. Cogió de la nevera lechuga, queso y fruta. «Comida para conejos», pensó. Se preparó un plato y luego lo dejó sobre la mesa. Fue hasta su habitación y dejó la falda tirada en el suelo. Se lavó las manos y la cara y después salió otra vez, medio desnuda. Comió procurando no pensar en Rhotzbadegh, intentando no dejarse invadir por la desesperación. Apenas probó la comida.

Pensó enfadada en que Rhotzbadegh podría haber sido más directo.

¡Maldita sea! ¡Sueños! ¡La ve en sueños, pero ella no lo atormenta! ¿Qué diablos quiere decir eso? ¿Que él no la mató? «Es probable.»

«Es probable.»

Sonrió con tristeza, y de repente se imaginó a sí misma acudiendo al detective Perry. ¡Una gran noticia!, le diría. ¡Ese cabrón sueña! Una prueba irrefutable de que él no mató a Susan.

Negó con la cabeza.

«Qué desastre. Qué irremediable desastre.»

Se terminó la ensalada y apartó el plato.

—Muy bien —se dijo—. Ya está bien. ¡Ya basta! Deja de perder el tiempo con ese árabe.

«Despeja la mente y vuelve a empezar desde cero.»

Se levantó de la mesa y llevó los platos al fregadero. Los lavó lentamente, sumergiendo las manos en el agua, que casi escaldaba, haciendo rechinar los dientes pero obligándose a sí misma a continuar. Luego guardó los platos y fue al cuarto de estar. Miró las pilas de papeles de su escritorio, seguramente por millonésima vez; quizá la milmillonésima. «Está ahí dentro, pensó. Ahí dentro hay algo.»

—Mañana —dijo en voz alta— iré a Homicidios y empezaré a sacar casos relacionados con éste. Miraré listas de delincuentes sexuales conocidos. Volveré a la universidad y averiguaré si Susan tenía algún enemigo. Pasaré el *modus operandi* por los ordenadores del NCIC, puede que también por los del FBI. Buscaré crímenes similares cometidos tras el arresto del árabe...

Se interrumpió y reflexionó. Miró por la ventana.

«Está ahí fuera. El asesino anda suelto.»

Sonrió. «Ya sabías que no iba a resultar fácil. No esperabas demostrar que el árabe no lo hizo y reabrir la investigación oficial. Sigues estando sola, y eso no es terrible.»

«No es terrible en absoluto.»

Contempló la fotografía de Susan que descansaba sobre la estantería.

—No te preocupes, voy a llegar. Voy a llegar.

Pero los ojos se le llenaron de lágrimas rápidamente.

Desvió el rostro y contempló una vez más la negrura de la noche tropical. El cielo estaba cuajado de constelaciones, y la detective Barren vio una estrella que brilló intensamente, rasgó velozmente el vacío y desapareció.

—Qué lástima —dijo. Sintió que las lágrimas le corrían sin trabas por las mejillas, pero permaneció rígida.

Después de pasar varios minutos perdida en aquel vacío interior, se dio la vuelta por fin. Despeja la mente, se dijo. Fue hasta la televisión y la encendió. Se sorprendió al ver un par de locutores locales de deportes hablando animadamente a la cámara, y al fondo distinguió el estadio Orange Bowl, en el centro de Miami.

—... Bueno, ha sido un comienzo muy emocionante para la pretemporada de los Dolphins —decía un locutor—. Nos estamos preparando para dar comienzo al último cuarto del primer partido de exhibición del año, con el marcador empatado a veinticuatro y los Saints con el balón en sus veinte yardas.

Había olvidado el inicio de la temporada de exhibición de fútbol americano.

«Esto no es propio de ti. No es propio de ti en absoluto...»

Cogió su copa de vino y la colocó delante del televisor.

—El supremo lavado de cerebro —dijo—. ¡Ánimo, Fins!

Vio el partido con ajeno placer, dejando que el juego barriera a un lado los pensamientos y las lágrimas, cómoda, sola. «Es el comienzo de una temporada nueva —pensó—. Para ellos y para mí.»

A mitad del último cuarto los Saints metieron un último gol y se pusieron a la cabeza por tres puntos. Un minuto después, a un novato que corría balón en mano con los Dolphins se le cayó la pelota dentro de su propia línea de las treinta yardas. Ello tuvo como resultado otro gol en el terreno de los Saints, que se adelantaron con seis puntos cuando el partido ya se acercaba al final. Pero en los últimos minutos los Dolphins se rehicieron. Recuperaron terreno a toda prisa devorando yardas hasta que quedó menos de un minuto para acabar, y entonces alcanzaron la línea de una yarda de los Saints. Era el cuarto intento y el partido estaba en la balanza.

—¡Vamos! ¡Maldita sea! ¡Mete el balón! —Golpeó el puño contra la palma abierta—. ¡Vamos! —Vio cómo el *quarterback* se aproximaba a la línea—. ¡Por encima, maldita sea! ¡Lanza por encima! —Ambos equipos estaban apiñados, esperando el choque en el centro, una fuerza contra otra. La detective estaba encantada—. ¡Métete ahí dentro! —vociferó.

De pronto las dos líneas convergieron y la detective Barren vio que el *quarterback* giraba sobre sí mismo y entregaba el balón a un corredor que volaba hacia el medio. Hubo un choque tremendo y el público estalló en gritos de emoción. El estadio entero se sacudió con el griterío cuando el público, en pie, chilló enfervorecido. La detective Barren, al igual que los miles de espectadores del estadio, se levantó también medio gritando, medio llorando, porque ella, como los demás, veía que el *quarterback* no había entregado el balón sino que simplemente había fingido el pase y ahora corría desesperado, solo y sin protección alguna, hacia la esquina de la zona del fondo. De manera simultánea, el *linebacker*, un individuo grande y violento, se acercaba rápidamente al *quarterback* desde una diagonal, de tal modo que ambos se encontrarían justo rozando la línea de meta, en la esquina misma del campo de juego.

—¡Vamos, vamos, vamos! —chilló la detective Barren, cuya voz se fundió con el muro formado por el griterío del público que salía del televisor—. ¡Agacha la cabeza!

Y eso fue lo que hizo el *quarterback*.

En el momento en que se lanzaba sobre la línea de gol, chocó contra el *linebacker*. Los dos hombres salieron volando por los aires y se estrellaron violentamente contra un grupo de fotógrafos congregados en la línea de gol para tomar instantáneas, que se apresuraron a apartarse y huyeron como gansos asustados, intentando evitar los proyectiles humanos. El público rugió, pues el árbitro había alzado las manos en alto indicando el final del encuentro, y la detective Barren se dejó caer en el sofá sin pensar, dejando que la inundara la idea de la victoria.

Los locutores farfullaban emocionados.

—Ha habido una buena colisión en la línea de meta, ¿verdad, Bob?

—Bueno, yo creo que ha sido una jugada valiente por parte del *quarterback* novato y una manera de aprender por las malas cómo son las cosas en la Liga Nacional de Fútbol. Ese lanzamiento ha sido de los que se ven en un equipo de estrellas.

—Espero que esos fotógrafos no hayan sufrido daños...

—Bueno, sospecho que el *linebacker* de los Saints se ha merendado a un par de ellos...

Los dos rieron la gracia, y luego callaron unos instantes.

—Mira, te propongo que se lo preguntemos a Chuck, que está en el campo. Ahora se encuentra con un par de fotógrafos. Han disfrutado de un buen primer plano del aterrizaje, ¿no es así, Chuck?

—Así es, Ted. Estoy con Pete Cross y Tim Chapman, del *Miami Herald*, y con Kathy Willens de Associated Press. Contadnos qué es lo que habéis visto...

—Pues —empezó uno de los fotógrafos, un hombre de cabello rubio arena con barba— estábamos todos aquí en fila, para hacer la foto del lanzamiento, y de pronto nos encontramos con...

Lo interrumpió la joven:

—De pronto nos encontramos con esos dos jugadores escupiendo fuego que venían hacia nosotros, y...

—Tuve que sostener a Kathy —dijo el otro, un individuo de cabello rizado y pecho grueso—. Estaba tomando fotos con motor y creí que esos dos iban a llevársela por delante...

—Estar de pie en las bandas puede resultar bastante peligroso, ¿no? —dijo el locutor.

—Igual que cubrir una guerra o una revolución cualquiera —replicó la joven.

A continuación la cámara de televisión se mantuvo en un primer plano de los tres fotógrafos. La detective Barren estaba escuchando sin prestar mucha atención, tratando de recordar si había visto a alguno de ellos en los crímenes que le habían sido asignados.

Y de pronto se incorporó bruscamente.

—¡Oh, Dios! —exclamó. Se puso de rodillas delante del televisor—. ¡Oh, Dios! ¡Oh, Dios mío!

—Esto es lo que ha sucedido en las bandas del terreno de juego. Te devuelvo la conexión, Ted... —dijo el locutor.

—¡Espere! —chilló la detective Barren—. ¡Un momento! —Aferró los costados del televisor, insistiendo dramáticamente—: ¡No, espere! ¡Tengo que verlo!

Los comentaristas continuaron hablando mientras los equipos se alineaban para el punto extra. La detective Barren no oyó siquiera el clamor del público cuando el saque lanzó el balón por el medio de los postes. Zarandeó el televisor gritando:

—¡No, no, no! ¡Volved, volved!

Entonces se derrumbó y reflexionó sobre lo que había visto.

Tres fotógrafos delante de una cámara.

Una ligera ráfaga de viento. Justo lo suficiente para agitar el cabello.

O para que ondearan las credenciales de prensa que llevaban colgadas del cuello.

Una cartulina ancha, gruesa y amarilla que llevaba impreso el rótulo de: «Pase oficial de prensa.»

La detective Barren, presa del pánico, fue hasta su pequeño escritorio. Comenzó a manotear los papeles con desesperación y buscó a toda prisa en los expedientes de pruebas hasta que dio con la lista de objetos encontrados en el lugar del asesinato de su sobrina. Había treinta y tres objetos identificados, aislados y recogidos por los técnicos de la escena del crimen. Pero el que le interesaba era sólo el último de ellos.

«... Extremo de cartulina de papel de color amarillo de origen desconocido (hallado debajo del cadáver).»

—Sí —dijo en voz alta—. Creo que sí.

Dejó escapar una exclamación ahogada.

Sí.

Se sentó en el suelo y comenzó a mecerse adelante y atrás, con la lista en la mano, de forma parecida a una mujer que acuna a un bebé, acordándose de aquel trozo de papel que había inspeccionado meses atrás.

—Creo que sí —dijo una vez más.

Al día siguiente fue al almacén de la vetusta oficina de propiedad, situado en el centro urbano de Miami. El empleado se mostró reacio a hurgar entre los montones de cajas que se encontraban acumulando polvo en el cavernoso interior del mismo. Era un hombre irritable, desagradable, que frunció el ceño desde el momento en que la detective Barren apareció por la puerta. Lo primero que hizo fue exigirle una orden judicial, luego una carta de alguna autoridad superior, y por fin se conformó con una autorización escrita de la detective Barren, la cual no dejó de sonreír y actuar todo el tiempo con fingida indiferencia y desapasionamiento, soportando las infantiles quejas del empleado. Éste era un tipo voluminoso, de cuello invisible, con toda la pinta de una persona que se pasa el tiempo libre lanzando gruñidos en una sala de musculación. Llevaba la camisa remangada hasta muy arriba de los brazos, lo cual dejaba ver un par de intrincados tatuajes que representaban dragones, y cuando blandió un trozo de lápiz que llevaba en la oreja la detective creyó que iba a romperlo con la fuerza de sus temibles dedos.

Fue todo el tiempo detrás del empleado procurando no adelantarse, no prejuzgar, pero con el corazón acelerado y una sensación cada vez más pegajosa en las axilas.

Llevó casi una hora encontrar las cajas de cartón que buscaba.

—Son putos casos cerrados, señora —se quejó el empleado—. Y un caso cerrado quiere decir que la puta caja está sellada. Éste no es mi trabajo, ¿sabe?

—Ya lo sé, ya lo sé. Encargado, me doy cuenta de que se trata de una petición especial. No sabe cuánto le agradezco su colaboración.

—Vale sólo con que sepa que éste no es mi trabajo —insistió el hombre.

—Lo entiendo —repuso ella.

Todas las cajas estaban codificadas con una sencilla serie numérica. Los primeros dígitos representaban el año en que se había cometido el crimen, seguidos del número que habían asignado al caso las diversas brigadas de investigadores. Robos, allanamientos, violaciones, homicidios y demás delitos; todos estaban mezclados al alimón, lo cual era más indicativo de que se trataba de un caso cerrado que cualquier otra cosa. Recorrió con la mirada el montón de cajas, pensando que si abriera cualquiera de ellas saldría alguna tragedia seguida del profundo dolor o terror sufrido por alguien.

—Joder, lo sabía. Está justo arriba de todo. Voy a buscar la puta escalera. —La detective aguardó sin moverse mientras el empleado bajaba la caja—. Si va a abrirla, tiene que firmar aquí... —Le pasó un formulario ya impreso, el cual ella firmó sin leer. El empleado comprobó que había firmado correctamente y alzó la vista—. Se supone que debo quedarme con usted, incluso con los piojosos casos cerrados. Pero que les den. Si quiere algo de lo que hay ahí dentro, puede cogerlo.

El empleado se marchó dando fuertes pisotones, con su beligerancia y su frustración intactas, e igual de misterioso para la detective Barren como cuando entró en el almacén. Se quedó mirando la caja de pruebas. En la tapa llevaba pegado un papel que enumeraba los objetos que había dentro y constataba la declaración de culpabilidad de Sadegh Rhotzbadegh y su condena a cadena perpetua. En el membrete de dicho papel había un gran sello de color rojo que decía: «Cerrado/resuelto.»

Ya veremos.

Se sirvió de la navaja que llevaba en el bolso para cortar la cinta adhesiva que cerraba la caja y, con precaución, como si no quisiera perturbar el polvo acumulado, abrió la tapa. Rehusó permitirse ninguna emoción, pensando en que éste era sólo el primer paso.

Rápidamente introdujo la mano y sacó la cartulina amarilla. Estaba cubierta por una envoltura de plástico. Al guardársela en el bolso notó en su superficie los restos del polvo empleado para tomar huellas dactilares. «Te estás agarrando a un clavo ardiendo, pensó; rara vez aparecen las huellas dactilares en el papel.» Observó la caja preguntándose si habría algo más que pudiera robar, pero negó con la cabeza y cerró la tapa.

Pasó rauda junto al malhumorado coloso.

—Gracias por su ayuda. Si necesito alguna cosa más, volveré.

—Muy bien —respondió él en un tono de voz que daba a entender lo contrario, que de «muy bien» nada.

Al salir del almacén la sorprendió el sol de muy entrada la mañana. No estaba permitiéndose pensar, imaginar ni procesar información. Un paso, dos, se dijo a sí misma. Durante un breve instante se sintió como si estuviera ganando. No pensó en su sobrina, no asoció con la escena del crimen aquella caja polvorienta ni la cartulina amarilla envuelta en plástico; por el contrario, fijó la mirada en el lejano fluir del tráfico por la autopista. El sol arrancaba destellos a aquellos cuerpos de acero y causaba la impresión de que cada uno de ellos había sido bendecido de algún modo. El movimiento de los vehículos que iban y venían a toda velocidad la absorbió, y se sumió en una serie de pensamientos acerca del comercio, la vida y el progreso. Su mirada divagó hacia arriba y se detuvo en un mirlo grande y solitario que aleteaba con fruición contra la brisa matinal. Observó la determinación de aquella ave recortada contra el perfecto azul del cielo tropical. El mirlo lanzó un graznido estridente y después pareció meter el pico en el viento y, con calma y decisión, abrirse paso a través del aire. La detective Barren sonrió y luego se apresuró a regresar a su coche para incorporarse al flujo del tráfico y dirigirse hacia el centro de la ciudad.

En las oficinas del equipo de los Dolphins de Miami ubicada en el Biscayne Boulevard, una secretaria hizo esperar a la detective Barren.

—Tiene mucha suerte de que el señor Stark disponga de tiempo para usted —le aseguró la secretaria. Era una mujer joven, equipada con todas las lindezas esenciales que por lo visto deben poseer todas las recepcionistas: una sonrisa dulce, una voz suave y una apariencia ligeramente coqueta.

—¿Por qué?

—¿No ha leído los periódicos? —replicó la joven.

—Esta mañana, no.

—Oh. ¿No está enterada de lo del nuevo contrato?

La detective negó con la cabeza, y al mismo tiempo oyó una fuerte carcajada proveniente de uno de los despachos.

—No estoy enterada.

—Eso es la rueda de prensa —informó la recepcionista.

—¿Puedo echar un vistazo? —pidió ella.

La secretaria dudó. Miró alrededor rápidamente; no había nadie a la vista.

—¿Es usted una admiradora?

La detective Barren sonrió.

—Nunca me pierdo un partido.

La joven mostró una ancha sonrisa.

—Entonces, venga. Vamos a asomar la cabeza un poco.

La detective Barren siguió la falda ondeante de la recepcionista. Ésta abrió con cautela la puerta de un despacho y ambas se deslizaron por la abertura. La detective Barren reconoció la escena al instante, gracias a un centenar de informativos deportivos vistos al final del día cuando la eludía el sueño. El centro de la sala estaba dominado por media docena de cámaras de televisión, montadas sobre trípodes. Estaban todas colocadas frente a una mesa elevada sobre un pequeño estrado. Por todas partes había periodistas de prensa y televisión, unos sentados en sillas, otros apoyados contra la pared, garabateando en sus cuadernos. Bajo la altura de las cámaras de televisión había técnicos de sonido y fotógrafos agachados. En la mesa, hablando a una maraña de micrófonos, se encontraba el famoso entrenador de mandíbula prominente, el propietario y el *quarterback*, alto y de cabello rizado. Todos sonreían. Ocasionalmente se estrechaban la mano, y eso daba pie a un frenesí de fotos, todas las cámaras accionando el motor al mismo tiempo. La detective Barren se quedó hipnotizada al momento. Se sintió igual que una niña que sorprende a Papá Noel en el acto de colocar los regalos alrededor del árbol.

—Es más grande de lo que yo creía —le susurró a la recepcionista con voz de jovencita profundamente impresionada.

—Sí —contestó la otra—. Y también más rico. Va a ganar más de un millón al año.

La joven guardó silencio durante unos instantes. Luego agregó con melancolía:

—Es una lástima que haya tenido que casarse con su novia de la universidad.

Esto último lo dijo con unos celos tan poco disimulados y un fruncimiento de labios tan repentino que la detective Barren estuvo a punto de echarse a reír. Volvió a fijarse en las figuras sentadas detrás de la mesa del estrado. Alguien había hecho una broma, y los tres estaban riendo. Eso provocó otra explosión de fotografías. Los motores de las cámaras zumbaron de nuevo. En aquel momento el sonido pareció invadir su corazón. «¡Dios mío! —pensó mirando a su alrededor con nerviosismo—; él podría estar aquí.» En un instante de pánico llevó la mano a su bolso para agarrar la pistola que llevaba allí dentro, pero se detuvo justo cuando sus dedos se cerraron en torno a la fría culata. Pero ¿quién podía ser?

Sus ojos buscaron con desesperación.

Vio un individuo musculoso y con barba manipulando un gran angular. Se fijó en las manos, grandes, y de pronto se las imaginó estrujando el cuello de su sobrina. Desvió la mirada y la posó en otro hombre, un tipo corpulento y medio calvo que hacía chistes entre una instantánea y otra. Tenía algo especial en las comisuras de la boca que le provocó un escalofrío. Luego vio otro, delgado, joven, rubio, de aspecto casi ascético, situado en medio de su línea visual. Parecía casi delicado, aunque cobarde, y se lo imaginó mezclándose tranquilamente con la gente en la asociación de alumnos, con sus ojillos brillantes clavados en el cabello rubio de su sobrina.

Cerró los ojos con fuerza en un intento de apartar aquella visión. El ruido de la rueda de prensa pareció aumentar de volumen; las risas y las chanzas le llenaron la cabeza como si se burlasen de sus sentimientos, de su afán de búsqueda. Sintió un ligero vértigo y se preguntó si no estaría a punto de vomitar.

En eso, alguien le susurró al lado:

—¿Detective Barren?

Abrió los ojos. Se trataba de un hombre bajo y con una cazadora de lino. Ella afirmó con la cabeza y repitió:

—Detective Barren, sí.

—Soy Mike Stark. Soy el encargado de este zoo...

Rió, y ella se recobró haciendo un gran esfuerzo y rió también. Stark contempló de nuevo a la multitud de los presentes y después miró de pasada a las figuras bañadas por la luz de los focos.

—Y bien, ¿qué le parece?

Ella respiró hondo y obligó a sus pensamientos de pesadilla a regresar al olvido. Articuló una sonrisa.

—Que un millón de pavos al año es mucho dinero.

—Es un jugador de puta madre.

—No dudo que lo sea...

Stark pensó un instante. A continuación juntó las manos en actitud de súplica.

—Tiene razón. Es una pasta gansa para un tío con las dos rodillas flojas. Espero que, sea cual sea el dios que vela por los futbolistas, esté prestando mucha atención. —Levantó la mirada hacia el techo—. Eh, el de arriba, ¿me estás escuchando?

La sonrisa de la detective Barren fue auténtica.

—Él no hace pases con las rodillas —dijo.

—Teniendo en cuenta lo que le pagamos, debería saber hacerlo —replicó Stark. La risa de ambos se confundió con la algarabía general de la sala. La detective miró alrededor—. Voy a dar esto por terminado. Gracias a Dios que contratamos a ese tipo en agosto, antes de que estuviera empezada la temporada. No quiero ni pensar cuánto nos habría costado si hubiera tenido otra temporada como la pasada. ¿Por qué no me espera en mi despacho?

La detective Barren asintió.

Estaba mirando por el inmenso ventanal, contemplando las lanchas que surcaban las olas blancas de la bahía, cuando entró Stark. Tomó asiento detrás de su mesa, y ella se acomodó en un sillón colocado enfrente de él.

—¿Y bien? —preguntó Stark.

La detective Barren extrajo la cartulina del bolso. La mantuvo unos momentos fuera de la vista, insegura de estar adoptando el enfoque correcto. A continuación, sin pronunciar palabra, la depositó encima de la mesa. Vio que Stark alzaba las cejas en un gesto interrogante al tomar la cartulina guardada en la bolsa de plástico y darle la vuelta despacio. Volvió a dejarla en la mesa.

Stark cogió de nuevo la bolsita de plástico, y a ella le dio un vuelco el corazón.

—¿Y bien?

—Bueno, quizá —dijo Stark. Dejó la cartulina y giró en su sillón para rebuscar en un armario archivador. Al cabo de unos momentos se volvió con una carpeta. La abrió sobre la mesa, y la detective Barren vio un pequeño número de pases de color amarillo—. Es el modelo del año pasado —aventuró Stark—. Este año las hemos fabricado en amarillo y azul, los colores del equipo, para el partido de inauguración en casa. —Puso uno de los pases junto a la muestra de la bolsa.

—¿Qué piensa?

—Podría ser —dijo—. Decididamente, es una posibilidad. —La detective Barren observó las dos cartulinas. Tenían la misma anchura—. El color es correcto —prosiguió Stark. Palpó a través del plástico—. Y también parece tener el mismo grosor. No puedo afirmarlo con seguridad —dijo—, pero es una posibilidad. —Pensó un momento y miró a la detective Barren—. ¿Por qué?

Ella dudó. «¿Por qué no?», pensó.

—Por un asesinato —contestó.

Stark dejó escapar un largo silbido y miró una vez más las dos cartulinas.

—Supongo que tenía que pasar —comentó.

—¿Cómo dice?

—Pues que vivimos en Miami, ¿no? Y éste es el país de los asesinatos, ¿no? Imagino que en Miami todo el mundo termina por rozarse de cerca con un asesinato tarde o temprano.

—Es posible.

—En fin —dijo—, puede que esto sea lo que ha quedado de uno de nuestros pases para entrar en el campo. Claro que podría ser casi cualquier otra cosa, ya puestos. Quiero decir: ¡qué sé yo!

—¿Sabe quién imprime estas cartulinas?

—Claro. Eso es fácil. Biscayne Printing, en la calle Sesenta y ocho. Allí podrán decirle en un minuto si la han hecho ellos o no.

«Los forenses también», pensó ella a toda prisa.

—¿Y tiene una lista de las personas para las que se fabricaron?

—Sí. ¿Para qué partido?

—Para el del ocho de septiembre.

—La tengo aquí mismo. —Giró de nuevo hacia el archivador, rebuscó una vez más y emergió con otro expediente. A ella le entraron ganas de quitárselo de las manos, pero se contuvo—. En realidad el partido se jugó el día nueve. El ocho fue sábado.

A la detective Barren se le ocurrió una idea. Sintió que le temblaba la garganta; la tenía muy seca, y tuvo que toser antes de formular la pregunta siguiente. Otra vez experimentó una sensación de vértigo.

—¿Alguien solicitó dos pases? Me refiero a si llamó alguien para pedir otro pase por haber extraviado el primero.

Stark puso cara de sorpresa, y después asintió.

—Ya entiendo —dijo, bajando la vista al expediente—. La federación nos exige que llevemos un listado estricto de quién hace fotos de los partidos. En parte, por razones de seguridad. Pero principalmente porque les gusta controlar a los fotógrafos, controlar la publicidad. A veces tengo la sensación de estar trabajando para el *Gran Hermano*. —Tomó una hoja impresa a máquina—. Para ese partido se dieron un montón de pases. Todo el mundo quería fotos del individuo que ha firmado hoy ese importante contrato. En aquel entonces era un novato y querían algo artístico.

—¿Algo artístico?

—Así es como lo llaman ellos. Dios sabe por qué. Una foto buena es algo artístico. Rembrandt se revolvería en su tumba si oyera decir eso a uno de esos animales.

Estudió la lista.

—Tres tíos —dijo—. Hubo tres tíos que perdieron el pase. Oh, perdón, dos tíos y una tía. Quiero decir una mujer. La reportera de la AP local, un tipo del *News* de Miami y un fotógrafo que trabajaba para el SI. Estaba contratado por Back Star. Por lo general, *Sports Illustrated* envía a su propia gente, pero supongo que esa vez andaban escasos de personal. Béisbol, fútbol universitario, los profesionales, ya sabe. —Le entregó un papel—. ¿Le vale con una copia? Necesito quedarme con el original.

La detective Barren asintió. La cabeza le daba vueltas, pero se le ocurrió otra pregunta:

—¿Le dieron alguna explicación de por qué necesitaban otro pase?

—Pues sí —contestó Stark—. A la federación le preocupa mucho quién obtiene estos pases; no quieren que todo el mundo se traiga a su primo a las bandas del campo. —Estudió otro papel—. A ver... Ah, sí. La chica de la AP tenía el suyo en la maleta. Había venido en un vuelo de la Eastern y le habían perdido la maleta. Eso no podía ser mentira. El tío del *News* dijo que su pase se lo había mordisqueado su hijo de diez meses, y el tipo de fuera, a ver, perdió el suyo en una pelea... —Stark se recostó en el sillón—. Me parece recordar que cuando vino aquella mañana a recoger un pase nuevo, traía un hematoma bastante grande encima del ojo. Todo el mundo le gastaba bromas. Pero él se lo tomaba todo muy bien.

La detective Barren sintió que se le hundía el estómago. «Lo sabía —pensó—. Sabía que ella se defendió con todas sus fuerzas. Susan no habría permitido que alguien le robara la vida con tanta facilidad.»

Recogió la lista de la mesa y leyó los nombres que llevaba impresos.

Procuró calmarse pensando que no podía estar segura hasta que acudiera a la imprenta. Y después iba a tener que llevarlo a analizar por los forenses para asegurarse doblemente. «El proceso podría tardar un tiempo —se advirtió a sí misma—. Muévete despacio, muévete con cuidado. Asegúrate.» Pero para sus adentros, dudó de su capacidad para hacer caso de sus propios consejos.

Escrutó de nuevo los nombres impresos en el folio, pero las letras parecieron juntarse unas con otras, como si se burlaran de ella. «Está aquí, pensó. Está aquí.»

—¿Detective Barren?

El anciano caballero cubano que salió de detrás del mostrador de Biscayne Printing para atenderla se mostró elegante y respetuoso.

Ella le enseñó la placa, lo cual logró que levantase la vista con cierto asombro, evidentemente, pensó la detective Barren, un poco molesto por la idea de que se tratara de un policía mujer. Aun así, sacó suavemente la cartulina amarilla de su bolsita de plástico, le dio la vuelta y la frotó entre los dedos.

—Esto —dijo con marcado acento— desde luego se parece mucho a los pases que imprimimos para los Dolphins. Pero este año, por supuesto, el color ha cambiado.

—¿Podría ser...? —empezó ella, pero el viejo alzó una mano.

—Es del año pasado —afirmó—. Si me permite quedarme esto ¿podría enseñarle el lote completo que adquirimos, tal vez buscarle uno que coincida perfectamente?

Era una afirmación planteada como una pregunta. La detective Barren sabía que el departamento forense de la policía del condado podía encontrar fácilmente dicha coincidencia.

Negó con la cabeza.

—No, gracias. Sólo quería...

El anciano levantó la mano.

—Lo que haga falta, para una detective tan guapa. —Y le sonrió con la lascivia inofensiva de un hombre tan mayor.

Ella recuperó la cartulina preguntándose cuándo despegaría el próximo vuelo a Nueva York.

El monótono zumbido de los motores del avión no consiguió interrumpir su preocupación, dominada por un único pensamiento, una incapacidad de concentrarse en nada que no fuera aquel nombre, el cual se repetía a sí misma una y otra vez, en cierto modo aterrorizada por lo ordinario que era. Le dio la dirección al taxista casi de manera inconsciente. Cuando se detuvo frente a la misma, apenas reparó en el gigantesco edificio de oficinas. Como un autómata, pulsó el botón del séptimo piso al tomar el ascensor y se apretó al fondo del mismo junto con una decena de oficinistas, todos silenciosos, para subir a la agencia fotográfica.

Aguardó unos minutos en un vestíbulo mientras la recepcionista iba a buscar a un editor. Reparó en una serie de fotografías enmarcadas, todas de desastres o de guerras, y se acercó hasta ellas. Contempló la primera por pura curiosidad y de pronto dicha curiosidad se transformó en interés y pavor. Fue el hecho de ver el nombre lo que la sacó de aquella inconsciencia a media luz en la que había caído. «Ya está —se dijo a sí misma—. Éste es.» Aquello le infundió renovadas fuerzas. Varias de las fotos colgadas de la pared eran de Douglas Jeffers, incluida una de un bombero cubierto de mugre, del que había captado la derrota que se leía en sus ojos, y al fondo una manzana de la ciudad envuelta en llamas. Era Filadelfia.

Apartó la vista cuando el editor vino a hablar con ella. Su primer impulso fue el de mentir. «Miente de forma inteligente, miente completamente, miente con descaro. No hagas nada que genere alarma. Crea una distracción», pensó. No quería que la agencia fotográfica se pusiera en contacto con Jeffers y le dijera que lo andaba buscando una mujer policía. Titubeó nada más que un segundo antes de pronunciar la primera mentira. Se quitó de la cabeza el sentimiento de culpa y se dirigió al hombre con decisión. Reconoció la conveniencia de aquella falsedad, pero aun así lo consideró una debilidad momentánea cuando las fuerzas que la impulsaban, creyó, eran alimentadas por la rectitud y la honestidad. Tenía que serlo.

El ayudante del director se mostró amable pero reacio.

—La verdad es que no está aquí. No sé cómo decirlo ya. Lo siento, pero...

La detective Barren asintió y sacudió la cabeza en un gesto de falsa desilusión.

—Vaya, pues la pandilla lo va a lamentar mucho. Todo el mundo quería ver al bueno de Doug.

—¿A qué se refiere? —inquirió el ayudante del director. Era un hombre de mediana edad que usaba pajarita. Tenía un aire lascivo más bien comedido, el típico individuo ligeramente desaliñado que siempre anda a la caza y más de la mitad de las veces no le da resultado la táctica de utilizar su arrugado osito de peluche. La detective Barren pensó que a lo mejor podía aprovecharse de ello, y le ofreció una generosa sonrisa.

—Oh, en realidad no es nada. Es que varios de los que cubrimos juntos el bombardeo del grupo Move en Filadelfia y llegamos a conocernos habíamos organizado una reunión... No es gran cosa, la verdad. ¿Sabe cómo nos conocimos todos? Agachados un poco más abajo de donde estaban los bomberos y la policía, preparándose para volar todo aquello. El bueno de Doug era un caballo de carreras, no soportaba tener que esperar, tenía que hacer la foto como fuera, ya sabe, no le importaba que fuera en medio de un tiroteo. Así es el bueno de Doug...

—Sí que parece una locura propia de él...

—Bueno, no importa. Hubiera sido estupendo poder contar con Doug. A todo el mundo le gusta escuchar relatos de la guerra, ya sabe. Por eso he venido hasta aquí...

—La verdad, suena genial...

—Sí, bueno, el año pasado la cosa se desmadró un poco... —Medio guiñó el ojo y añadió un leve sonrojo de timidez para beneficio del otro. Esperó que no le hiciera ninguna pregunta sobre el incidente de Filadelfia. Rápidamente buscó en su memoria las pocas noticias de prensa que había leído—. Pero bueno, no pasa nada.

—Lo siento —dijo el ayudante.

—No importa. Es que, bueno, ya conoce a Doug. Se lo guarda todo para sí mismo. Esperábamos sonsacarle un poco, ¿sabe?

—Y que lo diga. Los fotógrafos son gente muy peculiar...

—Pues el bueno de Doug es uno de los mejores...

—Ya lo creo.

—Se sorprendería usted de la cantidad de amigos que ha hecho, en el quinto pino, estando de trabajo.

—Siempre me lo he imaginado. Dios sabe que por aquí guarda las distancias —replicó el ayudante—. Pero hay algunos de esos sitios en los que no puede uno meterse sin saber que tiene que arriesgarse un poco con otra gente. Las balas perdidas van siempre hacia los amigos que se hacen rápidamente.

—La verdad es que sí —convino la detective Barren.

—¿De dónde ha dicho que es usted? —preguntó el ayudante.

—Del *Herald.* Voy a quedarme en la ciudad sólo uno o dos días...

—Bueno, lo único que puedo decirle es que está de vacaciones y que no nos dijo adónde pensaba ir. Tiene que volver al trabajo dentro de tres semanas, si eso le sirve de algo. También puede dejarle un mensaje aquí... —Era una espera demasiado larga—. ¿O por qué no prueba a preguntar a su hermano?

—Doug nunca ha mencionado que tenga un hermano.

—Es médico de un hospital estatal de Nueva Jersey. En Trenton. Doug siempre lo nombra a él como pariente más cercano cuando va a trasladarse a una zona en guerra. Me da pena que se pierda una buena fiesta...

—Vale —dijo la detective Barren—, voy a probar con su hermano. Si no funciona, le dejaré un mensaje aquí, ¿de acuerdo?

—Muy bien.

—Vaya —dijo con una voz casi de niña—, me ha sido usted de mucha ayuda. Oiga, si conseguimos organizar eso, ¿le apetece venir a tomar algo?

—Me encantaría —respondió él.

—Lo llamaré —prometió, con una sonrisa—. ¿Es fácil localizarlo aquí?

Él esbozó la sonrisa vaga de los esperanzados.

—Cuando quiera.

Pero el cerebro de la detective Barren ya se había cerrado en torno a la información que había obtenido, y su corazón tiraba ya de ella hacia Nueva Jersey.

VI

Una persona fácil de matar

11

Douglas Jeffers contempló la vasta extensión de asfalto negro como la tinta que pasaba por debajo de las ruedas delanteras de su coche canturreando para sí melodías sin significado. A su espalda, la mañana iba elevándose sobre el horizonte. La luz comenzaba a filtrarse suavemente al interior del coche metiéndose por los rincones y llenándolo todo. Jeffers volvió la vista hacia la figura que dormía a su lado. Anne Hampton tenía la boca ligeramente entreabierta y su respiración era uniforme y controlada. El resplandor de la mañana pareció posarse en sus facciones prestándoles nitidez y claridad. Intentó estudiar sus cejas oscuras, su nariz larga y aquilina, sus pómulos altos y sus labios anchos robando miradas a la carretera. Contempló cómo la claridad matinal se fusionaba con su cabello de color pajizo y lo hacía relumbrar momentáneamente. Una vez más se preguntó si sería guapa o no; que él pudiera distinguir, sí lo era, poseía una belleza sencilla y transparente.

Sintió deseos de pasarle el dedo por un lado del rostro, donde la luz marcaba el perfil de la mejilla, despertarla con una leve caricia de ternura. Vio que tenía allí un pequeño hematoma, y por un momento sintió tristeza. Había tenido muchísima suerte en no haberse visto obligado a matarla.

Jeffers apartó la vista de ella y descubrió el último retazo de la forma de la luna en el cielo, antes de que fuera absorbida por el inmenso azul que iba transformándose poco a poco en luz diurna. Le gustaban las mañanas, aunque bajo su luz resultaba difícil tomar fotos, a veces casi imposible. Pero cuando conseguía capturarla, prestaba a la imagen un toque mágico que era innegable. Se acordó de una mañana en Vietnam en la que cometió la temeridad de salir con un batallón de *rangers* del sur de Vietnam. Era joven, y también lo eran los soldados. Los otros fotógrafos que lo acompañaban

—un equipo de *ABC News*, otro independiente que trabajaba para Magnum y un tipo del *Australian*— habían declinado la oferta de tener la oportunidad de ver un combate y trataron serenamente de disuadirlo; pero a él lo habían cautivado las risas, los gritos y la fácil camaradería de los soldados. Todos posaron adoptando posturitas y haciéndose los machotes, blandiendo las armas y sonriendo con seguridad en sí mismos a bordo de los camiones verdes de dos toneladas y media que los transportaban al campo de batalla. Él se subió con ellos sonriendo, tomando fotos, aprendiéndose sus nombres y disfrutando del relajado estado de ánimo tan embriagador, por lo poco familiar, de los hombres en la guerra.

Habían pasado una jornada fácil caminando por los arrozales y los campos bajo un cielo amable y conocido. Antes de que oscureciera habían vivaqueado brevemente en un pequeño repecho, rodeados de árboles y alta vegetación. Jeffers recordó que los soldados habían continuado con sus relajadas risas ya entrada la noche, pero que él miraba la creciente oscuridad con aprensión. Se metió en su madriguera temprano, después de sacar un M-16 y media docena de cartuchos de una pila de municiones y ponerlos al lado de su esterilla para dormir. Formó un pequeño montón de granadas de mano a un lado de la cama y su Nikon al otro, cargada con un rollo de película rápida. Acto seguido se ciñó el chaleco antibalas ignorando la incomodidad. Sus últimos pensamientos antes de dormirse fueron de rabia, principalmente rabia hacia sí mismo, esperando sobrevivir a aquella noche. El maldito oficial al mando había dispuesto tan sólo un magro pelotón en el perímetro y ningún soldado más adentro, en la espesura, en puestos de escucha, y ociosamente se preguntó, sin pánico, sin miedo, pero sí con un sentimiento de frustración, si no morirían todos aquella noche. O la mayor parte de ellos.

Entonces se sumió en un sueño ligero. Un par de horas después de la medianoche, el campamento fue atacado, y el tiroteo duró todo el tiempo que quedaba hasta el amanecer, cuando la luz del día ahuyentó al enemigo, el cual se retiró victorioso desapareciendo en las junglas del éxito. Jeffers salió reptando de su agujero, moviéndose despacio y dolorosamente, cubierto de suciedad y regueros de sangre, igual que un animal primitivo de su guarida. Las granadas habían desaparecido y la munición se había gastado en el frenesí de la noche. Pero recordó que todavía tenía rollos de película, y se incorporó a medida que iba desvaneciéndose la oscuridad, cargó las cámaras y esperó a que la luz del día revelase los daños causados por la noche.

Las primeras luces de la mañana se posaron sobre los cadáveres congelándolos en posturas grotescas. Recordó haberse quedado mirando un instante, conforme se disipaba la neblina y una ligera brisa barría el frío y el olor de la cordita y dejaba a la vista las figuras retorcidas y salvajemente heridas que salpicaban el paisaje. Entonces cogió la Nikon y empezó a hacer fotos, moviéndose como un cangrejo entre aquellos despojos de hombres y materiales, intentando captar a un mismo tiempo la elegancia en las formas y el horror de los muertos, librando su propia batalla una vez finalizada la batalla real.

Newsweek utilizó una de aquellas fotos en un reportaje clarividente sobre la cuestionable capacidad del ejército sudvietnamita. Recordaba la imagen: un soldado de baja estatura, que no tendría más de catorce años, arrojado de espaldas contra un cartón de munición, con los ojos abiertos y fijos, como si estuviera examinando el resto de vida que él no iba a tener. Transcurrieron seis meses antes de que cayera Saigón. «Aquello había sucedido hacía ya más de una década», pensó.

«En aquel entonces yo era muy joven.»

Sonrió para sí.

A los atletas les gusta hablar de piernas jóvenes, piernas capaces de correr todo el día y después correr un poco más aún, pero también las necesitan los fotógrafos. Recordó que tan sólo unos meses antes había estado en Nicaragua caminando por colinas cubiertas de vegetación con un destacamento de la Guardia Nacional cuando los rebeldes empezaron a lanzar fuego de mortero contra ellos. Él permaneció en posición, escuchando el agudo silbido y el ruido sordo de las cargas de mortero mientras las explosiones se aproximaban inexorablemente hacia el punto donde se habían agrupado los soldados y él para cobijarse. Recordó que oía el motor de su cámara por encima del ruido de las cargas y pensaba lo extraño que resultaba aquello y que la batalla hace que se agudicen todos los sentidos.

Los hombres que lo rodeaban habían roto filas, por supuesto, y habían huido. Era algo infeccioso, la necesidad de huir del miedo, y aunque no recordaba haber saboreado el pánico en su propia lengua, descubrió sus pies de inmediato. Salió huyendo con los jóvenes, porque una docena o más de los cuales apenas habían rebasado la adolescencia, pero le resultó fácil dejarlos atrás, de modo que pudo darse la vuelta y hacer una foto, una de sus favoritas, F-16 a 1000 de velocidad. La muerte intemperante no había cambiado mucho, pensó. Al fondo se veía una espiral de humo y un violento levantamiento de tierra, mientras que el primer plano lo ocupaban tres hombres que, arrojando a un lado armas y pretinas, corrían hacia la cámara. También se veía a un cuarto hombre precipitándose al suelo, pillado por la muerte en los talones, frenado por la metralla. *Life* había publicado aquella instantánea en su sección de noticias internacionales. Pensó: «Mil quinientos dólares por un milisegundo de tiempo, robado tras varias semanas de privaciones, algo de miedo y mucho aburrimiento. La esencia de la fotografía de prensa.»

Miró de nuevo a Anne Hampton.

La joven se movió, y él vio sus ojos abriéndose al sol.

—¡Ah, Boswell se ha despertado! —exclamó.

Ella se sobresaltó y se incorporó rápidamente, frotándose la cara.

—Lo siento —dijo la chica—. No era mi intención quedarme dormida.

—No pasa nada —repuso él—. Necesitas descansar. El sueño de la bella durmiente.

Ella giró la cabeza hacia la ventanilla.

—¿Dónde estamos? —preguntó, y al instante se volvió hacia él, casi presa del pánico—. Es decir, sólo si usted quiere decírmelo, en realidad no tiene importancia, es sólo curiosidad, y no tiene por qué decirme nada si no quiere. Lo siento, lo siento.

—No es ningún secreto —repuso Jeffers—. La primera parada será en la costa de Louisiana.

Ella asintió y abrió la guantera para sacar uno de los cuadernos.

—¿Quiere que tome nota de eso? —ofreció.

—Boswell —dijo él—. Sé Boswell.

Anne Hampton asintió otra vez e hizo una anotación en el bloc.

Luego volvió a mirarlo a él, con el lápiz en el aire. Vio que Jeffers la observaba tan atentamente como le era posible sin quitar ojo a la carretera.

—Me recuerdas a una persona —dijo—, una mujer que vi en Guatemala hace un par de años. —Anne Hampton no dijo nada, sino que continuó escribiendo en el cuaderno. Anotó: «Recuerdo de Guatemala, hace unos años...»

»La verdadera historia —prosiguió Jeffers— estaba en la frontera, donde los militares intentaban extirpar un par de facciones de la guerrilla. Era una de esas guerras pequeñas en las que los estadounidenses no tenían motivos para involucrarse, pero se involucraron, y mucho. Me refiero a que contribuyeron con asesores del ejército, armas de alta tecnología, tipos de la CIA corriendo por ahí con cazadoras de ciudad y gafas de espejo, y también destructores de la marina haciendo maniobras en la costa... —Rió un poco y continuó—: Recuérdame que te hable de falsas ilusiones, es lo que mejor se nos da...

Anne Hampton subrayó tres veces la expresión falsas ilusiones, diciendo:

—Falsas ilusiones...

—Sea como sea, perdida en medio de todo eso de cazar guerrillas a tiros había una pequeña peculiaridad de la situación de Guatemala. La población indígena lleva años, qué digo, siglos, aguantando malos tiempos. Las dos partes, las guerrillas marxistas, los militaristas de la derecha, mierda, hasta los liberales, lo que quedaba de ellos después de ser asesinados por ambas partes igualmente, de vez en cuando masacraban de manera uniforme a los indios. Porque no los consideraban personas, ¿entiendes? Si había una aldea indígena entre una parte y otra, la ignoraban...

—¿Qué quiere decir con lo de ignorar? —preguntó tímidamente Anne Hampton.

Jeffers sonrió.

—Bien, muy bien, Boswell. Las preguntas que ayuden a aclarar el tema siempre son bien recibidas. —Hizo una pausa para reflexionar—. Si las partes se encontraban en posición para una refriega, pero el terreno intermedio era una propiedad agrícola grande y de cierta importancia, en fin, las cosas se trasladaban a otro lugar. Era como si ambas partes supieran que algunos sitios se encontraban fuera de límites. Igual que los críos jugando al fútbol. Un estado fuera de límites era menos un territorio delineado por una frontera que por un acuerdo tácito... Sea como fuere, no sucedía lo mismo con una aldea indígena. Simplemente la arrasaban. Todo el que les estorbaba el paso, en fin, lo tenían claro. En eso estaba pensando yo. Atravesamos una de esas aldeas después de una refriega. Me parece que las tropas gubernamentales habían matado a un par de guerrilleros y que las guerrillas habían conseguido matar a un par de soldados del gobierno. Eso es. No gran cosa. Pero la verdad es que destrozaron completamente la aldea. —Dudó unos instantes—. Sangre de niños. No hay nada que se le parezca. Resulta casi inútil hacer fotos de sangre de niños, porque nadie quiere publicarlas. Los editores las ven, te dicen que son muy impresionantes, se deshacen en elogios, pero luego no las publican. Los estadounidenses no quieren saber nada sobre sangre de niños...

—Los estadounidenses no quieren...

Se volvió hacia Anne Hampton.

—Había una mujer india, sentada con su hijo en brazos. Cuando le hice la foto levantó la vista. Tenía unos ojos como los tuyos. Eso es lo que recuerdo... —Hizo nuevamente una pausa—. Yo estaba de pie junto a un tipo de la CIA que se llamaba..., cómo se llamaba, joder, Jones o Smith o algún otro nombre falso que nos dio. Miró a la mujer y al niño, igual que yo, y me dijo: «Seguramente resultó alcanzado cuando esos rebeldes se quedaron cortos de munición.» Y luego me miró fijamente a mí y exclamó: «Los malditos rusos siempre se quedan cortos en la mierda que les venden a estas revoluciones de pobres. Una lástima ¿eh?» —Jeffers reflexionó antes de continuar—. Recuerdo perfectamente lo que dijo. Era uno de esos tipos que no estaban del todo en sus cabales, ya sabes. —A continuación se sumió en el silencio y siguió conduciendo sin prisas—. ¿Entiendes lo que decía ese tipo?

—Exactamente, no —contestó Anne Hampton.

Sin titubear, Jeffers soltó una mano del volante y la abofeteó con saña.

—¡Despierta! ¡Maldita sea! ¡Presta atención! ¡Usa el cerebro!

Ella se encogió en el asiento luchando por reprimir las lágrimas que se le habían formado al instante en la comisura de los ojos. No fue tanto el dolor del golpe, que en la escala establecida por él era relativamente leve, sino más bien lo repentino de la agresión.

Aspiró profundamente intentando dominarse. Percibió el temblor en su propia voz cuando dijo:

—Ese tipo estaba diciendo que no lo hicimos nosotros...

—¡Correcto! ¿Y qué más?

—Estaba echando la culpa de aquella matanza a todo el mundo excepto...

—¡Correcto también! —Jeffers sonrió—. Y bien, ¿no es más fácil utilizar la cabeza? —Ella asintió con un gesto—. Crueldad gratuita. Falsas ilusiones. Si nosotros no hubiéramos estado presentes, no habría habido ninguna refriega y el niño habría vivido, por lo menos unos días más, o semanas, quién sabe. Pero estábamos. ¿Y en cambio no causamos nosotros su muerte? —Soltó una carcajada, pero no por un chiste ni por nada humorístico—. Falsas ilusiones, falsas ilusiones.

Ella tomó nota de aquello.

A Anne Hampton se le ocurrieron una docena de preguntas, pero se las guardó todas para sí.

Al cabo de un momento dijo Jeffers:

—La muerte es lo más fácil del mundo. La gente cree que matar cuesta trabajo. Pero eso es únicamente lo que desean creer. En realidad es lo más sencillo que hay. No hay más que coger el periódico por la mañana, ¿y qué es lo que trae? Maridos que matan a sus esposas. Esposas que matan a sus maridos. Padres que matan a sus hijos. Hijos que se matan entre ellos. Negros que matan a blancos. Blancos que matan a negros. Matamos en secreto, matamos a hurtadillas, matamos en público, matamos con intención, matamos por accidente. Matamos con pistolas, cuchillos, bombas, rifles..., los instrumentos obvios. Pero ¿qué pasa cuando impedimos el envío a Etiopía de un cargamento de grano subvencionado por el gobierno federal? Que estamos matando, igualito que si hubiéramos cogido una pistola y se la hubiéramos puesto en la sien a un niño de vientre hinchado. Mira, si lo piensas un momento, la visión que tenemos en nuestro país del mundo, de la vida en sí, se basa en la cuestión de a quién podemos o no podemos matar en un momento dado. Y en qué armas podemos y no podemos emplear. ¿Política exterior? ¡Ja! Deberíamos llamarla política de muerte. Y luego podría presentarse un portavoz en una de esas ruedas de prensa en Washington y decir: «El presidente, el gabinete y el Congreso han tomado hoy la decisión de que sean condenados a muerte los campesinos indígenas de Guatemala, los manifestantes de Sudáfrica, determinados elementos del conflicto de Irlanda del Norte, de ambas partes, ojo, y varios otros pueblos del planeta. Una vez más, como dije ayer, y también anteayer, y también el día antes, con los rusos no pasa nada; no hay necesidad de que mueran.» —Fijó la vista en la carretera y rió otra vez—. La verdad es que hablo como si estuviera loco. —Se giró hacia la joven—. ¿Te doy miedo?

A ella le latía el corazón a toda velocidad, intentando averiguar cuál podía ser la respuesta correcta. Cerró los ojos y dijo la verdad:

—Sí.

—Bien —repuso él—. Supongo que eso es razonable.

Tardó unos segundos en continuar.

—Sí —repitió ella.

—En fin, no tenía intención de empezar esto hablando de política. Quiero decir que ya podremos hablar con mayor complejidad cuando me conozcas un poco mejor. Por eso hemos tomado esta dirección.

—¿Puedo hacer una pregunta? —probó ella con timidez.

—Mira —respondió él con un ligero tono de irritación—. Puedes preguntar siempre, ya te lo he dicho. Por favor, no me hagas repetir las cosas. Que obtengas una respuesta o —cerró la mano en un puño y la abrió otra vez— una reacción de otro tipo dependerá de mi estado de ánimo. —De pronto bajó la mano, le aferró el muslo por encima de la rodilla y apretó hasta hacerle daño. Ella dejó escapar una exclamación ahogada—. Recuerda, no hay reglas. Simplemente el juego va avanzando paso a paso, hasta que termine. —Jeffers le soltó la pierna, pero ésta le siguió escociendo. Tenía ganas de intentar reducir el dolor, pero no se atrevía—. ¡Pregunta! —la instó.

—¿Nos dirigimos a algún sitio en el que usted me ayudará a conocerlo mejor?

Él sonrió.

—Muy inteligente, Boswell. Excelente, Boswell. —Jeffers calló un momento, sólo para dar más impacto a sus palabras—: Eso ya debería ser evidente. Es el propósito de este viajecito.

Sonrió y siguió conduciendo por la autopista.

Ambos guardaron silencio.

Anne Hampton iba soñando despierta cuando pasaron una gasolinera Mobile en la carretera interestatal. Aún era temprano, y pensó en la placentera sensación de levantarse al amanecer en verano; la sensación de estar sincronizada con el día. Se acordó de cuando era pequeña, de lo mucho que le gustaba pasearse descalza ella sola por la casa; eran unos momentos que pasaba en una calma especial, a solas con sus cosas. A veces abría una rendija la puerta del dormitorio de sus padres y los miraba dormidos en su cama. Cuando ya estaba segura de que no iban a moverse, cruzaba el pasillo y se dirigía al cuarto de su hermano. Lo encontraba despatarrado encima de la ropa de cama, en completo abandono y totalmente ajeno al mundo. Su hermano se levantaba tarde. Siempre. No fallaba. Ni una bomba sería capaz de despertar a aquel diablillo. Era como si el cuerpo de su hermano supiera lo importante que era acumular energía para el ritmo frenético en el que vivía. Sonrió para sus adentros. Cuando Tommy murió, probablemente el mundo entero se ralentizó, aunque solamente fuera una fracción mínima, una medida infinitesimal, apreciable tan sólo por los científicos más viejos y más competentes de las universidades más importantes equipadas con los instrumentos más modernos y de mayor precisión. «Cuando muera yo, tendré suerte si provoco una ondulación en algún estanque diminuto o una ligerísima brisa en los árboles.»

Parpadeó varias veces rápidamente para apartar aquellos pensamientos de su imaginación. «Tengo el cerebro lleno de muerte», se dijo a sí misma. Y ¿por qué no iba a ser así? Miró a Jeffers, que conducía silbando algo que ella no conocía.

—¿Va a hablar sólo de muerte? —le preguntó.

Él se volvió por un instante y luego fijó de nuevo la vista en la carretera, con una sonrisa.

—Muy bien, Boswell —respondió—. Sé una reportera. —Hizo una pausa y continuó—: No. Intentaré hablar de otras cosas. Has planteado una cuestión válida. El problema radica en que siento cierta predisposición por el morbo. —Rió entre dientes—. El fatalismo. Los finales, más que los principios.

De nuevo hizo una pausa para reflexionar. Anne Hampton tomó nota de todo lo que le fue posible y se quedó mirando con desesperación lo que acababa de escribir. No confiaba en que resultara legible, y de pronto, en un segundo de terror, se preguntó si a él se le ocurriría comprobarlo.

Jeffers puso una amplia sonrisa y rió en voz alta.

—Tengo una historia para ti. La historia más reivindicativa de la vida que se me ocurre. Procuraré pensar en alguna otra de vez en cuando, pero ésta, bueno, tuvo lugar cuando yo trabajaba para ese periódico de Dallas, el *Times-Herald*, allá por los años setenta. La gente lo llamaba el *Crimes-Herald*,* pero ésa es otra historia...

»En fin, yo trabajaba en temas cotidianos de índole general, lo cual incluía de todo, desde exhibiciones florales y fotos a toda página de capitanes de la industria, qué frase más tonta, hasta accidentes y muertes y cualquier otra cosa que pudiera llamar a la puerta. Entonces recibimos una llamada telefónica; fue uno de esos momentos sublimes en un periódico de los que, por supuesto, nadie se percata pero que suceden de todos modos. Llama un individuo diciendo que ha ocurrido algo horroroso. ¿De qué se trata?, le pregunta el encargado de las noticias locales, que está aburrido como una ostra. Pues que por lo visto una pareja estaba discutiendo, ya sabe, una pelea doméstica. Estaban divorciándose y discutían por la custodia del hijo, tirando cada uno del niño de acá para allá y gritando como descosidos. Y va el tío, intenta arrancar al niño de los brazos de su mujer y de repente, ¡zas! El niño sale volando por los aires y se cae por la ventana desde un cuarto piso...

»Entonces el editor de las noticias locales se despierta por fin, porque se trata de una historia cojonuda, y se pone a gritarnos a mí y a otro reportero que salgamos pitando porque hay un bebé que se ha caído por una ventana. Pero de repente se da cuenta de que el tipo del teléfono está intentando interrumpirlo. Ya, ya, dice el editor, deme la dirección. Usted no lo entiende, le dice el tipo del teléfono, que empieza a exasperarse. ¿Qué es lo que no entiende?, dice el editor. La historia, contesta el del teléfono. ¿Y bien?, pregunta el editor. La historia, dice el tipo después de recuperar el aliento, es que al bebé lo cogieron en brazos. ¿Qué?, dice el editor. Así es, dice el tipo, había uno que justo en ese momento pasaba por debajo, mira hacia arriba y ve al bebé salir por la ventana y va y lo atrapa directamente al vuelo.

* El heraldo de los crímenes. (*N. de la T.*)

Jeffers miró a Anne Hampton, que sonrió.

—¿En serio? Quiero decir, ¿atrapó al bebé? No me lo puedo creer...

—Sí, sí, lo atrapó. Lo juro... —Jeffers rió—. Cuarta historia. Igual que un jugador de fútbol americano haciendo una recepción libre.

—¿Qué es una recepción libre?

—Es cuando el tío que recibe el balón puede levantar el brazo para indicar al otro equipo que va a coger el balón sin intentar avanzar. En ese caso se supone que no deben placarlo. Es el acto supremo de protección de uno mismo.

—Pero ¿cómo...?

—Ojalá lo supiera. —Jeffers rió otra vez—. Quiero decir, el tío ese debió de tener una presencia de ánimo increíble. Imagino que la mayoría de la gente, al ver venir aquel bulto saliendo de la ventana, echaría a correr para largarse de allí lo más rápido que pudiera. Pero ese tío, no.

—¿Habló usted con él? ¿Qué le dijo?

—Simplemente que miró hacia arriba y por alguna razón supo de inmediato, en una fracción de segundo, que se trataba de un niño, y se colocó justo debajo. Además, en el instituto había sido un centrocampista de su equipo de béisbol, lo cual tenía mucha gracia, porque cuando lo contó todo el mundo afirmó con la cabeza pensando: claro, eso lo explica todo, pero por supuesto no explicaba nada, porque los jugadores de béisbol no suelen tener mucha práctica en atrapar bebés al vuelo.

—Pero a lo mejor fue allí donde aprendió a atrapar cosas al vuelo.

—Supongo que sí. Fútbol, béisbol. Era una historia que se prestaba a hacer metáforas deportivas.

Jeffers se giró para mirar a Anne Hampton. Ésta captó su mirada y negó con la cabeza. Luego sonrió, y su sonrisa se ensanchó, y ambos terminaron riendo en voz alta.

—Es increíble. Y también maravilloso en cierta medida...

—En cierto modo, eso es lo que hacen los fotógrafos. Periódicamente saltan de una cosa increíble a otra... —Jeffers calló un momento—. Más vale que tomes nota de eso —dijo, y esperó a que Anne Hampton escribiera un poco más en su cuaderno. Cuando volvió a levantar la vista, Jeffers prosiguió—: Sea como sea, puedo decirte que aquel encargo en particular sin duda alguna me alegró el día. La verdad es que se lo alegró a todos. Y también la semana, y probablemente hasta el mes. Le hice varias fotos al tío en cuestión; tenía una sonrisa, no sé, maravillosa, una sonrisa de lo más dulce y tímida. Todos reíamos encantados, reporteros, fotógrafos, equipos de televisión, personas que pasaban por la calle, vecinos, el poli que estuvo presente en la pelea, todo el mundo. Hasta el padre de la criatura, allí en medio de todos, esposado, porque los polis estaban convencidos de que tenían que detener a quien fuera, dado que habían arrojado a un bebé por una ventana. Lo curioso es que a él no parecía importarle. Luego le hice una foto también a la madre. ¿Alguna vez has visto a una persona a la que le cambie la vida tan bruscamente, tan rápido, tantas veces? Del terror a la desesperación, luego al dolor, a la esperanza, a una felicidad increíble; todo en un par de segundos. Lo llevaba todo reflejado en los ojos. Fue una foto fácil; no tuve más que ponerle el niño en los brazos, sentarla al lado del tipo que lo atrapó en el aire y apretar el obturador. Premio. Sufrimiento instantáneo. Dicha instantánea.

—Increíble —comentó Anne Hampton.

—Inconcebible —dijo él.

—¿No estará burlándose de mí, intentando que me sienta mejor?

—No. Ni por lo más remoto. Yo no hago esas cosas.

—¿Cuáles?

—Intentar que la gente se sienta mejor. No forma parte de la descripción del puesto de trabajo.

—No he querido decir...

Jeffers la interrumpió.

—Ya sé lo que has querido decir. —La miró y sonrió—. Pero de todas formas debería hacer que te sientas mejor.

Ella experimentó una extraña sensación de calor.

—Es bonita —dijo—. Es una historia bonita de verdad.

—Cerciórate de escribirla —advirtió Jeffers.

Ella garabateó febrilmente en el cuaderno.

«... Y el bebé sobrevivió», escribió.

Se quedó mirando aquella palabra unos instantes. Sobrevivió. Por un momento le entraron ganas de llorar, pero logró contenerse.

Continuaron avanzando por la carretera en medio del primer espacio de silencio benévolo que había conocido en lo que eran sólo horas pero a ella le parecieron varias semanas.

Gulfport pasó a un flanco cuando el sol de la mañana ya se encontraba bien asentado. Ocasionalmente la carretera se inclinaba hacia el golfo de México y Anne Hampton buscaba el azul despreocupado de las aguas de la bahía. Aquellos breves atisbos la consolaban, al igual que la infrecuente aparición de bandadas de gaviotas flotando en las corrientes de aire, a ras de las olas. Le parecían veleros de color blanco y gris, por cómo se movían acomodándose a los deseos y las exigencias de la naturaleza.

Ya estaba mediada la mañana cuando Jeffers anunció:

—Hora de repostar.

Salió de la interestatal y tomó una estrecha rampa que bajaba hacia la primera gasolinera que encontró. A Anne Hampton aquel lugar le pareció destartalado; el pequeño edificio de tablillas de madera blancas del empleado parecía mecerse en la brisa, inclinándose sobre el sólido y cuadrado taller de ladrillos que ofrecía servicios de mecánica. Por encima de los surtidores colgaban dos hileras de banderines rojos, azules, verdes y amarillos que se agitaban al viento. Los surtidores eran de esos anticuados que soltaban una burbuja cada vez que se suministraba un galón de gasolina, no los nuevos, que parecían accionados por ordenador y que a ella le resultaban más familiares. La estación de servicio se llamaba Ted's Dixie Gas y estaba vacía salvo por tres coches aparcados a un costado, junto al taller. Dos de ellos parecían abandonados, desnudos y oxidados, apenas reconocibles; el tercero era un deportivo de color rojo cereza, con la parte trasera levantada con un gato, neumáticos excesivamente grandes y ruedas cromadas. «La fantasía de alguien —pensó—. El tiempo, el esfuerzo y el dinero de alguien reunidos en un héroe de pueblo.» Contempló el coche mientras Jeffers se situaba frente a los surtidores sabiendo que enseguida aparecería algún adolescente repeinado a atenderlo.

—Ve al baño —ordenó Jeffers. Su tono de voz había adquirido una súbita aspereza. Anne Hampton sintió un escalofrío—. Conoces las reglas, ¿no?

—Sí —dijo ella y también afirmó con la cabeza.

—No tengo necesidad de explicarte nada, ¿no?

Ella negó con la cabeza. Reparó en que su captor tenía la pistola de cañón corto en la mano y en que se la estaba guardando en el cinturón, por debajo de la camisa. Lo miró un instante y después desvió los ojos. No sin antes responder:

—No, nada.

—Bien —dijo él—. Así será todo más fácil. Ahora quédate sentadita mientras yo doy la vuelta para abrirte la puerta. —Ella aguardó—. Date prisa —agregó Jeffers al tiempo que le abría la portezuela. Ella levantó la vista y vio a un adolescente larguirucho, de pelo moreno y lacio que sobresalía al azar por debajo de una gorra de visera gastada y descolorida, cruzando la polvorienta gasolinera en dirección a ellos.

—¿Lleno? —preguntó con lentitud. Tardó casi el mismo tiempo en pronunciar aquella palabra que en salvar la distancia que separaba el taller de los surtidores.

—Hasta arriba —contestó Jeffers—. ¿Dónde está el servicio de señoras?

—¿No preferiría el de caballeros? —replicó el chico con una amplia sonrisa. De pronto a Anne Hampton le dio la impresión de que Jeffers iba a pegarle un tiro al muchacho allí mismo, pero en cambio Jeffers rompió a reír; reprodujo la forma de una pistola con los dedos y apuntó al chico.

—Pum —dijo—. Ahí me has pillado. No, lo digo por la señorita.

El empleado volvió su ancha sonrisa hacia Anne Hampton, y ella le devolvió otra más discreta.

El chico señaló el costado del edificio.

—La llave está por dentro de esa puerta. El viejo se lo enseñará. —Indicó con la mano la oficina de la gasolinera.

Anne Hampton miró a Jeffers, y éste hizo un gesto de asentimiento.

Sintió calor al atravesar los seis metros que había hasta la oficina. Era como si de repente se hubiera calmado el viento, justo en el espacio que la rodeaba a ella. Observó los banderines, que seguían agitándose y retorciéndose, y se preguntó por qué ella no notaba la brisa. Experimentó un poco de vértigo y un breve retortijón en el estómago. Huyó del sol y entró por la puerta. Encontró a un hombre mayor, sin afeitar, vestido con una grasienta camisa a rayas, sentado junto a la caja registradora y bebiendo una lata de refresco. Sus ojos se posaron en el nombre bordado encima del bolsillo de la camisa. Decía Leroy.

—¿La llave del baño? —pidió.

—Justo a su derecha —respondió el hombre—. ¿Se encuentra bien, señorita? Tiene la misma pinta que una loncha de beicon que ha pasado la noche entera en la sartén. ¿Quiere una fría?

—¿Una qué?

—Una lata. —Indicó con la cabeza un refrigerador.

—Esto..., no. Bueno, sí. Esto..., gracias, Leroy.

—No, si la camisa es de mi hermano. El muy inútil es incapaz de trabajar una jornada entera, aquí el que se ocupa de la grasa soy yo. Me llamo George. ¿Una Coca-Cola?

—Perfecto.

El viejo le entregó la lata fría y ella se la apoyó contra la frente. El otro sonrió.

—A mí también me gusta hacer eso cuando me agobia el calor —dijo—. Parece que a uno se le mete el frío en la cabeza. Aunque es mejor todavía una botella de cerveza.

Ella sonrió.

—¿Cuánto le debo?

Pero de pronto casi se ahogó. No tenía dinero. Se volvió rápidamente, buscando a Jeffers.

—No importa, invito yo. Ya no se me presentan muchas ocasiones de invitar a chicas guapas. Además, el muchacho se pone celoso. —Rió y ella hizo lo mismo, sintiendo un inmenso alivio al expulsar el aire.

—Se lo agradezco. —Se guardó la lata en el bolso.

—No es nada. ¿Adónde se dirige?

Anne Hampton volvió a ahogarse. ¿Adónde?, se preguntó ella misma. ¿Qué querrá él que diga?

—A Louisiana —contestó—, a pasar unos días de vacaciones.

—Es la mejor época del año —dijo el empleado—. Aunque hace un poco de calor. Por aquí vemos pasar a mucha gente de viaje. Aunque deberían quedarse. Tenemos una playa que está muy bien, y pesca en abundancia. Claro que esto no es tan famoso como otros sitios, y en ello precisamente reside el problema. Hoy en día todo se reduce a hacer publicidad. Hay que darse a conocer. No hay otra forma.

—Darse a conocer —dijo ella—. Así es.

—Y hay que hacerlo bien.

—Muy cierto.

—Como esta gasolinera, por ejemplo —continuó el hombre—. El chico es un buen mecánico, mejor que su padre, eso está claro, aunque yo no se lo digo nunca. Y se le ha subido a la cabeza. Pero no hay forma de que la gente se entere; terminan llevando sus coches a esos supertalleres de lujo que están cerca de los centros comerciales, cuando aquí les haríamos un trabajo mejor por la mitad de precio.

—No me cabe duda.

El hombre rió.

—¿Ya se siente mejor?

—Sí.

—Hay que hacer correr la voz. Sea lo que sea lo que uno haga en la vida, arreglar coches, o vender hamburguesas, o intentar volar a la luna. La publicidad es lo que hace funcionar este país. Sí, señorita. Hay que decirle a la gente qué es lo que tiene uno y qué van a recibir. Hay que darse a conocer. —Le entregó la llave del cuarto de baño—. Está recién limpio de esta mañana. Detrás de la puerta hay más jabón y toallas. Si necesita alguna otra cosa, no tiene más que darme un grito.

Ella asintió y se fue hacia la puerta. A medio camino se volvió señalando en un gesto interrogante, y él le indicó con la cabeza que diera la vuelta a la esquina.

Dentro del aseo hacía fresco, pero estaba cerrado y el aire se notaba viejo y rancio. Hizo uso del inodoro y después fue al lavabo y se mojó la cara. Al mirarse en el espejo se vio pálida y demacrada. Ya he visto esta escena un centenar de veces, se dijo al tiempo que cogía la pastilla de jabón. Sale en todas las películas de televisión. Le vinieron a la memoria Jimmy Cagney y Edmund O'Brien.

—*Al rojo vivo* —expresó en voz alta.

Él escribe en el espejo de la gasolinera. Pensó en Jeffers y se lo imaginó diciendo: ¡Estoy en la cima del mundo, tío! Escribió en el espejo la palabra SOCORRO. Y luego añadió: HE ESTADO... Reflexionó por un instante y borró la frase. Tenía calor y le temblaba la mano. «He de encontrar la palabra adecuada», pensó, imitando mentalmente el lento acento sureño del viejo. Garabateó la frase: LLAME A LA POLICÍA, pero también la borró al darse cuenta de que la había escrito demasiado deprisa y resultaba ilegible. Y dígale... ¿el qué? Sintió náuseas y se aferró al lavabo para dominarse. Se miró las manos y les suplicó, como si no estuvieran unidas a su cuerpo: «Calmaos. Tranquilas.»

Volvió a levantar la vista. «Ahora viene cuando salvan a la protagonista —pensó—. Va el empleado y llama al apuesto y joven policía, que la rescata.» Siempre funcionaba así. Invariablemente. Limpió el espejo con varias pasadas rápidas, atemorizada. «¿Y si no funciona de este modo?», se dijo. De pronto se sintió furiosa e impaciente, y manchó el espejo de jabón. La pastilla se había mojado, y la superficie quedó surcada por unos chorretones de color blanco. «Son como las lágrimas —pensó—. Las cosas nunca suceden como en...» ¿En qué? En los cuentos de hadas. En las películas. En los cuentos que le contaba su padre cuando era pequeña. Contempló su propio reflejo entre los regueros de jabón. Vio unas rojeces alrededor de los ojos. Sacudió la cabeza en un gesto de consternación e impotencia y cerró los puños de pura rabia e indefensión. «Al otro lado de esa puerta no hay ningún apuesto príncipe. Está él. Entrará, lo verá y me matará. Y también matará a George. Y al chico que arregla coches. Nos matará a todos, uno detrás de otro.»

«Y entonces es posible que se entere la gente.»

En eso oyó un roce fuera.

Le ascendió la bilis a la garganta. «Oh, Dios —pensó—. Ya está aquí.»

La puerta tableteó.

«Es el viento», se dijo a sí misma. Pero se apresuró a limpiar los residuos de jabón del espejo.

—¿Qué estoy haciendo? ¿Es que quieres morir? —dijo en voz alta para sí.

«No hagas nada. Sigue adelante. Todavía no te ha hecho daño.»

Aquello era mentira, y lo sabía. Rápidamente discutió consigo misma. «Te hará daño. Ya te lo ha hecho. Piensa utilizarte y matarte, él mismo te lo ha dicho.»

La puerta tableteó de nuevo.

«Está por todas partes», pensó de pronto. El cuarto de aseo carecía de ventanas, de modo que giró a un lado y a otro mirando las paredes encaladas.

«¡Me está viendo! Lo sabe. Lo sabe. Lo sabe.»

«Tú sal con calma y pídele disculpas.»

Se miró una vez más en el espejo ya limpio como si buscara en su rostro señales de traición que pudieran delatarla. Acto seguido salió despacio al exterior, pensando: «estoy vacía por dentro». Colocó de nuevo la llave en el gancho que había junto a la puerta y se dirigió de vuelta a los surtidores. Entonces se quedó paralizada por un profundo terror.

Jeffers se hallaba de pie junto al coche, hablando con un policía estatal. Los dos llevaban grandes gafas de sol, de modo que no pudo verles los ojos. Se paró en seco, como si de repente hubiera echado raíces.

Entonces vio que Jeffers levantaba la vista y le sonreía. Le hizo una seña con la mano para que se acercara.

Ella no pudo moverse.

Jeffers le hizo otra seña.

Ella gritaba órdenes a su cuerpo: ¡Camina! Pero seguía estando paralizada. Se obligó a sí misma a tirar de cada uno de sus músculos y logró dar un primer paso, luego otro. El trecho que tuvo que recorrer bajo el sol se le antojó interminable. El calor parecía aumentar a su alrededor, y tuvo la extraña sensación de que la quemaba. «Vamos a morir todos», pensó. Vio que Jeffers introducía una mano bajo la camisa y sacaba rápidamente el revólver negro. Oyó el disparo. Vio al policía caer de espaldas, muerto, pero él también tenía una arma en la mano que escupía balas y fuego. Luego vio que el chico y George se agachaban para protegerse al tiempo que los surtidores de gasolina estallaban en llamas.

Dio otro paso más y comprendió que no estaba ocurriendo nada de eso.

Jeffers le hizo otra seña con la mano.

—Sube al coche, Annie, que me están explicando cómo se va. —Se giró hacia el policía—. O sea, que al entrar en Nueva Orleans la carretera se bifurca, la seis diez me lleva al centro y la cuatro diez me lleva a la costa, ¿no?

—Exacto —dijo el policía. Le sonrió a Anne Hampton y se tocó el ala del sombrero. Aquel breve gesto de cortesía la conmovió por dentro.

—Genial —repuso Jeffers—. Siempre me gusta asegurarme bien. Ha sido usted de gran ayuda.

—El placer ha sido mío —contestó el policía—. Que tenga un buen día.

El guardia se volvió hacia su propio coche y Jeffers se sentó al volante del suyo. Al principio estuvo silencioso, mientras aceleraba lentamente para salir de la gasolinera dejando atrás el coche policial. Luego preguntó en un tono de voz duro y frío:

—¿De qué habéis hablado tú y ese viejo?

—Voy a vomitar —contestó Anne Hampton.

—Si vomitas —replicó Jeffers entrecerrando los ojos pero adoptando un tono sin inflexiones, más adecuado para hablar del tiempo o de la subida de los precios—, morirá todo el mundo.

Ella apretó los dientes y cerró los ojos con fuerza.

Tragó aire.

—Hemos estado hablando de publicidad —dijo—. De dar a conocer al mundo que uno tiene algo que vender. Como las habilidades mecánicas de su hijo.

—La publicidad impulsa el mundo —afirmó Jeffers—. Tanto como el petróleo de los árabes.

Lanzó una mirada rápida a Anne Hampton. Ésta apartó los ojos y vio que la carretera se extendía ante ellos en línea recta. Jeffers estaba tomando el carril de acceso para entrar de nuevo en la interestatal.

—Estoy bien —dijo, y pensó: «tengo que estarlo».

Miró a Jeffers y vio que parecía haberse relajado, porque sonreía ligeramente.

—Bien, Boswell —dijo—. Cuando te sientas mejor, anótalo todo en el cuaderno. ¿A que ha sido emocionante? Sobre todo el encuentro con el policía, ¿eh? Hace que a uno le suba la adrenalina.

Jeffers aceleró al tiempo que tarareaba una canción. Anne Hampton no reconoció la melodía, pero la odió de todas formas.

Mientras Douglas Jeffers conducía, iba soñando despierto. Anne Hampton se había sumido en un profundo silencio y miraba por la ventanilla con lo que a él le pareció una deseable actitud ausente. No quería que su imaginación se desbocara; aún era vulnerable a las fuerzas que poseía en su interior. Que no fuera consciente de ellas resultaba típico, se dijo. Todavía podía romper el hechizo y realizar algún movimiento para ganar la libertad, o llevar a cabo alguna acción que pusiera en peligro el viaje, pero él sabía que su capacidad para ello iría disminuyendo. Ya se había reducido a la mitad, tal vez a una cuarta parte. Dentro de un día o dos se habría evaporado totalmente, salvo por algún residuo peligroso que siempre debería tener en cuenta. Hasta los animales más domesticados, domados y dóciles reaccionan en alguna ocasión, cuando uno menos se lo espera, y se rebelan contra la amenaza de la extinción. Decidió mantenerse en guardia por si descubría señales de aquello. Sabía que sería problemático que emergieran a la superficie.

Se preguntó por un instante si Anne Hampton conocería algo de la literatura de la posesión. Es verdad, se dijo, que ha leído a John Fowles. ¿Se acordará de Rubashov y sus interrogadores? ¿Debería hablarle él del síndrome de Estocolmo? Pensó que sí, quizás un poco más adelante. El conocimiento, empleado correcta y peligrosamente, puede servir para confundir más y ofuscar la verdad. Minaría cada vez más el sentimiento de impotencia de la chica si le dijera que, psicológicamente, estaba atrapada en una red de la que no poseía recursos para escapar. Ahondaría su desesperación. La observó y examinó su perfil mientras ella mantenía la vista fija en el horizonte; intentó ver un brillo de independencia, olfatear un aroma de decisión. No, pensó, ella no.

«Me he adueñado de la situación. Tal como imaginaba.»

«Ella se ha rendido.»

«Puedo hacer con ella lo que me plazca.»

Estuvo a punto de romper a reír en voz alta, pero se contuvo antes de estallar impulsivamente como un colegial cualquiera al que un compañero acaba de pasarle un dibujo obsceno cuando el maestro está de espaldas.

«Ahora es como la arcilla; puedo darle forma como yo quiera.» Ociosamente se preguntó si ella tendría la menor idea de que le había cambiado la vida completamente, de que ya jamás volvería a ser la misma, de que no podría regresar a lo que en una época había imaginado que iba a ser su futuro.

Se dijo para sí: «ninguno de los dos va a volver a casa».

Recordó la expresión de angustia que puso al ver al policía. Se había sentido aterrorizada, seguro. «Mañana estará tan metida en esto que le tendrá más miedo a la policía que yo. Y eso que yo no le tengo ningún miedo.»

Sonrió para sus adentros, pero con un levísimo gesto de los labios.

«Es mía.»

«O por lo menos lo será dentro de veinticuatro horas.»

Su cerebro se puso a estudiar las posibilidades. «Vaya educación está a punto de recibir», pensó.

Enseguida, de manera agresiva y sin ser invitado, le vino a la memoria un recuerdo visual. Se vio a sí mismo a la edad de seis años, arrastrado en medio de la noche por el farmacéutico y su mujer. Recordó lo mucho que se sorprendió al ver la casa. A sus ojos de niño parecía enorme, imponente, dominante. Sintió miedo, y recordó lo importante que era no permitir que Marty se diera cuenta de que estaba tan asustado. No se parecía en absoluto a las habitaciones de hotel y los aparcamientos de camiones por los que los había llevado su madre, su primera madre. Por un momento le pareció percibir la mezcla de olores del perfume y el alcohol que le venía a la cabeza cada vez que ella penetraba en su memoria. Bajó unos centímetros la ventanilla del coche para que entrara aire, pues temía marearse a causa de todo el odio que le daba vueltas en el estómago.

El aire despejó el olor del recuerdo, y pensó en la primera imagen que tuvo del tramo de escaleras que conducía al dormitorio que compartía con su hermano. Recordó que Marty le agarró la mano con fuerza. Todo estaba oscuro, y las pocas luces que había encendido el farmacéutico proyectaban formas absurdas sobre las paredes. No se acordaba del hecho en sí de subir aquellas escaleras, pero las habían subido. En cambio, lo siguiente que recordaba era que él entró en la minúscula habitación medio guiado, medio empujado. Las paredes eran blancas y había dos catres del ejército desplegados. También había una única lámpara, que carecía de pantalla. La ventana estaba abierta y por ella penetraba un aire frío.

Recordó que todo se veía sombrío y estéril.

Se obligó a esbozar una sonrisa; no fue una reacción de placer, sino una concesión a la ironía. Aquél había sido el primer campo de batalla. Marty se encontraba extenuado y cayó dormido al instante.

«Pero yo me quedé contemplando las paredes.»

En su memoria vio la confrontación que tuvo aquella mañana:

—¿Podemos poner cosas en las paredes?

—No.

—¿Por qué no?

—Porque las destrozaréis.

—No las destrozaremos. Tendremos cuidado.

—No.

—Por favor.

—¡Deja de gimotear! Ya está bien. ¡No!

—Así no parece un dormitorio. Parece una cárcel.

—Ahora mismo voy a enseñarte a no hablarme de ese modo.

Fue su primera paliza. La primera de muchas. Le extrañó la absoluta ausencia de toda emoción al recordar los puñetazos y los fuertes golpes que hizo llover sobre él su nuevo padre. En cambio, su cerebro se llenó de odio al recordar que su nueva madre se quedó sentada sin decir nada. ¡Malditos fueran sus ojos! ¡No hizo nada! Se quedó allí sentada, mirando. Siempre se quedaba sentada mirando. No decía nada ni hacía nada.

Hizo una pausa, como si estuviera tomando aliento mentalmente.

«¡Malditos sean sus ojos!»

Y una vez más se llenó su memoria, como el que sostiene un vaso debajo de una espita abierta. El resto del día se lo hicieron pasar en un colegio nuevo y extraño, que ya era un horror en sí mismo. Pero lo que recordaba mejor era la clase de dibujo de la mañana, en la que cogió la hoja de papel blanco más grande que tenían y se puso a pintar con fruición grandes franjas de color, azules y anaranjadas, rojas, amarillas y verdes, dando forma rápidamente a un radiante arco iris. Después cogió otro papel y dibujó un barco de vapor navegando por un agitado mar de color gris. Luego una tercera hoja en la que pintó un capitán pirata ataviado con una banda roja, una barba negra y una bandera con las tibias y la calavera cogida en la mano. Dejó los dibujos para que se secaran y por la tarde regresó y preguntó a la maestra si podía llevárselos consigo. Ella le dijo que sí, y entonces los cogió y se metió corriendo en el baño. Se encerró con llave en un retrete, se bajó los pantalones y se enrolló los dibujos en torno a la pierna.

Recordó la rígida caminata hasta casa. Por qué cojeas, le preguntó su madre. Me he caído en el colegio, respondió él. No es nada, ya no me duele. Subió a la carrera las escaleras que conducían al dormitorio, y allí encontró a Marty intentando jugar en el suelo con una caja de zapatos vacía. Recordó la sonrisa de su hermano cuando sacó los dibujos y los clavó, con chinchetas robadas en el colegio, en las delicadas paredes blancas del farmacéutico. Recordó la sonrisa súbita y ancha de Marty, y eso lo hizo sonreír de placer. Un barco, exclamó su hermano, ¡para volver con mamá!

«Ha sido una travesía muy larga», pensó Jeffers.

Y todavía no había finalizado.

Adelantó a un enorme camión cuyo motor emitía un rugido ensordecedor que perforaba el silencio del interior del coche. Vio que Anne Hampton se encogía ante aquella agresión. Volvió a situarse en el carril derecho una vez que el camión hubo desaparecido detrás de ellos y continuó avanzando por la carretera, obligando a su cerebro a hundirse de nuevo en una bendita vacuidad, como si pudiera hacer que su mente quedase tan vacía y horrible como aquellas malditas paredes blancas, desoladas, y olvidar lo que había visto, lo que había hecho y lo que aún se proponía hacer.

Pasaron de largo el extrarradio de Nueva Orleans cuando el cielo de primeras horas de la tarde comenzaba a oscurecerse y Anne Hampton vio unas enormes nubes de tormenta en el horizonte. Advirtió que Jeffers parecía acelerar la marcha al ver que el tiempo empeoraba. Cuando se estrellaron contra el cristal los primeros goterones de lluvia, puso en marcha el limpiaparabrisas maldiciendo irritado por lo bajo.

Ella no dijo nada, pues había descubierto que Jeffers ya hablaría cuando quisiera hablar. Jeffers rompió el silencio al cabo de un momento, lo cual demostró que su prudencia estaba justificada.

—Maldita sea —dijo—, esta puta lluvia va a complicar las cosas.

—¿Por qué?

—Cuando llueve resulta más difícil encontrar las referencias. Hace mucho tiempo que no vengo aquí.

—¿Puede decirme adónde vamos?

—Sí.

Calló unos instantes.

—¿Le importa? Pero sólo si usted quiere...

—No —repuso él—. Te lo voy a decir. Nos dirigimos a un lugar llamado Terrebonne, que es un condado de la costa. Un poco más allá de un pueblo que se llama Ashland. No he estado por allí desde, veamos, desde el ocho de agosto de mil novecientos setenta y cuatro. Ésa es la razón por la que me puede joder el asunto cualquier cosa, como un cambio en el tiempo o una carretera nueva, y la verdad es que todas las carreteras parecen nuevas.

Anne Hampton observó por la ventanilla aquel terreno pantanoso salpicado de bosquecillos de pinos y algún que otro sauce. Parecía un lugar de terrores prehistóricos, y la recorrió un escalofrío.

—Parece salvaje, en realidad.

—Y lo es. Es un sitio fantástico, como de otro planeta. Solitario, olvidado, aislado. Me gustó mucho cuando estuve aquí.

Anne Hampton creyó por un momento que se le había parado el corazón. Se le cerró la garganta como si alguien la estuviera estrangulando. La boca se le quedó completamente seca.

«Aquí es donde tiene pensado matarme.»

Intentó abrir los labios para hablar, pero no pudo.

Sabía que tenía que llenar de algún modo aquel repentino silencio, así que se puso a pensar a toda velocidad intentando encontrar algo que decir para llenar el interior del coche, cuando lo único que deseaba era chillar. Por fin habló, aunque se arrepintió al instante de lo débil e insípido de sus palabras.

—¿Tenemos que ir a ese lugar? —preguntó.

Tuvo la sensación de haber hablado igual que una niña lloriqueando.

—¿Por qué no? —replicó Jeffers.

—No sé, es que parece, no sé, un poco apartado.

—Por eso lo he escogido. —Vio que él la miraba—. Eso no lo estás anotando —comentó irritado.

Cogió el cuaderno y el lápiz, pero otra vez le temblaron las manos, y lo que escribió quedó emborronado e ilegible.

Entonces él la abofeteó, en un gesto rápido, la palma de su mano apenas pareció moverse del aro del volante. Ella lanzó una exclamación ahogada y se le cayó el lápiz, pero hizo acopio de hasta el último fragmento de presencia de ánimo que le quedaba y lo recogió del suelo inmediatamente. Apenas notó el dolor.

—Ya estoy lista —dijo.

—Tienes que dejar de ser tan idiota —dijo Jeffers.

—Lo intento.

—Pues esfuérzate más.

—Lo prometo. Prometo que me esforzaré.

—Bien. Aún hay esperanza para ti.

—Gracias. Es que... Es que...

No pudo terminar la frase, de manera que se rindió al silencio que se apoderó del interior del coche. Escuchó cómo se fundía el ruido del motor con el golpeteo de los limpiaparabrisas y se preguntó cómo sería cuando sucediera.

—Boswell la tonta —dijo Jeffers cuando hubieron transcurrido unos momentos. Estudió ociosamente la posibilidad de tranquilizarla, de hacerla saber que aún tenía planes para ella. Pero luego se lo pensó mejor. Era preferible que llorase de vez en cuando a permitirle ganar seguridad en sí misma—. Deberías pensar menos en la longevidad de la vida y más en la calidad.

—Más en la calidad —repitió ella.

—Apunta eso —dijo Jeffers—. Aforismos. El mundo según Jeffers. El almanaque del pobre Douglas Jeffers. Los dichos de Douglas Jeffers. En eso consiste tu trabajo.

—Naturalmente —contestó ella.

Siguieron adelante. Anne Hampton se sintió abrumada por la lluvia, la oscuridad y el miedo.

—¿Sabes adónde vamos, Boswell? —preguntó Jeffers. Y él mismo respondió a la pregunta—: Vamos a visitar a un viejo amigo. ¿No opinas que a veces los recuerdos son como viejos amigos? Uno puede convocarlos igual que al coger un teléfono. Afloran a la conciencia y nos proporcionan consuelo.

—¿Y si son recuerdos desagradables? —inquirió Anne Hampton.

—Buena pregunta —repuso él—. Pues yo creo que los malos recuerdos, a su manera, resultan tan útiles como los buenos. Esas cosas se valoran según una escala interior, según nuestro propio sistema de pesos y medidas. Lo bueno de los recuerdos desagradables es que, en fin, son recuerdos al fin y al cabo, ¿no? Están superados. Hay que pasar a otra cosa, nueva... Supongo que, en cierto modo, no clasifico los recuerdos de ninguna forma. Los veo todos como parte de una imagen de conjunto. Como hacer una foto de exposición prolongada, como una de esas secuencias tan curiosas del *National Geographic* en que la cámara recoge paso a paso cómo se abre una flor o cómo sale el pollo del cascarón.

Ella lo anotó todo.

—Lo estoy escribiendo...

Jeffers rió con frialdad.

—Nos dirigimos al lugar en que Douglas Jeffers salió del cascarón. —Se inclinó hacia delante y torció el cuello para observar el cielo cubierto y gris—. Es uno de los lugares más siniestros de la Tierra —comentó, y se volvió hacia Anne Hampton—. ¿Sabes quién escribió eso? —Ella negó con la cabeza—. En realidad lo escribió un autor, pero lo dijo un personaje. ¿Quién? —Soltó un bufido, casi con humor—. Venga, eres estudiante de literatura inglesa. No puedes consentir que pueda más que tú un curtido reportero. ¡Piensa!

Ella buscó en su memoria.

—¿Shakespeare?

Jeffers rió.

—Demasiado evidente. Moderno.

—¿Melville?

—Buen intento. Te vas acercando.

—¿Faulkner? No, demasiado breve... Esto... ¿Hemingway?

—Piensa en el mar.

—¡Conrad!

Jeffers rió, y ella hizo lo propio.

—Ya ves, Boswell...

Un minuto después ella le preguntó:

—¿Por qué nos dirigimos a uno de los lugares más siniestros de la Tierra?

—Porque —contestó Jeffers en tono práctico— fue allí donde descubrí mi corazón. —Continuaron en silencio. Anne Hampton vio que a Jeffers le brillaron los ojos al encontrar una señal de salida que conducía a una carretera rural—. Que me condenen si no es ésa la carretera.

Se salió de la autopista, y de pronto Anne Hampton vio que circulaban por un estrecho camino secundario, bordeado de grandes árboles que parecían ocultar el cielo y que se abrían al viento para dejar pasar mantas de lluvia. Tomaron una cerrada curva de la carretera, y Anne Hampton sintió que el coche derrapaba ligeramente, que los neumáticos traseros giraban sin control y chirriaban intentando agarrarse al asfalto anegado por la lluvia. Una sensación inquietante que le recordó que iban resbalando por una carretera con escaso control.

—¡Cuidado!

—El amor es dolor —dijo Jeffers y aguardó un momento—. Cuando era pequeño, a menudo oía a los hombres de mi madre. Entraban dando pisotones y trompicones, haciendo más ruido en su afán de ser silenciosos que si hubieran actuado con normalidad. Siempre era por la noche, muy tarde, y mi madre suponía que yo estaba durmiendo. Yo mantenía los ojos muy cerrados, pero en la habitación había una lucecita roja, así que con sólo abrir un poquito los párpados conseguía ver lo que pasaba. Recuerdo que ella gemía y se quejaba y finalmente gritaba de dolor. Jamás lo olvidé...

»Parece muy simple, ¿verdad? Cuanto más amor, más dolor. Suena a una canción de músicos callejeros de los años cincuenta, ¿a que sí? —Canturreó—: "Siempre se ama a quien se hiere..." —Se volvió para mirar a Anne Hampton. Y luego cantó otra vez—: "Siempre se mata a quien se quiere..."

Después se volvió y se concentró en la carretera.

—¿Dónde estamos? —se atrevió a preguntar Anne.

—Estamos acercándonos —anunció él.

Pero ella apenas oyó lo que dijo, porque de pronto se sintió atenazada por el miedo.

Continuaron avanzando por entre bosquecillos, adentrándose cada vez más en la oscuridad de las marismas. Anne Hampton no veía señales de vida, a excepción de alguna que otra modesta vivienda junto a la carretera cuyo color blanco destacaba contra el gris cada vez más intenso del día. Poco a poco iba viendo un trecho mayor de cielo, lleno de nubes más oscuras todavía, y comprendió que estaban aproximándose a la costa. Jeffers permanecía en silencio, concentrado, o eso esperaba ella, en la carretera, con la mirada fija al frente y una expresión hosca y seria en la cara. A lo lejos distinguió fuertes relámpagos, fogonazos de luz que atravesaban el cielo, seguidos de estampidos semejantes al retumbar de un cañón que hacían vibrar el coche. La lluvia se había intensificado en volumen e inundaba el parabrisas entre una y otra pasada de las escobillas. Rezó para que no tuvieran que salir del coche, pero sabía que era inevitable. Aunque luego pensó que seguramente daría lo mismo empaparse. Con todo, se le ocurrió la extraña idea de que, cuando sucediera, no quería verse tiritando a causa del aguacero, mojada, desaliñada y patética.

Jeffers giró nuevamente y tomó una carretera aún más pequeña, aún más desierta.

Ella guardó silencio e intentó pensar en su casa, en sus padres y sus amigos, en el sol y el verano que parecían haber desaparecido en el gris de la lluvia y del viento.

Jeffers giró una vez más, y la carretera pasó a ser un camino lleno de baches. Estaba sin asfaltar. Lanzó un juramento.

—Si nos metemos en uno de esos hoyos nos quedaremos atascados. Joder, si estamos a menos de un par de kilómetros... —Torció hacia un parche de hierba y detuvo el coche. Ella odió que desapareciera de pronto el ruido del motor. El silencio pareció engullirla—. Douglas Jeffers piensa en todo —concluyó él. Alargó el brazo hacia el asiento de atrás y cogió un pequeño petate. Abrió la cremallera y sacó un poncho amarillo fuerte que le entregó a Anne Hampton. Seguidamente sacó también un conjunto verde oscuro de pantalón impermeable y chubasquero—. Lo mejorcito de L. L. Bean —añadió—. Una parte importante de la fotografía consiste en prepararse para futuras incomodidades. Espero que eso te quede bien. Usa la capucha.

—Sí, la capucha.

La ayudó a ponerse el poncho y después se colocó el traje para el agua.

—Muy bien —dijo—. Vámonos.

Estalló otro trueno y cayó un nuevo aguacero sobre el coche. Jeffers sonrió y salió por la puerta. Al segundo siguiente se abrió la portezuela de Anne Hampton. Ella supo que más le valía no pensárselo.

La intensidad de la lluvia pareció cortarle la respiración, y por un instante se quedó de pie, desorientada y aturdida por la fuerza del viento. Sintió que Jeffers la agarraba del brazo, con una firmeza que ya le resultaba familiar, y se dejó arrastrar por él. El camino era arenoso y endeble, y ella, medio empujada por Jeffers, resbalaba con sus zapatillas. Por un instante deseó al menos poder morir en un lugar seco y conocido, porque aquello le resultaba especialmente injusto. No veía a su captor, a veces le parecía que lo tenía detrás y al momento siguiente lo tenía al lado, y después lo veía delante, tirando de ella. Intentó formular mentalmente teoremas y conclusiones: ¿Por qué iba a darme un poncho y después matarme? Pero lo que más la aterrorizaba era el descubrimiento, empapado por la lluvia, de que asignar la lógica a lo que le ocurriera a ella constituía un error. Cerró los ojos para no ver los relámpagos y la lluvia y comenzó a musitar fragmentos de oraciones para sus adentros conforme iba poniendo un pie delante del otro, en el afán de hallar algo de consuelo en aquellas cadencias olvidadas tiempo atrás.

—Padre Nuestro, que estás en los cielos, santificado sea tu nombre... —Y luego—: Perdona nuestras ofensas, así como nosotros perdonamos a quienes nos ofenden... —Jeffers tiró un poco más de ella, y exclamó con voz ahogada—: Sí, aunque camine por valles de tinieblas, no temeré...

—¡Vamos! —la apremió Jeffers—. Tiene que estar ahí delante...

—Ave, María, llena eres de gracia, bendito es el fruto de tu vientre. Ave, María, llena eres de gracia. Ave, María, llena eres de gracia. Ave, María, llena eres de gracia...

—¡Vamos, maldita sea! ¡Venga!

—Ave, María. Ave, María. Ave, María. Llena eres de gracia, llena eres de gracia, llena eres de gracia. Ave, María...

Cerró los ojos y siguió caminando, procurando pensar en cualquier cosa que no fuera la lluvia, el viento y la presión de la mano de Douglas Jeffers en el brazo. Se preguntó si él le vendaría los ojos y le pondría un cigarrillo en la boca, como hacían en las ejecuciones militares. Las lágrimas se mezclaron con la lluvia que le corría por la cara.

En eso, de repente, al poner el pie derecho en el suelo, éste cedió bajo su peso. Resbaló hacia delante y cayó dejando escapar una involuntaria exclamación de dolor, más por una insólita indignación que por el aguijonazo que sintió. Entonces se volvió hacia Jeffers, que estaba de pie, protegiéndose los ojos como si le diera el sol, escrutando el paisaje.

—¡Mierda! —exclamó. Propinó una patada a la arena del suelo—. ¡Mierda, mierda, mierda!

Se dedicó a dar pisotones en el suelo describiendo un pequeño círculo, sin dejar de mirar a lo lejos. También lanzó un puñetazo al aire.

Ella no se atrevió a decir nada.

Entonces Jeffers se giró y la miró.

Ella tuvo la sensación de no poder respirar.

Y Jeffers estalló en carcajadas. Reía cada vez más fuerte, sus risotadas se elevaron en las ráfagas de viento y parecieron mezclarse con el aire y los truenos.

Permaneció de pie sobre ella, riendo por espacio de varios minutos.

—Bueno —dijo por fin, después de frotarse los ojos—. Bueno, menuda metedura de pata. Nos hemos equivocado de sitio. Ya te dije que habían pasado años... Ahí enfrente debería haber un sauce enorme, gigantesco, y no está. He debido de equivocarme al coger la carretera. —Ayudó a Anne Hampton a levantarse—. Volvemos al coche —anunció.

—¿Eso es todo? —preguntó ella, pero se arrepintió al instante.

En cambio Jeffers no pareció molestarse.

—Así es —contestó. Le rodeó los hombros con un brazo y la ayudó a regresar andando al vehículo.

El espacio cerrado del interior del coche pareció reconfortarla. Jeffers le dio una toalla pequeña y ambos intentaron secarse lo mejor posible.

—Gracias —dijo Anne.

Jeffers seguía riendo, con suavidad, como si algo lo divirtiera enormemente. Arrancó el motor y se dirigió de vuelta a la carretera.

—No creías que una persona como yo fuera a cagarla, ¿verdad?

—No.

—Quiero decir —siguió él, con una ancha sonrisa—. Yo me enorgullezco de pensar hasta en el último detalle. No dejo nada al azar. Hasta los planes mejor trazados acaban por delatarse... —Sonrió—. Lo gracioso es que este lugar de verdad es importante para mí. Por lo menos el recuerdo que tengo de él. —Sonrió otra vez y condujo despacio—. En fin, han pasado demasiados años, supongo. Demasiadas carreteras aparte de ésta.

—Sigo sin saber qué estamos buscando —apuntó ella.

Jeffers pensó un instante y respondió con un encogimiento de hombros:

—Mi primera cita. Mi primer amor de verdad.

—¿Con una chica?

—Por supuesto. —Hizo otra pausa—. Yendo por una de esas malditas carreteras sin asfaltar que parecen todas iguales, hay un sauce enorme un poco apartado, entre la maleza...

Anne Hampton afirmó con la cabeza.

—Un sauce...

—Y ahí es donde la enterré.

Pronunció aquellas palabras con una aspereza repentina, inesperada, total. A Anne Hampton se le clavaron en el corazón.

Experimentó un torrente de náuseas que se apoderaba de ella, y apretó los dientes al tiempo que hacía gestos frenéticos a Jeffers. Éste, comprendiendo de inmediato, detuvo el coche, abrió la puerta de golpe y de pronto la arrastró por encima de la consola central y la colocó sobre sus rodillas. Le sostuvo la cabeza bajo la lluvia mientras ella vomitaba violentamente, en completo abandono.

La noche se cerró en torno a ellos cuando regresaban a Nueva Orleans. Habían pasado el resto de la tarde sumidos en un silencio húmedo, pero la mente de Jeffers viajaba cargada de recuerdos. Estaba intentando acordarse del nombre de la chica. Sabía que era típico del Sur, como Billie Jo o Bobbi Jo, y también recordaba su vestido de lentejuelas plateadas, demasiado corto y demasiado ceñido, y que dejaba pocas dudas respecto de cuál era su profesión. La había recogido en el coche, procurando contenerse, sabiendo lo que iba a hacer, actuando con aire de indiferencia y exhibiendo un fajo de billetes. Ella al principio se quejó al ver que la llevaba hacia el extrarradio de la ciudad, pero Jeffers recordó que cogió el billete de veinte dólares de propina, se lo metió por el escote y le dijo que pensaba compensarla por el esfuerzo. La chica siguió parloteando con un soniquete y una sosería que alteraron la esencia de sus pensamientos, de modo que, en el primer descampado que encontró, paró el coche, se giró y, al tiempo que ella se tumbaba hacia atrás y cerraba los ojos, la dejó inconsciente de un golpe. A continuación se dirigió hacia el lugar que había escogido en el mapa, un sitio con un adulterado nombre francés: la buena tierra. Fue fácil meterse con el coche en aquel terreno pantanoso a solas con sus pensamientos. Le dio igual que ella estuviera despierta o no; era el acto en sí lo que le intrigaba.

—Era una prostituta —dijo. Anne Hampton afirmó con gesto sombrío—. ¿Qué vida tenía que pudiera necesitar? —agregó en tono de enfado. Anne Hampton no respondió—. Estás llena de ideas tontas y anticuadas acerca de la moralidad y de lo que está bien y lo que está mal. No lo entiendes: ella había nacido para morir. Yo nací para matar. Simplemente, era cuestión de que nos encontráramos el uno al otro.

Anne Hampton se volvió hacia él e hizo ademán de ir a decir algo, pero se contuvo.

Jeffers habló por ella.

—Ibas a decir que está mal quitar la vida a alguien, ¿verdad?

—Sí, eso...

—Tal vez. Pero ¿qué diferencia hay? —Ella no pudo replicar—. Ya te lo digo yo: ninguna. Los gobiernos matan por política, yo mato por placer. No somos tan distintos.

—La cosa no es tan fácil —apuntó Anne Hampton—. No puede serlo.

—¿No? ¿Crees que es difícil matar? ¿Crees que cuesta tanto trabajo? Vale —dijo—. Vale, muy bien.

La lluvia había amainado hasta transformarse en una llovizna, pero hacía que los faros del coche perforasen la negrura de la noche con su haz de luz. Frente a ellos resplandecía Nueva Orleans, y Jeffers pisó el acelerador y se dirigió hacia aquellas luces. No dijo nada cuando entraron en la ciudad, dejó que el resplandor de las farolas perforase la oscuridad de la noche. Anne Hampton no experimentó consuelo alguno en la ciudad, no más del que había sentido en los pantanos, y de pronto comprendió que para una persona como Jeffers eran la misma cosa. Miró a Jeffers, se fijó en el duro gesto del rostro y del mentón, y una vez más sintió que se le revolvía el estómago.

Recorrieron arriba y abajo las calles de la ciudad. Jeffers miraba por las ventanillas, por lo visto buscando algo, pero ella no supo qué podía ser. De repente pisó el freno y se detuvo junto a la acera.

—Tú crees que es muy difícil —dijo enfadado—. Pero no lo es.

Examinó la calle arriba y abajo, y acto seguido introdujo una mano en la bolsa de las armas y sacó la pistola de cañón corto. Se la puso a Anne Hampton debajo de la nariz.

—O..., oh...

—¿Difícil? Pues observa. Baja la ventanilla. —Ella obedeció, y de inmediato penetró una oleada de humedad pegajosa que invadió el coche. La recorrió un escalofrío. No sabía qué estaba pasando. Jeffers se apeó del coche y lo rodeó para situarse en el lado de ella. Se inclinó hacia la ventanilla y le dijo—: Observa atentamente.

Ella afirmó.

Jeffers se apartó del bordillo. Anne Hampton vio una sombra acurrucada en la oscuridad de un portal del edificio. Vio que Jeffers examinaba de nuevo la calle y después cruzaba la acera con paso decidido.

Tocó al vagabundo con el pie.

—Despierta, colega —le dijo.

El hombre, todavía en su sopor, alzó una cabeza canosa.

Jeffers se giró para mirar a Anne Hampton. Ella se fijó en que el hombre tenía barba y mostraba una inofensiva curiosidad de viejo; no estaba molesto porque lo hubieran despertado, tan sólo estaba sorprendido. La mirada de ella se cruzó con la de Jeffers, y éste la miró intensamente. Ella tuvo la sensación de verse atrapada en una inexplicable corriente descendente, dando tumbos en el aire sin control, llevada por una especie de fuerza invisible. Vio que Jeffers se giraba otra vez hacia el vagabundo, el cual parecía estar hurgando en su pasado perdido en busca de las palabras necesarias para formular una pregunta.

—Buenas noches, viejo. Lamento que haya tenido que ser así —le dijo Jeffers.

A continuación se agachó bruscamente y en un movimiento fluido introdujo el cañón de la pistola en la boca entreabierta del vagabundo. Alzó la mano izquierda para protegerse de lo que le pudiera llover encima.

Y seguidamente apretó el gatillo.

Se oyó un débil crujido y el hombre pareció dar un salto, una sola vez, y después se desplomó otra vez en el suelo, como si hubiera vuelto a dormirse.

Anne Hampton abrió la boca para gritar, pero no pudo.

Jeffers se apartó, miró una vez más la calle y se apresuró a regresar al coche. Se alejaron de la acera muy despacio, giraron al llegar a la esquina y más adelante giraron otra vez, y otra más, trenzando una tela de araña en la oscuridad, en una soledad completa.

—Sube la ventanilla —ordenó Jeffers. A Anne Hampton le tembló la mano al accionar la manivela. Tenía la respiración espasmódica, entrecortada. En vez de palabras, lo que le salía eran pequeños quejidos llorosos—. Ya ves lo fácil que es. —La miró y añadió—: Ha sido culpa tuya. Si no me hubieras desafiado, no habría tenido que cometer una acción tan despreciable.

—Yo, esto...

La taladró con una mirada rápida y afilada.

—Ha sido culpa tuya. Del todo. Ha sido como si tú misma hubieras cogido la pistola y hubieras apretado el gatillo. Como si a ese hombre lo hubieras asesinado tú. Has quitado una vida. ¿Ves? Ahora ya eres igual que yo. ¿Lo entiendes? ¿Lo entiendes, asesina?

Anne Hampton asintió con los ojos llenos de lágrimas.

—Sí, lo entiendo.

—¿Qué se siente, asesina?

No pudo decir nada, y él no la presionó.

Ambos se perdieron en la inmensidad de la noche.

VII

Incredulidad

12

Martin Jeffers atravesó a la carrera la sala C haciendo ondear tras de sí los faldones de su bata blanca. Apenas hizo caso de los pacientes que se apartaron de su camino como buenamente pudieron, dividiéndose como inocentes animales en un redil, dejando sitio a uno que iba con paso decidido. Se las arregló para saludar con la cabeza a los que conocía, los cuales le devolvieron el saludo con el acostumbrado surtido de miradas, sonrisas, bufidos, desvío de ojos y algún que otro juramento que constituía la norma cotidiana de las salas cerradas. Sabía que aquella prisa suya daría lugar a más de una conversación a su paso, pero era inevitable. En un mundo que reflejaba la constancia de la rutina, cualquier conducta que indicara una necesidad o una fuerza externa se convertía en motivo de conversación, debate e inquebrantable curiosidad.

La intriga que sentía él mismo también era desbocada. Mientras corría por los pasillos, especuló sin vergüenza alguna acerca de la llegada de la detective de Homicidios; reflexionó repasando los pacientes que formaban el grupo de los «niños perdidos», intentó deducir cuál de ellos podía haber mencionado que estuvo en Miami en los últimos años, qué miembro del grupo podía haberse mostrado extrañamente reacio a hablar de un acontecimiento reciente. En un conjunto de personas que dedicaba una gran parte de sus energías a la ocultación, Jeffers se había vuelto experto en reconocer disimulos y tabúes. Registró rápidamente su memoria, pero no logró encontrar una respuesta de urgencia. Reconoció la súbita emoción en sí mismo; había algo atrayente en la expresión «detective de Homicidios» que le prestaba un aire de misterio y fascinación. Intentó formarse una imagen mental de una mujer investigando un asesinato y calculó que ésta debía de ser desaliñada, agresiva y decidida. Se preguntó por qué pensaría que la idea de investigar la muerte tenía que ser un territorio masculino, como si la índole de los cadáveres ensangrentados y destrozados fuera algo intrínsecamente varonil, una violación que pertenecía, extrañamente, al terreno de las partidas de póquer o los vestuarios deportivos.

Se le llenó la cabeza de imágenes de violencia. Se sobresaltó al ver retratado a su hermano, vestido con chaqueta de fotógrafo y pantalón sport, listo para marcharse a uno de sus frecuentes viajes a alguna guerra, algún desastre u otra representación de la insensatez del ser humano.

Pensó en las fotografías que hizo su hermano de Saigón, Beirut y Centroamérica. Le vino a la cabeza una foto tomada por su hermano, una que había visto en una de las publicaciones semanales del país. Mostraba a otro fotógrafo, de pie en medio de un montón de cadáveres en Jonestown, Guyana. Los verdes y marrones intensos de la selva formaban un telón de fondo para la figura del centro, que destacaba con absurda incongruencia en contraste con la frondosa vegetación que se veía detrás. El fotógrafo tenía un pañuelo rojo sobre la nariz y la boca; sólo hacía falta mirar la instantánea un momento para comprender que aquello era una medida necesaria para protegerse del hedor de los cadáveres hinchados por el sol y por la muerte. El fotógrafo era casi la imagen perfecta que tienen los niños de un bandido del antiguo Oeste: tejanos, botas y camisa de tela vaquera. Sin embargo, éste tenía en la mano, en vez de una pistola de seis balas, una cámara fotográfica. Y en sus ojos había confusión y una mezcla de tristeza y hastío. La foto de Douglas Jeffers captó a su competidor en un momento de indecisión, como si se sintiera abrumado por la basura del suicidio y no supiera del todo qué imagen atroz iba a robar a continuación. Era una visión perfecta, pensó Martin Jeffers cuando la vio por primera vez, y también al recordarla ahora: la de un hombre civilizado en un mundo prehistórico, intentando asimilar una conducta que corresponde a los animales, buscando capturarla para consumo y fascinación de una sociedad que tal vez se encuentre menos a salvo de la aberración de lo que quisiera creer.

Jeffers apretó el paso pensando en el gran número de fotos de su hermano que retrataban la muerte. Se dio cuenta de que todas y cada una de ellas eran fascinantes, a su manera. «Siempre estamos buscando —pensó—, intentamos entender el comportamiento de las personas, y el acto que más nos asusta a todos es el asesinato.»

«Pero ¿qué es más común?», se preguntó.

«¿Y no somos todos capaces?»

Ahora estaba hablando como su hermano, se dijo Jeffers. Sacudió la cabeza en un gesto negativo y escuchó cómo rechinaban sus zapatos sobre el pulimentado suelo de linóleo del pasillo. «Bueno, unos somos mucho más capaces que otros.» Y le cruzaron por la mente los rostros de los «niños perdidos».

Que un detective viniera a verlo no era tan infrecuente. Recordó varias ocasiones en los últimos años en las que había recibido llamadas similares y en las que se había encontrado frente a frente con algún individuo monosilábico y de ojos oscuros que le formuló preguntas cada vez más directas acerca de uno u otro de los miembros del grupo de terapia. Naturalmente, su capacidad para ayudarlo se vio severamente limitada por la ética médica y por el concepto de confidencialidad del paciente. Recordó a un detective particularmente tenaz, el cual, tras una frustrante conversación con él, se lo quedó mirando sin pestañear un minuto entero y después le preguntó: ¿Este hombre tiene algún compañero de habitación? No, le contestó él. ¿Se relaciona con alguien en particular? Bueno, sí, recordó haber dicho, tiene un amigo. Bien, repuso el detective, permítame que hable con ese amigo.

Jeffers recordó cómo se sentó el detective enfrente del compatriota del sospechoso de cierto crimen ya olvidado. El detective fue directo, enérgico, pero en ningún momento excesivamente agresivo. Jeffers pensó que debería estudiar el método del detective, que había ciertos momentos del proceso terapéutico en los que podría resultar efectivo. Lo impresionó que al cabo de una hora el detective hubiera obtenido ya toda la información que necesitaba de aquel individuo, el cual estaba de lo más dispuesto a vender la vida de su amigo a cambio de la promesa de una reducción de su condena. Jeffers no le guardaba rencor; últimamente era así como funcionaban las cosas en el mundo habitado por los «niños perdidos», un lugar de intercambios, pactos y mentiras.

La traición era un modo de vida. De lo más corriente. Rutina. Lo asombraba la idea de que la vida no fuera más que una serie incesante de pequeñas traiciones y mentirijillas, un constante transigir y racionalizar.

Pensó de nuevo en la mujer detective. Le complicaba las cosas.

Una gran parte de la labor que llevaba a cabo con los «niños perdidos» consistía en devolverles la idea de que las féminas son personas, crearles de nuevo una imagen del sexo opuesto que no estuviera supeditada al odio que todos sentían hacia las mujeres.

La idea de que una de sus víctimas potenciales viniera ahora a acechar a uno de ellos era a la vez explosiva y aterradora, como si uno de los miedos más hondos y más bloqueados de los «niños perdidos» hubiera emergido de una pesadilla y estuviera llamando a la puerta de la sala de terapia.

«Esto nos va a dar mucho de que hablar», pensó. Aquello formaba parte de los retos de su trabajo: hacer un valor terapéutico de la conjunción de la memoria y la vida cotidiana.

Tal vez le pidiera su asistencia a una sesión.

Eso la asustaría. Le entrarían ganas de arrestarlos a todos.

Y también les daría un susto de muerte a los «niños perdidos». Aunque últimamente estaban demasiado dormidos en los laureles. Ella podría aportarles una necesaria infusión de realidad, los espolearía un poco, ayudaría a centrar las sesiones, a que las cosas volvieran a su curso.

Sonriendo ante aquella idea, llamó con energía a la puerta de la sala C para que el ayudante lo dejara pasar. La puerta se abrió con un chirrido, y por un momento Jeffers pensó que todo lo que había dentro de aquel viejo hospital chirriaba y se quejaba cuando se usaba. Dio las gracias al ayudante, el cual le puso cara de pocos amigos. Jeffers corrió pasillo abajo y enseguida se encontró en el ala de administración del hospital. Los despachos eran más bonitos, la pintura más reciente, la luz del sol no se veía entorpecida por sucios barrotes cruzados en las ventanas.

Abrió la puerta de la oficina de administración. La secretaria del doctor Harrison levantó la vista y señaló el despacho interior moviendo el dedo pulgar igual que un autoestopista.

—Están ahí dentro, esperándolo —le dijo—. ¿A cuál de ellos cree usted que ha venido a buscar esa detective?

—En cierto modo, probablemente a todos —replicó Jeffers. Fue un pequeño chiste, y la secretaria le rió la broma al tiempo que lo enviaba hacia la puerta con un gesto de la mano.

Jeffers pasó al despacho de dentro. Primero vio al doctor Harrison, el cual se levantó muy despacio de su gran escritorio marrón.

Era un hombre mayor, de cabello cano, demasiado sensible para el perentorio trabajo de un hospital psiquiátrico estatal, demasiado viejo y cansado para intentar volar con sus propias alas. A Jeffers le caía muy bien, a pesar de sus defectos como administrador. El doctor Harrison lo saludó con una inclinación de cabeza y a continuación, con los ojos, le hizo una seña hacia la otra persona, que estaba levantándose de una silla.

Jeffers apenas tuvo tiempo de hacer una valoración de ella. Era de una edad muy parecida a la suya, eso lo advirtió de inmediato. Después vislumbró brevemente una melena castaño oscuro, un vestido de seda conservador pero con estilo y una figura esbelta, antes de verse traspasado por sus ojos. Le pareció que eran negros y que lo miraban con expresión rígida. La habitual ojeada valorativa del macho para determinar si ella era atractiva o no se vio eclipsada por la singular intensidad de aquella mirada seria. Experimentó la inquietante sensación de que estaba siendo examinado por un verdugo que le tomaba las medidas con ojo experto para calcular la fuerza con que le cortaría la cabeza el golpe del hacha. Inmediatamente se sintió incómodo y balbuceó:

—Soy el doctor Jeffers. ¿En qué puedo ayudarla, detective...?

Pero la frase simplemente se quedó congelada en el aire.

Su mano, extendida a modo de saludo, quedó suspendida unos instantes hasta que ella le tendió la suya, un tanto reacia. El apretón fue firme, acaso demasiado. Ella soltó la mano y él hizo lo propio, y la estancia se vio invadida por un silencio sólido que a Jeffers le pareció igual que un banco de niebla proveniente del océano. Transcurrió un instante frío y húmedo, después otro; la detective tenía los ojos posados en él, sin pestañear.

Entonces habló, con una voz más terrorífica, si cabe, debido al control con el que pareció pronunciar cada palabra:

—¿Dónde está su hermano?

La detective Barren se arrepintió al momento cuando vio la mezcla de sorpresa y confusión que pasó por el rostro del médico. Pero había sido inevitable. Mientras se dirigía en su coche al hospital, un poco antes, iba estudiando cientos de maneras de enfocar el asunto, decenas de estrategias de apertura, pero sabiendo todo el tiempo que cuando se enfrentase con el hermano del asesino de Susan sólo habría una pregunta importante para ella, y que no iba a poder reprimirla. En la mente de la detective Mercedes Barren, aquella pregunta era radiactiva, resplandeciente, permanente. No dudaba que iba a recibir la respuesta adecuada; cuando uno está dispuesto a dedicar el tiempo que haga falta a buscar una respuesta, al final, inevitablemente, ésta termina llegando.

Y cuando llegara la encontraría preparada.

Una parte de ella, felizmente optimista, había abrigado la esperanza de obtener dicha respuesta con facilidad. No se fiaba de dicho optimismo, pero sabía que un ataque frontal a menudo da como resultado una reacción rápida, no planeada, una contestación impulsiva del tipo: «Pues está en...», seguida del nombre de una ciudad o localidad, antes de que tomaran el mando las fuerzas de la cautela y provocaran invariablemente la continuación: «¿Por qué quiere saberlo?»

Vio que el hermano abría la boca y que sus labios comenzaban a dar forma a una respuesta, y se inclinó un poco hacia delante, expectante, consciente de inmediato de que había mostrado un exceso de avidez. Luego, con la misma brusquedad, el hermano cerró la boca y respondió a su mirada severa con otra igualmente fría.

No iba a serle fácil.

Maldición, maldición, maldición.

En aquel momento lo odió casi tanto como al hombre al que perseguía. «Son de la misma sangre —pensó—. Él es el que está más cerca.»

Vio que el hermano tragaba saliva y miraba al director del hospital como si deseara ganar unos preciados segundos para desembrollar lo que ella sabía que debía ser un torrente de emociones. Advirtió en aquel breve intervalo de tiempo que él estaba utilizando dichos segundos para ordenarse a sí mismo, fríamente, profesionalmente. «Debe de estar acostumbrado a lo inesperado —pensó—, debe de formar parte de su existencia cotidiana, sabe cómo manejarlo.» En un momento el médico volvió a clavar la mirada en ella y retribuyó su silencio con el suyo propio. Acto seguido, sin apartar la vista, acercó lentamente una silla y con sumo cuidado, como si no quisiera romper la conexión eléctrica que se había creado en aquella pequeña estancia, se sentó. Cruzó las piernas estudiadamente y después, con gesto delicado y sereno, como si el mundo entero no le importase lo más mínimo, le indicó con una seña a la detective que ocupara de nuevo su silla, igual que haría un profesor con un alumno demasiado vehemente y ansioso.

Maldición. Ya casi lo tenía, pensó ella otra vez.

«Y ahora casi me tiene él a mí.»

Tomó asiento frente al hermano del asesino.

Martin Jeffers hizo un gran esfuerzo para fingir un aire de indiferencia e interés, la misma actitud que mostraba cuando un paciente confesaba de manera impulsiva un horror u otro. Sin embargo, en su interior sintió que se le cerraba la garganta, como si alguien se la estuviera estrujando con las manos, y que el vello de la nuca se le ponía de punta. Sintió súbitamente una maldita pegajosidad en las axilas y en las palmas de las manos, pero no se atrevió a secárselas en los pantalones.

Se hallaba sumido en una pesadilla.

No quería poner imágenes a la pregunta; se concentró sola y exclusivamente en lo que le pedía la detective y se negó a enredarse en extrapolaciones peligrosas.

«¡Está buscando a Doug! —pensó—. ¡Lo sabía! Pero ¿por qué lo sé?»

Luchó contra todas las ideas que acudieron en tropel a su imaginación: miedos infantiles, preocupaciones adultas.

Sintió el deseo urgente de agarrarse a algo, como si un objeto sólido pudiera ayudarlo a mitigar la sensación de vértigo que le nublaba el cerebro. Pero también sabía que la detective iba a notarlo, de modo que rápidamente empujó todo a un lado, desde su terror hasta su curiosidad. «Averíqualo —pensó—. No renuncies a nada.»

Respiró hondo. Eso lo ayudó.

Cruzó las piernas y se removió en la silla buscando una postura más cómoda.

Bajó una mano y se arregló un calcetín.

Se llevó una mano al bolsillo de la pechera y sacó un bolígrafo y un bloc pequeño. Dio unos golpecitos con la punta sobre el papel, en rápida sucesión. Después alzó la vista y, haciendo acopio de toda la falsedad y la mentira que pudo reunir, sonrió a la detective.

—Lo siento, detective, no me he quedado con su nombre...

—Mercedes Barren.

Anotó eso y sintió que el acto de escribir en un papel lo tranquilizaba.

—¿Y de qué organismo...?

—De la policía de la ciudad de Miami.

—Ah, bien. —Siguió escribiendo—. Nunca he estado en Miami, aunque siempre he querido ir. Palmeras, ya sabe, sol y playas. Buen tiempo todo el año. Suena maravilloso. Pero nunca he conseguido hacerle una visita.

—Pues su hermano, sí.

—No me diga. A mí me parece que no, pero claro, resulta difícil seguirle la pista. Y por supuesto, en Miami siempre hay un montón de noticias. Reyertas, robos de embarcaciones, refugiados, esa clase de cosas. De modo que supongo que es posible. Y, la verdad, a veces da la impresión de que ha estado en todas partes. Trotamundos, le llaman.

—Estuvo en Miami el año pasado. En septiembre, para un partido de fútbol americano.

—¿Un partido de fútbol? Mire, no creo que a mi hermano le interesen mucho los deportes...

—Le encargaron hacer una foto de un jugador.

—Oh, ¿se refiere a que estuvo allí por trabajo? Bueno, eso puede ser...

Jeffers calló unos instantes. Dejó vagar la mirada por el despacho un momento para recobrarse. Se le ocurrió que su actuación seguramente no estaba logrando engañar a la detective. La miró y vio que no se había movido, ni siquiera un músculo. «Está bien pertrechada», pensó. Al instante se preguntó por qué sería. La mayoría de los detectives desean conversar amigablemente, con independencia de lo tensa que sea la situación. «Concéntrate en la pregunta», se dijo. Se sintió mejor; todavía precavido, todavía rodeado de un peligro indefinido, vaporoso, pero mejor de todas formas.

—Le encargaron hacer una foto de un jugador —repitió la detective Barren.

—Pero ¿qué tiene que ver un partido de fútbol americano con...?

—El homicidio de una joven. Susan Lewis.

—Oh, entiendo —repuso Martin Jeffers, pero por supuesto sabía que no entendía nada. Anotó en su bloc el nombre y el mes, y después añadió—: Verá, detective, lo cierto es que me lleva mucha delantera en esto. ¿Qué puede usted querer de mi hermano?

¡Venganza!, gritó el cerebro de Mercedes Barren, pero se guardó aquella palabra para sí. Ella también respiró hondo, se reclinó en la silla y, antes de contestar, sacó también un cuaderno y un bolígrafo. «Sé jugar. Y voy a ganar», pensó.

—No le falta razón, doctor. Me llevo mucha delantera a mí misma. —Habló empleando un tono modulado, fingiendo un poco de aburrimiento, procurando mantener su intensidad a raya. Hasta consiguió esbozar una leve sonrisa y un casual gesto de asentimiento—. Estoy investigando un homicidio cometido el otoño pasado. El ocho de septiembre, para ser exactos. Tenemos motivos para creer que su hermano pudo ser un testigo material. Es posible que incluso tenga fotografías del crimen que podrían ayudarnos.

Le pareció que el uso del plural mayestático resultaba de lo más eficaz. Quedó complacida con la manera en que se expresó, sobre todo el detalle de las fotos. Así daría la impresión de que Douglas Jeffers podía ayudar a la policía. A lo mejor eso conseguía apelar al sentimiento de deber cívico de su hermano. Si es que lo tenía. Observó el semblante del médico en busca de algún signo de suspicacia y vio que él parecía estar sopesando con cuidado cada palabra. Maldijo para sus adentros; «intenta tocar sus sentimientos —se dijo—, así se abrirá». Pero antes de que tuviera la oportunidad de continuar, él le hizo una pregunta.

—Pues sigo sin entenderlo. Doug nunca me ha mencionado eso. ¿Podría explicarse un poco más?

No lo hizo.

—¿Tiene usted una relación estrecha con su hermano?

—Bueno, todos los hermanos tienen relación en un grado u otro, detective. Usted debe de tener familia, y por lo tanto lo sabrá.

«No quiere responder», pensó ella.

—¿Cuándo lo vio por última vez?

—Pues... han pasado años desde que tuvimos lo que se puede decir una visita de verdad...

En eso, lo interrumpió el doctor Harrison:

—Marty, ¿no vino a hacerte una vista precisamente la semana pasada?

Jeffers deseó haber podido lanzar una mirada furiosa a su amigo para cerrarle la boca, pero comprendió que eso sería muy peligroso. Estaba intentando con todas sus fuerzas entender adónde quería ir a parar la detective. No se fiaba de nada de lo que le estaba diciendo, ni de aquella sonrisa de cocodrilo y aquella actitud de súbita amabilidad, porque sabía, con la certeza que da una vida entera de miedos, que su hermano estaba metido en un apuro, y él no tenía la menor intención de empeorarle las cosas.

—Pues sí, así es, Jim, pero lo único que hizo fue parar un momento a almorzar antes de marcharse otra vez. No fue lo que se dice una visita, y era la primera vez que lo veía en varios años. No creo que sea eso lo que interesa a la detective.

—Pero ¿le dijo adónde se dirigía? —preguntó la detective Barren.

A Martin Jeffers lo acribilló una andanada de recuerdos de lo críptico que se mostró su hermano al describir sus planes para las vacaciones. Titubeó un momento. «¿Qué fue lo que dijo? —pensó—. ¿A qué se refería?»

Alzó la vista y vio que los ojos de la detective habían recuperado la intensidad de antes.

—No, que yo recuerde —contestó a toda prisa. Y al instante se enfureció consigo mismo por hablar tan atropelladamente.

Se hizo un breve silencio en la habitación.

Mercedes Barren sonrió. Ni por un segundo se creyó aquella negativa.

Hubo otra pausa, tras la cual Barren añadió una ratificación propia:

—No, que usted recuerde...

—Dígame, detective, ¿ha estado en su agencia fotográfica? ¿No le han proporcionado ellos la información que necesita? Sé que las agencias procuran estar al tanto del paradero de todos sus empleados, incluso cuando andan perdidos en alguna jungla con un ejército de la guerrilla...

—Ellos no sabían nada —empezó a decir la detective Barren, pero se interrumpió a mitad de la frase. «¡Idiota! ¡No reveles nada!» Ardió de rabia al ver cómo el hermano del asesino absorbía aquella información. Pero intentó compensarlo—: No supieron decírmelo con exactitud. Pero me sugirieron que lo consultase a usted, y por esa razón he venido.

«Está buscando información, pero ¿cuánta?», pensó Martin Jeffers.

—Verá, detective, esto me resulta muy confuso. Usted viene aquí pidiendo ver a mi hermano, con el cual, en realidad, hace años que no tengo mucho contacto, con la intención de interrogarlo sobre un crimen sin especificar. No describe en absoluto de qué crimen se trata, ni qué conocimiento podría tener él al respecto. Dice de modo implícito que para usted es importante verlo de inmediato, pero sin dar ninguna explicación de por qué. No sé, detective. Creo que no hemos empezado con buen pie. En absoluto. Es decir, yo deseo colaborar todo lo posible con las autoridades, pero es que no entiendo nada.

—Lo lamento, doctor. No puedo revelar información confidencial.

Aquél era un argumento muy pobre, lo sabía. Y también sabía cuál iba a ser la respuesta de él.

—¿No? Bueno, pues yo tampoco, lo siento.

«Si tú te pones a la defensiva, yo también», pensó Jeffers.

Se miraron el uno al otro, en silencio una vez más.

De pronto a la detective Barren le entraron ganas de chillar. Le dolía todo.

«La he cagado —pensó—. Con lo cerca que estaba, la he cagado. Ese tío tiene un pasaporte, dinero y un hermano dispuesto a protegerlo sin saber qué es lo que ha hecho y que va a contarle que alguien lo anda buscando, de modo que se largará y ya está.»

Martin Jeffers estaba deseando salir de aquel despacho lo más rápidamente posible. «Aquí está ocurriendo algo grave», se dijo. Necesitaba averiguar qué era, y en cambio se dio cuenta al instante de que ni siquiera sabía cómo iniciar el proceso para entender lo que sucedía. Entonces comprendió que iba a tener que hablar con la detective, y se preguntó cómo podía hacer para situarse en una posición dominante, cómo recibir información sin divulgar él ninguna. Pensó en sus amigos, los psicoanalistas; ellos sabrían cómo hacerlo. La tumbarían en el diván y se sentarían detrás de ella.

Casi se echó a reír.

—¿Hay algo que le resulte divertido? —preguntó la detective Barren.

—No, no, sólo un pensamiento absurdo —contestó Jeffers.

—No me vendría mal un chiste —repuso ella con amargura—. ¿Por qué no me lo cuenta?

—Perdone —dijo Jeffers—. No era mi intención tomarme a la ligera...

Ella lo interrumpió.

—Claro que no.

Jeffers vio a las claras que ella no le creía. En aquel momento la miró directamente a los ojos y se dio cuenta de que había algo más en juego. No pudo precisar por qué razón lo supo; quizá fuera el ángulo del cuerpo, la inclinación de la cabeza, la intensidad de la mirada. Se sintió casi desconcertado por la fortaleza que irradiaba.

«Ésta es una mujer peligrosa.»

En aquel momento ella estaba rebosante de odio. «Éste sabe algo, algo más importante que el simple paradero de su hermano. Sabe algo sobre él que no quiere expresar con palabras, por eso se esconde detrás del ingenio y toda esa falsa técnica de psiquiatras.»

«Pues no va a servirle de nada. De nada en absoluto.»

Vio que Jeffers consultaba el reloj y a continuación miraba al doctor Harrison. Ella supo de inmediato lo que se avecinaba.

—Jim, tengo pacientes programados para toda esta tarde...

La detective Barren habló antes de que pudiera hacerlo el administrador del hospital.

—¿A qué hora termina?

—A las cinco —respondió Jeffers.

—¿Le parece que nos veamos en su despacho, o prefiere que sea en su casa? ¿O en algún restaurante?

No le ofreció más opciones.

—¿Cuánto tiempo calcula que nos llevará? —preguntó él.

Ella sonrió, pero no sintió el menor humor.

«Es muy listo», pensó.

—Bueno, eso depende de usted.

Jeffers sonrió. «Como en esgrima —pensó—; atacar y parar.»

—Sigo sin saber muy bien en qué puedo ayudarla, pero podemos encontrarnos en mi despacho poco después de las cinco, y veré si podemos solucionar todo esto en poco tiempo.

—Allí estaré.

Se estrecharon las manos.

—No se retrase —dijo él.

—Nunca me retraso —replicó ella.

Martin Jeffers cerró bien la gruesa puerta tras de sí y examinó su despacho, como si esperase ver algo que le explicara la maraña de sentimientos en la que se sentía atrapado. Tenía la sensación de encontrarse al borde de un ataque de pánico, a punto de hacer algo irracional, inundado como estaba de visiones de su hermano. Y pensó: «tiene un ramalazo de maldad, ya lo sé». Le vino a la memoria un chaval del barrio que siempre andaba soltando insultos y obscenidades y metiéndose con Doug. Sería una pelea entre iguales, ya que los dos eran más o menos de la misma estatura, y todos los niños del bloque estaban de acuerdo en ello. Pero no lo fue. En un momento dado, Doug le puso la zancadilla a su contrincante y de repente lo hizo caer de espaldas al suelo, igual de desvalido que una tortuga boca arriba, y se lió a arrearle golpes mientras el chiquillo gritaba sin parar. Jeffers no había visto nunca una furia semejante, tan potente, tan desatada. Era la rabia de un asesino, pensó. Y a continuación frunció el ceño: «no seas ridículo». Rara vez volvió a ver a Doug perder así los nervios. Por supuesto que el padre farmacéutico le pegó con saña, pero eso era algo que cabía esperar. Una paliza por otra.

Miró a su alrededor. «No seas un maldito idiota. No plantees hipótesis. No juzgues. No hagas suposiciones.»

«Es posible que haya dicho la verdad: un testigo material, eso es lo que ha dicho.»

Enseguida recordó los ojos de la detective. «Ni por lo más remoto», pensó.

Se dejó caer pesadamente en su sillón y lo giró hacia la ventana. Distinguió fragmentos de sol que se filtraban entre el follaje de los grandes árboles que delimitaban el hospital proyectando luces y sombras sobre los cuidados céspedes. Se suponía que debía parecerse más a un campus universitario, como si aquello ocultase de algún modo la realidad del hospital. Descubrió un hombre a lo lejos que avanzaba por un tramo de hierba subido a una segadora. Por un instante le pareció poder oler el aroma dulzón de la hierba recién segada. «Lo bueno de los psiquiátricos del Estado —se dijo Jeffers—, es que por fuera tienen un mantenimiento impecable. Es sólo por dentro donde se ven los desconchados de la pintura, como si ésta se despegara de las paredes debido a la locura y la infelicidad. Y lo mismo les sucede a las personas.»

«¿Por qué te das tanta prisa en creerte lo peor de tu hermano?», se preguntó apartándose de la ventana. Luego se contestó a sí mismo de modo no científico: «Porque le tengo miedo. Siempre le he tenido miedo. Él siempre ha sido maravilloso y aterrador al mismo tiempo.»

«¿Qué habrá hecho?»

Jeffers se quitó aquella idea de la cabeza.

—Está bien —dijo en voz alta—. Está bien. A ver de qué podemos enterarnos.

Cogió el teléfono y marcó el número de las enfermeras de tres plantas distintas. Con cada llamada canceló las citas de aquella tarde con tres pacientes, pidiéndoles que a cada uno le dijeran que había tenido que ausentarse debido a un asunto personal urgente. Ojalá se le hubiera ocurrido un eufemismo mejor, porque se dio cuenta de que los rumores y las suspicacias se propagarían por la sala como un reguero de pólvora. Se encogió de hombros y a continuación se quitó la bata blanca del hospital y se puso la cazadora deportiva de color tostado que tenía colgada detrás de la puerta.

Martin Jeffers cerró con llave la puerta de su despacho y se encaminó rápidamente hacia un tramo de escaleras situadas en la parte de atrás, que conducían al aparcamiento de los médicos.

La detective Mercedes Barren puso el aire acondicionado del coche de alquiler a toda potencia y consultó su reloj. «Esto no es una vigilancia de verdad», pensó irritada. Miró atentamente la puerta principal del hospital. Y aunque el hermano saliera por ella, ¿de qué iba a servir seguirlo? Ella misma contestó a la pregunta: si no lo intentaba, no lo sabría. De modo que esperó, removiéndose incómoda, intentando apartarse del sol que entraba por el parabrisas del coche. Desvió la mirada hacia los vehículos alineados en el aparcamiento de los médicos, el cual estaba marcado claramente con un cartel bien grande. Advirtió que entre ellos no había ningún Cadillac, lo cual era indicativo de la diferencia que había entre el sector privado y la salud pública.

No se sentía descontenta del todo con el modo en que se había desarrollado el encuentro inicial. Lo que la preocupaba principalmente era que al hermano del asesino le entrase el pánico e intentase ponerse de inmediato en contacto con Douglas Jeffers. Pero adivinaba que no iba a hacer tal cosa. Sin duda alguna, esperaría hasta la reunión que habían concertado. Se mostraría cohibido y evasivo e intentaría sondearla un poco más a ella. «Es el hermano pequeño —pensó para sí—. Necesita estar más seguro de sí mismo antes de llamar.»

Cerró los ojos y sintió que se le formaba una película de sudor en los labios. El gusto a humedad y a sal le recordó aquellos relajados días de verano. ¿Cuántas veces habrían pasado en coche John Barren y ella por delante del Hospital Psiquiátrico Trenton? Muchas, se dijo. Se le hacía raro estar tan cerca de casa. Recordó una ocasión en la que iba conduciendo junto al río Delaware con el sol filtrándose por las frondosas ramas de los árboles, de camino a algún partido o a una fiesta, de buen humor, rodeada de amigos, acurrucada bajo la amplia ala derecha de su novio.

Aquel placentero recuerdo se evaporó en el sol del mediodía.

«Ahora estoy sola.»

—Si necesitas consuelo —se dijo a sí misma—, consuélate tú misma. —Endureció el corazón y también el semblante, y continuó mirando fijamente a través del brillo del sol en el parabrisas.

De repente se puso en tensión.

Vio al hermano del asesino cruzando a toda prisa su campo visual, en dirección a su coche.

«Que me aspen; está haciendo una jugada.»

Esperó mientras el médico se sentaba al volante, encendía el motor y salía del aparcamiento. Reprimió el deseo de salir corriendo detrás, echarle el lazo y pegarse a él como una lapa. En lugar de eso hizo tiempo, arrancó bastante después de que se hubiera ido él y se puso a seguirlo prudentemente, manteniéndose justo en el límite de su visión.

Martin Jeffers calculó que la detective vendría siguiéndolo, pero no le prestó atención. «Si quiere perder el tiempo, allá ella.» Sabía que podía perderla en cualquier punto del laberíntico entramado de las calles del centro de Trenton. Era algo que tenía planeado hacer un poco más adelante, cuando no resultara tan obvio.

Circuló paralelo al río Delaware lanzándole frecuentes miradas. A él se le antojaba oscuro y peligroso; había rápidos en los que las aguas embravecidas saltaban sobre las rocas. Volvió la vista al frente y divisó a lo lejos un retazo de la cúpula dorada y reluciente del edificio público. Maniobró por entre el tráfico, se alejó del río y atravesó los edificios de oficinas de triste color gris que albergaban diversas ramas del gobierno del estado. Giró para tomar por la calle State, que estaba bordeada de árboles y construcciones de piedra marrón a un lado, cruzó los herbosos jardines y la entrada de mármol que llevaban al edificio. Había un espacio libre justo en la calle de al lado y se apresuró a aparcar allí. Miró en el espejo retrovisor para ver si se veía a la detective; no la vio, pero una vez más supuso que no estaría muy lejos. Se encogió de hombros, cerró el coche con llave y se dirigió a la entrada principal del edificio público.

Dentro había un enorme escudo del estado taraceado en el suelo. Hacía fresco y estaba ligeramente oscuro, se oía un leve eco generado por las pisadas de los visitantes y los empleados de las oficinas que caminaban por el interior del edificio. Vio un grupo de colegiales de la escuela de verano apiñados en un rincón, escuchando a un profesor recitar datos sobre Nueva Jersey. Al otro lado distinguió al policía del estado de Nueva Jersey vestido de azul claro que guardaba la entrada a las oficinas del gobernador. Estaba leyendo una revista. Jeffers cruzó a grandes zancadas el centro de la entrada y bajó por unas escaleras. Había un pasillo subterráneo que conducía al Museo Estatal de Nueva Jersey. Se encontraba silencioso y desierto, y los tacones de sus zapatos levantaron un sonoro eco al recorrerlo. Descubrió las escaleras que llevaban arriba y las subió rápidamente.

De frente se topó con una bibliotecaria. Le enseñó su tarjeta de identificación como funcionario del Estado y ella le susurró:

—¿En qué puedo ayudarlo, doctor?

—Quisiera consultar los periódicos que tengan en el archivo correspondientes al mes de septiembre pasado —susurró él a su vez. La bibliotecaria era una joven de cabello moreno que le caía sobre los hombros. Afirmó con la cabeza.

—Tenemos en microfilme el *Times* de Trenton, el *New York Times* y el *Trentonian*.

—¿Puedo consultarlos todos?

La joven sonrió, quizás un poco más de lo necesario. Jeffers sintió una punzada de atracción, pero la desechó de inmediato.

—Naturalmente. Enseguida le preparo una máquina.

Había una hilera de máquinas para visionar microfilmes contigua al catálogo de fichas. La joven condujo a Jeffers hasta un asiento y lo dejó momentáneamente a solas. Cuando regresó, traía tres cajitas. Sacó el primer rollo y enseñó a Jeffers cómo cargarlo en la máquina. Las manos de ambos se tocaron brevemente. Él le dio las gracias, acompañadas de un gesto de la cabeza, pero con la mente puesta en lo que estaba buscando.

En el *New York Times* encontró un comentario de tres párrafos de Associated Press situado en la esquina de una página interior:

EL ASESINO DEL CAMPUS DE MIAMI
SE COBRA SU QUINTA VÍCTIMA

MIAMI, 9 de septiembre. El sábado fue descubierta asesinada en este lugar una alumna de 18 años de la Universidad de Miami, al parecer la quinta víctima de un homicida al que la policía ha dado el apodo de «el asesino del campus».

Susan Lewis, hija de un contable de Ardmore, Pensilvania, estudiante de segundo año de la especialidad de oceanografía, fue hallada en el parque Matheson-Hammock varias horas después de haber desaparecido de una fiesta de la Asociación de Alumnos de la universidad. Según la policía, había sido golpeada, estrangulada y violada.

La policía afirmó que posiblemente era la quinta víctima de un asesino que ya ha atacado varios centros universitarios de la zona del sur de Florida.

Y aquello era todo. El espacio debía de ser muy valioso para el *Times*, reflexionó Jeffers. Leyó la reseña dos veces. A continuación sacó el rollo de microfilme y comenzó a explorar el *Times* de Trenton. No tardó mucho en encontrar una nota necrológica en la edición del periódico correspondiente al condado de Bucks.

Decía lo siguiente: «... Le sobreviven sus padres, su hermano menor Michael, su tía Mercedes Barren de Miami Beach y numerosos primos. La familia ruega que, en vez de flores, se efectúen donaciones a la Cousteau Society.»

La leyó una vez más.

Ese nombre explicaba mucho.

Se le ocurrió otra idea. Regresó al mostrador de la bibliotecaria y le devolvió el microfilme.

—¿Es posible —le preguntó, sonriente— averiguar si ha habido artículos posteriores sobre un mismo tema? Quiero decir, si yo le diera un nombre, ¿podría usted comprobar si existe alguna nota reciente?

La chica negó con la cabeza.

—Si esto fuera una hemeroteca, sí. Así es como se archivan las cosas. Sería muy fácil. Pero nosotros no tenemos esa capacidad informática. El *Times* publica un índice anual de reportajes, pero el de este año no ha salido aún. ¿Qué es lo que le interesa?

Jeffers se encogió de hombros, pues de repente había decidido acercarse hasta uno de los periódicos locales a ver si podía introducirse en su sistema de archivo.

—Oh, no tiene tanta importancia —respondió—. Un delito cometido en Florida.

—¿Cuál? —preguntó la bibliotecaria.

—El de un tal «asesino del campus».

—Oh —repuso la joven, sonriendo—. A ese tipo lo han pillado ya. Recuerdo haberlo visto en las noticias. —Compuso una mueca—. Un verdadero canalla. Casi tan malo como ese tal Bundy.

—¿Dice que lo han pillado?

—Sí, el otoño pasado. Me acuerdo porque mi hermana pensaba ir a la universidad del sur de Florida y cambió de idea, y volvió a cambiar de idea otra vez cuando detuvieron a ese tipo. ¡Si fue a la cárcel y todo!

Martin Jeffers tardó otra media hora en dar con la reseña que documentaba la detención de Sadehg Rhotzbadegh en el *New York Times* y con versiones ligeramente más amplias en los dos periódicos de Trenton. Las leyó detenidamente y se grabó la información en el cerebro. Luego sacó fotocopias de todo.

Dio profusamente las gracias a la bibliotecaria. Ella pareció desilusionada porque no le había pedido su número de teléfono. Jeffers logró esbozar una sonrisa desvaída, en un intento de decir, con una mirada, que nunca le pedía el número de teléfono a nadie, lo cual era verdad, además. Luego dejó que su mente divagara a otra cosa y olvidó al instante la expresión de decepción de la joven. Estaba organizando las ideas, intentando planificar el siguiente paso a dar, intentando procesar la información que había obtenido, intentando hacerse una imagen razonable que explicara por qué la tía de la víctima de un asesinato ya resuelto de repente quería hablar con él sobre su hermano.

Sabía que la explicación tradicional era el agravio. Podría gritarle: ¿Por qué me molesta a mí? ¿Qué pretende? ¿Qué tengo que ver yo con ese crimen? ¿Quién está al mando?

Pero sabía que no iba a desafiarla.

Estudió las fotocopias. EL ASESINO DEL CAMPUS ES DETENIDO EN MIAMI: ACUSADO DE VARIOS ASESINATOS. «Si pillaron al asesino, ¿qué tiene que ver Doug con esto?»

Pero se negó a contestar a su propia pregunta. En vez de eso, se le llenó el corazón de miedo, una sensación incómoda e inquietante. Pensó que debería sentirse complacido con lo que había descubierto en los periódicos, pero no era así. Simplemente, aumentó su nerviosismo. Se sentía encapsulado por el miedo, como si cada paso que daba, cada acción que ejecutaba, cada uno de sus movimientos llevara aparejado un riesgo.

Se apresuró a regresar al coche, pensando: «ha llegado el momento de perder de vista a la detective». Sabía que no existía un motivo particular para insistir en aquel sentimiento, aparte de la imperiosa necesidad de estar a solas con sus miedos. No creía que pudiera soportar la presión añadida de saber que ella lo estaba vigilando; necesitaba estar completa, absoluta, indiscutiblemente solo.

Giró rápidamente hacia Broad y después viró a la izquierda, luego a la derecha, y bajó por Perry pasando frente a las oficinas del *Times* de Trenton. Aceleró en la rampa que llevaba a la carretera 1 y a continuación, con la misma prisa, tomó la salida de Old Avenue. Al final de la rampa de salida efectuó un giro prohibido en U y regresó por donde acababa de venir. En aquel momento le pareció ver a la detective, atrapada en el tráfico, y pisó el acelerador.

Martin Jeffers intentó diseccionar sus sentimientos. En cierto modo, pensó, resultaba infantil insistir en perder a la detective. Lo comprendía, pero es que deseaba digerir lo que había descubierto, y deseaba hacerlo en una soledad buscada por él mismo. Enfiló de nuevo hacia el hospital, aminorando la marcha, haciendo un esfuerzo por compartimentar lo que sabía hasta el momento.

Sabía que ya no lo seguían. El centro urbano de Trenton es un insólito laberinto de calles y construcciones, que si ya resulta bastante tormento para los transeúntes y conductores habituales, no digamos para los no iniciados. Se dijo que probablemente Miami era todo pasos subterráneos y bulevares, calles anchas y bordeadas de árboles, no la maraña de una vieja ciudad del Nordeste que se aferra a la vida y a la actividad. Se imaginó mentalmente a la detective, imaginó su presencia serena y sedosa confundida con aquella mezcolanza de coches, autobuses y partidas de trabajadores. Se preguntó por qué no le resultaba más divertido.

Y al mismo tiempo, aún no había podido sacudirse la sensación de presentimiento que lo seguía todavía con más persistencia que la detective.

Ella, por supuesto, se encontraba como a un centenar de metros por detrás de él, con la mirada seria y fija al frente y una nube negra en la cabeza.

A las cinco y cinco, la detective Mercedes Barren llamó a la puerta del despacho del doctor Martin Jeffers. Él la dejó pasar inmediatamente y le indicó una silla en el reducido espacio. Ella tomó asiento, dejó el bolso en el suelo y se colocó un pequeño maletín de cuero sobre las rodillas. Lanzó una mirada rápida en derredor y recorrió las filas de libros, los montones de papel, el débil intento de decorar aquel lugar con dos carteles enmarcados.

«No te dejes engañar por este desorden —pensó—; seguro que es tan organizado como su hermano.»

Jeffers mordisqueó la punta de un lápiz antes de hablar.

—Y bien, detective —dijo por fin—, ha venido usted desde Miami, nada menos, y aún no acabo de entender para qué necesita ver a mi hermano con tanta urgencia.

Ella reflexionó unos momentos.

—Como le dije antes, es un testigo material en la investigación de un asesinato.

—¿Podría explicarme exactamente cómo es eso?

—¿Ha estado hoy en contacto con él?

—No ha respondido a mi pregunta.

—Responda primero a la mía. Doctor, su actitud evasiva en este asunto resulta irritante. Yo soy una detective de la policía que investiga un homicidio. No tengo por qué explicarme para obtener su colaboración. Si es necesario, puedo recurrir a sus superiores.

Aquello era un farol. Ella sabía que él lo sabía.

—Suponga que yo le dijera que adelante.

—Pues lo haría.

Jeffers hizo un gesto de asentimiento.

—Bien, la creo.

La detective Barren se inclinó hacia él.

—¿Ha hablado hoy con él?

—No. —Ambos callaron unos instantes—. Voy a darle una respuesta sincera —prosiguió Jeffers—. Hoy no me he puesto en contacto con él. Y voy a darle otra más: no sé cómo ponerme en contacto con él.

—Eso no me lo creo.

Jeffers se encogió de hombros.

—Puede creerse lo que quiera.

Una vez más guardaron silencio.

—Muy bien —cedió ella al cabo de un momento—. Pienso que su hermano posee información acerca de un asesinato. Ya se lo dije antes. No sé hasta qué punto está involucrado. Por eso quiero hablar con él.

—¿Es un sospechoso?

—¿Por qué lo pregunta?

—Detective Barren, si desea que conteste a sus preguntas, más le vale que usted conteste a una o dos de las mías.

El cerebro de la detective Barren trabajaba a toda velocidad intentando separar las mentiras pequeñas de las grandes y trazar un plan de acción que revelase un poco de la verdad, lo suficiente para ganarse la ayuda del hermano.

—No puedo decirle si lo es o no. Hay una prueba descubierta junto a la escena del crimen que hemos llegado a relacionar con él. Hasta donde yo sé, es posible que él tenga una explicación perfecta para esto. Eso es lo que estoy intentando averiguar.

Martin Jeffers asintió. Estaba procurando deducir si ella le estaba diciendo la verdad al menos en parte. Pensó con ironía que los delincuentes sexuales eran más fáciles.

—¿Qué prueba es ésa?

La detective Barren negó con la cabeza.

—No, doctor...

—Está bien —dijo él—. El crimen es...

—Un asesinato.

—Y usted participa como...

—Soy detective de la policía...

Jeffers sacó una de las fotocopias de la necrológica de Susan y la deslizó sobre la mesa. Su voz sonó rígida y despectiva.

—Odio las mentiras, detective. Todo mi trabajo, todo mi ser, está dedicado a la búsqueda de ciertas verdades fundamentales. Es un insulto a mi inteligencia que usted venga aquí a mentirme.

Creyó haber hablado apropiadamente pomposo y enfadado, y no estaba preparado para la reacción de ella. Esperaba que adoptase una postura polar, o escarmentada o ultrajada. Pero no fue ninguna de las dos cosas.

—¿Que yo lo insulto? —dijo la detective Barren en un tono de voz grave que daba miedo. No aguardó respuesta alguna y se embaló—: ¿Y usted tiene el atrevimiento de largarme un sermón sobre la verdad? Se ha pasado todo el tiempo ahí sentado, tan satisfecho de sí mismo, entreteniéndose en jueguecitos intelectuales y escondiendo a su hermano de... de... de ser interrogado. Muy bien. Primero va a decirme que considera a su hermano incapaz de esto.

Buscó un momento en su maletín y por fin sacó una de las fotografías de la escena del crimen y la puso encima de la mesa.

Él la apartó sin mirarla.

—No intente impresionarme —dijo.

—No intento eso.

Jeffers se dio cuenta de que las palabras de la detective llevaban la energía de los gritos, pero que no había levantado la voz en ningún momento. Tomó la foto y la miró fijamente.

—Lo siento por usted —dijo.

Pero su imaginación se vio arrastrada a un resbaladizo torbellino de pavor. Aquella foto se asemejaba a un grabado de Goya, cada una de las sombras ocultaba algo de terror, cada línea transmitía una sensación de espanto. Vio a la joven tendida, muerta, salvajemente atacada. Le vino a la memoria la ocasión, en la facultad de medicina, en que se enfrentó a su primer cadáver. Esperaba encontrarse una persona, un cuerpo, viejo, cansado, deformado por la edad y la enfermedad; pero su primer cadáver fue el de una prostituta de dieciséis años muerta de sobredosis en una infortunada noche. Contempló los ojos sin vida de la joven y fue incapaz de tocarla. Le temblaban las manos y la voz. Por un momento creyó que iba a desmayarse. Tuvo que darse la vuelta y llenar los pulmones de aire, en un esfuerzo por respirar. Tuvo que echar mano de hasta del último resquicio de fuerza para acudir al profesor de anatomía a solicitar un cambio. Recordó que se cambió por otro alumno, un individuo aborrecible que comentó: «Buenas tetas» al tiempo que blandía el escalpelo. Jeffers aún se acordaba del cadáver del anciano alcohólico que le adjudicaron, cuyo esquelético cuerpo, de manera extraña, le entraron ganas de abrazar antes de hundirle el cuchillo en el pecho y darle las gracias por haberlo librado de parte del terror que sentía.

Miró nuevamente la foto y pensó en la prostituta muerta.

—Yo jamás podría hacerlo —dijo en voz queda.

Por un momento no fue consciente de lo que había dicho.

Ella, sí. Y le escoció. Hizo un esfuerzo mayor por dominarse.

La detective Barren dejó que fuera acumulándose el silencio y después lo quebró suavemente, con una pregunta sencilla:

—Pero ¿qué me dice de su hermano?

Jeffers sintió que se le revolvían las entrañas. Con dificultad, logró rehacerse y se refugió en uno de sus mejores tonos clínicos.

—No creo que mi hermano sea capaz de algo así, detective. No puedo creerlo. No quiero creerlo. No lo creo. Está hablando de una salvajada... despreciable, censurable, no sé. Me siento ultrajado ya simplemente por la pregunta.

La detective Barren lo miró sin pestañear.

—¿En serio? —le preguntó con suavidad.

Como respuesta, él consiguió lanzar un bufido que no surtió ningún efecto y agitó la mano en un gesto de impotencia.

—Oh...

—Suponga, pongamos por caso, que...

Jeffers la interrumpió.

—No quiero suponer nada, detective. No quiero jugar con hipótesis. Mi hermano es un fotógrafo que ha ganado varios premios. Es uno de los fotógrafos independientes más cotizados hoy día en la prensa. Viaja por todo el mundo. Su trabajo sale en las publicaciones más importantes. Es una persona valorada y respetada. Es un artista. En todos los sentidos de la palabra, detective. Un artista.

—No le he preguntado por su cualificación profesional.

—No, en efecto. No lo ha hecho. —Calló un momento antes de agregar—: Pero es importante que comprenda que no está tratando con un... un...

—¿Un tipo corriente? —propuso ella.

Jeffers asintió.

—Sí.

La detective volvió a adoptar un tono rayano en la ira:

—¿Cree usted que un tipo corriente podría hacer esto?

Jeffers acusó el golpe.

—Me ha entendido mal.

—No, en absoluto. Me atengo a sus palabras.

Ella lo miró fijamente, y él aprovechó aquel momento para intentar recuperar cierta distancia. Resolvió pasar a la ofensiva.

—Y esto, supongo, es una investigación rutinaria.

—Sí. No...

—Decídase: ¿cuál?

—No es rutinaria.

—No puede serlo, ¿verdad, detective? Siendo que la víctima era sobrina suya.

—Correcto.

—Entonces explíqueme, detective, si no le importa, por qué intenta relacionar a mi hermano con un crimen que ya ha sido resuelto.

Puso otra fotocopia del periódico encima de la mesa. Ella le echó un vistazo somero y la apartó a un lado.

—El asesinato de Susan Lewis no está resuelto. Tan sólo le fue atribuido a ese individuo. Yo poseo una prueba que indica que no fue él quien cometió el crimen.

—¿No quiere compartirla conmigo?

—No.

—Ya me lo imaginaba.

—Se trata de una prueba circunstancial.

—Supongo. Porque si fuera algo más que una mera conjetura, detective, ya habría intentado convencerme con amenazas.

Aquello era cierto. Afirmó con la cabeza.

—En efecto, doctor.

Jeffers hizo una pausa antes de continuar. Se sentía más fuerte, más agresivo. Volvió a su actitud clínica.

—Detective, le ruego que me ilustre. La tía de una víctima de asesinato llega aquí buscando relacionar a mi hermano con un crimen que ya está resuelto. Dígame: ¿por qué no habría de resultarme eso desconcertante y poco habitual?

Miró a la detective desde su sillón y advirtió que en sus ojos había algo que no había antes. Parecían resplandecer. Y también se percató de que toda aquella actitud de petulancia era inútil. Tras un breve silencio, ella le respondió en un tono de voz especialmente profundo y calmo.

—Debería. —Hizo una pausa y continuó—: Pero si tan sorprendente es para usted enterarse de que a su hermano lo están buscando en relación con un asesinato, ¿por qué no me ha echado a la calle? —Lo miró directamente, con ojos duros e implacables—. ¿Por qué no se ha quedado usted estupefacto, sin habla, atónito? Yo sé por qué —siguió diciendo en tono quedo, aterrador—. Porque no le ha sorprendido nada. Nada en absoluto, maldita sea.

Aspiró aire y lo expulsó lentamente.

La pausa le estaba sirviendo para calibrar el efecto que habían causado sus palabras.

—Detective...

—Porque ya llevaba tiempo esperando exactamente eso, ¿no es verdad?

Aquellas palabras fueron como balas disparadas al corazón de Jeffers. Éste obligó a su cerebro a que desconectara, a que no aceptara las preguntas que la detective le iba lanzando, a negar al mismo tiempo lo que iba surgiendo en su imaginación.

Se levantó y se acercó a la ventana.

Ella lo contempló y aguardó.

La tarde de verano iba tocando a su fin. El crepúsculo tenía un tono grisáceo. A Jeffers se le antojó que aquella hora del día era igual que los primeros momentos que siguen a una pesadilla, cuando la persona no está segura de encontrarse a salvo, despierta en la cama, o aún dormida, atrapada en el sueño.

Aspiró profundamente. Luego soltó el aire muy despacio e hizo otra inspiración. Se gritó a sí mismo: ¡Domínate! ¡No reveles nada!

Pero eran órdenes imposibles de cumplir.

—Detective, lo que está diciendo constituye una provocación. Me parece que lo mejor es que continuemos esta conversación mañana...

Aquello resultó débil e ineficaz, pero sabía que necesitaba tiempo. «¡Insiste en ello!»

La detective hizo ademán de decir algo, pero Jeffers se apartó de la ventana y alzó una mano.

—¡Mañana! ¡Mañana, maldita sea! ¡Mañana!

Ella aceptó.

—De acuerdo.

—Después de la sesión de grupo, a eso de las doce del mediodía.

—Sí, sí, de acuerdo.

La detective Barren esperó unos instantes y luego preguntó:

—¿No irá a cancelar dicha reunión, igual que ha hecho hoy con las demás citas? —Jeffers la miró furioso y no le contestó—. Está bien —repuso—. Tomaré eso como una negativa.

Se levantó y lo miró.

—Mañana...

—¿No va a llamarlo?

—Ya se lo he dicho, detective, no puedo.

La detective Barren vio que Jeffers luchaba por recobrar la compostura. «Qué hombre tan frágil», pensó de pronto. Y buscó la manera de aprovecharse de aquel rasgo.

—Suponga que lo llama él. Suponga que sucede eso. ¿Qué le va a decir?

—No llamará.

—Podría llamar.

—Le digo que no.

—Pero ¿si es que sí?

—Es mi hermano. Hablaré con él.

—¿Y qué le dirá?

Jeffers meneó la cabeza con irritación.

—Es mi hermano.

VIII

Otros lugares oscuros

13

Se dirigieron hacia el norte, paralelos al río Mississipi.

Douglas Jeffers lo llamaba «la poderosa dama», y le impartió a Anne Hampton un breve curso sobre Mark Twain. Quedó claramente decepcionado al saber que ella había leído sólo *Tom Sawyer,* y además lo había hecho en el último año del instituto. Era una inculta, advirtió con profundo disgusto; si no conocía a Huck, es que no sabía nada. Y desde luego iba a resultarle más difícil entenderlo a él.

—Huck es Estados Unidos —insistió Jeffers—. Yo soy Estados Unidos.

Ella no respondió, pero anotó sus palabras en el cuaderno.

Aquello lo había dicho en voz grave. A continuación adoptó un tono pedante, de cátedra, y le dijo que en cierta época aquel río constituía la ruta más importante para el comercio de todo el país, que había sido el punto del que se partía para dar el salto hacia el oeste, que discurría por el centro del corazón de América del Norte, y que en el seno de sus aguas transmitía política, cultura, civilización y sustento. Entender al Mississipi, afirmó, era entender cómo se formó Estados Unidos, y que lo mismo sucedía con las personas: no había más que determinar qué río discurría por el interior de una persona, hombre o mujer, y a partir de ahí seguirlo hasta la cuenca del entendimiento. Anne Hampton mostró una expresión de desconcierto, de modo que Jeffers le gritó súbitamente:

—¡Estoy hablando contigo, maldita sea! ¿Es que no entiendes lo que digo? ¡Estoy intentando enseñarte cosas que no sabe nadie más en todo el mundo! ¡No te quedes ahí sentada como una seta!

Ella se encogió, esperando el golpe, pero Jeffers se contuvo, aunque ella vio que cerraba la mano en un puño y después, tras una pausa momentánea, continuaba meditando sobre el río.

Ocasionalmente se acercaban al río lo bastante con el coche

como para que ella alcanzara a ver la ancha y reluciente superficie que reflejaba la luz del día, las aguas que fluían incesantes y firmes en dirección al golfo, que se encontraba detrás de ellos. Jeffers insistió en que apuntara por escrito todo lo que iba diciendo él, casi palabra por palabra, con el razonamiento de que algún día ella llegaría a comprender el valor inherente a aquellas frases y fragmentos y se sentiría agradecida de haber podido anotarlos debidamente.

Anne Hampton no entendió aquello, pero en los últimos días le había resultado consolador el hecho de que Jeffers hablase del futuro, aunque fuera vagamente, como si hubiera un mundo más allá de las ventanillas de aquel coche que recorría el paisaje a toda velocidad, una vida más allá de lo que alcanzaba el brazo de Douglas Jeffers. Así que obedeció y se aplicó a escribir letras y dar forma a las palabras lo más deprisa que pudo.

Cuando él le pidió que le leyera lo que había escrito, obedeció también.

Jeffers le indicó que hiciera una pequeña corrección y después un breve añadido. También obedeció.

Obedeció en todo. Negarse a algo le resultaba completamente ajeno.

Habían pasado varias noches —le costó trabajo precisar con exactitud cuántas habían sido— desde que Jeffers mató al vagabundo. «Desde que lo maté», pensó. Pero se corrigió: «No, desde que lo matamos.» Todas las noches paraban en algún motel anónimo cercano a la carretera, uno de esos lugares que proclaman que tienen habitaciones vacías mediante rótulos de neón de color rojo que parpadean en la oscuridad, en los que los vasos de agua están envueltos en papel y la administración pone letreros en los cuartos de baño que aseguran que éstos han sido debidamente saneados.

Cuando entraban en la habitación de uno de esos moteles, Anne Hampton vio no muy lejos de allí a un hombre de pie delante de una máquina de bebidas. Iba vestido con un traje marrón de aspecto barato y se había aflojado la corbata por el calor. Pensó en Willy Loman y se dio cuenta de que éste era un viajante. La miró a ella con expresión lasciva mientras introducía monedas en la máquina. Se fijó en que extraía tres latas de refresco de naranja y vio que tenía una botella de vodka en el bolsillo. Se encogió un poco bajo la mirada de aquel hombre, amedrentada por lo que vio en sus ojos. Jeffers le gruñó al desconocido igual que si éste fuera un animal al que hubiera sorprendido a la entrada de su guarida, y el tipo se largó, protegiendo sus latas y su botella de alcohol y la promesa de feliz abandono que representaban. Jeffers le dijo:

—¿Para qué matarlo, a no ser que uno sea un matón que ande buscando pillar cincuenta pavos? Eso que bebe ya lo matará, tan seguro como una bala, aunque no tan deprisa.

Por la noche, en la cama, dormía con inquietud, dando tantas vueltas como se atrevía a dar, pero más a menudo en postura rígida, escuchando la respiración acompasada de su captor pero sin creerse que estuviera dormido. Él no dormía nunca. Él siempre estaba despierto y listo. Incluso cuando dejaba escapar un ronquido ella se negaba a creer que ello indicase que dormía. Cuando lo escuchaba intentaba permanecer completamente en silencio, como si el menor soplo de su respiración fuera a turbarlo. En aquellas ocasiones pensaba que ya no era capaz de oír ni sentir el funcionamiento de su propio cuerpo. A hurtadillas, se llevaba una mano al pecho e intentaba notar los latidos del corazón. Éstos parecían lejanos y débiles; era como si se hallara próxima a la muerte, mortalmente frágil.

Por la noche Jeffers no intentaba tocarla, aunque ella lo esperaba en todo momento. Había renunciado a la idea de contar con alguna intimidad, se vestía y se desvestía delante de él, no cerraba la puerta del baño cuando estaba dentro. Aceptaba aquellas cosas como parte del pacto que la mantenía con vida. También habría aceptado sexo, pero de momento no había tenido lugar. No se hacía ilusiones de que aquella pausa fuera a durar mucho.

En el tiempo transcurrido desde el asesinato del vagabundo, se había dado cuenta de que todo la asustaba: los desconocidos, Jeffers, ella misma, cada minuto que pasaba del día, cada momento de la noche, lo que podía sucederle a ella cuando estaba despierta o dormida. Cuando conseguía por fin dormirse, sus sueños eran con más frecuencia pesadillas; se había acostumbrado enseguida a despertarse huyendo aterrada de algo que estaba soñando, sólo para instalarse en aquel miedo constante que constituía el estado de vigilia. A veces tenía grandes dificultades para separar ambas cosas. Permanecía acostada en la oscuridad, recordando la visión del vagabundo de aquella calle de Nueva Orleans. Veía su boca cerrándose para recibir la botella, un acto seguro y familiar que le proporcionaba una sencilla dicha; sólo que aquella vez no fue el acostumbrado tacto de la botella húmeda lo que sintió en la boca, sino el sabor duro, seco y desagradable del cañón de la pistola. Percibió el destello de confusión en sus ojos cuando los levantó y los clavó en los suyos. Sus ojos eran como los de un perro que oye un ruido inusual y ladea la cabeza en un gesto de curiosidad. Fue una visión terrible: su mirada fija en la vista del vagabundo, su boca abierta, sus ojos expectantes, esperando con toda su alma como si fueran a besarlo.

Y a veces era peor, a veces era al revés. Veía al vagabundo llevándose una botella a los labios. Y cuando ella misma abría la boca por la sorpresa, preguntándose dónde estaba la pistola, la descubría allí mismo, enfrente de ella. Entonces intentaba cerrar la boca, pero el arma se movía demasiado deprisa y terminaba saboreando el gusto metálico de la muerte en su propia lengua.

Veía todo aquello, y lanzaba un chillido.

Al menos creía que lanzaba un chillido, y, con más frecuencia que lo contrario, tenía la sensación de haber chillado. Pero comprendía que en realidad no había emitido sonido alguno. Había abierto la boca, exigiendo un sonido, pero no había salido nada de ella.

Y aquello también la asustaba.

En las proximidades de Vicksburg, Mississipi, Jeffers aminoró la marcha y paró a un lado de la carretera. Señaló hacia la derecha y dijo:

—¿Ves eso de ahí?

Anne Hampton giró la cabeza y contempló una amplia pradera verde que tenía un montículo de hierba en el centro. En lo alto de dicho montículo se veía un roble de color pardo, curtido por la intemperie, un árbol viejo de ramas nudosas y frondosas que se alzaban hacia el cielo y que proyectaba sombra a su alrededor con el empeño y el deber que proporciona la edad.

—Veo un árbol —respondió.

—Te equivocas —replicó él—. Lo que ves es el pasado. —Jeffers quitó la marcha y apagó el motor—. ¡Vamos! Lección de historia.

La ayudó a saltar una desvencijada valla de madera y caminaron juntos hasta donde estaba el roble. Jeffers fue todo el tiempo mirando atentamente el suelo, como si estuviera midiendo algo.

—¿Este árbol? —preguntó Anne Hampton.

—Ha vuelto a crecer —comentó—. No imaginaba que fuera a pasar, pero es que han sido ocho años. —Tenía una expresión pensativa—. Siempre tuve la idea de que después de haberlo quemado con gasolina, este lugar quedaría carbonizado, que tardaría varias décadas en volver a crecer la hierba. ¿Recuerdas las fotos que tomaron los fotógrafos alemanes de guerra de la Segunda Guerra Mundial? ¿De Ucrania? Eran fotos muy impactantes. Se veían campos inmensos de trigo meciéndose a lo lejos, rodeando una gigantesca columna de humo negro. Uno siempre percibía la impotencia mediante aquella imagen, eso era lo que hacía que las fotos fueran tan buenas; uno sabía que ellos no podían hacer nada por apagar aquellos incendios provocados por los rusos en su retirada. Gasolina y trigo ardiendo. Tierra abrasada. Condenar el futuro para salvar el presente. —Luego dejó de hablar y señaló—. Fíjate bien... ¡Ahí! ¿Ves cómo cambia de color la hierba?

—Parece una serpiente —dijo ella.

—Es una línea recta. Una cruz.

—¿Ya ha estado aquí antes? —preguntó Anne Hampton. Le tembló ligeramente la voz; al ver el roble se había acordado del árbol perdido en la lluvia y el viento en la costa de Louisiana que no habían logrado encontrar.

—He estado ahí mismo. —Señaló un poco más allá del montículo—. Fue una foto magnífica. El fuego de la cruz rodeaba a todos los hombres, vestidos con aquel tonto atuendo de túnicas y gorros blancos de punta. Pero no fue eso lo que hizo que la foto fuera magnífica —prosiguió—, sino toda aquella multitud de negros..., espectadores, supongo, no sé exactamente por qué salieron. Sea como sea, todos contemplaban la escena en medio de un silencio sepulcral. Todos tenían la cara y los ojos vueltos hacia ese montículo. El resplandor del fuego también los iluminaba a ellos, de modo que pude incluirlos en la foto. Una foto fantástica. ¿Sabes por qué eligieron ese árbol? Porque hace cincuenta años el antiguo Ku Klux Klan ahorcó aquí a tres hombres de esa rama, la más baja.

»La simetría es importante —continuó—. La historia. Somos una nación de recuerdos. El antiguo Ku Klux Klan ahorcó a tres hombres de un árbol, así que el nuevo quiere evocar ese mismo terror.

»De modo que acudieron todos aquí, ataviados con sus túnicas, sus reclutadores, sus miembros destacados, sus grandes dragones con sedas y algunos no tan dragones portando las barras y estrellas, para celebrar una concentración. La verdad es que no eran muchos, pero tengo entendido que actualmente son cada vez más. Sea como sea, en aquella ocasión había casi tantos reporteros y fotógrafos como miembros del Ku Klux Klan. Y el doble de negros.

»Aquello me sorprendió, ¿sabes? Quiero decir que yo hubiera imaginado que a los negros no se les ocurriría acercarse por allí. Al fin y al cabo, ¿a quién le apetece escuchar un chorreo de retórica absurda e insultante? Pero ellos, no. Ellos acudieron en manada. ¿Y sabes qué fue lo más curioso? Que no eran personas cultas, y que no estaban organizados. Eran campesinos y aparceros, con sus mujeres y sus hijos. Vinieron en coches y camiones viejos, y yo vi a algunos llegar incluso en mulas.

»No lograba entender por qué estaban tan silenciosos. Cuanto más inflamados eran los discursos, cuanto más ultrajantes los insultos, tanto más callaban ellos. Era de lo más raro; uno tiende a pensar que el silencio es un absoluto, quiero decir, si no se hace ningún ruido es imposible guardar más silencio, ¿no? Pues aquella noche, no. Aquella gente se quedó de pie sin más, y no emitieron un solo sonido, y cuanto más tiempo permanecían allí, más silenciosos estaban. —Negó con la cabeza, reflexivamente—. Eso sí que era fortaleza. Demostraron que sus recuerdos seguían vivos. Una determinación excepcional. Una dignidad completa.

»Tienes que comprender lo mucho que admiro yo la verdadera fortaleza. Porque hacer lo que hago yo requiere una dedicación absoluta. Una solidaridad con la propia alma. —Sonrió un poco y luego ensanchó la sonrisa—. Me gusta eso —dijo—. Solidaridad. Hacer lo que hago yo.

Cerró el puño.

Miró a Anne Hampton.

Rompió a reír. Ella vio que tenía una cámara en la mano. Jeffers la levantó, giró rápidamente el objetivo y le hizo una foto a ella. A continuación se agachó para cambiar el ángulo y tomó otra.

Rió otra vez. Ella permaneció de pie frente a él, rígida, esperando una orden en una especie de posición de firmes.

—Lo que hago yo, naturalmente, es tomar fotos. Vamos. Voy a explicarte un poco más.

Anne Hampton se apresuró a seguirlo por la ladera del pequeño montículo.

Ya en el coche, él le preguntó:

—¿Qué es lo más importante de Estados Unidos?

Ella titubeó, pero su cerebro trabajó deprisa. Visualizó en grises de grano grueso y sombras oscuras las fotografías que había tomado Douglas Jeffers la noche de aquella concentración, miembros del Ku Klux Klan encapuchados y rabiosos y campesinos silenciosos con gesto de reproche. Y contestó:

—La libertad de expresión. La Primera Enmienda, ¿no?

Jeffers apartó la mirada de la carretera para posarla en ella, sonriente.

—¡Boswell está aprendiendo! —exclamó—. Correcto.

Ella asintió y sacó el cuaderno, extrañamente complacida consigo misma por haber respondido bien a una de las crípticas preguntas de su captor.

—Pero ¿se te ocurre una libertad de la que se haya abusado con más frecuencia?

Anne Hampton se dio cuenta de que en realidad no era una pregunta para ella, sino más bien el pie para un discurso que él se disponía a pronunciar.

—No.

—Piensa en el mal que se generó en lo alto de ese montículo. Piensa en la maldad que representó. ¿Y protegido por qué? Protegido por la más importante de nuestras libertades. Los nazis quieren hacer una manifestación en Illinois, ¿y quién se alza para defenderlos? La ACLU. Un grupo de abogados judíos. Es por principio, afirman. Y tienen razón. Los principios son más importantes que ninguna acción individual. Eso es lo absurdo. Somos una nación de hipócritas porque nos adherimos con todas nuestras fuerzas a conceptos rígidos. Lo que está bien y lo que está mal. La libertad de expresión. El Destino Manifiesto.* ¿Qué defendía Superman? La verdad, la justicia y las costumbres estadounidenses. Un *boy scout*

* Doctrina del siglo XIX que postula que la continua expansión territorial de Estados Unidos constituye su obvio destino. (*N. de la T.*)

ha de ser digno de confianza, leal, servicial, amable, cortés, bondadoso, obediente, alegre, ahorrativo, valiente, limpio y respetuoso.
Nadie quiere mencionar siquiera al jefe de los *scouts* al que le gusta vestir pantalón corto, contar cuentos de fantasmas alrededor de
la fogata y manosear a los chicos por debajo del saco de dormir...
—Hizo una profunda aspiración, calló unos instantes y luego añadió—: ¿Quieres entender a este país a fondo? En realidad es sencillo. Sólo tienes que entender que de vez en cuando nos servimos de
nuestras mayores fortalezas para crear los males más grandes. No
siempre. Sólo a veces. Lo justo para que la cosa sea interesante, por
supuesto.

Hablaba embalado. No estaba enfadado, sólo entusiasmado.
Ella escribía lo más rápido que podía.

En eso, Jeffers se detuvo.

Soltó una risita.

—De la Primera Enmienda a los jefes de *boy scout* maricas...
—Entonces echó la cabeza hacia atrás y rompió a reír a carcajadas.
Miró a Anne Hampton—. Debo de estar loco —dijo, sonriendo de
oreja a oreja.

—No, no, quiero decir, creo que entiendo...

—Pues te equivocas —replicó Jeffers. Su tono de voz cambió
bruscamente y volvió a ser áspero y duro, y la sonrisa de su rostro
se evaporó—. Yo estoy loco. Estoy completa, terrible, totalmente
loco. Lo estamos todos, en cierto modo. En realidad es nuestro
pasatiempo nacional. Lo único que ocurre es que mi método por lo
visto es peor que otros... Peor que la mayoría. —Después giró la
cabeza y fijó la vista en la carretera—. Dime, ¿qué sabes acerca de
la muerte?

Ella recordó una época en la que era jovencita e iba a ver a sus
abuelos a la granja en que vivían. Fue antes de que falleciera Tommy.
Era verano, y les apeteció bañarse en el estanque. Pero cuando se
acercaron al borde del mismo descubrieron un manojo de plumas
de ganso grises y negras, desperdigadas sin orden ni concierto. Su
abuelo asintió con la cabeza y dijo: «Ha sido una tortuga. Una grande además, diría yo, para destrozar a ese ganso y hacerlo pedazos.»
El baño se anuló y el abuelo regresó al estanque con una escopeta
que sacó de un armario cerrado con llave. Permitió que ella lo
acompañara, si bien Tommy quedó relegado en el interior de la casa.

Entonces el abuelo colocó unas sobras de pollo junto al borde del estanque, se alejó unos pasos en la dirección en que soplaba el viento y aguardó.

Era un ejemplar de más de nueve kilos. Recordó la explosión de la escopeta, un ruido que le estalló en los oídos y la dejó sorda. El abuelo abrió las mandíbulas ensangrentadas con un palo, diciendo: «Una tortuga así de grande te rompería una pierna sin problema.» La tortuga murió, y luego murió Tommy, y dos veranos más tarde también el abuelo. Anne Hampton pensó en el vecino del otro lado de su calle, que murió de un infarto en una húmeda mañana de verano intentando compensar demasiados años de caprichos saliendo a correr. Las luces de la ambulancia parecían sin brillo, como menos urgentes, bajo el ardiente sol. Recordó haber visto al vecino tendido en la hierba, blanco como la cal, rígido. Se le había desatado una zapatilla, y a ella se le ocurrió la insólita idea de que había sido una suerte que lo hubiera detenido algo antes de que tropezara y se cayera. También se fijó en que los calcetines que llevaba no hacían juego; uno tenía una franja verde, la del otro era azul. Aquello le pareció terrible. Ya era bastante malo morirse, pero sentirse avergonzado además era doblemente horroroso.

Recordó que a sus padres les entregaron una pequeña urna blanca que contenía las cenizas de Tommy, y vio que a su madre le temblaron las manos al cogerla. Todavía le pareció poder oír las voces incorpóreas de los invitados murmurando, exhortándola en voz baja: Sé valiente. Pero ¿por qué?, se preguntó ella. ¿De qué servía la valentía? ¿Por qué no abandonarse a sollozar de modo incontrolable? Eso tenía más lógica. Pero vio que su madre recobraba la compostura y ocultaba su pena. Un momento después se llevaron la urna y ella ya no volvió a verla. Se preguntó si también habrían quemado la ropa de Tommy; seguro que su hermano hubiera preferido ver convertido en humo el ceñido traje azul que le habían comprado para la iglesia. Todos los niños adoraban y odiaban su mejor ropa. Había un momento maravilloso, cuando se vestían y adquirían una apariencia adulta y solemne, bella y sofisticada; luego, de forma inevitable, se disolvían en la habitual mezcolanza de suciedad, manchas de hierba, faldones de camisa al vuelo y desgarrones en las rodillas. La tortuga era hembra, y ella ayudó al abuelo a buscar las crías. Las recogió en un saco, pero no le dijo qué pensaba hacer con ellas.

Eso es la muerte. Cuando no te dicen nada. Pero tú lo sabes.

—No sé gran cosa —respondió—. Mi abuelo se murió. Y también un vecino, corriendo. Yo estaba presente y lo vi. —Titubeó un momento antes de mencionar a su hermano. No, con eso bastaba. Pero no pudo refrenarse—. Y también se murió mi hermano. En un accidente de patinaje. Se ahogó. —Calló unos instantes y después agregó—: No era más que un niño.

Jeffers aguardó unos momentos antes de contestar.

—También mi hermano está ahogándose. Sólo que no lo sabe.

Ella no supo qué decir, pero de todos modos archivó aquella información: tiene un hermano.

—¿No lo sa...?

—No lo sabe aún —continuó Jeffers—. Pero lo va a saber muy pronto.

Condujo en silencio durante al menos un cuarto de hora antes de hablar de nuevo. Anne Hampton había vuelto el rostro y miraba a los coches que iban adelantando, viendo pasar familias, hombres y mujeres jóvenes, intentando imaginar quiénes eran, adónde se dirigían, cómo serían. De vez en cuando sus ojos se topaban con los de otra persona, aunque sólo fuera durante un segundo, y pensaba qué sorpresa se llevaría aquella otra persona si supiera el viaje que estaba realizando ella.

Douglas Jeffers estaba concentrado sólo a medias en la tarea de conducir. Su cerebro se hallaba absorto en problemas de expresión. El paisaje que iban atravesando parecía insulso: granjas agrícolas, campos de cultivo y pequeñas poblaciones que se mezclaban unas con otras formando un simple e interminable telón de fondo verde y gris. Tomó de nuevo la dirección de la interestatal, todavía hacia el norte, apenas consciente de la velocidad, la distancia, el destino, el tráfico. Durante un rato pensó en su hermano, luego en Anne Hampton, y luego en su hermano otra vez.

Marty carecía de pasión, pensó. Jamás actuaba. Lo absorbía todo en silencio, igual que aquellos negros.

Resultaba extraño que no se hubieran peleado nunca. Todos los hermanos se pelean, si no constantemente, por lo menos con frecuencia. Riñen por todo, en el intento de hacerse un sitio propio en el feudo de la familia. En su opinión, era esa tensión lo que creaba el vínculo existente entre hermanos. Cansados ya de sangre y cólera, lo único que quedaba era la dedicación mutua.

En todas las peleas que habían tenido con su padre, el padre falso, su hermano se había mantenido apartado. Hizo una mueca de disgusto y se mordió el labio, súbitamente invadido por una rabia de múltiples facetas: rabia contra el padre, rabia contra el niño, rabia contra sí mismo.

—Odio la neutralidad —declaró en voz alta—. La desprecio.

Advirtió en su visión periférica que Anne Hampton se había sobresaltado.

«Bueno, ya no va a poder seguir manteniéndose al margen.»

Lanzó una mirada fugaz a Anne Hampton y luego volvió a mirar la carretera. Se imaginó mentalmente sus miembros, su cuerpo. Pero su cerebro enseguida regresó al pasado, y en vez de en su compañera de viaje pensó en la mujer del farmacéutico. Cuando se vestía por las mañanas, después de que el marido se hubiera ido a trabajar y antes de que los niños se marcharan al colegio, dejaba la puerta entreabierta. Era un proceso lento y parsimonioso. Ella sabía que él la estaba observando. Y él sabía que ella lo sabía. Cuando intentaba que Marty mirase también, su hermano se daba la vuelta y se iba sin pronunciar palabra.

—¿Querías a tu hermano? —le preguntó a Anne Hampton.

—Sí —contestó ella—. Aunque me resultaba una persona, en fin, no sé, extraña. Misteriosa.

—¿A qué te refieres?

—Yo era sólo tres años mayor que él. Y no teníamos, no sé, mucho en común. ¿No es un poco raro? Él era un niño y hacía cosas propias de niños, y yo era una niña y hacía cosas de niñas. Pero lo quería.

—No es tan raro. En realidad, yo creo que con los hermanos se comparten pocas cosas. Desde luego, se comparten recuerdos comunes porque el pasado de los dos es el mismo. Aunque en realidad no lo es. Todo el mundo recuerda una misma cosa de forma diferente, de modo que significa cosas distintas para personas distintas.

—Creo entender lo que dice usted —repuso Anne Hampton.

Jeffers asintió con un gesto.

Ambos guardaron silencio.

—¿Lo ves? —dijo Jeffers—. Hemos tenido casi una conversación normal. No ha sido tan terrible, ¿a que no?

Ella negó con la cabeza.

Pasados unos instantes, preguntó:

—¿Y su hermano?

—Es médico —respondió Jeffers—. Médico de la cabeza. Y es igual de desgraciado que los pacientes a los que trata. Vive solo y no sabe por qué. Yo vivo solo, pero al menos sé por qué.

Anne Hampton asintió. Jeffers se fijó en que estaba tomando apuntes.

Ella no dijo nada.

Pero la pregunta que no llegó a formular verbalmente fue la misma que la que le había hecho él, y la contestó:

—No, creo que no lo quiero —dijo—. No más de lo que pueda querer a otras personas. O cosas. —Negó con la cabeza—. Hace ya tiempo que renuncié al amor. Y también a la felicidad. Parezco un personaje de un culebrón. ¿Tú eres aficionada a verlos? —Lanzó una risa amarga.

—No —respondió ella—. En mi clase había mucha gente que sentía verdadera pasión por los culebrones. Supongo que era como una moda. Pero a mí nunca me dio por ahí.

—Ya me lo imaginaba.

Anne Hampton calló unos momentos y después dijo:

—Pero ¿ama su trabajo?

Jeffers sonrió.

—Amo mi trabajo.

La sonrisa de su cara reflejaba un súbito buen humor, y Anne Hampton experimentó una oleada de pánico. «¿En qué cree que consiste su trabajo?», se dijo a sí misma. Aquel pensamiento pareció propinarle un puñetazo en el estómago.

—Quiero decir —continuó— que usted habla de las fotos con mucho respeto. Tanto de las que hace usted como de las que hacen otros.

—Yo he hecho muchas fotos. De muchas cosas distintas. —Ella afirmó con la cabeza, y ambos continuaron en silencio. Douglas Jeffers pensó en sus fotos—. Siempre la muerte. Bueno, no siempre. Pero últimamente cada vez más. Fotografío la muerte. Hace no mucho compuse una serie, un trabajo para la revista *Life*. Sobre un turno de veinticuatro horas en la sala de urgencias de un hospital de una gran ciudad...

—Ah —lo interrumpió Anne Hampton—, las vi. Eran muy buenas.

—Hablaban de la muerte. Incluso las fotografías de los médicos, las enfermeras y los conductores de las ambulancias. De lo que se trataba era de captar cómo los iban desgastando toda aquella violencia y aquellos cuerpos destrozados y aplastados. Día tras día. Noche tras noche. La verdad es que cuando uno se roza constantemente contra algo horroroso, termina por convertirse en algo propio. Se te pega a la piel. —Hizo una pausa antes de añadir—: Eso fue lo que me sucedió a mí.

Ella afirmó, y por un momento experimentó una extraña solidaridad.

Entonces se acordó de la lluvia y del viento, del error al tomar aquella carretera y de las aguas del golfo, y tuvo una visión horrible de cómo sería yacer bajo tierra. Al instante sintió que se asfixiaba, y la siguiente bocanada de aire la aspiró con angustia.

—Ya he perdido la cuenta —dijo Jeffers en tono resuelto.

Ella sintió una fuerte opresión en el pecho y una dificultad al aspirar y espirar. Se sintió asmática, débil.

—¿De qué? —preguntó en un gemido.

—De cuántas muertes he visto. Antes lo sabía, podía contarlas. Pero ya no. Se me mezclan todas. Cuando estuve en aquella sala de urgencias, entró un muchacho, un adolescente un par de años más joven que tú. Iba sentado en el asiento del pasajero en un coche que fue arrollado por un camión. El otro muchacho, el que conducía, es que costaba creerlo, pero no tenía más que un par de hematomas y un brazo roto. Pero su compañero iba a palmarla, y lo terrible del caso era que no estaba inconsciente. Se daba cuenta de todo. Sabía que toda la gente que lo rodeaba, los artilugios, las agujas y las máquinas no iban a servir de nada. Conseguí una foto de sus ojos justo antes de que muriera. Pero no la publicaron; no tenía la suficiente nitidez, algún hijo de puta me empujó justo en el momento en que yo pulsaba el obturador... —Se encogió de hombros—. Cosas que pasan. Gajes del oficio. Cuando me fui a casa aquella noche me pregunté qué número hacía aquel chico. ¿Sería el número mil? ¿O el diez mil? En cierta ocasión conocí a un fotógrafo de la policía que llevaba un recuento, y lo imité. Pero el número se me terminó yendo de las manos. ¿En Vietnam? ¿Beirut? Estuve allí un par de veces. Hablando de lo poco que vale la vida... Cuando se estrelló aquel avión a las afueras de Nueva Orleans, se partió por la mitad y los cadáveres quedaron esparcidos por todas partes. Los equipos de rescate recogieron restos humanos hasta de los árboles, como si estuvieran retirando fruta prohibida...

—Sucedió así —dijo Anne Hampton—. Las cosas suceden porque sí.

—No, no suceden porque sí —replicó Jeffers irritado—. El chico murió porque su amigo bebía demasiado. El avión se estrelló porque el piloto decidió permitir que el copiloto probase a despegar sin hacer caso de la advertencia de la torre de control respecto de que había un viento muy fuerte. Los niños de Beirut murieron porque estaban jugando en la calle y las granadas cohete que se lanzan al azar suelen tener la virtud de acertar a los niños que juegan en la calle... Existen acciones y reacciones. La muerte es simplemente la más común. Mira, cuando yo mato a una persona es porque quiero matarla. Es la única manera que tengo de recordarme a mí mismo que sigo estando vivo.

A Anne Hampton le tembló la mano al escribir lo último.

Jeffers esperó.

Se hizo el silencio a su alrededor. Pero ella sabía que ya se encargaría él de romperlo.

—Más de... —Pero se interrumpió antes de añadir un número.

Ella cerró los ojos y procuró respirar despacio. Cuando volvió a abrirlos, vio que Jeffers sonreía.

Pero no le preguntó por qué concretamente.

Jeffers siguió conduciendo, sin decir nada, por espacio de dos horas. Cuando llegó el momento de repostar, paró en una estación de servicio de la interestatal, le dijo al empleado en tono hosco que llenara el depósito, pagó en efectivo y aceleró para salir de la gasolinera con rapidez pero con indiferencia, dando toda la impresión de que ambos eran una pareja normal, no agobiada por el tiempo pero que se dirigía con habitual prontitud hacia un destino conocido y una finalidad clara.

Por fin habló:

—Boswell, ¿no sientes curiosidad? ¿No tienes cientos de preguntas en la cabeza?

Anne Hampton se dijo que en la cabeza no tenía nada excepto miedo.

—Creía que no debía hacer preguntas —replicó—. Que usted ya me diría lo que quisiera.

Jeffers asintió.

—Eso parece sensato.

—Sí.

Pasados unos instantes continuó:

—Boswell, ¿no te preguntas por qué estamos haciendo esto?

Ella afirmó con la cabeza.

—Sé que tiene algún plan...

—Así es —respondió él—, y uno bastante específico, además. —No quiso darle más información. En lugar de eso dijo—: ¿Te parezco viejo, Boswell? ¿Me ves arrugas en la cara? ¿Tengo pinta de estar cansado y frustrado, de haberme vuelto cascarrabias con la edad? Yo me siento muy viejo, Boswell. Anciano. —De repente cambió su voz, y exigió en tono áspero—: ¿Qué día nos conocimos?

A ella se le cerró la garganta y estuvo a punto de ahogarse.

No se acordaba. Una parte de ella quería decir que le parecía llevar una eternidad dentro de aquel coche, que siempre había estado con él. Pero otra parte, más honda, como si hubiera despertado de un sueño, la obligó a tomar conciencia y le mostró imágenes de su apartamento, flores secas en un jarrón colocado en la ventana, estanterías de libros, la mesa, la cama y la mesilla de noche. Había fotos de sus padres y una acuarela en la pared que representaba unos barcos en el puerto que había visto en un viaje al Este efectuado años atrás. Fue una acuarela muy cara, pero tenía algo que la cautivaba, quizá la paz, el orden, la calma de aquellos barcos amarrados bajo el sol del final de la tarde. Se acordó de sus clases, del calor del verano que la despertaba por la mañana, de la sensación pegajosa del sudor al cruzar el campus caminando. Después, con la misma brusquedad, vio a sus padres en su casa de Colorado, sentados, viviendo apaciblemente sus vidas. «Si ellos supieran —pensó—, les entraría el pánico y se echarían a llorar. Sufrirían mucho.» Y luego se preguntó si no serían personas de un sueño.

—No sé —respondió.

—Entiéndelo, esto no lo sabe nadie.

—Sí, lo entiendo —afirmó ella.

—No hay nadie buscándote.

Afirmó de nuevo.

—Nadie —dijo mecánicamente Anne.

—Aunque alguien sintiera curiosidad, no sabría dónde buscar. No sabría en qué dirección empezar a mirar. ¿Lo entiendes? No has dejado ninguna pista.

Ella afirmó por tercera vez.

—Ninguna pista...

—Continuamente hay gente que desaparece de la vida. ¡Puf! Se esfuman. Se desvanecen. Están aquí, y al minuto siguiente ya no están.

Ella bajó la cabeza aceptando, afligida.

—Ya no están...

—Eso es lo que te ha sucedido a ti. Te ha tragado la tierra. —Hizo una pausa—. Eso fue lo que les sucedió a todas.

«¿A cuántas más?», se preguntó Anne Hampton de pronto.

«Oh, Dios. Yo soy la siguiente. Sigo siendo la siguiente. Siempre he sido la siguiente.» Pero no tuvo tiempo para dejar que su miedo tomara forma en un chillido de pánico. Y al cabo de un momento se dio cuenta de que era el mismo miedo que la venía acosando desde el principio, y cuando le adjudicó aquel grado de familiaridad dejó de ser tan terrible. Por un instante se preguntó si sería una especie de reconocimiento de la muerte, si ella sería como esas personas que van a bordo de un avión que empieza a precipitarse a tierra. Había leído que los primeros gritos daban paso a la calma de la aceptación, a unos pacíficos momentos de oración. Como los segundos que uno vive delante del pelotón de fusilamiento. ¿Quiere un cigarrillo? ¿Le vendo los ojos?, pregunta el capitán. No, sólo una última mirada a la mañana.

Miró por la ventana protegiéndose los ojos de la claridad del sol estival. No sabía por qué, pero sentía una calma extraña, desconocida.

Jeffers canturreó una melodía.

—Me gustaría saber qué canción tocó en su flauta el flautista de Hamelín. ¿Sería la que tocó para las ratas la misma que tocó para los niños? —Pareció reflexionar brevemente sobre aquella cuestión—. Siempre he querido saber, incluso de pequeño, por qué los padres de los niños de Hamelín no hicieron nada. Se quedaron paralizados, como una pandilla de idiotas. Yo habría... —Su voz se perdió durante unos instantes—. Oye —preguntó—, ¿qué sabes acerca del asesinato?

Ella pensó en el vagabundo y respondió:

—Sólo lo que aprendí la otra noche.

Jeffers sonrió.

—Buena respuesta —dijo—. Eso demuestra cierta sangre fría, ¿eh? Boswell no es ni mucho menos tan tímida como lo hace parecer en ocasiones.

Pisó el acelerador y el coche saltó hacia delante. Luego, con la misma rapidez, levantó el pie y el automóvil volvió a la velocidad modesta y monótona de antes.

—Sí, sólo lo que aprendí la otra noche.

—El asesinato, como ya viste, resulta sumamente fácil. Tan sólo en las películas de Hollywood la gente se queda mirando el cañón de una arma, titubeando, debatiéndose en conflictos morales y sentimientos de culpa. En la realidad todo sucede de manera sencilla y rápida. Una discusión, y ¡pam! En el fondo no hay mucha diferencia entre la típica discusión en el gueto por el dinero de la asistencia social y una operación militar que requiere semanas o meses de preparación. El denominador común siempre es alguna disputa absurda. Hasta en mi caso, si llevara a cabo una introspección a fondo, seguramente encontraría la base, voy a decir la causa, de lo que hago. Algún sentimiento de ira sin resolver. Algún odio sin controlar. Ésa es la frase que emplearía mi hermano. Pero ¿qué es un sentimiento de ira sin resolver? Pues una disputa entre todas las distintas partes de uno mismo. La vida es siempre un debate entre nuestro lado bueno y nuestro lado malo. El lado malo quiere que te tomes ese postre de propina, ¿vale? Igual que esos dibujos animados de los sábados por la mañana que ponen para los niños, en los que aparece de pronto un diablillo que incita a hacer algo malo: Foghorn Leghorn, o al Pato Donald, o a Goofy, o uno cualquiera de esos animalitos peludos tan monos que utilizan hoy en día, y después surge el angelito e insiste en que deben elegir el camino verdadero... —Jeffers dejó escapar una risa breve, áspera, antes de continuar—. Sea como sea, ¿sabes por qué hemos cometido ese crimen con impunidad? Porque lo hemos cometido de forma aleatoria. Fíjate en nosotros; ¿somos las típicas personas que dan la imagen de ir por ahí volando los sesos a los vagabundos borrachos? ¿Parecemos personas que buscan emociones fuertes? ¿Asesinos fríos y despiadados? ¿Qué? No un fotógrafo profesional. Y ganador de varios premios, nada menos. No una estudiante universitaria de matrícula de honor. Como ves, no guardamos relación alguna con ese suceso. No nos vio nadie. Nadie sospecha de nosotros. Fue un evento simple, único, al azar, o por lo menos eso es lo que pensarán la policía y los jueces.

»De hecho, apenas ha sucedido siquiera. ¿Cuánto tiempo crees que va a dedicar un detective de Homicidios estresado y mal pagado al caso de un vagabundo muerto que probablemente ni siquiera tiene identificación? ¿Diez minutos? ¿Una hora? ¿Un día? Más, no. El tiempo suficiente para poder rellenar un impreso, presentárselo a su superior y pasar al caso siguiente. Algo que sea tal vez un poco más atractivo. Algo que dé lugar a titulares de prensa. Algo que esté muy valorado en nuestra sociedad. Un homicidio en las altas esferas sociales o un asesinato en un triángulo amoroso. ¿Y quién va a reprochárselo? En realidad lo nuestro ha sido de lo más insignificante. Un vagabundo desconocido muere de forma misteriosa. Lo pongo en un informe, miro a ver si hay otros casos de asesinato de vagabundos sin resolver que parezcan similares. Fin de la historia. Al menos ésa será la versión oficial. La versión política...

»Pero, por supuesto, nosotros sabemos que no ha sido así, ¿verdad? En cierto modo es una lástima, ¿no te parece? Algún policía pobre podría dar un salto en su carrera si conociera la verdad, si tuviera algún indicio de lo que ha sucedido en realidad. Porque no ha sido nada importante, ¿no? Para nosotros, no.

Al cabo de unos instantes Anne Hampton consiguió responder:

—Pero no puede ser siempre así, no sé, tan fácil...

Odiaba aquella palabra. Se dio cuenta de que para él era una verdad absoluta. Pero para ella era una completa falsedad. «Me niego, se dijo a sí misma de repente. Me niego a ser como él.»

Se quedó sorprendida de aquella determinación suya.

—Claro que no. Si fuera así, no habría ningún reto, no habría aventura. ¿Has leído alguna vez *El juego más peligroso*?

—Me parece que no.

Él soltó un bufido.

—Vamos, Boswell, ¿dónde está tu cultura?

—He leído mucho —se defendió ella—. ¡He leído libros de los que probablemente usted ni habrá oído hablar! ¿Qué sabe usted de *Middlemarch*?

Se oyó exclamar a sí misma y le entraron ganas de taparse la boca con la mano. Cerró los ojos esperando una bofetada.

Pero en cambio Jeffers rompió a reír.

—*Touché* —dijo—. Pero insisto en la pregunta: ¿cuál es el juego más peligroso?

—El asesinato no es un juego.

—¿No?

—No, no lo es.

Durante un rato ambos guardaron silencio.

—Está bien —dijo Jeffers al fin—. Voy a ser menos frívolo. Por supuesto que el asesinato no es un juego. Pero tampoco es un pasatiempo. Es un modo de vida. Mi modo de vida.

—Pero no entiendo cómo... —empezó ella, sin embargo Jeffers la interrumpió.

Estaba riendo.

—Vaya, por fin. ¡Pregunta por qué! ¡Pregunta cómo! Ya era hora. —Su voz se tornó siniestra—. Ahora voy a decírtelo.

En aquel momento, Anne Hampton se sintió igual que si hubiera tropezado tontamente con algo que tenía prohibido ver. Le vino a la memoria una ocasión en que, una noche en que no podía dormir, se asomó por la puerta del dormitorio de sus padres y los vio abrazados el uno al otro, haciendo el amor de forma delicada pero ruidosa. Se sonrojó debido a la misma mezcla de miedo y vergüenza. Se le cayó el lápiz y tuvo que agacharse para recogerlo. De repente comprendió que los conocimientos son peligrosos, que cuanto más supiera, más enredada estaría y más le costaría escapar. La invadió una negra aflicción y un deseo intenso de echarse a llorar como una niña, a solas, igual que había hecho tras aquella primera visión, con una parte de su inocencia ya perdida para siempre, sofocar sus lágrimas en la almohada, apartarse totalmente del mundo excepto del entorno delimitado por su dolor exclusivo y personal.

Jeffers esperó lleno de seguridad en sí mismo y de una especie de emoción propia de un fugitivo, hasta que se dio cuenta de que Anne

Hampton se encontraba sumida en los presentimientos que provocaban aquellas preguntas. Y pensó: por fin. Y las palabras le salieron en forma de un torrente de entusiasmo.

—Al principio pensé que había tenido muchísima suerte. Recoger a una prostituta en la calle con un coche de alquiler con el que fácilmente podían localizarme. Golpearla dentro del coche, de tal modo que la tapicería quedó manchada con su grupo sanguíneo. Abandonarla en una zona desconocida para mí. En cualquier momento podría haberme visto alguien. Cualquiera podría haber comprendido enseguida la situación. Un transeúnte, o su chulo. O un camionero que nos viera desde lo alto de su cabina. Dejé pisadas y huellas dactilares y Dios sabe qué más cosas que podrían utilizar los laboratorios forenses para localizarme. Muestras de fibras, de tierra, de cabello. Pero si hasta utilicé una tarjeta de crédito para comprar la pala para enterrarla. Lo hice todo mal. Fui un verdadero idiota, la verdad... —Miró brevemente a Anne Hampton, pero no esperó que le contestara—. ¿Sabes lo que experimenté después? Un miedo de lo más seductor. Esa sensación que le viene a uno cuando se da cuenta de que ha corrido un gran peligro. Esa clase de miedo que adquiere forma y se transfigura en las pesadillas.

»Caminaba en una especie de crepúsculo, pensando que estaba volviéndome paranoico, imaginando a cada minuto que cualquiera de aquellos errores de colegial iba a manifestarse en forma de un detective portando una orden de detención. No llegó a ocurrir, naturalmente, pero la sensación era como si estuviera electrificado en todo momento.

»Y también se notó en mis fotos. Se volvieron más definidas, mejores, más apasionadas. Suena extraño, ¿a que sí? Del miedo salió el arte. Iba de cabeza al éxito. Recuerdo una noche en que no podía dormir, un par de días después de lo sucedido. Estaba lleno de emoción, aquello se había apoderado de mí. Decidí salir a dar una vuelta en coche, sólo por ver cómo relucía la ciudad; a lo mejor aquello me ayudaba a refrenar lo que sentía. Estaba escuchando la frecuencia de radio de la policía. Todos los fotógrafos tienen muchas radios, eso no era nada inusual; uno siempre anda escuchando, porque nunca se sabe. Y aquélla era una de esas noches.

»Oí una voz concreta, en un canal que se cogía bien, excitada, cercana al pánico, gritando "socorro, socorro, agente herido, agente herido"..., y luego dieron la dirección. Estaba sólo a un par de manzanas de allí. Se trataba de un policía estatal que había parado a un coche que circulaba con un piloto trasero roto. Y por molestarse recibió varios balazos del treinta y ocho en el pecho. Eran cuatro tipos que acababan de atracar una tienda de bebidas alcohólicas. Yo llegué antes que nadie, antes que los otros policías, antes que la ambulancia. Sólo mi cámara y yo, y el chaval que presenció el tiroteo desde el otro lado de la carretera, pues casualmente estaba cambiando una rueda del coche y había llamado pidiendo socorro.

»El chaval tenía la cabeza del policía en el regazo. ¡Clic! ¡Clic! "Ayúdeme", dijo el muchacho. ¡Clic! "¡Ayúdenos! Pero ¿qué hace?" ¡Clic! "Por favor"... ¡Clic! Fueron treinta segundos, quizá. Después lo ayudé. Cogí la mano del policía y le tomé el pulso. Al principio lo encontré, pero enseguida, igual que el sol al ponerse, se debilitó y desapareció. Y entonces nos vimos rodeados de sirenas y luces por todas partes. ¡Dios! ¡Fueron unas fotos fantásticas! —Jeffers hizo una pausa. Su voz se tornó más lenta, más cauta—. Así que me convertí en un estudiante de los asesinatos. Tuve que hacerlo.

Anne Hampton dejó el lápiz suspendido en el aire, sin tocar el cuaderno, procurando barrer toda la angustia de su mente y concentrarse sólo en lo que estaba diciendo él. Se ordenó a sí misma pensar como si estuviera en un aula y aquello no fuera más que otra clase. Pero se dio cuenta de que era una estupidez.

Douglas Jeffers tenía la cabeza repleta de imágenes, y se preguntó ociosamente si debía empezar a contar anécdotas. Robó una mirada a Anne Hampton y vio que ésta estaba esperando, pálida, conmocionada, al borde del terror, pero esperando de todos modos. Sintió una gratificación momentánea y pensó que ya era suya.

Y entonces se lanzó.

—Tuve muchísima suerte, y no soy amigo de confiar en la suerte. Empecé a pasar el tiempo libre en bibliotecas, leyendo. Leí obras de literatura y obras de ciencia. Leí historias de casos legales y tratados médicos. Leí confesiones de asesinos e informes de prisiones. Leí las memorias de detectives, patólogos, abogados defensores de criminales, fiscales y sicarios profesionales. Compré libros de armas. Estudié fisiología. Me puse una bata blanca de laboratorio y asistí a clases de anatomía de la facultad de medicina de Columbia.

Necesitaba saber, ¿comprendes?, necesitaba saber con exactitud, con precisión, cómo morían las personas.

»Leí periódicos y revistas. Me suscribí a *El verdadero detective* y a *Policía*. Dediqué horas a estudiar lo que habían escrito varios psiquiatras forenses destacados. Aprendí cosas sobre delincuentes sexuales, asesinos en masa, asesinos profesionales, asesinos militares. Estudié masacres y conspiraciones de asesinato. Me hice íntimo de Sade, Barbazul, Albert DeSalvo y Charles Whitman, y de los cuatro de My Lai o de los campos de refugiados de Shatila. Conocí a Raskolnikov, Mengele, Kurtz, Idi Amin y William Bonney, al cual tú seguramente conoces como Billy *el Niño*. Sé mucho de la OLP y de las Brigadas Rojas. Podría hablarte de Charles Manson, o de Elmer Wayne Henley, o Wayne Gacy, o Richard Speck, o Jack Abbott, o Lucky Luciano y Al Capone. Desde el Día de San Valentín hasta los Asesinatos de la Autopista. Desde los juicios a las brujas de Salem hasta las guerras entre narcotraficantes de Miami y el caso sin resolver del zodíaco, en San Francisco. Lo sé todo del 007 de la ficción y el MI-5 de la realidad. Podría explicarte por qué Bruno Richard Hauptmann probablemente no fue un asesino aunque lo ejecutaran, o por qué Gary Gilmore era en realidad un perdedor que simplemente resulta que mataba, pero también terminó ejecutado. De hecho, estudié todas las ejecuciones que pude. Lo leí todo, desde el ensayo de Camus sobre la pena de muerte hasta la novela *Deathwork* de McLendon, y después leí el Informe del Comité Warren sobre testimonios en el Congreso, en el cual se exponía el funcionamiento del programa Phoenix en Vietnam...

»¿Sabías —prosiguió Douglas Jeffers— que en algunos estados las actas judiciales y los informes policiales pasan a formar parte del archivo de documentos públicos? Por ejemplo: hace no mucho tiempo estuve en el norte de Florida y leí el caso de un tal Gerald Stano. Un individuo interesante. Inteligente, simpático, extrovertido. No daba en absoluto el tipo de una persona introvertida y solitaria. Tenía un trabajo estable de mecánico. Le iba bien. Todo el mundo lo apreciaba, hasta los detectives de Homicidios. Sólo tenía un pequeño fallo...

»Cuando salía con una mujer, no se conformaba con un casto apretón de manos o un besito de despedida en la mejilla. —Jeffers rió—. No, el señor Stano prefería matar a las chicas con las que salía. —Dirigió una mirada a Anne Hampton para evaluar la expresión dolorida de su rostro—. Las descuartizaba y las partía en trocitos... Sus víctimas pudieron ser unas cuarenta. —Jeffers aguardó otra vez antes de continuar—. Hay que admirarlo, si no por otra cosa, por su constancia. Trataba a todo el mundo de la misma manera. A todas las mujeres, quiero decir...

—A todas las mujeres... —Anne Hampton esperó a que Jeffers siguiera hablando. Lo vio hacer una inspiración profunda.

—De modo que ya ves en qué me he convertido —concluyó Jeffers en tono despreocupado—. Me he vuelto un experto. Así pues —añadió respirando hondo—, ya estaba listo para ser un asesino. No un imbécil con suerte que consigue irse de rositas tras asesinar por casualidad a una prostituta, sino una auténtica máquina de matar, calculadora y profesional. Pero no un sicario a sueldo que recibe órdenes de algún mafioso de los bajos fondos o de un narcotraficante colombiano, sino un asesino que trabaja exclusivamente para sí mismo. Y eso es lo que soy.

Jeffers pasó varias horas conduciendo en silencio.

No dio más explicaciones. «Bueno, ya tiene bastante que asimilar», pensó. Y lo que tenía en mente hacer a continuación seguro que la elevaría a otro nivel.

Anne Hampton se sentía agradecida por aquel silencio. Intentó obligarse a sí misma a pensar en cosas sencillas, como el aroma de una tarta de manzana haciéndose en el horno o la sensación que se tiene al ponerse una blusa de seda, pero dichos pensamientos le resultaban esquivos.

En Memphis cruzaron el río cuando ya estaba oscuro. Vio las luces que se reflejaban en las aguas quietas y negras, y Jeffers le habló de la ocasión en que el río Cuyahoga se incendió en Cleveland. Le contó que los residuos tóxicos se vertieron al agua y se prendieron fuego. ¿Cómo hace uno para sacar un cadáver de unas aguas que están ardiendo? Describió las fotos que tomó de los bomberos por la noche, sus figuras recortadas contra el resplandor de las llamas. Pasaron un cartel que rezaba, en un tono alegre que contradecía la hora que era: «Está usted saliendo de Memphis. ¡Vuelva pronto!»

Jeffers se puso a cantar:

—Oooh, mamá, ¿es posible que esto sea el fin? Encerrado dentro de un Mobile otra vez con los Blues de Memphis... —Giró la cabeza hacia Anne Hampton y vio que ésta no reconocía la melodía. Se encogió de hombros—. Es de mi generación —aclaró, riendo—. No hagas que me sienta tan viejo.

Ella no supo qué decir.

Permanecieron circulando por la interestatal de Arkansas. Ya era bien pasada la medianoche cuando hicieron un alto en un Howard Johnson's. A Anne Hampton, aquella mezcla discordante de naranja y azul celeste se le antojó impropia para aquellas horas de la noche, como si el conjunto de colores debiera cambiarse al oscurecer por algo más sombrío y menos estridente.

A la mañana siguiente se pusieron en carretera temprano y viajaron dos horas antes de detenerse a desayunar. Jeffers estaba muerto de hambre, y la obligó a ella a comer también de manera sustancial: huevos, tortitas, tostadas, salchichas, varias tazas de café y zumo.

—¿Para qué tanto? —preguntó ella.

—Va a ser un gran día —contestó él entre un bocado y otro—. Y una gran noche. Hay un partido en San Luis. A las ocho. Y después, algunas sorpresas. Cómetelo todo.

Ella obedeció.

Sin embargo, después de desayunar Jeffers no regresó inmediatamente a la interestatal, sino que se metió en el aparcamiento de un enorme centro comercial de las afueras. Anne Hampton lo miró.

—¿Por qué paramos?

Él disparó una mano y le agarró la cara hundiéndole en la mejilla el pulgar y el índice.

—¡Tú no te separes de mí, no digas nada y sé educada! —le siseó. Ella afirmó con la cabeza, y Jeffers la soltó y ordenó—: Mira, escucha y aprende.

Caminó a paso vivo por entre el gentío que llegaba al centro comercial. Ella tuvo que apresurarse para mantenerse a su altura. Las tiendas pasaban raudas a ambos lados de ella, y en un momento dado vio su imagen reflejada en el espejo de una boutique. Oía voces a su alrededor, en su mayoría de niños que chillaban y se escabullían de sus padres, de manera que estaba rodeada de gritos: ¡Jennifer o Joseph o Joshua, para ya de una vez! Pero los críos no obedecían. Oyó a parejas hablando de compras y a adolescentes hablando de chicos, chicas, discos. Aquellos retazos de vida le parecieron extrañamente lejanos, como si estuvieran teniendo lugar en otra parte de la historia. Apretó el paso para situarse al lado de Douglas Jeffers, el cual parecía ajeno a la multitud y avanzaba caminando con decisión.

Jeffers la llevó hasta una tienda de artículos deportivos, en la que escogió un par de gorras de béisbol de los Cardinals de San Luis. Señaló un gorro de plástico con forma de gran hocico y soltó una risa burlona.

—En los partidos de la Universidad de Arkansas se ponen esos gorros de hocico de cerdo. Proletarios. Lo único que se me ocurre decir es que si tus admiradores van a ponerse esas cosas, más te vale ganar.

Pagó las dos gorras en efectivo y a continuación emprendió el regreso por donde habían venido.

—Una parada más —anunció.

Dentro de los grandes almacenes Sears, se dirigió a la sección de material de oficina. Compró en el mostrador un paquete pequeño de folios de escribir a máquina y otro de sobres de tamaño comercial. Luego se acercó hasta una hilera de máquinas de escribir de demostración. Se giró hacia Anne Hampton y le dijo:

—Observa atentamente. No te separes de mí.

Con un movimiento rápido, extrajo de un bolsillo un par de ceñidos guantes de látex. Se los puso y abrió a toda prisa el paquete de folios. Sin la menor vacilación, entregó el paquete a Anne Hampton e introdujo un folio en una de las máquinas de escribir. Hizo una breve pausa para cerciorarse de que no había nadie cerca y de que nadie les estaba prestando atención. Una vez que tuvo la seguridad de que no se fijaban en ellos, se inclinó hacia la máquina y tecleó:

Sois tan memos que deberíais rendiros,
porque acabo de pillar otro pajarito

muchos besitos
ya sabéis de parte de quién

Acto seguido sacó el papel de la máquina, lo dobló tres veces y lo metió en un sobre. Aún con los guantes puestos, se guardó el sobre en el bolsillo. Después se quitó los guantes, echó una ojeada alrededor para cerciorarse una vez más de que no los había visto nadie y, sin decirle una palabra a Anne Hampton, se alejó de allí.

Ella, con la cabeza hecha un lío, corrió a ponerse a su lado, jadeando para poder seguirle el paso.

Jeffers no dijo nada cuando regresaron al coche, pero le indicó el cinturón de seguridad con un gesto. Ella se lo abrochó y guardó silencio.

Jeffers condujo con calma durante el resto del día y hasta que cayó la noche, manteniéndose obstinadamente dentro del límite de velocidad o adaptándose a la velocidad predominante, así que fueron adelantados por tantos coches como adelantaron ellos. Anne Hampton se maravilló de que Jeffers siempre pareciera saber con exactitud adónde se dirigían y cuánto tiempo iban a tardar en llegar. Se dijo a sí misma que deberían llegar al final de la segunda entrada, pero tuvieron que aparcar un poco más lejos del estadio de lo que Jeffers había previsto, de modo que para cuando llegaron a la puerta el partido ya iba por el principio de la tercera. Ambos llevaban puestas las gorras rojas adquiridas en el centro comercial. Jeffers enseñó dos entradas en el torno sacándolas de la billetera con un floreo.

Anne Hampton se quedó estupefacta al ver aquel gesto, y aún más al comprender que Jeffers había comprado aquellas entradas con mucha antelación.

—Va a ser un partido de primera —le comentó al empleado del torno.

—Sí, salvo por que ya llevan un par de ventaja y todavía nadie sabe cómo ganarle a ese tío.

Era un individuo ya mayor, con canas en los lóbulos de las orejas. En una de ellas llevaba un audífono. Anne Hampton advirtió que en la otra llevaba conectado el auricular de una radio portátil. El hombre los ignoró y se ocupó de tomar las entradas de otros espectadores de última hora.

Recorrieron rápidamente los pasillos chocando con la gente y esquivando a los vendedores.

Aquella ingente masa de público y el constante ruido perturbaron a Anne Hampton. Se sintió como si estuviera flotando en el espacio, ingrávida, y como si aquel sonido envolvente fuera a levantarla en vilo. Se apretó contra Jeffers; en un momento dado, cuando un grupo de adolescentes escandalosos intentó abrirse paso empujándolos, incluso buscó su mano.

A mitad del turno del equipo local de la quinta entrada, Jeffers anunció que volvía a tener hambre.

—Escucha —le dijo—, échate una carrera hasta el puesto de bebidas y tráete unos perritos calientes.

Ella lo contempló con expresión de incredulidad.

Alrededor de ellos flotaba una marea de ruido que lo inundaba todo. El imponente diestro de los Mets acababa de lanzar con su habitual estilo aplastante, y los Cardinals no obtuvieron más recompensa por sus esfuerzos que el breve final de una puntuación 2-0. Pero justo en el momento en que Jeffers dio aquella orden, el primer bateador echó a correr y el siguiente bateador rápidamente alcanzó una base a la derecha. Se elevó un clamor de emoción del público y el estadio entero tronó con una ovación rítmica cuyo fin era animar a los jugadores. Anne Hampton tuvo que gritar para que Jeffers la oyera.

—No puedo —le dijo.

—¿Por qué?

De pronto sintió la mano de él en la pierna, los dedos presionados contra el músculo, oprimiéndolo dolorosamente.

—Porque no —insistió, con lágrimas en los ojos.

Él la miró fijamente y pensó: perfecto.

—¿Qué pasa?

Ella sacudió la cabeza en un gesto negativo. No lo sabía. Lo único que sabía era que la aterraba el ruido, la gente y el mundo que de pronto él había dejado entrar en su vida.

—Por favor —suplicó.

Pero Jeffers no la oyó; el siguiente bateador había alcanzado la primera base y el corredor había puntuado desde la segunda, evitando el toque del *catcher* en medio de una nube de polvo. Pero vio la palabra que formaba con los labios, y eso le bastó.

—Está bien —dijo—. Sólo por esta vez.

Le soltó la pierna.

Ella le dio las gracias con un gesto de cabeza.

—Muchas gracias.

—Eso es lo que llaman una jugada bang-bang —dijo Jeffers.

—¿Bang-bang?

—Sí. Sucede así, todo seguido. El corredor resbala, ¡bang! El *catcher* toca ¡bang! ¡Está a salvo! ¡Bang! ¡O está eliminado! ¡Bang! Siempre me ha gustado ese cliché.

En eso descubrió a un vendedor de cacahuetes y le hizo señas como loco para llamar su atención. Éste le entregó una bolsita a Anne Hampton, y cuando ella hubo empezado a cascarlos y comerlos, él introdujo una mano en su omnipresente bolsa de equipo fotográfico y sacó su Nikon.

—Sonríe —le dijo, girando en su asiento hacia ella.

Disparó una serie de fotos.

Ella se sintió un poco violenta.

—Con estos pelos —dijo— y esta gorra tan tonta...

Pero él se limitó a señalar el campo de juego.

—Presta atención al partido —le ordenó—. Es posible que más adelante tengas que recordar ciertos detalles.

Aquello la asustó, e intentó concentrarse en la acción que tenía lugar frente a ella. «Entiendo de béisbol —se dijo—. En el instituto jugué en el equipo de béisbol femenino y aprendí las reglas.»

Pero las figuras que se movían por el verde artificial del campo de juego le parecieron misteriosas, por más que se esforzó en analizar lo que hacían.

Se atrevió a observar a Jeffers. Parecía ensimismado en el partido y en la acción que se desarrollaba sobre el terreno de juego, pero ella sabía que aquella devoción ocultaba algún otro propósito. Aunque su cerebro se negó a buscar posibilidades concretas.

Sintió un escalofrío en medio de aquella humedad pegajosa.

Se notaba como mareada, y tragó saliva con dificultad. En un momento dado, al ver cómo Jeffers se inclinaba hacia la bolsa que tenía a los pies, estuvo a punto de ahogarse debido a un sentimiento de confusión.

Por fin, cuando los equipos estaban cambiando de lado, le preguntó en un tono de voz que le sonó hueca:

—¿Por qué estamos aquí, me lo puede decir, por favor?

Jeffers se volvió hacia ella y la miró fijamente. Acto seguido estalló en una fuerte carcajada.

—Estamos aquí porque esto es América, porque éste es el pasatiempo nacional, porque es un partido entre los Cardinals y los Mets y porque el banderín está en la línea. Pero, sobre todo, estamos aquí porque yo soy un entusiasta del béisbol. —Lanzó otra carcajada y la miró—. Así que ya lo ves —continuó—, ahora mismo no estamos matando a nadie. Excepto el tiempo.

Calló unos instantes.

—Sí.

—Más adelante —dijo.

Anne Hampton ya no hizo más preguntas.

Se quedaron hasta el inicio de la octava entrada. Jeffers esperó hasta que los Mets marcaron cuatro puntos para romper el empate. Luego la agarró de la mano y ambos, junto con otros seguidores disgustados que también decidieron marcharse, salieron del estadio. En el momento en que salían al exterior les llegó otro fuerte rugido procedente del campo de juego, a su espalda. Jeffers oyó a una joven pareja que caminaba a unos metros de ellos escuchando la radio anunciar a nadie y a todos al mismo tiempo:

—¡Jack Clark ha conseguido una carrera completa con dos puntos a favor! —Ella asintió—. Deberían saber —continuó Jeffers en voz baja— que una cosa no se acaba hasta que se acaba. Así lo dijo en cierta ocasión un gran estadounidense.

—¿Quién? —inquirió ella.

—Caryl Chessman —contestó Jeffers.

Jeffers se cercioró de que Anne Hampton tuviera el cinturón de seguridad abrochado y a continuación fue hasta el maletero del coche y lo abrió. Hurgó durante unos momentos en lo que él denominaba su bolsa de miscelánea y finalmente sacó un juego de matrículas de Missouri, a las cuales había unido previamente unos ganchos metálicos con el objeto de poder doblar éstos y colgarlas firmemente encima de las placas actuales del coche. Sacó un marco de matrícula barato que había adquirido en una tienda de repuestos del automóvil y lo fijó encima para que no se viera ningún resquicio del color amarillo de las matrículas de Nueva York, pero en cambio le fuera posible quitar el juego de las de Missouri, robadas hacía un tiempo. Acto seguido abrió la bolsa que contenía las armas y extrajo una automática barata del calibre 24. Dentro de la bolsa encontró pegado con cinta adhesiva un cargador de balas que había preparado expresamente. Se aseguró de que las blandas puntas tenían la muesca correspondiente y a continuación metió el cargador en la bolsa del equipo fotográfico. Buscó un poco más y tocó con la mano un sencillo maletín de cuero, el cual sacó del maletero antes de cerrarlo.

Ya dentro del coche encendió la luz interior.

Anne Hampton lo observó mientras él sacaba del maletín una pequeña carpeta ocre y la abría sobre sus rodillas.

La carpeta contenía un fajo de recortes de periódicos y revistas y encima una lista escrita a máquina. Distinguió las palabras: Pistola/Máquina de escribir/Acceso/Salida/Emergencia/Copia de Seguridad/Abogado/CD. Cada categoría tenía a su vez varias categorías inferiores enumeradas debajo, pero no fue lo bastante rápida y la luz era demasiado tenue para permitirle ver lo que decían. Había varios elementos que habían sido tachados, y otros estaban marcados con un signo de revisión. Unos cuantos llevaban anotaciones a un costado. Vio que la carpeta contenía dos mapas, uno dibujado a mano y otro de la ciudad. Mientras ella observaba, Jeffers parecía repasar las listas y los mapas. Anne centró la mirada en los recortes de periódico y vio un reportaje a media página de la revista *Time*. Correspondía a la sección de temas de ámbito nacional y el titular rezaba: «Asesino de homosexuales causa furor en San Luis.» Vio que los otros recortes eran del *Post-Dispatch* de San Luis.

—Muy bien —dijo Jeffers con un ligero timbre de emoción en la voz—. Muy bien. Ya estamos listos. —Se giró hacia Anne Hampton—. ¿Preparada? —Ella no supo cómo reaccionar—. ¿Preparada? —exigió Jeffers en tono áspero.

Ella afirmó con la cabeza y repitió sin énfasis:

—Preparada...

—Bien —repuso él—. Comienza la caza.

Y se internó en la oscuridad de la ciudad.

En cuestión de segundos Anne Hampton se sintió completamente perdida y vuelta del revés. Tan pronto se encontraban circulando por una autopista de peaje, atravesando por entre rascacielos que parecían surgir súbitamente de la noche a su lado, como trazando círculos por calles sucias y mal iluminadas que reflejaban la luz de los faros del coche. Después de lo que a ella le parecieron por lo menos treinta minutos, Jeffers aminoró la marcha. Miró por la ventanilla y vio algún que otro grupo de hombres fuera de los bares al aire libre, en el calor de la noche, conversando y haciendo gestos. Jeffers observaba todo aquello sin pronunciar palabra.

«Pero todavía parece saber adónde se dirige», se dijo ella. Obligó a su cerebro a quedarse inofensivamente en blanco. Después de otra media hora trazando círculos por una zona que abarcaba diez manzanas, Jeffers tomó una calle lateral en penumbra y finalmente se detuvo junto al bordillo, cerca del final de la manzana. Parecía tratarse de un barrio residencial, compuesto no por casas sino por pisos sacados de edificios más antiguos, con árboles plantados en parterres cuadrados cortados en la acera. Pero reparó en que se encontraban a sólo unas cuantas manzanas de las luces brillantes de la calzada principal. Observó que Jeffers daba la vuelta al coche y se acercaba a abrirle la portezuela. Sus movimientos le parecieron similares a los de una araña, depredadores. En un instante se vio prácticamente levantada en vilo del coche y caminando por la acera codo con codo con Jeffers. Como siempre, se quedó asombrada de la fuerza de las manos y los brazos de su captor. Notaba sus músculos en tensión, rígidos por la emoción.

—No digas nada —dijo Jeffers en voz grave, horrible—. Evita todo contacto visual hasta que yo haya escogido. Pero sonríe y pon cara alegre.

Ella lo intentó, pero supo que sólo consiguió parecer patética.

En vez de eso, se concentró en caminar con paso firme.

Sabía lo que estaba ocurriendo, o por lo menos supo de repente que estaba a punto de añadir otra pesadilla más a la del vagabundo, pero se sintió impotente para hacer nada. Y es que además no se le ocurría nada que hacer, salvo cooperar.

«Mira el cielo —pensó—. Fija la vista en las pocas luces que te rodean.» Descubrió la luna suspendida por encima de las ramas de un árbol y de pronto le vino a la cabeza una canción de su niñez. «El zorro salió una noche fría... Y rezó a la luna que le diera luz... Porque aquella noche tenía mucho camino que andar...» Antes de llegar a la ciudad. La melodía inundó su cerebro igual que una ola de consuelo.

Dieron tres veces la vuelta al edificio, y en cada una de ellas se cruzaron con dos o tres hombres que caminaban con prisas en medio de la oscuridad de aquella calle secundaria. En la cuarta vuelta a la manzana, cuando se aproximaban a su coche, Anne Hampton sintió que Jeffers se ponía tenso. Notó cómo contraía los músculos y se dio cuenta de que había metido la mano en la bolsa de equipo fotográfico.

—Aquí podría ser —anunció Jeffers. Siguieron andando en dirección a un individuo solitario que venía hacia ellos—. Ve más despacio —ordenó—, quiero cruzarme con ese tipo en la sombra de ese árbol. —Ella vio que entre ellos y el hombre había, equidistante, un árbol de gran tamaño que aportaba más sombra a la oscuridad reinante—. Sigue sonriendo.

De pronto Anne Hampton tuvo una fugaz visión de sí misma levantada del mar por una violenta resaca. Se aferró al brazo de Jeffers, invadida por un súbito temor a tropezar o desmayarse.

Jeffers controlaba todas sus sensaciones. Sus ojos saltaban de un lugar a otro, recorriendo la zona, escrutando todos los rincones. Sus oídos estaban sintonizados con todos los sonidos, atentos a cualquier ruido que se saliera de lo normal. Incluso olfateaba el aire. Tenía la impresión de estar ardiendo, o de estar enamorado, y de que cada una de las terminaciones nerviosas de su cuerpo se encontraba temblorosa y alerta. Bajo su mano, el metal de la pistola parecía estar al rojo vivo. Se obligó a sí mismo a moderar el paso, a ralentizarlo, para poder encontrarse a la altura de aquel hombre en el momento preciso, en el momento de mayor oscuridad. Una marcha fúnebre, pensó de repente.

Se movieron juntos.

Jeffers calculó la distancia: quince metros. Después, de súbito, seis metros; luego tres. Saludó al hombre con un movimiento de cabeza y sonrió.

Era un individuo joven, probablemente no pasaría de los veinticinco. «¿Quién eres? ¿Te ha gustado la vida que has vivido?», se preguntó Jeffers en un momento. El hombre tenía el pelo rubio y lo llevaba muy corto en las orejas y la nuca. Jeffers se fijó en que tenía un diminuto botón de oro en una oreja. Vestía una camisa deportiva y pantalón, con un jersey echado sobre los hombros que le prestaba una imagen de estudiada naturalidad.

Jeffers le hizo nuevamente un gesto con la cabeza, y él se lo retribuyó con una sonrisa leve y un tanto nerviosa. Jeffers le dio un fuerte apretón en el brazo a Anne Hampton y vio que ella también sonreía.

El individuo se cruzó de frente con ellos y siguió caminando.

Cuando hubo salido de la visión periférica de Jeffers, éste sacó la pistola de la bolsa con el dedo ya apoyado en el gatillo.

Sólo tuvo tiempo para recordarse a sí mismo que no debía ponerse nervioso.

Entonces giró en redondo, directamente detrás del individuo, y soltó el brazo de Anne Hampton para poder levantar la pistola con las dos manos. Cuando el cañón estuvo a la altura de la cabeza de su víctima, disparó dos veces.

El estridente ruido se propagó calle abajo.

El hombre cayó hacia delante y se estrelló contra la acera.

Anne Hampton se quedó petrificada. Intentó llevarse las manos a los ojos para tapárselos, pero permaneció inmóvil, contemplando aterrorizada la escena.

Jeffers saltó por encima del hombre, el cual yacía de bruces en medio de un charco de sangre cada vez más grande. Tuvo cuidado de no tocar el cuerpo ni la sangre. El hombre no se movió. Jeffers se agachó y le disparó otro tiro más en la espalda, a la altura del corazón. A continuación, en el mismo movimiento, continuo y fluido, metió la pistola en la bolsa y extrajo la Nikon. Se la acercó al ojo, y Anne Hampton oyó el zumbido del motor conforme iba avanzando la película. Después, con la misma rapidez, Jeffers volvió a guardar la cámara en la bolsa.

Agarró a Anne Hampton del brazo y se la llevó medio a rastras hacia el coche.

Abrió la portezuela y la arrojó al asiento. En un instante dio él la vuelta al coche para situarse en el asiento del conductor. No hizo rechinar los neumáticos, sino que arrancó con normalidad y eficiencia, pasó lentamente junto al cadáver tirado en la acera y se alejó por la calle desierta.

Anne Hampton se volvió y contempló el cuerpo inerte al pasar.

Segundos después habían desaparecido.

Vio que Jeffers seguía una ruta preestablecida. Notaba la fuerza de su concentración, como si él creara una sensación palpable nacida de su inteligencia. Al cabo de quince minutos vio que habían llegado a un descampado situado en una zona de almacenaje de la ciudad. Jeffers detuvo el coche y se apeó sin pronunciar palabra. Ella esperó a que la hiciera salir, pero no fue así.

Jeffers fue a la parte de atrás del coche y quitó la matrícula de Missouri, la limpió con un trapo y la metió en una bolsa de plástico. Acto seguido tiró la bolsa a un contenedor e incluso se subió a él para cerciorarse de que hubiera quedado bien situada entre el resto de la basura.

Luego regresó al coche, y atravesaron la ciudad para dirigirse a una área del extrarradio. Jeffers hizo una parada en una tienda de veinticuatro horas y se sirvió de los focos de la fachada del edificio para poder ver lo que hacía. Primero volvió a ponerse los guantes de látex. A continuación sacó el sobre con la carta que había escrito aquel mismo día. Después abrió la carpeta y extrajo un pequeño sobre marrón de papel manila. Lo abrió, y Anne Hampton vio que contenía palabras recortadas de un periódico. Jeffers sacó un tubito de plástico de pegamento corriente y pegó las palabras en el sobre. También utilizó el pegamento para cerrar el sobre.

Entonces habló.

—Toda precaución es poca. Bien, sé que no pueden obtener huellas dactilares de un papel a no ser que yo tenga los dedos manchados de tinta. Pero el FBI tiene un montón de equipo espectrográfico, que ya estoy empezando a conocer, capaz de descomponer las enzimas y Dios sabe qué más. Por eso no he utilizado la saliva. Si hubiera cerrado el sobre humedeciéndolo con saliva, podrían sacar mi grupo sanguíneo, por ejemplo. Joder, y hasta mi número de la Seguridad Social. Así que hay que ser muy prudentes. —Miró a Anne Hampton. Había dicho todo aquello en una espiral de emoción, casi de placer infantil—. Oye —le dijo—. No te preocupes. Ya hemos terminado. Y no nos ha pasado nada. Sólo queda atar unos cuantos cabos sueltos, y seremos libres como pájaros.

Terminó con el sobre y volvió a meter la velocidad en el cambio de marchas. En un momento llegó a un enorme edificio de correos. Se apeó de un salto e introdujo el sobre en uno de los buzones.

De vuelta en el coche, dijo:

—Ya sólo falta la pistola y las balas, y todo terminado. Pero eso no vamos a hacerlo hasta mañana. Cuando nos convenga.

Aún inundado por la adrenalina, maniobró para volver a tomar la interestatal. Anne Hampton se giró una sola vez en su asiento para mirar por el parabrisas trasero las luces moribundas de la ciudad.

Jeffers la vio temblar.

—¿Tienes frío?

Ella afirmó con la cabeza.

—Sí, tengo frío.

Él no hizo nada.

—¿Estás cansada?

Ella cayó en la cuenta de que estaba agotada. Afirmó otra vez.

—Sí, cansada.

—¿Tienes hambre?

Sentía ganas de vomitar.

—No sé.

—Yo estoy famélico —dijo él—. Sería capaz de comerme un elefante.

«Esto no va a acabarse nunca —pensó—. Es eterno.»

Al cabo de un momento Jeffers habló de nuevo.

—La verdad es que resulta de lo más raro —empezó en tono calmo—. El homófobo ese que ha matado a todos esos maricas en San Luis, creo que han sido siete antes del de esta noche, siempre escribe textos rimados. Por lo menos eso dice el *Post-Dispatch*. —Meneó la cabeza negativamente—. Los periódicos no le han puesto un apodo, lo cual me resulta bastante extraño. Quiero decir que, por regla general, cuando tienen un número de asesinatos sucesivos que son obra de un mismo autor, le cuelgan algún mote al pobre tipo. Algo así como el «Asesino Gay» o el «Homo Homicida», o algo igualmente idiota y ofensivo para los tíos límite. —Miró a Anne Hampton y apreció el cansancio que delataban sus ojos—. ¿Entiendes lo que acaba de ocurrir? —le preguntó.

—Sí —respondió ella sin emoción.

En eso, Jeffers alargó la mano y le propinó una bofetada, aunque no demasiado enérgica, pensando que probablemente estaba muy cansada.

El sopapo en la mejilla la sacó del estado de lasitud y apatía que se había apoderado de ella desde los disparos en la calle.

—¿Entiendes lo que ha ocurrido en realidad? —le preguntó Jeffers de nuevo.

Ella negó con la cabeza. Y, ahora, dijo:

—No.

—Pues que hemos llevado a cabo una imitación bastante fiel de varios crímenes que vienen cometiéndose en esa bonita ciudad en el último año y medio o más o menos. Lo que hemos hecho es lo que la policía llama asesinato de emulación. Verás, siempre le ocultan algún detalle a la prensa, y así pueden saber quién está haciendo qué. Los asesinatos de emulación les causan una frustración tremenda. Hay que verlo como lo ven ellos: mientras están ocupadísimos en buscar a un maníaco, aparece otro pirado que les echa a perder todo el trabajo. Les lleva tiempo, estamos hablando de horas trabajadas, separar unos asesinatos de otros. De modo que para cuando la brigada especial que hayan asignado a ese asesino descubra por fin lo que ha sucedido, nosotros ya habremos desaparecido. Sin pruebas. Sin pistas... —Anne Hampton vio que sonreía, igual que un gato de Cheshire—. Oh, no es que no corramos ningún peligro en absoluto, cuidado. Podría ser que nos haya visto alguien desde uno de los apartamentos de la zona. O a lo mejor a mí se me ha caído algo, o a ti, sin que nos hayamos dado cuenta. Algo que pueda llamar la atención de un detective duro y curtido. Eso forma parte de la emoción. El estado de esperar a que alguien llame a tu puerta.

Tamborileó con los dedos sobre el volante, y el ruido que produjo sobresaltó a Anne Hampton.

—¿Alguien que llame...?

—Eso es lo que llegué a descubrir con todo lo que estudié. Por lo general, la policía da con los asesinos porque éstos y las víctimas guardan entre sí alguna relación anterior al crimen. La policía sólo tiene que averiguar qué relación ha conducido al homicidio. Eso es lo que ocurre en la mayoría de los casos. Luego están los asesinatos en serie, en los que los crímenes adoptan una pauta distintiva. Son muy difíciles de resolver, naturalmente, porque los asesinos se mueven de un lado para otro. Cuando uno pasa por jurisdicciones diferentes, los departamentos de policía se entorpecen unos a otros. Pero yo siento un gran respeto por la policía; ha resuelto más casos de ésos de los que te imaginas. A menudo porque el pobre idiota la caga en otra cosa y los polis se le echan encima como tiburones. No hay que subestimar la capacidad intuitiva de un policía, en mi opinión. Pero, con todo, lo que más les cuesta explicar, obviamente, son los asesinatos aleatorios, sin una pauta fija.

»Durante una temporada pensé que ése era el tipo de asesinato al que debía dedicarme. Simplemente ir a una ciudad, elegir a un pobre tipo al azar y volarle los sesos. Pero me di cuenta de que eso en sí ya era una pauta y que con el tiempo, en algún lugar, un policía terminaría descubriéndola. Es la teoría del millón de monos con un millón de máquinas de escribir; con el tiempo, alguno termina por escribir las obras completas de Shakespeare. Así pues, ¿qué me quedaba?

Anne Hampton no esperaba en realidad que él quisiera una respuesta por su parte.

—No sé.

—No sabes. Necesitaba combinar el elemento aleatorio con una pauta. Reflexioné mucho. Cavilé, hice cálculos. ¿Y sabes qué se me ocurrió al final? —Ella guardó silencio una vez más. La voz de Jeffers resultaba hipnotizante—. Un plan de gran simplicidad, y por lo tanto de gran belleza. —Sonrió—. Copio cosas. Sigo estudiando. Averiguo todo lo que hay que saber acerca de un «asesino de la autopista» o un «asesino del campus» o un «asesino de las verdes montañas». La prensa me ayuda mucho con esos nombres. Luego simplemente salgo y organizo un facsímil razonable. Y después, la policía, que está buscando a alguien totalmente distinto, se encuentra con un asesinato aberrante en las manos en medio de algo más grande y, según creen ellos, más importante. De modo que lo ignoran. Lo apartan a un lado. Lo tiran a la papelera. Archivado. —Hizo una aspiración profunda—. A la mayoría de los asesinos los cogen porque, en su arrogancia y su necesidad, ponen su firma en el crimen. Yo soy más humilde. Para mí, lo importante es el acto en sí, no la firma al pie del cuadro. Así que, para asesinar, me transformo en otra persona. Me meto en la cabeza de esa otra persona. Hago uso de los detalles que conozco y de los que puedo conjeturar y creo mi propia obra perfecta. Llego. Mato. Me voy. Y nadie, salvo yo mismo, se da cuenta de nada.

—Nadie...

Jeffers aguardó unos momentos antes de proseguir.

—Pero he ido haciéndome más perfeccionista, demasiado cuidadoso. Demasiado listo, demasiado perfecto. —Sacudió la cabeza en un gesto negativo—. ¿Una llamada en la puerta? ¿Una orden judicial? Jamás ha ocurrido nada de eso. Y no estoy fanfarroneando. Es pura eficiencia y seguridad en mí mismo. —Anne Hampton creyó percibir tristeza en su voz—. En realidad, esto ya ha perdido emoción. —Jeffers se volvió hacia ella—. Para decirlo sin ambages, se ha vuelto demasiado fácil. Por eso estás aquí tú —explicó en tono resuelto—. Estás aquí para ayudarme a llevar todo esto a una conclusión correcta, apropiada, suficientemente volcánica. Ya puedes echarte a dormir —le dijo—. Yo estoy un poco tenso, creo que prefiero conducir un rato.

De repente Jeffers experimentó una placentera liberación. «Ya está —pensó—. Ya se lo he contado a alguien. Ahora todo el mundo está enterado.»

—Nos vamos a casa —anunció—. Por el camino lento, eso por descontado, pero a casa. Buenas noches, Boswell.

Ella oyó su voz y aquella palabra se le grabó en el cerebro: casa. Por más que se esforzó, no logró visualizar una imagen sólida de su casa y de sus padres. En cambio, lo que acudió a su mente pareció vaporoso y distante, como si se hallara oculto tras un rollo de película, y tuvo dificultades para distinguir lo que era, sin bien sabía que era algo que le daba miedo.

Notó que el coche aceleraba la marcha. Cerró los ojos y dio la bienvenida a su nueva pesadilla.

IX

Otra sesión habitual de los «niños perdidos»

14

Martin Jeffers se encontraba despierto y solo.

Pero era una soledad ajetreada, poblada de recuerdos. En cierta ocasión, cuando eran pequeños y estaban de vacaciones en Cape Cod, su hermano encontró un joven halcón con una ala rota. Fue el verano del halcón, recordó. El verano del ahogamiento. Por un instante se preguntó por qué le había dado por pensar en el halcón, cuando era mucho más importante lo que sucedió después, aquel mismo mes de agosto. Pero su cerebro se llenó de imágenes traídas por el pensamiento. Doug había encontrado el halcón en un camino sin asfaltar, dando saltitos dolorosamente y arrastrando el ala. A lo largo de dos semanas, su hermano pasó cada minuto del día husmeando por el bosque, mirando debajo de troncos podridos, levantando piedras cubiertas de musgo, buscando sin cesar insectos, escarabajos, culebrillas y caracoles, los cuales llevaba diligentemente a casa para alimentar al halcón, el cual se los tragaba enseguida y chillaba pidiendo más. Martin Jeffers sonrió. Ése fue el nombre que el pusieron al halcón: *Chillón*. En el escaso tiempo libre que tenían, asaltaban la biblioteca local y se llevaban prestados decenas de libros sobre aves, tratados de cetrería y textos de veterinaria. Al cabo de dos semanas el halcón ya se subía al hombro de Doug para comer, y Martin Jeffers recordó la expresión de triunfo de su hermano el día en que posó al halcón en el manillar de su vieja bicicleta y fue a la ciudad y volvió otra vez con la rapaz a cuestas.

Martin Jeffers se apoyó una mano en la frente y se estremeció.

Qué cabrón. Doug hacía bien en despreciarlo.

Su padre le había ordenado que se deshiciera del halcón.

Doug no quería meterlo en una jaula, así que el halcón cagaba por toda la despensa. Aquello enfureció al farmacéutico, el cual terminó por plantearles un ultimátum a los dos hermanos: o lo encerraban en una jaula, o lo liberaban, o de lo contrario tendrían que atenerse a las consecuencias. Era la parte de «atenerse a las consecuencias» lo que sonaba amenazante. Su hermano se quejó diciendo que si no le funcionaba el ala, moriría al quedar en libertad. Recordó el rostro de Doug poniéndose rojo de ira. «¡Además, no se puede enjaular a un animal salvaje!», gritó Douglas Jeffers. «Se morirá. Se morirá sin remedio, de manera absurda, picoteando los barrotes con desesperación, sin comprender nada.» Doug fue muy firme. Siempre lo ha sido. Martin Jeffers recordó que él fue detrás de su hermano, corriendo todo lo que daban sus cortas piernas, intentando mantenerse a su paso, un paso acelerado a causa de la indignación. «Mi hermano siempre se movía deprisa cuando estaba furioso —pensó Martin Jeffers—. Siempre controlado, pero deprisa.»

El halcón permaneció tenazmente agarrado al hombro de su hermano, clavándole las garras en la camisa y en el músculo, con su orgullosa cara de halcón vuelta hacia el viento, mientras Douglas cruzaba a remo el lago que separaba la casa del camino que llevaba al mar. Dejó el bote en la orilla y echó a andar por una senda muy trillada. Llegaron a una ancha explanada de suelo arenoso, cubierta de hierbas de playa que alcanzaban hasta la cintura y de arbustos enmarañados. El mar se encontraba a cuatrocientos metros de allí, justo al otro lado de una barrera de altas dunas de arena, y Martin Jeffers recordó el murmullo de las olas en lo más hondo de su memoria. La brisa inclinaba la hierba alrededor de ellos, y daba la impresión de que su hermano estuviera nadando en medio de fuertes corrientes. Aquella tarde el sol brillaba con fuerza cayendo con intensidad estival sobre sus cabezas. Martin Jeffers vio que su hermano alzaba el brazo y sostenía al halcón en alto, como había visto en los libros de cetrería medieval. A continuación intentó lanzarlo hacia el cielo. Martin Jeffers vio que el ave aleteaba frenéticamente en el afán de levantar el vuelo, pero fracasó y cayó de nuevo sobre el brazo de su hermano.

—Es inútil —exclamó su hermano mayor—. No le funciona el ala. —Y después agregó—: Ya lo sabía yo.

Y no dijo nada más. Ambos regresaron tristes y silenciosos al bote. Él remó a toda prisa, obligándose a hacer un esfuerzo, como si pudiera cambiar las cosas a base de pura fuerza.

Los recuerdos de Martin Jeffers dieron un salto a la mañana siguiente. Doug se había levantado antes que él y se presentó de improviso junto a su cama, con el pelo revuelto y el semblante tenso, gris y furibundo.

—El halcón ha muerto —lo informó.

El muy cabrón lo había matado mientras todos dormían. Había ido a la despensa, había agarrado al pobre y confiado animal y le había retorcido el pescuezo.

Martin Jeffers se sintió invadido por una rabia propia. Le dolió el corazón al recordar la profunda pena que sintió en su infancia.

«Era un hombre cruel y desalmado, y me alegré de que le sucediera lo que le sucedió. ¡Ojalá le hubiese dolido aún más!» Recordó que gritó aquellas mismas palabras a su propia terapeuta, la cual le había preguntado en un tono de voz, irritante por lo calmoso, si aquello era cierto o no. ¡Naturalmente que era cierto! ¡Él mató al halcón! «¡Nos odiaba! Siempre nos había odiado. Era lo único coherente de su forma de ser, eso y salirse siempre con la suya. ¡De igual modo hubiera sido capaz de entrar sigilosamente en nuestros dormitorios y estrangularnos como a ese pájaro! ¡Quería hacerlo!»

Martin Jeffers recordó que se quedó mirando al halcón muerto en las manos de su hermano.

No le extrañaba que lo odiase tanto. Es imposible nacer con un odio semejante; es necesario cultivarlo poco a poco con crueldad y dejadez, eliminando primero todo el amor y el afecto. Eso fue lo que le dijo a la terapeuta. Le preguntó a aquella mujer ecuánime sentada detrás de él, donde él no podía verla: «Si usted hubiera tenido un padre así, ¿no querría convertirse en una persona que cuidara de los demás? En alguien que intentara ayudar a la gente? ¿Para qué demonios se imagina que estoy aquí?»

Y, por supuesto, la terapeuta no dijo nada.

En el cerebro de Martin Jeffers bullían y se superponían los recuerdos.

«Hijo de puta, hijo de puta, hijo de puta.»

Aquella noche nadie dijo nada. Nadie pronunció palabra. Todos se sentaron a cenar y actuaron como si no hubiera sucedido nada. Recordó que su madre los miró a Doug y a él y les dijo: «Lamento que el halcón se haya escapado.» Los dos adoptaron la misma mirada de incredulidad, y ella terminó por desviar los ojos y ya no se dijo nada más. Ella nunca se enteraba de nada, le dijo a la terapeuta. Ella se limitaba a acicalarse y arreglarse, y siempre estaba tocándolos, sobre todo les daba unos besos húmedos que los desquiciaban, y nunca tenía ni puñetera idea de nada, y si uno intentaba contarle algo, simplemente se daba la vuelta.

Su padre se limitó a meterse comida en la boca.

«Hijo de puta.»

Martin Jeffers se recostó en su asiento. Se vio de nuevo a sí mismo aquella mañana, cuando fue sacado de lo más profundo de su sueño por la voz de su hermano y despertó viendo el halcón muerto en sus manos. Estaba rígido y sin vida.

Entonces, en su recuerdo, vio las manos de su hermano.

Y entonces pensó: «¡Oh, Dios mío!»

Lo gritó en voz alta, aun cuando no había nadie para oírlo:

—¡Oh, Dios mío! ¡No!

Sintió el ímpetu de su recuerdo aplastado por el pensamiento, como si alguien hubiera descargado un peso excepcional sobre sus hombros.

—¡Oh, no! ¡Oh, no! ¡Oh, no! —se dijo a sí mismo.

En un instante su mente se vio invadida por una avalancha de horror y desazón.

Y de repente comprendió, justo en aquel momento, quién había matado al halcón.

«Soy tímido», pensó Martin Jeffers.

«Todas esas cosas nos sucedieron a ambos, y yo me volví callado e introvertido, pasivo, solitario, mientras que él se volvió...» Martin Jeffers se interrumpió antes de ponerle nombre.

Se imaginó la estampa de su hermano y pudo ver su rostro relajado, con buen color, sonriente. Se obligó a sí mismo a imaginárselo en los momentos de cólera y recordó la fuerza que tenían los silencios de Douglas Jeffers. Aquello siempre lo había atemorizado. En esos momentos suplicaba a su hermano que le hablara, que le dijera algo. Pensó en la detective y en las fotografías de su sobrina tomadas en la escena del crimen, e intentó conciliar las dos visiones.

Sacudió la cabeza en un gesto negativo.

«Doug no», pensó.

Entonces se le ocurrió una idea peor y se lo preguntó en voz alta:

—¿Por qué no?

Pero no pudo contestar a aquella pregunta.

Martin Jeffers se levantó y paseó un poco por su apartamento. Vivía en la planta baja de una casa antigua de Pennington, Nueva Jersey, una diminuta localidad situada entre las ciudades dormitorio de Hopewell y Trenton. Hopewell se encontraba justo al oeste de Princeton, y Martin Jeffers recordó con contrariedad que cada vez que alguien mencionaba Hopewell, aunque fuera el lugar donde se habían criado, su hermano siempre recordaba a cualquiera que lo escuchara que aquella localidad pequeña y soñolienta era famosa por una cosa: por ser el lugar en que habían raptado al hijo de Lindbergh.

El crimen del siglo, según creía Martin Jeffers.

Sintió frío y se acercó a la ventana. Apoyó la mano en la persiana y notó el calor de finales del verano. Aun así lo recorrió un escalofrío, de modo que bajó la ventana bruscamente y dejó tan sólo una rendija abierta.

Recordó que hallaron al niño en el bosque. El pequeño cuerpo en estado de descomposición.

Por un instante se preguntó si todos los estados marcarían su propia historia mediante crímenes. Se quedó perplejo al darse cuenta de lo mucho que sabía su hermano. Recordó a Doug hablar acerca del «asesino de Camden», que salió a la calle un caluroso día de principios de septiembre de 1949 y mató con toda calma a trece personas con una Luger que tenía de recuerdo de la guerra. Unos años atrás, Doug se sintió fascinado al enterarse de que su hermano solía ver con frecuencia a una persona que los periódicos describieron en una ocasión como un perro rabioso. Paseaba pacíficamente por los pasillos del hospital psiquiátrico de Trenton y llevaba más de veinticinco años siendo un paciente modelo, jamás discutía cuando llegaban los celadores con la dosis diaria de Thorazina, Mellaril o Haldol. Vitamina H, la llamaban los pacientes. El «asesino de Camden» siempre se tomaba la suya sin protestar. Sin proferir una sola queja.

A Doug siempre lo interesaron esa clase de cosas.

Martin Jeffers meneó la cabeza.

Sí, pero también al periodista de temas policiales del periódico de Filadelfia que acudió con objeto de escribir un reportaje sobre el hospital. Y luego vas y lo sueltas en todos los putos seminarios y convenciones a los que vayas. Mucha gente recuerda ese crimen.

Ahí radicaba el problema, pensó. A la gente siempre le fascinan los crímenes. Y era lógico que a su hermano lo intrigaran. Caramba, llevaba tanto tiempo persiguiendo policías y ladrones con su cámara, que era natural que sintiera interés.

Hizo una pausa en sus reflexiones. Pero las preguntas acudían.

Pero ¿hasta qué punto?

Volvió a negar con la cabeza.

Era absurdo.

«Conoces perfectamente a tu hermano», pensó.

Hundió la cabeza entre las manos.

No pudo llorar. No pudo sentir nada excepto una confusión inconexa.

«¿De verdad lo conoces?», se preguntó ahora.

Pensó en los hombres que formaban su grupo de terapia. De pronto se imaginó a su hermano sentado entre ellos. Después, también de repente, se vio a sí mismo en el mismo círculo.

Se apartó de la ventana, como si el hecho de pasear por la habitación pudiera cambiar la imagen que se había formado en su cerebro.

—¡Maldición! —exclamó en voz alta—. ¡Maldita sea!

Pensó en su padre y en su madre.

«¿Cómo pudiste quererlos?», pensó.

Recordó a su terapeuta. Tenía un cuadro abstracto en una pared del despacho, una reproducción de un Kandinsky, todo colores vivos, ángulos y formas con puntitos flotantes sobre un fondo blanco como la nieve. En la pared de enfrente colgaba un grabado de Wyeth, una imagen muda de un granero captado en tonos marrones y grises a la luz mortecina de últimas horas de la tarde. Realismo estadounidense. Siempre lo había desconcertado la yuxtaposición de aquellos dos cuadros, pero nunca consiguió preguntarle a la terapeuta por qué los había escogido y los había colocado en aquel sitio.

—Bien —le preguntó ella—, ¿quería usted a sus verdaderos padres?

—¡Trabajaban en un circo! ¡Eran un borracho y una puta! —explotó él, furibundo—. ¡Se abandonaron el uno al otro y después nos abandonaron a nosotros! Yo no tenía más de tres o cuatro años..., no los conocía. ¿Cómo se puede querer a algo o a alguien a quien no se conoce?

Ella no respondió, naturalmente.

Aunque él conocía la respuesta de todos modos.

«Es fácil. El cerebro fabrica algo para amar sirviéndose del más mínimo recuerdo de un contacto, un sonido, una sensación.»

Luego pensó en el corolario.

«El cerebro también puede fabricar algo que odiar.»

Fue hasta una pequeña mesa ubicada en un rincón de lo que pasaba por ser el cuarto de estar y que en realidad era una habitación atestada de papeles, trastos, novelas en rústica, novelas clásicas, textos e informes médicos, revistas, un par de sillones y un sofá, un televisor y un teléfono. Recorrió sus cosas con la mirada. Son baratas, las magras pertenencias de una persona que lleva una vida magra. Echó un vistazo a la mesa de escritorio y vio un sobre metido bajo una esquina del secante. Llevaba escrito de su puño y letra: «Llave del piso de Doug.»

Se acordó de cómo su hermano le lanzó la llave con un gesto espontáneo. «Un viaje sentimental», dijo.

«Nada es accidental.»

Todo forma parte de un plan. De manera consciente o inconsciente. Cogió el sobre con la llave y lo sostuvo en la mano. Pero negó con la cabeza. «Todavía no —dijo—. No estoy convencido. No estoy persuadido. No quiero entrometerme. Todavía no.»

—No.

Se dio cuenta de que aquel pensamiento era una mentira.

Entonces dejó el sobre de nuevo sobre el escritorio y se dio la vuelta para ir a sentarse en un sillón. Miró el reloj. Ya eran bastante más de las doce.

—Vete a la cama.

Se dejó caer en el sillón, sabiendo que no podría dormir.

Pensó en la detective.

Martin Jeffers intentó imaginarse las fuerzas que impulsaban a esa mujer. Pensó por un instante que era una persona pura, que su única motivación auténtica era hacer justicia. Aunque dicho empeño tomara la forma de la guerra, la venganza o la rabia, seguiría siendo un empeño honesto. ¿Incluso un asesinato?, se preguntó para sus adentros. No formuló una respuesta, pero la sabía: no se fiaría de nadie que ofreciera la otra mejilla. La psiquiatría moderna no reconoce ese altruismo carente de todo egoísmo.

Una vez más la detective se abrió paso hasta su conciencia. Vio su rostro serio, grave, irradiando una decisión que daba miedo, su cabello severamente recogido hacia atrás. Lo que resulta aterrador era el hecho de que no se comportaba como un hombre. Era una mujer. Debería estar tallada en granito, una persona de mediana edad, burocrática, con unas manos de campesina y una visión monocular del mundo. Pero la detective Barren vestía de seda y no calzaba zapatos sensatos, lo cual le daba todavía más miedo. Por regla general, las mujeres no persiguen a su presa por todo Estados Unidos; no se sienten motivadas por los absurdos y estúpidos egos del insulto y el ultraje, como les sucede a los hombres. Ellas tienen más mundo, son más comprensivas.

Sonrió y pensó que estaba siendo un tonto.

Lección primera del primer día en la facultad de medicina: No generalizar. No caracterizar.

Las palabras obsesión y compulsión saltaron a la vez al interior de su cerebro, pero se sintió momentáneamente confuso. Reflexionó sobre su hermano, sobre la detective, sobre sí mismo.

No era de extrañar, pensó entonces, que los antiguos griegos hubieran inventado a las Furias y que éstas fueran mujeres. Su recuerdo fue rodando por el mito y la fantasía. «Aunque quisiera ponerme una venda en los ojos, aún seguiría viendo.»

Martin Jeffers dejó la mirada perdida en la habitación, contemplando el reloj, asustado de la noche, aguardando la mañana, deseando con desesperación volver a la rutina de su vida: la ducha matinal, el café rápido, el viaje en coche hasta el hospital, la primera serie de rondas del día, las sesiones habituales con su grupo y después sus pacientes, que llamaban con timidez a la puerta de su despacho. Deseaba que todo volviera a la normalidad, a ser como era antes de lo que había sucedido aquel día. Se dio cuenta de lo infantil que era aquel deseo y sonrió para sí. Ojalá se encontrara otra vez en Kansas, en Kansas, en Kansas... Cerró los ojos y rió a medias ante aquella broma de la memoria, pero sabía que no iba a cambiar nada cuando volviera a abrirlos. «No existen las zapatillas mágicas, pensó; no sirve dar tres golpes con los talones.» De repente recordó la descripción que había hecho su hermano de su trabajo: Voy pisándole los talones al mal.

Se levantó, fue hasta un armario y extrajo de él un edredón de invierno. Se lo echó sobre los hombros y volvió a sentarse en el sillón. Apagó la brillante luz de la mesa auxiliar que tenía al lado y se quedó a oscuras, en silencio, deseando estar despierto, deseando estar dormido, atrapado entre ambas cosas, y cada una de ellas suponía una perspectiva igual de aterradora.

Fuera, en su coche, la detective Mercedes Barren vio apagarse la luz. Esperó quince minutos para asegurarse de que Martin Jeffers no salía del apartamento y después reclinó el asiento todo lo que dio de sí y se extendió por encima una delgada manta que se había apropiado de la habitación del hotel. Comprobó dos veces que las puertas estaban bloqueadas, pero dejó una ventanilla abierta para que penetrase el aire fresco de la noche. «Pennington —pensó—, es un lugar que goza de una seguridad absoluta, un lugar de familias, vecinos y barbacoas en el jardín.» Recordó la época del instituto en que visitaba aquellas calles bordeadas de árboles los fines de semana de fútbol. «Él no lo sabe —pensó—; no sabe que yo también estoy en casa.» Se aflojó el cinturón y, tras una última mirada cautelosa al oscuro apartamento, se relajó y permitió que sus dedos jugaran con la culata de la nueve milímetros que descansaba sobre su vientre, debajo de la manta. Como siempre, el peso del arma le procuraba tranquilidad. Se sentía segura. Desechó el pensamiento que llevaba preocupándola durante buena parte de la noche. Sabía que era un miembro de la policía y que era algo muy malo que se convirtiera en una delincuente.

«Pero sólo será brevemente. Algo expeditivo.»

Apartó aquella idea de su cerebro.

Entonces cerró los ojos a la noche.

Sin embargo, tuvo un sueño inquietante, repleto de incoherentes combinaciones de personas: su marido y Sadehg Rhotzbadegh, los hermanos Jeffers, sus jefes y su padre. Cuando, justo antes de que amaneciera, la despertaron los faros de un automóvil que pasaba, se sintió aliviada. Observó cómo se perdían en la luz gris los pilotos traseros del coche. Sólo consiguió distinguir la barra de luces azules y rojas en el techo, y por un instante se preguntó qué policía adormilado podía pasar sin ver a una persona sola que estaba dentro de un coche aparcado en una calle residencial. ¿Qué sentido tiene patrullar si uno no es capaz de ver cosas que se salen de lo común? Pero se alegró de que no la hubieran descubierto, aunque sabía que su placa y sus modales decididos habrían sido suficiente explicación.

Observo cómo desaparecían las luces rojas por una esquina a lo lejos. Destellaron un momento con mayor intensidad cuando el conductor pisó el freno y luego se perdieron de vista. La detective Barren se estiró y miró en derredor. Giró el espejo hacia ella y arregló su aspecto físico lo mejor que pudo. A continuación se agachó y buscó a tientas los termos de café y el bollo a medio comer que se había traído. El café estaba templado, pero era mejor que nada, de modo que se lo bebió lentamente intentando fingir que estaba ardiendo y era sabroso.

Vio que las ramas de los árboles iban dibujándose poco a poco en contraste con la claridad de la mañana. Primero un pájaro gorjeó sonoramente, luego otro. Las formas de las casas parecieron destacarse frías y desnudas conforme iba afianzándose el día.

Bajó la mano y se palpó el estómago en el lugar donde se encontraba la gruesa y redondeada cicatriz de la herida de bala, oculta bajo la camisa. El coche patrulla que pasó, el silencio que precedía al amanecer, todo ello desató sus recuerdos. Reflexionó sobre la experiencia de recibir un disparo. Todavía estaba oscuro, pero ocurrió muy cerca del final del cambio de guardia junto a la tumba. Había aspectos de todo aquello que aún seguían siendo un misterio para ella. Todo lo ocurrido parecía haber tenido lugar en otra esfera temporal; había partes que sucedieron muy deprisa, que transcurrieron a una velocidad vertiginosa; en cambio otras parecían ralentizadas, transformadas en un borroso movimiento a cámara lenta.

Ella había descubierto a los dos chicos.

Caminaban a paso rápido por la calle de enfrente, con una prisa y una decisión que resultaban eléctricas para cualquier agente de policía que tuviera más de unos minutos de experiencia.

—Esa pareja de ahí tiene que andar metida en algo raro —le dijo a su compañero. Los adolescentes iban calzados con unas zapatillas de plataforma elevada—. Llevan unas zapatillas que son lo más de lo más —agregó—, y a no ser que vaya a haber un partido ahora, a las cinco de la madrugada, del que nosotros no tenemos noticia...

Su compañero observó a los chicos durante unos segundos y asintió con un gesto.

—¿No hueles el B y E? —dijo, riendo—. Venga. Vamos a pararlos y entrar a saco.

Ella llamó por la radio:

—Central, aquí unidad catorce, cero, uno. Nos encontramos en el cincuenta y seis en la esquina de Flagler y la Veintiuno noroeste. Tenemos a la vista dos sospechosos en un dos-trece. Solicitamos refuerzos.

Siempre le había gustado la autoridad que adoptaba su voz cuando transmitía códigos al agente de patrulla. Por la radio no se oyó de momento nada más que estática, debido a que su compañero había efectuado un giro de ciento ochenta grados y había acelerado en pos de los dos chicos. Después la central respondió a su llamada y les dijo que los refuerzos ya estaban en camino.

Se encontraban sólo a unos metros de la pareja de adolescentes, que se habían girado al reparar en su presencia, cuando su compañero encendió las luces giratorias.

—Esto los despertará —dijo.

Y así fue. Ambos dieron un respingo y se quedaron parados en seco. La detective se fijó en que eran poco más que unos críos.

—Niños —comentó su compañero—. Por Dios.

Se apearon del coche y comenzaron a aproximarse hacia la pareja.

—¿Qué habrán robado? —dijo su compañero en tono ocioso.

Ella recordó aquellas palabras a menudo: tu vida.

No vio el arma hasta que ésta les apuntó directamente. Se hallaban tan sólo a unos metros de distancia. La detective recordó que se revolvió intentando echar mano de su arma reglamentaria, mientras su compañero levantaba las manos como si pudiera desviar el disparo. El cañón del arma lanzó un destello, y el brazo de su compañero la golpeó al caer hacia atrás. Recordó haber visto girarse la pistola, como si no estuviera sujeta a nada, y apuntarla a ella. En ocasiones le parecía poder ver la bala saliendo del cañón y atravesando el espacio que los separaba.

Luego se recordó a sí misma tumbada en el suelo, mirando hacia arriba, dándose cuenta de que pronto iba a hacerse de día y que con ello finalizaría su turno, y así podría irse a casa a leer el periódico mientras desayunaba tranquilamente. Aquel día tenía pensado hacer unas compras; tal vez se debiera a un cambio de temperatura, pero había decidido comprarse algo ajustado y sensual, aunque no llegara a ponérselo nunca. Le pasaron por la cabeza los nombres de las tiendas. Mientras pensaba en todas aquellas cosas, sus manos no dejaron de buscarse el estómago, y logró tocar la sangre caliente y pegajosa que manaba de ella.

Sus ojos se enfocaron en el cielo que lentamente iba clareando, y su respiración se volvió superficial. Recordó haber visto a los dos adolescentes erguidos sobre ella en medio del campo visual. La miraron fijamente, a los ojos. Vio a uno de ellos levantar el arma, y en aquel momento pensó en su familia y sus amigos. Pero en vez de disparar, el adolescente soltó la pistola, lanzó un taco y salió corriendo. Jamás olvidó el ruido de sus zapatillas al correr, perdiéndose poco a poco a lo lejos, al tiempo que la envolvía una cacofonía de sirenas que le prometían una oportunidad de vivir.

En el coche, dio la espalda a aquellos recuerdos y observó a un chico de los periódicos que iba haciendo su recorrido por la calle en su bicicleta, primero a la derecha, luego a la izquierda, arrojando los periódicos hacia los porches delanteros de las casas con la familiaridad y la seguridad que da la práctica. El chico descubrió a la detective Barren y, tras un primer instante de sorpresa, sonrió y la saludó con la mano. Ella bajó la ventanilla y le preguntó:

—¿Tienes alguno de más?

El chico detuvo la bicicleta.

—Pues sí, precisamente hoy tengo uno. Se me había olvidado que el señor Macy, en esta calle, está de vacaciones. ¿Quiere comprar su ejemplar?

Ella sacó un billete de un dólar del bolso.

—Ten —le dijo—. Guárdate el cambio.

—Gracias, señora. Aquí tiene.

Y se marchó pedaleando y saludando con la mano.

El titular principal se refería a más problemas en Oriente Próximo. Había una foto de unos bomberos sacando cuerpos de un edificio derrumbado, las víctimas de un coche bomba suicida. Debajo se encontraba el titular principal de noticias nacionales, sobre el tema de un proyecto de ley fiscal en el Congreso. En la primera plana había dos noticias de delitos, primer día del juicio de un famoso capo de la mafia, texto y foto del individuo en cuestión subiendo las escaleras del tribunal, y una nota sobre un delito local. Ésta fue la que leyó primero: El propietario de una vivienda había sorprendido a un ladrón allanando su casa, desarmado, y lo había matado de un tiro efectuado con una arma sin registrar y por lo tanto ilegal. El fiscal todavía no había decidido si llevarlo a juicio o concederle una medalla por su defensa de la propiedad.

Pasó a las páginas de deportes. La temporada de béisbol estaba empezando a calentar motores y los campos de entrenamiento de fútbol americano se acercaban a las últimas jornadas. Buscó una página interior para leer la letra pequeña de las estadísticas y ver si los Dolphins habían suprimido a alguno de sus jugadores favoritos, pero vio que no. Sin embargo, descubrió que los Patriots habían prescindido de uno de sus antiguos jugadores de línea. Se trataba de un individuo grande como un armario, procedente de algún estado potente del Medio Oeste, que siempre jugaba demasiado bien contra los Dolphins. Ella había llegado a admirarlo con el paso de los años por su constancia en el esfuerzo, que él llevaba adelante con anonimato y sufrimiento. Sabía que se haría el dolido, y lo respetaba, quizá más que los demás admiradores. De pronto se entristeció por aquella noticia, pues le recordó la mortalidad y la naturaleza cambiante de las cosas. Se dijo que iba a luchar con todas sus fuerzas para que su sustituto fracasara.

Con el tiempo todo termina cambiando. Todo el mundo pasa a otra cosa nueva, reflexionó.

Miró de nuevo hacia el apartamento de Jeffers, y se puso en tensión al ver que había vuelto a encenderse la luz. Vio moverse una sombra delante de la ventana, y se encogió involuntariamente en el asiento del coche, en realidad no preocupada por que la descubriera sino más bien debido a que sintió la urgente necesidad de ocultarse.

«Vamos. Vamos, doctor. Arranca de una vez.»

Con un arrebato de emoción, bajó la ventanilla y aspiró el aire húmedo de la mañana como si temiera que sus pensamientos fueran a asfixiarla.

Martin Jeffers deambulaba por su apartamento, iluminado por la media luz matinal. Había dormido, de eso estaba seguro, pero no sabía cuánto tiempo. No tenía ninguna sensación de frescor, y seguía estando tan agotado por las emociones como al comienzo de aquella noche. Pasó al cuarto de baño y dejó caer la ropa al suelo. Se obligó a sí mismo a meterse bajo la ducha y se cercioró de que ésta fuera un poco más fría de lo que resultaba agradable. Deseaba desentumecer su organismo y ponerlo en marcha. Deseaba estar alerta y tener la mente despejada. Mantuvo la cara bajo el chorro de agua fría, temblando pero sintiendo cómo iban cobrando vitalidad sus huesos y sus venas.

Salió de la ducha y se secó vigorosamente con una toalla áspera hasta enrojecerse la piel. A continuación, todavía desnudo, se afeitó con agua fría.

Fue al dormitorio y puso sobre la cama una muda limpia, camisa, corbata y traje.

—Haz veinte —se dijo a sí mismo. De modo que se tiró al suelo y consiguió hacer diez flexiones rápidas. A continuación soltó una carcajada. Con eso bastaba. Se volvió y efectuó veinticinco abdominales con las rodillas flexionadas y sin soltar las manos de detrás de la cabeza. Recordó que su hermano le explicó que aquél era el único modo de que el ejercicio surtiera efecto. Doug nunca había tenido que preocuparse por hacer ejercicio, él siempre estaba fuerte, siempre en forma. Era capaz de comerse cuanto hubiera en casa y aun así no engordar ni un gramo.

Martin Jeffers se puso de pie y se contempló en el espejo de la cómoda. No estaba mal. Sobre todo si se consideraba que tenía un trabajo sedentario. «Puedes volver a correr o buscarte un amigo que juegue al tenis —se dijo—. Hazlo y recuperarás rápidamente la forma.»

Se vistió deprisa, mirando el reloj.

Pensó en la detective Barren. No le había dicho cuándo debía acudir al hospital, pero sabía que acudiría temprano. Movió la cabeza negando.

—No —dijo—, no existen pruebas de nada. De nada en absoluto.

«Forma parte de la naturaleza de los hermanos exagerar siempre, tanto las cosas buenas como las malas. Es algo que viene de la infancia, de la constancia del amor, de los celos y de las emociones incontroladas inherentes a la relación.» Así que Doug mató a un halcón cuando él siempre creyó —no, supuso— que había sido su padre. Se equivocó. Aun así, eso no convertía a su hermano en un asesino. En absoluto.

Las manos de Martin Jeffers quedaron suspendidas en el aire, sin terminar de hacer el nudo de la corbata. De repente se sintió casi abrumado por la fuerza del hecho de haberse mentido a sí mismo. Cerró los ojos, luego volvió a abrirlos, como si pudiera barrer de su mente el dolor que le causaba aquella idea. Entonces exclamó en voz alta, dirigiéndose firmemente a sí mismo en tercera persona:

—Bueno, sea lo que sea Doug, y demasiado bien sabes que no tienes ninguna prueba, ninguna prueba auténtica de nada a pesar de lo que diga esa maldita detective, sigue siendo tu hermano, y eso debería contar algo.

Sus palabras resonaron con fuerza en el vacío de la habitación, y aquello lo reconfortó momentáneamente. Pero también pensó irritado que llevaba suficiente tiempo siendo médico para saber reconocer una negación clínica. Incluso en sí mismo.

Aún debatiéndose entre los extremos de la incredulidad y la revelación, y sin fiarse de su memoria, de sus sentimientos ni de la verdad que había ido asentándose en su interior con los años, Martin Jeffers se puso en camino hacia el hospital. No vio a la detective aguardándolo y vigilándolo desde el otro lado de la calle.

Barren aguardó otros diez minutos, sólo para estar segura.

Pero, por el paso rápido que llevaba el médico y la expresión grave de su semblante, supo que se dirigía directamente al hospital y a la reunión que tenía con ella, la cual supuso que lo había tenido preocupado durante toda la noche.

Pues iba a tener esa reunión, pero no tan temprano como probablemente esperaba él.

Una vez más, la detective Barren experimentó una leve preocupación por lo que se disponía a hacer. Una parte de ella argumentó: «Ya sabes lo suficiente; él cederá y se ofrecerá a ayudarte.» Pero su lado pesimista dudaba que el médico la ayudara a buscar a su hermano hasta que ella pudiera abrumarlo con la necesidad de hacerlo. «Aún necesitas ejercer un poco de presión, y ese apartamento constituye un sitio tan bueno como cualquier otro para empezar a buscar algo.» Además, no las tenía todas consigo en cuanto a Martin Jeffers. «Si lo sabe, puede que lo haya ocultado durante años.» Recordó la expresión de sorpresa que Martin Jeffers se apresuró a disimular cuando ella le expuso por primera vez y sin ambages lo que necesitaba. «A lo mejor él también es un asesino. Puede ser, puede ser.» Se sintió reforzada por lo que sabía y debilitada por lo que suponía, y comprendió que todavía necesitaba saber más. Hechos. Verdades. Pruebas.

Dio por terminado aquel debate mental y se apeó del coche. Tras mirar en derredor rápidamente, cruzó sin prisas la calle en dirección al apartamento. Pero en lugar de dirigirse a los escalones de la entrada, apretó el paso y dio la vuelta al edificio casi corriendo. Un minuto después descubrió la ventana, entreabierta para dejar pasar el aire fresco.

«No te pares. Hazlo sin más.»

Agarró un cubo de la basura metálico y lo apoyó contra el costado de la casa. A continuación se subió encima y al mismo tiempo abrió un poco más la ventana. Sin titubear, empujó hacia dentro la frágil persiana y se lanzó de cabeza al interior de la vivienda, yendo a aterrizar como una torpe ave acuática en el suelo del cuarto de estar.

Se puso de pie a duras penas y se apresuró a cerrar la ventana de nuevo.

Se le ocurrió la insólita y graciosa idea de que acababa de llevar a cabo un allanamiento de lo más eficiente, por primera vez en su vida. Se imaginó las varias decenas de ladrones y rateros de todo pelaje a los que había detenido a lo largo de su carrera, puestos en fila, aplaudiéndola. «Ahora soy uno de ellos», pensó.

Miró a su alrededor y experimentó un momentáneo desagrado al ver aquel confuso desorden de ropas y mobiliario. Pero la sensación pasó deprisa.

Aquello le trajo a la memoria una visita que había hecho a John Barren cuando éste se encontraba en su primer año de universidad. Sonrió al recordar los calcetines fermentando en el rincón, los calzoncillos archivados en un armario archivador metálico junto con listas de lecturas y resúmenes de asignaturas. Lo reprendió: «Como mínimo, podrías meterlos en el cajón que lleva la etiqueta de ropa interior.» John también vivía en medio de un completo desorden, como si para él fuera importante dejar la mente sin trabas y el entorno hecho una pocilga. Luego pensó que su memoria estaba siendo excesivamente benévola, que en realidad él era tan sólo un hombre como tantos, acostumbrado a tener una madre que fuera detrás de él recogiendo sus cosas; como si, aunque ya estuviera en la universidad y lejos de casa, su madre fuera a presentarse misteriosamente para recoger los calcetines del rincón y devolvérselos más tarde lavados y planchados. Y la verdad —sonrió de nuevo— es que tenía razón: casi fue lo primero que hizo ella, la maldita colada. Le dio un beso, después vino un rápido revolcón mientras sus compañeros de habitación estaban ausentes, y acto seguido le recogió la ropa sucia y se fue con ella a la lavandería.

«Las mujeres no aprendemos nunca.» Y le entraron ganas de reír en voz alta.

En eso, oyó un ruido en el pasillo y se quedó paralizada de miedo.

Su cerebro se puso a repasar rápidamente las posibilidades de lo que podía haber sido aquello. ¿Una voz? ¿El ruido de una puerta al abrirse? ¿Pisadas? Tragó saliva y aguzó el oído, intentando captar algo por encima de las palpitaciones de su propio corazón.

«¡No puede haber vuelto!»

Extrajo la nueve milímetros del cinturón y aguardó tensa, pensando: «Estás loca. Baja el arma. Si es él, dale una explicación rápida. Se enfadará, pero sabrá qué estás haciendo aquí.»

Pero en vez de eso apuntó la pistola hacia la puerta y esperó.

De repente la invadió el pánico: «¡Es el hermano!»

Se sintió aplastada por un mal inmenso, incontrolable, como si su hedor hubiera inundado la habitación de pronto, igual que el humo de un incendio. «¡Oh, Dios! ¡Se oculta aquí! ¡Están juntos en esto! ¡Es él!»

Se agachó en cuclillas en un intento de aquietar los ruidosos latidos de su corazón y el temblor de su mano. Se exigió a sí misma dureza, la buscó dentro de sí. Las manos dejaron de temblar. La respiración se volvió uniforme y paciente. Miró hacia donde apuntaba el cañón de la pistola, tal como había hecho cientos de veces en la galería de prácticas de tiro.

«Aciértale al primer disparo», se ordenó con rabia.

«Apunta al pecho. Eso lo detendrá. Y luego lo rematas con un segundo disparo a la cabeza.»

Cerró un ojo y respiró hondo. Aguantó la respiración.

Luego esperó a percibir otro ruido.

Pero no hubo ninguno.

Siguió en la postura de disparar. Se sentía incapaz de moverse y creía que sus músculos no iban a relajarse nunca. Transcurrieron treinta segundos. Luego se prolongaron hasta un minuto. El tiempo parecía alargarse con la tensión.

Pero el mundo continuaba sumido en un profundo silencio.

No quería permitirse respirar, hasta que por fin no pudo aguantar más y dejó salir el aire retenido en un largo suspiro.

Bajó lentamente el arma.

—Ahí no hay nadie —susurró en voz alta. Le resultó tranquilizador oír su propia voz—. Has perdido completamente la cabeza —continuó diciendo en voz baja—. Venga, deja de hacer el tonto, encuentra algo y sal de aquí de una vez.

Echó un vistazo somero al cuarto de baño y luego registró el dormitorio a toda prisa. Se dio cuenta de que no estaba siendo especialmente sistemática, pero también sabía que lo que tuviera Martin Jeffers que pudiera ayudarla a encontrar a su hermano no tenía por qué encontrarse precisamente escondido. Debajo de la cama halló dos cajas de cartón llenas de objetos personales. Las sacó, se sentó en el suelo y se puso a examinarlas lo más rápidamente que pudo. Se trataba en su mayoría de impresos de declaración de la renta, solicitudes de préstamos, documentos universitarios. Vio que en la facultad de medicina sus calificaciones fueron medianas, mientras que en los cursos preparatorios de la universidad habían sido de sobresaliente. Era como si una vez que llegó a su futuro hubiera dejado de aplicarse con la misma intensidad. Ello podía explicar por qué estaba en un hospital psiquiátrico estatal en vez de en uno privado y más lujoso. Pero eso sólo planteaba toda una nueva serie de preguntas, de modo que volvió a guardar los papeles en la caja y examinó algunos más. Se topó con una carta certificada del organismo estatal denominado Catholic Charities, que databa de seis años antes. La abrió con gesto distraído y leyó:

... Nos es imposible proporcionarle información acerca de su madre biológica. Si bien la adopción se llevó a cabo entre miembros de la familia, nosotros nos hicimos cargo de los trámites. Por desgracia, cuando en 1972 se quemó la parroquia de St. Stephen, muchos de los antiguos archivos que no habían sido trasladados a microfilme quedaron destruidos de forma irremediable.

La detective Barren miró fijamente aquella carta, pensando que constituía una información muy interesante pero sin saber exactamente por qué. Volvió a ponerla donde estaba y hojeó los demás papeles. Había una carta escrita con inconfundible letra femenina. «Querido Marty —decía—, lo siento mucho, pero lo nuestro no va a funcionar...» Y el resto eran sensibleras críticas a sí misma de una mujer llamada Joanne. La detective Barren reconoció el estilo: echarse la culpa a uno mismo cuando se sabe que lo cierto es justo lo contrario. Durante los años de la adolescencia había ayudado a una docena de amigas a escribir cartas iguales que aquélla. Le dio un vuelco el corazón al acordarse de aquella ocasión en que su sobrina, a la edad de dieciséis años, la llamó para pedirle el mismo favor.

Dejó la carta en la caja y extrajo una copia amarillenta y quebradiza de un periódico. Era el *Vineyard Gazette*, de Martha's Vineyard, y llevaba fecha del mes de agosto de veinte años antes. Recorrió rápidamente con la mirada la primera plana; el titular principal rezaba: LAS AUTORIDADES PORTUARIAS ALCANZAN UN ACUERDO SOBRE EL NUEVO MUELLE PARA EL TRANSBORDADOR. En la otra cara, por encima del pliegue, había una fotografía y un texto: FLOTA DEDICADA A LA PESCA DEL PEZ ESPADA BATE EL RÉCORD DE CAPTURA EN UNA SOLA JORNADA CON 21 EJEMPLARES. Y al lado, en letras más pequeñas, se leía: «Un accidente de natación se cobra la vida de un bañista.»

Echó un vistazo al párrafo: «Robert Allen, que se encontraba de turismo en la zona, perdió la vida el pasado martes al verse atrapado por una súbita resaca mientras nadaba frente a South Beach a últimas horas de la tarde. La policía y el servicio de guardacostas supusieron que este comerciante de Nueva Jersey quedó físicamente agotado tras luchar contra la corriente y no logró alcanzar la orilla después de haber sido arrastrado a ochocientos metros de la playa.» A la detective le llamó la atención el dato de que el protagonista del suceso fuera de Nueva Jersey, pero su nombre era otro, de modo que pasó al siguiente. A continuación de esa noticia venía otra: EL CANDIDATO ELECTO DE TISBURY RECHAZA LA PROPUESTA DE MODIFICACIÓN DEL PROYECTO DE LEY.

Contempló la hoja por espacio de unos instantes y pensó: «a lo mejor hay algo en el interior», así que empezó a pasar rápidamente las páginas. Pero no halló nada que llamara su atención. Era el surtido habitual de noticias propias de la temporada estival; ya estaba familiarizada con el estilo de los periódicos de las localidades veraniegas de pequeño tamaño. Unas cuantas bodas, temas agrícolas, quién ha visitado a quién, prudentes cálculos acerca de cuántas garrapatas había entre la vegetación. Advertencias sobre la contaminación de los moluscos. Texto y fotos de la tarta de manzana que había ganado el concurso en la feria de Tisbury. La mezcla habitual de temas cotidianos.

Regresó a la primera plana y estudió la fotografía que acompañaba al artículo sobre la captura de peces espada. No tenía pie de foto. Se fijó en la composición y se preguntó: «¿será éste?». Los ojos de los pescadores parecían arder sobre el papel, mientras que el ojo muerto de uno de los ejemplares capturados destacaba creando un vivo contraste por lo apagado. «Es su estilo», pensó. Pero ella era impaciente, lo cual admitió que era una característica horrorosa para una persona que está realizando una búsqueda no específica. Pero hizo caso omiso de ello y volvió a dejar el periódico en la caja. Metió otra vez ambas cajas debajo de la cama y las dejó donde estaban antes.

Hasta el momento, nada.

Fue al cuarto de estar y vio el edredón tirado sobre un sillón. «Ahí es donde ha dormido esta noche —pensó—. Si es que ha llegado a dormir algo.»

Advirtió que había un manojo de revistas en el suelo, alrededor del sillón. De modo que había intentado desconectar de las preocupaciones. «Bueno, pues estoy segura de que no le ha funcionado.» Se disponía ya a pasar a otra habitación cuando de pronto atrajo su atención algo que vio en la pila de revistas. Se volvió y las miró otra vez.

—¿Qué ocurre? —susurró—. ¿Qué pasa?

Se concentró en la única revista que estaba orientada hacia ella. La miró atentamente, y a continuación se reprendió a sí misma:

—Está pasada de fecha. ¡Maldita sea, pon atención!

Se arrodilló junto al fajo de revistas y tomó un ejemplar de *Life* con fecha de seis meses atrás. Pareció quemarle las manos. Ya sabía lo que iba a encontrar dentro. Dejó que la revista se abriera sola y al instante vio de qué se trataba. El renglón le saltó a la vista: FOTO-GRAFÍAS DE DOUGLAS JEFFERS. Observó la página y vio el gris granulado de una fotografía. Mostraba a un médico de urgencias mirando de frente a la cámara con gesto de agotamiento. La palpable sensación de cercanía entre la cámara y el objeto le produjo una fuerte impresión, y tuvo que alejar el papel.

«Ya sé lo que buscaba el fotógrafo.» Se imaginó al hermano médico sentado en el sillón, mirando aquellas páginas, intentando ver qué podían decirle aquellas fotos.

Esparció las revistas a su alrededor y buscó las fotografías que pudieran contener. Se le echó encima una explosión de rostros y formas que surgieron de aquellas páginas, pero ninguna de ellas le dijo nada que no supiera ya.

—Es muy bueno. Pero eso ya lo sabíamos. Ya sabíamos que era uno de los mejores.

«Pero ¿qué más hay que ver aquí?»

Por un momento experimentó la misma frustración que sabía que había sentido el hermano horas antes. «Hay mucho que ver, pero lo que revela es muy poco.»

Cerró las revistas y las ordenó aproximadamente en la misma posición en que las había encontrado.

Se quejó amargamente:

—¡Encuentra algo!

Fue hasta el escritorio, a examinarlo, y encontró escrito: «Llave del apartamento de Doug.» Era tan obvio, que por un instante le costó entender lo que estaba viendo. Entonces su mano salió disparada, como si la manejara otra cosa que no era su mente consciente, y cogió el sobre. Palpó la llave que tenía dentro. Echó la cabeza atrás y reprimió a duras penas la exclamación de euforia que pugnaba por salirle del pecho. Se guardó el sobre en el bolsillo y acto seguido levantó las manos cerradas en dos puños por encima de la cabeza, como haría un atleta en el momento de la victoria. Pero la alegría se disipó al momento ante la necesidad de exigirse disciplina. «Domínate», pensó enfadada. Después, casi presa del pánico, se puso a mirar en derredor. «La dirección, necesito la dirección.» Buscó por toda la habitación y descubrió una agenda negra junto al teléfono. Se abalanzó sobre ella y la abrió de golpe. La dirección del hermano, el Upper West Side de Manhattan, destacó en tinta negra. Buscó un bolígrafo y un trozo de papel, pero no vio ninguno. Así que arrancó la hoja de la agenda.

Seguidamente, sintiéndose acalorada, se dirigió a la puerta principal de la casa, la abrió y, después de mirar atrás brevemente, salió del edificio. No podía pensar en nada más que la sensación de electricidad que irradiaba la llave robada que llevaba en el bolsillo.

Ya en la calle, frente al apartamento, se cruzó con una anciana que paseaba a un perrito protegiéndose del sol cada vez más alto con una sombrilla pasada de moda.

—Buenos días —la saludó la mujer en tono jovial.

—Un día precioso —contestó la detective Barren.

—Pero caluroso —dijo la anciana. Bajó la vista hacia el sheltie que jadeaba al extremo de la correa—. Días de perros —añadió—. Demasiado calor en verano y demasiado frío en invierno. Así es la vida.

Aquello era un chiste, y las dos mujeres sonrieron. La detective Barren se despidió de ella con un gesto de cabeza y cruzó la calle. Por un instante se sintió abrumada por la claridad del sol estival y por la conversación de rutina que había tenido con la anciana. Todo era normal. Todo era simple, ordinario; todo está en su sitio cuando los pájaros cantan, los niños juegan, la brisa sopla suavemente, la temperatura sube, una mujer pasea al perro. La normal Norteamérica de Norman Rockwell. Los sencillos ritmos y melodías de siempre.

Movió la cabeza en un gesto negativo y pensó en la disonancia que representaba lo que llevaba en el bolsillo. Se estaba acercando.

Pennington se difuminó poco a poco a su alrededor, y vio mentalmente las duras calles urbanas de su próximo destino.

Entró de nuevo en su coche, y pocos segundos después estaba en la carretera de camino a Nueva York.

La marea de discusiones que rodeaba a Martin Jeffers comenzó a menguar.

Había iniciado la sesión formulando a los «niños perdidos» una pregunta sencilla:

—Todos vosotros tenéis parientes; ¿qué pensáis que opinan ellos de vuestra conducta? ¿Tienen alguna relación con los delitos que habéis cometido?

Se hizo un silencio incómodo, y Jeffers se dio cuenta de que había tocado una fibra sensible. Y también se dio cuenta de que aquella pregunta, formulada de manera no del todo inocente, le había salido del corazón. Al instante se imaginó a su hermano, y entonces expulsó aquella imagen de su cerebro mientras escuchaba cómo iban desplegando sus recuerdos los miembros del grupo. Se produjo una oleada de negaciones, casi en masa, lo cual, como siempre, él consideró que quería decir justamente lo contrario. Se trataba de una fórmula muy simple: lo que los «niños perdidos» negasen con más vehemencia sería lo que más se acercara a la verdad.

Acto seguido esperó a que las voces fueran apagándose para poder interponer algún comentario que les sirviera a ellos como pie para continuar la discusión. Pero su atención iba y venía, y le costó trabajo concentrarse en cómo iba avanzando el grupo. Por suerte, los «niños perdidos» estaban muy activos y por lo tanto necesitaban pocos estímulos por parte de él. Jeffers se sorprendió a sí mismo lanzando miradas nerviosas a su reloj, anhelando que finalizara la sesión. Se preguntaba dónde estaría la detective.

—¿Sabéis algo muy curioso? —El que hablaba era Meriwether, con su vocecilla aflautada—. Cuando me detuvieron y me trajeron a este club de campo, mi mujer se cabreó más que yo. Quiero decir —expulsó el aire por las fosas nasales en una risa ruidosa—, estuve a punto de creer que iba a divorciarse de mí. Mierda, hasta me entró miedo de que me pegara un tiro. Claro que es el doble de corpulenta que yo; con que me hubiera arreado un par de...

Todos los hombres rompieron a reír al oírlo.

«¿Qué querrá? —se preguntó Jeffers—. ¿Arrestarlo?» Recordó su mirada glacial.

—Sigue —dijo por oficio.

—... Pero no me hizo nada. Lloraba y se retorcía las manos. E incluso cuando me llevaron los guardias, ella todavía lo negaba. Era como si creyera que la vecina a la que violé, no sé, me hubiera seducido ella a mí. Debió de creer eso. —Meriwether hizo una pausa y añadió—: Diablos, esa niña tenía sólo once años...

En aquella pausa momentánea, el cerebro de Jeffers trabajó a toda máquina. «¡Él siempre me ha involucrado a mí! —pensó—. Yo siempre he formado parte de todo lo que ha hecho él. Siempre al borde, sin participar casi, pero conectado de todas formas. Él siempre lo ha querido así. Y siempre se ha salido con la suya. Ésa es la prerrogativa de ser el hermano mayor. ¿Qué hermano pequeño se atreve a negarle algo al mayor?»

—Era una tía de lo más raro. Ahora viene a verme dos veces por semana y pide para mí la condicional.

Recorrió el grupo con la mirada.

—¿Lo pide? —dijo una voz nada ingenua.

—Que alguien me lo explique —pidió Meriwether.

Jeffers pensaba sólo en unas palabras concretas: «un viaje sentimental». De repente se sintió invadido por un acceso de ira de lo más frustrante.

«¿Qué demonios había querido decir Doug con eso?, se preguntó a sí mismo, furioso. ¿Adónde habrá ido? ¿Qué sentimiento es el que hay en nuestras vidas? ¿Habrá ido a hacer una visita a la antigua casa familiar? Está justo en la puta carretera de Princeton. A lo mejor ha ido a ver la farmacia del viejo. Ahora es propiedad de una cadena comercial. ¡Pero para eso no tenía necesidad de salir corriendo! Entonces, ¿adónde se ha ido? ¿Qué quiere visitar? ¡Nunca me cuenta nada!»

Un millar de negros pensamientos inundaron el cerebro del doctor Jeffers.

Wasserman habló a toda prisa contestando a la pregunta de Meriwether:

—Mi madre es igual. Todas las semanas recibo un paquete de ella. No se creyó nada. Podría haber liquidado a cualquier tía debajo de sus narices, que ella se me habría quedado mirando y me habría dicho: «En fin, cariño, por lo visto te la has follado con demasiado ímpetu, porque le ha dado un infarto y se ha ido al cielo...»

Jeffers reparó en que Wasserman había perdido momentáneamente el tartamudeo que era habitual en él. «Mi hermano siempre ha sido directo a la vez que críptico, pensó. Me decía sólo lo que yo necesitaba saber. ¡Lo que él pensaba que debía saber! Y ahora que necesito saber algo, se va y me deja en blanco. ¡Sin nada! ¡Cero!»

Sin embargo, luego se dijo a sí mismo que ya lo sabía.

Negó con la cabeza. «¿Qué es lo que sabes?», se preguntó.

A su alrededor los hombres silbaban y lanzaban bufidos.

—A... a... a veces me daba la sensación de que mi... mi... mi madre estaba más lo... lo... loca que yo.

Los hombres confirmaron que eran de la misma opinión. Jeffers percibió que había vuelto el tartamudeo.

A continuación intervino Pope con su tono característico:

—Nunca quieren creer la verdad. No quieren creer que uno es capaz de sisar una chocolatina de una tienda. Cuando las cosas van a peor, simplemente lo niegan todavía más. Y cuando por fin te detienen por violar a alguien, como todos los que estamos aquí, se niegan en redondo a aceptarlo. Les resulta más fácil creerse otra cosa. Más simple.

—No siempre —intervino Miller. Los hombres se giraron hacia el duro delincuente profesional. Miller los recorrió a todos con la mirada como si estuviera evaluando una joya robada—. Pensadlo. Todos tenemos a alguien, probablemente un padre, quizás una madre, que sabía lo que éramos y nos odiaba por ello. Alguien a quien no podíamos dar el pego. Alguien que nos zurraba, quizás, o que nos abandonó porque no podía zurrarnos. Alguien que se largaba cuando las cosas iban bien... —Aquel comentario lo hizo reír, pero los demás se habían ido quedando callados, absortos en sus pensamientos—. Tal vez alguien de quien queríamos librarnos. O alguien de quien conseguimos librarnos, pero —esto lo dijo con una sonrisa burlona— del que no tienen ni idea aquí, el médico, ni las autoridades competentes...

Hizo una pausa, y Jeffers vio que estaba regodeándose en aquella opinión y en el efecto que había causado ésta en sus compañeros de grupo.

—Continúa —dijo alguien.

—Siempre hay una persona capaz de ver exactamente cómo somos por dentro. En el fondo no es para tanto. Lo único que hay que hacer es manejar a esa persona de forma un poco distinta, y ya está. Pero esas personas existen, eso lo sabemos todos.

La sala se llenó de murmullos y después se sumió en el silencio.

En aquel momento de silencio, Jeffers intentó abstenerse de formular la pregunta que le quemaba el cerebro, pero no fue capaz. Sus palabras eran como sus pensamientos: fugitivas, incontrolables, impulsadas por un motor propio. En aquel momento lo aterrorizaban profundamente, pero no tenía fuerzas para nada. Así que lo preguntó:

—Bien, vamos a darle la vuelta al asunto un momento. ¿Qué haríais si os enterarais de que una persona a la que amáis, un familiar vuestro, está cometiendo delitos? ¿Cómo actuaríais?

Hubo unos momentos de reflexión, como si todos los «niños perdidos» hubieran tomado aire al mismo tiempo. Y a continuación se vio rodeado por una cacofonía de opiniones diversas.

La detective Mercedes Barren condujo en dirección norte y pasó de largo la salida de la autopista de peaje Nueva Jersey que llevaba al túnel Holland, lo cual habría sido una ruta más directa. Enfiló hacia el puente George Washington, que tendía su enorme corpachón de color gris sobre el río Hudson. Tomó conscientemente la decisión de evitar el túnel, a pesar de la presión que ejercían sobre ella la emoción y la furiosa sensación de que el tiempo se iba acortando, que se iba comprimiendo en torno a ella. Siempre evitaba los túneles en la medida de lo posible; desde que era pequeña, la preocupaba el peso del agua que presionaba contra las baldosas y sobre el cemento por encima de ella. Todavía le parecía ver, con aquellos mismos ojos de niña imaginativa, cómo el túnel se agrietaba y se combaba y cómo se desplomaban sobre ella aquellas aguas oscuras. El confinamiento del túnel hacía que se le entrecortara la respiración y que le sudaran de modo desagradable las palmas de las manos.

«Es como un poco de claustrofobia. No es tan terrible. Disfrútalo.»

Mientras aceleraba cruzando el puente, lanzó una mirada fugaz por encima del hombro para contemplar los acantilados. Vio cómo las caras de aquellos precipicios se hundían tumultuosamente en el agua. El sol arrancaba destellos a la superficie del río, y captó un breve vislumbre de unos veleros de color blanco que se bamboleaban adelante y atrás. Siempre había entendido, sobre todo en los días claros y diáfanos, por qué el bueno de Henry Hudson se quedó convencido, la primera vez que remontó el gran río, de que había descubierto el paso hacia el noróeste. Le resultaba razonable, si se eliminaban los edificios y los barcos y se miraba el río y los acantilados sin los estorbos del progreso, que cualquiera creyera que en la siguiente curva sin duda iba a encontrarse en China.

Contempló la ciudad, con su masiva falange de rascacielos erguidos y tiesos, como un gran ejército en posición de firmes. Aferró con fuerza el papel de la dirección y se abrió paso por entre el tráfico con actitud agresiva. Al penetrar en Manhattan mantuvo la vista al frente en todo momento, negándose incluso a mirar por el espejo retrovisor, centrada únicamente en llegar a su destino.

Para su sorpresa, descubrió una plaza de aparcamiento autorizado en la calle situada escasamente a una manzana del apartamento. Pero antes de aproximarse a éste hizo una parada en una *delicatessen* local para comprar unos cuantos comestibles. Después de eso, cargando con la bolsa y sosteniendo la llave en la mano, se encaminó hacia al hogar de Douglas Jeffers.

Jeffers vivía en un edificio antiguo de ladrillo, de tamaño mediano, ubicado en West End Avenue. Tenía un anciano portero que le sostuvo la puerta a la detective Barren para que pasara.

—¿A quién viene a ver? —le preguntó con una voz áspera de fumador.

—Me quedo en casa de mi primo mientras hago un poco de turismo. Él está fuera —repuso ella en tono jovial—. Es Doug Jeffers. El mejor fotógrafo que hay...

El portero sonrió.

—Cuarto F —dijo.

—Ya lo sé —replicó ella sonriendo a su vez—. Hasta luego.

Se subió a un ascensor viejo, cerró la puerta firmemente y pulsó el cuarto piso. Vio que el portero ya se había dado la vuelta. La cabina subió lentamente dejando escapar más de un crujido, y al final, con un rebote, pareció quedar emplazada en su sitio. La detective Barren salió de ella con cuidado.

Para gran alivio suyo, el pasillo se hallaba desierto.

Enseguida encontró la puerta F, y depositó la bolsa de la compra en el suelo. Cambió la llave a la mano izquierda para sacar del bolso la nueve milímetros. Escuchó unos momentos, pero no percibió ningún ruido al otro lado de la gruesa puerta negra.

Así que respiró hondo y dijo:

—¡Vamos allá!

Introdujo la llave en la cerradura y giró. Oyó cómo se soltaba el pestillo, y entonces empujó con fuerza.

La puerta se abrió de par en par. Ella se agachó y se metió dentro de un salto.

Movió la pistola hacia arriba, todavía agachada, apuntando, dejando que el cañón del arma la guiara. Giró a la derecha, a la izquierda, al centro, y no vio a nadie. Aguardó. No se oía nada. Entonces se irguió y bajó la pistola. Acto seguido recuperó la bolsa de comestibles y la depositó en el suelo, dentro del apartamento. Luego cerró la puerta y echó la llave, y también puso la cadena.

Entonces se volvió y, todavía empuñando la pistola, examinó de verdad el apartamento de Douglas Jeffers.

—Lo noto —dijo en voz alta.

De pronto la invadieron un sinfín de imágenes de un centenar de escenas de crímenes y de cadáveres ensangrentados y en estado de descomposición que había visto a lo largo de los años. Le vinieron a la memoria igual que un gran desfile de carnaval. Aquellas visiones macabras y aquellos olores pegajosos inundaron su cerebro, y por un instante llegó a pensar que allí dentro había un cadáver.

Sacudió la cabeza como para aclararse la mente y dijo:

—Bueno, vamos a echar un vistazo.

Fue entrando en todas las habitaciones de una en una, con precaución, sin soltar la pistola. Cuando por fin quedó convencida de que estaba sola, comenzó a estudiar lo que tenía alrededor. Lo primero que le chocó fue que el apartamento estaba limpio y ordenado. Todo parecía estar en su sitio. No organizado hasta el punto de resultar opresivo, sino recogido y colocado. El contraste con la vivienda de Martin Jeffers era muy llamativo.

No era un piso grande. Tenía sólo un dormitorio y un cuarto de baño, una cocina pequeña provista de un espacio que servía de comedor, y un salón amplio y de forma rectangular. Una parte de dicho salón había sido transformada en un cuarto oscuro fotográfico.

El mobiliario era cómodo y bastante refinado, pero no hasta el punto de que un decorador hubiera creado un diseño especial. Más bien indicaba que su dueño entendía de calidad y ocasionalmente compraba una que otra pieza. Había algunas antigüedades, y en todas las estancias se veían chucherías en las estanterías y en las mesas. La detective Barren tomó un casquillo de lo que le pareció que era un cartucho de mortero. Había pequeños objetos curiosos, una estatuilla de Centroamérica, una figura de la fertilidad de África. Vio un enorme diente de tiburón metido en un envase de plástico y una piedra antigua, también dentro de un estuche. Esta última tenía una leyenda: «Garganta de olduvai, 1977. Dos millones de años.»

Vio que Jeffers tenía una mesa de trabajo, un banco de artesano más bien, situado junto a la hilera de ventanas que llenaban de luz la habitación. Observó la parafernalia típica de un fotógrafo: negativos, ampliadoras, papel; todo pulcramente colocado al lado de la mesa.

Había también una gran estantería para libros que cubría una pared entera del salón.

Las paredes eran blancas. Había dos carteles enmarcados: el Arte de la Fotografía, una exposición del Museo de Arte Moderno, y una Muestra de Ansel Adams de la Horn Gallery.

Todo lo demás pertenecía a Douglas Jeffers.

O por lo menos, así le pareció a la detective Barren.

Todas las paredes estaban cubiertas por decenas de fotografías, enmarcadas con diferentes estilos. Las recorrió con la mirada. «Son como las que vi en las revistas —pensó—; lo dicen todo y nada al mismo tiempo.»

Pero lo que llamó su atención fue un marco de pequeño tamaño que había en un rincón. Se acercó a él y lo escrutó atentamente. Mostraba a un hombre que se encontraba al borde de la mediana edad pero que poseía una vitalidad juvenil claramente contradictoria. Iba vestido con un pantalón militar de color verde aceituna y una camisa azul, y estaba cubierto por todas partes de cámaras y objetivos. Al fondo se veía una jungla anónima; se distinguían sarmientos y zarcillos que caían de las ramas retorcidas de un millar de árboles entrelazados unos con otros. Él estaba sentado encima de una pila de cajas marcadas con números de munición, sonriendo a la cámara, con la mano en forma de una pistola de pega e imitando el gesto de disparar. En un ángulo de la foto había un papelito blanco que llevaba escrito a máquina: «Autorretrato 1984, Nicaragua.»

—Hola, señor Jeffers —dijo la detective Barren. Cogió la foto de la pared y la sostuvo en alto—. Soy tu perdición, Jeffers —le aseguró.

Volvió a dejar la foto en su sitio y se ordenó a sí misma ponerse manos a la obra. Se dijo que en el apartamento de este hermano debía proceder de modo cuidadoso y sistemático.

Se volvió hacia el escritorio y vio, esmeradamente colocado en el centro del mismo, un sobre grande de color blanco. En él habían escrito con gruesas mayúsculas: PARA MARTY.

Su mano se lanzó a por él.

Había habido una gran dosis de discrepancia entre los «niños perdidos».

Había habido opiniones de todo tipo, desde la queja de Weingarten: «Joder, ¿y qué iba a hacer uno? ¿Decirles que dejasen de hacerlo? La gente hace lo que le da la gana, no se la puede obligar a hacer nada. Quiero decir, yo nunca he podido, y nadie ha podido impedirme nada a mí...», hasta la imperturbable actitud de Pope: «Si yo me enterase de que alguien de mi familia estaba haciendo lo que hago yo, le pegaría un tiro a ese cabrón, ya lo creo, rápidamente le libraría de su desgracia», a lo cual respondió Steele: «¿Tan mal lo estás pasando tú? Pues no lo parece, tío...» Y Pope replicó: «Ándate con ojo, maricón, porque podría acabar contigo sin despeinarme.» Esto último, a pesar de constituir una amenaza real, hizo reír a todos los presentes. Matar a un hombre como Steele les parecía a la mayoría de ellos una gran pérdida de tiempo. Esta opinión era compartida con gran entusiasmo por todos los miembros del grupo.

Al parecer, ellos, que deberían ser los expertos, estaban tan desorientados respecto a qué hacer como podía estarlo cualquier otra persona.

«Como puedo estarlo yo», se dijo Martin Jeffers.

Se sintió inundado por la desesperación.

Estaba sentado a solas en su despacho, a oscuras. Fuera, había caído la noche sobre el terreno del hospital, arrojando sombras sobre el césped. De vez en cuando se oía un grito, un quejido aislado, lo cual era la norma cuando el hospital dormía. La noche despierta nuestros miedos, reflexionó, de igual manera que el día los apacigua.

Pensó en todas las cosas que habían dicho los «niños perdidos».

—Veréis —había interrumpido impulsivamente Parker a mitad de la discusión—, hay que hacer lo que es correcto. Pero ¿qué es lo correcto? Lo que es correcto para unos polis puede que no lo sea tanto para tu familia. Si uno va a la policía, ésta quiere enterarse de todo, y desde luego no van a hacerse amigos tuyos. Lo único que quieren es detener a quien sea. ¿Y qué, vas a entregarles a tu madre, tu padre, un hermano, hasta un primo si hace falta? La familia es más importante, tíos...

A lo cual contestó Knight:

—¿Entonces te conviertes en cómplice? Pues sí. Si no dices nada, ¿no eres igual de malo que la persona que comete el delito?

La sala se llenó de exclamaciones a favor y en contra.

Alguien dijo:

—Si tú sabes algo y no lo dices, eres igual de culpable. ¡Debería haber una cárcel especial para esa gente!

«Ya la hay», pensó Martin Jeffers con amargura.

Consentir en el conocimiento de un delito es casi tan malo como el propio delito en sí. Pensó en el Holocausto y recordó en particular los problemas que hubo en Nüremberg a la hora de decidir qué hacer con las personas que se habían limitado a guardar silencio frente a la depravación del régimen nazi. A los perpetradores resultó fácil localizarlos y castigarlos, pero ¿y las personas que se habían vuelto de espaldas? Políticos, abogados, médicos, hombres de negocios...

Se preguntó qué les ocurrió a ésos.

Jeffers recordó el entusiasmo con que había acogido el grupo aquel tema. Se preguntó por qué no habría planteado antes aquella pregunta. Lo que le asombraba era la idea de que prácticamente el grupo entero había estudiado el problema que ellos mismos planteaban a sus familias. ¿Qué harían consigo mismos? No lo sabían.

Recordó el fuego cruzado de gritos que tuvo lugar en la sala iluminada por el sol. Se habían pasado veinte minutos del tiempo establecido para la sesión. Hasta que por fin él levantó una mano.

—Seguiremos con esto mañana. Que todo el mundo reflexione sobre su reacción, y lo debatiremos un poco más.

Los hombres se levantaron de sus asientos y comenzaron a salir formando los grupitos de costumbre, pero en eso Miller, el hombre que en opinión de Jeffers era quizás el menos perceptivo, se volvió y preguntó:

—¿Por qué nos ha preguntado esto? ¿Tiene algún motivo?

Todos se detuvieron y miraron a Jeffers.

Él movió la cabeza en un gesto negativo y se apresuró a adoptar su habitual expresión de leve y divertida curiosidad intelectual, y los «niños perdidos» continuaron desfilando en silencio sin hacer más comentarios. Pensó en que nadie se ha creído esa negación. Ni por un instante.

Contempló la oscuridad que se veía al otro lado de la ventana.

«¡Y yo me niego a creer que mi hermano sea un asesino! ¡Ya detuvieron a un hombre por el crimen por el que me está acosando esa detective! ¿Por qué está aquí?», pensó, furioso.

«Es que no está.»

«Entonces, ¿dónde está?»

Cuando se hicieron las doce y la detective Barren no apareció, telefoneó a su hotel. En su habitación no contestó nadie. Entonces llamó de nuevo a la conserjería para asegurarse de que no había dejado el hotel.

Intentó hacer acopio de fuerzas en su interior. «Tú espera.»

«Espera el siguiente paso. Esa detective tiene mucho que explicar. Espera a ver qué dice.»

«No es la única persona que me debe una explicación.»

Arrugó un papel que tenía en la mesa y lo tiró al suelo. Cogió un lápiz y lo rompió por la mitad. Buscó a su alrededor algo que golpear, pero no halló nada adecuado. Entonces se volvió hacia la pared y descargó una y otra vez la mano abierta contra la superficie blanqueada hasta que notó que comenzaba a enrojecerse, y aceptó de buen grado el dolor, una sensación que por un instante sustituyó a su frustración. Pensó en la detective y sintió una rabia incontrolable. Le entraron ganas de chillarle: «¡Quiero saber!»

«¿Dónde diablos estará?»

Estaba furioso.

Y después aquella rabia lo abandonó y le vino a la cabeza un pensamiento horroroso: «¿Dónde diablos estará mi hermano?»

La detective Mercedes Barren se hallaba sentada con las piernas cruzadas en el suelo, en el salón del apartamento de Douglas Jeffers, rodeada por la masa resultante de su búsqueda. Había encendido todas las luces de la casa, como si le diera miedo que la oscuridad de la noche se colara a hacerle compañía. Era tarde y estaba cansada. Había registrado sistemáticamente todo el piso, desde el inodoro del cuarto de baño hasta los archivos de negativos del cuarto de revelar. Había retirado el sofá y la cama, buscando armas, pero sin éxito. Había sacado todo lo que había en los armarios de la cocina, los había vaciado todos. Había revuelto la ropa, volcado los cajones, leído y desechado papeles. No había ni un recibo del billete a Miami. Ni una postal. Los restos de su búsqueda yacían en varios montones a su alrededor.

«Es inútil», pensó.

Sintió brotar lágrimas de rabia y desesperación en los ojos.

—Nada. Nada. Nada —se quejó en voz alta.

Sabía que el fotógrafo debía de tener una caja de seguridad, o una consigna, o una habitación en alguna otra parte, en algún lugar donde juntaba los restos de un crimen. Algo que lo relacionara con su sobrina.

Apenas lograba soportar la tensión que sentía en aquel lugar. Sabía que estaba muy cerca del asesino, lo presentía, lo olía, penetraba en su cuerpo por todos sus poros y orificios, la cubría, la absorbía por dentro. Reconocía la sensación, porque era la misma que había experimentado en el centenar de escenas del crimen que había visitado.

Que él era el asesino resultaba evidente. Lo supo al echar una mirada a la estantería de libros. Prácticamente todos los volúmenes trataban de un aspecto u otro de cómo matar. Novelas, manuales, ensayos de no ficción, todos alineados fila tras fila. Muchos de ellos los conocía ya, le sonaban los títulos. Aquello la impresionó profundamente.

—Es un hombre que conoce su oficio —dijo.

Pero tener un interés literario por el crimen no constituía una prueba.

Era algo que podía enseñar al hermano, y éste simplemente negaría que fuera nada más que una afición ligeramente morbosa, y desde luego nada fuera de lo corriente para una persona que había fotografiado tanta desgracia y tanta muerte. Desde el suelo donde estaba sentada, levantó la vista a las fotografías que cubrían las paredes y se preguntó irritada cómo podía alguien soportar verse rodeado de tantas imágenes violentas y perturbadoras.

No tenía nada. Golpeó el suelo con los puños.

Luego recogió la carta dirigida de un hermano al otro y la leyó por enésima vez:

Querido Marty:

Si recibes esta nota, habrá ocurrido una de varias posibles situaciones. Supongo que estarás esperando algún tipo de explicación.

No necesitas ninguna.

Ya la tienes.

Aun así, lamento las molestias que te he causado.

Pero era inevitable.

O quizás inevitable.

Te veré en el infierno.

Con cariño, tu hermano,

DOUG

P. D. ¿Qué te parecen las fotos? Intensas, ¿no?

La detective Barren dejó caer la nota en su regazo. No le decía nada. Se sintió devorada por un odio masivo, furibundo. El corazón pareció quemarle el pecho. Le subió a la garganta una bilis con sabor amargo. Sintió deseos de escupirle al asesino a la cara. Le entraron ganas de echarle las manos al cuello, igual que había hecho él con su sobrina.

Quiso decir algo en voz alta, pero lo único que le salió de la garganta fue un gruñido, animalesco y salvaje.

Por fin pudo pronunciar:

—Esto no ha terminado. No he acabado contigo. Pienso atraparte. Te atraparé. —Se acordó de su sobrina—. Oh, Susan —gimió. Pero fue una exclamación menos de tristeza que de furia.

La rabia le dio fuerzas, y se levantó para quedar de rodillas en el centro de la habitación. De repente sus ojos se fijaron en el autorretrato que colgaba en el rincón. Lo único que llegaba a ver era la sonrisa burlona, como si se estuviera riendo de la futilidad de los esfuerzos que hacía ella. Entonces alargó la mano de pronto y cogió el estuche de plástico que guardaba la piedra de la garganta de Olduvai y, sin pensarlo, sin darse cuenta de nada salvo de la rabia que la envolvía, aún arrodillada en el suelo, le arrojó el estuche al fotógrafo.

El ruido de cristales rotos la tranquilizó al instante.

Cerró los ojos, hizo varias inspiraciones profundas y miró la pared. Vio que la antigua piedra no había acertado al retrato de Douglas Jeffers, el cual seguía sonriéndole con una actitud esquiva que resultaba exasperante, sino que se había estrellado contra una de las otras fotografías enmarcadas, había hecho añicos el cristal y había tirado la foto al suelo.

Lanzó un profundo suspiro y se puso de pie.

«¿Ya te sientes mejor?», se preguntó a sí misma con cierta sorna.

Fue hasta donde yacía el marco destrozado de la foto.

—Bueno, juntaremos esto con lo demás —dijo entre dientes.

No tenía la menor intención de limpiar nada. Removió los pedazos con el pie. Era una fotografía a todo color de un motín en la calle de una ciudad. Al fondo se veía una columna de humo y fuego, y en el primer plano un batiburrillo de policías, bomberos y sus respectivos vehículos, las luces parecían confundirse de forma hipnótica. Le dio una patada.

—Buena foto —dijo—. No es de las mejores que has hecho, pero es muy buena.

Cuando ya se disponía a girarse, se fijó en que una esquina de la foto había quedado despegada cuando el marco se combó y se soltó tras la caída.

Se detuvo y lo miró.

No supo exactamente qué fue lo que llamó su atención. Tal vez fuera el peculiar contraste entre los vívidos colores de la foto y el gris apagado del papel que había detrás. Todavía no estaba segura de qué era lo que estaba buscando, pero le pareció que allí había algo fuera de lo habitual. Trató de recordar si alguna vez había oído comentar que alguien montara una foto encima de otra, igual que algunos artistas pintan de nuevo encima de otros lienzos que han pintado con anterioridad. Pero no recordaba nada así.

Sin permitirse abrigar esperanzas de ningún tipo, se agachó y recogió del suelo el marco roto y la foto. Fue hasta la mesa y los puso bajo la luz. Examinó la esquina que se había despegado. Tocó el papel y vio que parecía haber un doble grosor. Entonces asió la foto de encima y tiró suavemente de ella.

Ésta se despegó otro par de centímetros, revelando un fondo de color gris oscuro.

Tocó el papel de abajo y palpó el exterior satinado de una fotografía.

Aspiró profundamente.

«Procede con cautela», se dijo a sí misma.

Tiró otra vez de la foto y ésta se despegó un poco más, igual que la piel de una manzana.

Un centímetro, después otro. Las dos láminas de papel fotográfico no habían sido encoladas sólidamente. Fue tirando con mucho cuidado, cerciorándose de no rasgar ninguna de las dos. Cuando se atascaba, mojaba un dedo con saliva y separaba suavemente el papel superior.

Sólo cuando la fotografía entera quedó despegada se atrevió a mirarla. Pensó en aquel instante en la sensación que experimenta un niño cuando se arranca la costra de una herida: que le va a doler, pero que sentirá un gran alivio cuando se la quite.

Bajó la vista y vio que había una foto debajo de la foto.

Dejó la escena del motín en el suelo y contempló la otra. Era en blanco y negro.

De pronto se quedó sin respiración cuando la imagen tomó forma en sus ojos.

Era un cuerpo casi desnudo.

Era una mujer joven.

A la detective Barren le temblaron las manos. Notó que al instante se le humedecía la frente de un sudor frío.

—Susan —dijo.

Pero entonces miró de nuevo.

La joven de la foto tenía las piernas más regordetas y el cabello más corto. Estaba acostada en una postura distinta que su sobrina. Y además, la vegetación, iluminada por el *flash* que perforó la oscuridad, era diferente, no mostraba las frondas y las palmas de Florida. La protagonista de esta foto parecía yacer en un bosque propio del Norte. La detective Barren sintió que la cabeza le daba vueltas, y se sintió invadida por una sensación de vértigo resultante de frenar de pronto su imaginación desbocada. Lo que alcanzaba a ver de los rasgos de aquella joven parecía completamente erróneo.

—No es Susan —dijo.

Durante una fracción de segundo se sintió derrotada. No era más que otra de las malditas fotos de Douglas Jeffers.

Pero entonces lo comprendió: era una instantánea improvisada. En ella no se veía la composición, el cuidado, la atención y la reflexión que se apreciaban en el resto de la obra de Jeffers. Aquélla era una foto tomada con prisas, bajo presión. Bajo el fuego.

La sostuvo en alto.

—Tú no eres Susan —le dijo a la foto—. ¿Quién eres?

Volvió a mirar y vio una gran mancha oscura en el pecho de la joven. «Sangre», pensó.

Escudriñó rápidamente la foto en busca de signos de que el cadáver hubiera sido examinado, de presencia policial, de investigación oficial.

No había ninguno.

Y entonces, de forma espontánea, le vino a la mente una idea que no quiso tomar en cuenta siquiera. Dejó la fotografía en la mesa y levantó la vista, sobresaltada. A su alrededor había docenas de fotos, la galería doméstica de Jeffers. Saltó de la silla y arrancó de la pared una foto grande que mostraba a dos agricultores del Lejano Oriente con un búfalo de agua, recortados contra el cambiante cielo del ocaso. Arrojó el marco violentamente contra el suelo.

Sacó la foto de entre los cristales rotos. Palpó el doble grosor del papel. Intentó despegar la foto, pero esta vez parecía estar bien adherida. La dobló y la plegó, se tomó muchas molestias con ella, hasta que por fin cogió una pequeña cuchilla que había en la mesa y raspó una parte.

Debajo había otra instantánea en blanco y negro.

Distinguió una pierna desnuda. Luego un brazo desnudo. Mostraba regueros de algo oscuro; había visto demasiada sangre en demasiadas escenas de crímenes para no saber de qué sustancia se trataba.

Hizo una pausa y miró las paredes con una expresión de pánico.

—Susan —dijo de nuevo, en un tono de voz que reflejaba un intenso dolor—. Susan, oh, Dios mío, Susan. Tienes que estar aquí, en alguna parte.

Una vez más su mirada se centró en la galería de fotos. De pronto se sintió tonta, y avergonzada de sentirse así.

«Oh, Dios mío, Susan, no estás sola.»

Aquello resultaba tan obvio, que la aterrorizó aún más.

—Oh, Dios, estáis todas aquí —les dijo a todos los ojos de todas las fotos que la miraban fijamente—. Todas.

Sintió náuseas. Se imaginó a Douglas Jeffers sentado con naturalidad en su cuarto de estar, contemplando la imagen que tenía ella en las manos, los dos agricultores y el búfalo de agua. Sólo que él no vería aquella imagen, sino la que se hallaba oculta detrás.

Se dejó caer en el suelo, abrumada por los rostros que la miraban desde las paredes. Pasó del reino de la desesperación a otro de agudo sufrimiento. «Soy una persona racional —pensó—. Utilizo la lógica, la precisión, la ciencia. Mi vida es ordenada, organizada. Trato con hechos que llevan a conclusiones lógicas. Desempeño mi trabajo con eficacia y devoción. Las cosas están en su sitio.»

Pero sacudió la cabeza. «Se me da muy mal mentir —pensó—. Sobre todo a mí misma.»

Entonces habló en voz alta, con la esperanza de que el sonido de su propia voz ahuyentara el miedo y la consolara en cierta medida.

Pero no fue así.

—Oh, Dios mío, estáis todas aquí. No sé quiénes sois ni cuántas sois, pero sé que estáis todas. Todas vosotras. Oh, Dios mío, estáis todas. Dios mío, Dios mío, Dios mío. Estáis todas aquí. ¡Oh, no, oh, no!

Y entonces le vino a la mente otro pensamiento que comprendió que era aún peor. «Y ahora depende de mí», pensó.

X

Muchas atracciones junto a la carretera

15

Anne Hampton estaba sentada en el coche, sola, observando cómo Douglas Jeffers trajinaba en el capó comprobando el aceite y el agua. Era por la mañana, temprano, y se encontraban frente al motel Sweet Dreams de Youngstown, Ohio, muy cerca de la carretera interestatal. Desvió la mirada y la posó en la pila de cuadernos que tenía junto al asiento. Cogió la pila y contó: once. Tomó uno del centro del montón y lo abrió por el medio. Vio los apuntes de una de las frecuentes lecciones de historia de Jeffers: enero de 1958. Charles Starkweather y Caril Ann Fugate. Lincoln, Nebraska, y alrededores: «Asesina sin ningún plan establecido, sin mucho orden, sin pensar y sin prestar atención, de forma bastante aleatoria, a excepción de la familia de la joven. Una verdadera pesadilla americana, cuando nuestros hijos se vuelven contra nosotros. Charlie se consideraba un rebelde como James Dean y mató a diez personas, entre ellas a su hermana, que era muy pequeña. Fue a la silla eléctrica en el 59.» Debajo de aquel apunte había escrito la sinopsis del escueto comentario de Jeffers: «Estaban enamorados, pero al final ella se volvió contra él. Tenía catorce años.»

Cuando tenía que darse prisa, escribía con letra más grande y más infantil, observó Anne Hampton, no con aquel trazo más cuidadoso y preciso para tomar apuntes que recordaba de las clases en la facultad. Aquél era un recuerdo vago y lejano, como si su época universitaria hubiera sido años atrás, no meramente semanas.

Anne Hampton reflexionó: «... Pero al final ella se volvió contra él.»

Jeffers había dicho aquello amargamente, como si fuera aquel detalle lo chocante, y no los acontecimientos que lo precedieron. Pronunció la frase en voz alta, sin alzar el tono para que él no pudiera oírla:

—Al final ella se volvió contra él.

«Debió de desear vivir», pensó Anne Hampton.

«Debió de creer que la vida era algo caro y preciado y que a lo mejor podía llegar a ser una persona especial, o incluso una persona ordinaria, a pesar de la negrura, la sangre y la muerte, y que el hecho de vivir no se veía destruido por lo que le había sucedido. Sólo tenía catorce años, y sabía que podía haber algo más. Debió de experimentar algo mágico, maravilloso, intenso, y decidió vivir.»

«A toda costa.»

Anne Hampton se preguntó dónde podría encontrar ella esa misma energía.

Contempló nuevamente aquellas frases escritas sobre el papel blanco rayado de azul. Hubo una ocasión en que Jeffers la observó escribiendo furiosamente, y comentó que le recordaba a muchos reporteros con los que había trabajado, hombres que tenían sus propios métodos de taquigrafía, que daban como resultado unos jeroglíficos ilegibles hasta para un criptógrafo experto pero que para su autor estaban tan claros como una hoja impresa.

La recorrió un escalofrío y recordó la sensación de vértigo que había experimentado dos noches antes, cuando él le anunció que necesitaba examinar los apuntes.

Fue un momento terrorífico.

Le hizo aquella exigencia tarde, después de registrarse ambos en otro motel olvidable, después de haber pasado demasiadas horas en la carretera, agotada por el ruido, la velocidad y los faros que horadaban la oscuridad y les herían los ojos. Jeffers agarró las bolsas y gruñó:

—Tráete los apuntes.

Ella los cogió con precaución, dolorida, como si no fuera lo bastante fuerte para sostener nada más.

—Aquí están.

Él abrió la puerta y dejó las bolsas encima de una de las camas gemelas.

—A ver —dijo.

Tomó asiento frente al pequeño tocador y fue pasando las hojas. Ella se quedó encogida en una silla del rincón, procurando dejar la mente en blanco. Pero los pensamientos fueron acudiendo uno tras otro a su imaginación. «No va a ser capaz de entender lo que pone —se dijo—, y se dará cuenta de que le he resultado inútil, y entonces, oh, Dios, estoy perdida», concluyó, aterrorizada. Cerró los ojos en un intento de protegerse del miedo, pero el crujido de las páginas al pasar se le hizo ensordecedor. Al cabo de unos minutos, Jeffers, después de hojear rápidamente los párrafos del final, lanzó los cuadernos a un lado y se estiró.

—Dios, estoy hecho polvo —dijo—. Bueno, no están mal. De hecho están bastante bien. Puedo leerlos sin problemas. Vale, hay algún que otro punto oscuro, como cuando intentaste escribir yendo por aquella carretera de Michigan llena de hojarasca helada del invierno pasado. Aquello era como una montaña rusa, de modo que la letra está llena de altibajos, de acá para allá. —Sonrió—. Pero en general yo diría que lo estás haciendo bien. Muy bien. Como ya me imaginaba.

Anne Hampton deseó sentirse menos complacida por aquellos elogios.

Jeffers le devolvió los cuadernos y a continuación le dio un toquecito en la coronilla de la cabeza, casi como si estuviera acariciando a un animal o concediendo una bendición. Al principio fue una sensación relajante y permaneció sentada, observando cómo Jeffers se ausentaba para entrar en el cuarto de baño.

Pero luego regresó otro miedo.

«Estás sola. No lo olvides.»

«No confundas el placer del elogio con el dolor de un golpe.» Intentó endurecer el corazón, acostada despierta en la oscuridad hasta que el sueño se apoderó de ella y ahogó tanto su confusión como su decisión.

Al día siguiente Jeffers le dijo cómo servirse de la memoria además de los apuntes; cómo anotar una palabra o una frase y después, mediante la concentración, recordar palabra por palabra lo que se ha dicho. Para su sorpresa, descubrió que aplicando aquellas técnicas su memoria pareció adquirir la precisión de una novela, lo cual la complació, fue como recibir un regalo. Jeffers le dijo también que anotara situaciones y horas concretas, que aquello la ayudaría a reconstruir lo escrito cuando fuera necesario. Sin embargo, ella dudaba que tal cosa fuera posible; le daba la sensación de que todo estaba inconexo, que cada lugar que visitaban era aislado y singular, que el único vínculo de unión entre unos y otros era la memoria de Jeffers.

Cada parada que hacían, como sus cambios de humor, era inesperada e igual de aterradora, y dependía sola y exclusivamente de sus
razones particulares y su plan de actuación.

Lo más al norte que habían viajado era Hibbing, Minnesota, y
lo más al oeste que habían llegado era Omaha, Nebraska, casi lo
bastante cerca como para imaginar las Rocosas elevándose por encima de las llanuras, lo cual agitó recuerdos de su hogar y de su familia que le parecieron tan esquivos como la visión de las montañas.
Kansas City, Iowa City, Chicago, Fort Wayne, Ann Arbor, Cleveland y Akron. Aquellas poblaciones se mezclaban en su cerebro
formando un revoltijo de áreas rurales y trazados urbanos. Lo curioso era que tenía la suerte de que Jeffers insistiera en que tomara
apuntes con tanto esmero, porque incluso con aquella nueva precisión, su memoria seguía haciendo una mezcolanza de los detalles del
viaje.

Oyó a Jeffers canturrear fuera. A aquellas alturas ya sabía que
él hacía eso siempre que se sentía feliz llevando a cabo tareas sencillas.

Cerró el cuaderno y los ojos e intentó hacer memoria. Sabía que
en Chicago había sido la lección sobre Richard Speck y las enfermeras, y la teoría del gen defectuoso de los asesinos. Hombres delgados, huesudos, con acné y un desarrollo sexual incompleto, dijo
Jeffers. Aquello le hizo gracia, y soltó una risita burlona. Después
fueron a las zonas residenciales y echaron un vistazo a la casa de
Wayne Gacy, en cuyo sótano el que en otro tiempo fue payaso infantil había enterrado a los treinta y tres niños. Jeffers la hizo salir
del coche y pararse delante de aquella vivienda de listones de madera blancos, sin ínfulas. Luego se apresuró a tomarle una foto.
Había llovido, y Jeffers le dijo «sonríe» mientras ella se acurruca-
ba nerviosa, temerosa, contra un árbol.

En cambio en el norte de Minnesota el aire era seco y hacía calor, y recordó el color tostado de los trigales, que parecían mecerse como el mar, invitándolos, mientras ellos pasaban por su lado.
Aquello fue cuando iban de viaje a..., no consiguió acordarse del
sitio. Pero Jeffers le había contado que el campesino loco que había
destripado y disecado a sus víctimas había servido de base espiritual
para la película *La matanza de Texas*, la cual él aborrecía, aunque
reconoció admirar la capacidad del director de la misma para expre-

sar el miedo mediante la imaginería visual. Ella no fue capaz de entender aquello, pero no le pidió que se lo explicara. Cuando Jeffers pontificaba, lo cual hacía con frecuencia, sabía que lo más sensato era dejarlo explayarse. Cosa contradictoria, cuando se metía en áreas más personales era cuando permitía que ella le formulara preguntas.

Le dijo que quería pasar por la granja Cluitter de Kansas, pero que se encontraba demasiado alejada del rumbo, aunque eso a ella le pareció insólito, dado que el viaje a Minnesota estaba más lejos todavía. Pero cuando se acercaban a Madison, Wisconsin, Jeffers le mostró el centro comercial en que él había recogido en el coche a una joven llamada Irene y dijo que su muerte había sido atribuida a un asesino-violador que al final de la década de los setenta asoló los centros comerciales y los campus de Minnesota y Wisconsin durante casi un año. En Ann Arbor le enseñó la carretera que discurría frente a la universidad y en la que media docena de jóvenes que hacían autoestop habían hecho el último viaje de sus vidas; esto último lo había dicho con un tono aterrador y apocalíptico. Él mismo se había encargado de una de ellas, y afirmó que le había resultado particularmente fácil. Hizo unos ocho kilómetros más por una carretera secundaria, atravesando zonas arboladas, y en determinado momento aminoró la velocidad y señaló el bosque para decirle a Anne Hampton que había depositado a la víctima doscientos metros hacia el interior del mismo.

—El «asesino del campus», así lo llamaban. Fue en 1982. Los periódicos inventaron para él el mismo apodo que para el tipo aquel de Miami.

Cuando enfilaron hacia South Bend, Anne Hampton creyó que era para hablar de otro asesino del campus, pero en cambio Jeffers se detuvo junto a una serie de anodinas viviendas de clase media que bordeaban una calle silenciosa y con árboles. En todos los jardines de las entradas vio carteles de «se vende». No le hizo falta consultar los apuntes para recordar con exactitud la larga descripción que hizo Jeffers:

—Esto sí que fue interesante. Quería verlo con mis propios ojos. Ocurrió hace sólo seis meses. Al parecer, la familia de la derecha era de lo más normal: madre, padre, cinco hijos y un san Bernardo. Por lo visto, uno de los adolescentes andaba muy metido en el panorama local de las drogas, lo cual jodía bastante a la policía. Ésa es la clase de información interesante que espero utilizar algún día. Sea como sea, a un lado estaba la típica familia estadounidense de concursos de tartas, *boy scouts* e izado de bandera el 4 de Julio. Al otro, en fin... En fin, digamos que no se parecían en nada. Hijo único, malos tratos por parte de los padres. Al llegar a la adolescencia, el chico alberga sentimientos persecutorios bastante legítimos. Siempre odió a sus vecinos; ya sabes, pensaba que ellos lo tenían todo y él no tenía nada. ¿Sabes algo de psicología? Bueno, pues mi hermano te diría que la situación tenía todos los ingredientes necesarios para dar como resultado una personalidad paranoica con una vena psicótica. Y lo que sucedió fue más o menos lo siguiente:

»Un día los miembros de la familia típica estadounidense se van al trabajo y al colegio con la fiambrera del almuerzo, un besito en la cara y un hasta luego. El retorcido vecino penetra en la casa empuñando el cuarenta y cinco de su viejo y un par de cartuchos de balas. Lo primero que hace es cargarse al san Bernardo y arrastrar el cadáver al sótano. *Buffy*, se llamaba el perro. A continuación va disparando a todos los componentes de la familia conforme van llegando a casa y se lleva todos los cadáveres al sótano. Después sale, se va a su casa, guarda el arma de su padre y actúa como si no hubiera pasado nada. ¿Sabes qué fue lo que indignó en realidad a la gente, quiero decir, aparte de la idea de que hubiera un asesino loco en el barrio? El perro. El periódico local publicó tres fotos en la portada, pero la más grande, ancha y alta fue la de una ambulancia llevándose a aquel perro. Los lectores pusieron el grito en el cielo. Quisieron linchar al individuo que mató al perro. ¿Qué clase de monstruo era capaz de pegarle un tiro a un animalito tan grande, tan adorable, tan indefenso? Ya sabes a qué me refiero, eso es lo que dijeron todas las cartas al director. Los polis tardaron semanas en adivinar que quien había cometido el crimen era el maniático de la casa de al lado. Por fin, cuando se lo llevaron detenido, él lo contó todo. Estaba muy orgulloso de sí mismo. Lo cual es más o menos lo que cabía esperar. Quiero decir que, después de todo, tenía aquel odio y aquel problema y los resolvió. ¿Cómo no iba a sentirse satisfecho? Además, no le gustaban mucho los perros.

Anne Hampton cogió el cuaderno número diez. Cerca del final encontró los apuntes que había tomado acerca de aquel crimen, incluido el largo soliloquio de Jeffers. Cotejó con su memoria las apresuradas anotaciones que abarcaban media docena de páginas y encontró que coincidían bastante con lo que ella recordaba. Sentada en el coche, se acordó de una frase o dos que no aparecían en los apuntes, y procedió a escribirlas en el margen. Vio que había anotado literalmente el chiste con el que Jeffers había finalizado su exposición: «El periódico debería haberlo denominado el "asesino canino".»

Levantó la vista bruscamente cuando Jeffers cerró el capó de golpe.

Todavía se estremecía el coche cuando se metió de un salto en el asiento del conductor y le dijo:

—Hora de irse. Tenemos muchos kilómetros por delante antes de poder descansar y demás.

—Sí.

Un momento después le preguntó:

—¿Te gustan las carreras?

—¿Qué tipo de carreras?

—Las de coches.

—No sé. Nunca he visto ninguna.

—Hacen mucho ruido. Rugido de motores, chirrido de neumáticos. En las gradas huele a muchas cosas, a gasolina, a aceite, a crema para el sol, a cerveza y a palomitas de maíz. Te gustará. —Ella asintió con un gesto. Jeffers consultó el reloj—. Tenemos que irnos ahora si queremos pillar los primeros calentamientos. ¿Recuerdas haber ido alguna vez en un coche descapotable en verano, con un chico, escuchando la radio, cuando de pronto irrumpe un anuncio estridente, frenético?

—No, yo no...

Jeffers cambió la voz para imitar el sonido metálico y enloquecido de la radio:

—¡El domingo! ¡El domingo! ¡En el fabuloso circuito de carreras de Aquasco! ¡Coches trucados! ¡Estrafalarios cacharros con motor de inyección! ¡No se pierda la participación del Gran Papuchi en el Okie de Fenokee en una eliminatoria de tres carreras! ¡El domingo! ¡Vea a la Bruja de Mamá con su motor a reacción de dos mil caballos de vapor! ¡El domingo! ¡Aún quedan entradas! ¡El domingo!

Anne Hampton sonrió.

—Me acuerdo —dijo—. Pero el nombre del sitio era diferente.

—Aquasco está a las afueras de Nueva York, en Long Island, creo. En Nueva Jersey oíamos el mismo anuncio para la pista de carreras de Freehold. Y en verano la familia se trasladaba a Cape Cod y oíamos lo mismo pero referido al circuito de Seekonk, nada más pasar Providence. Mi hermano y yo hacíamos juntos una imitación bastante buena de ese anuncio, gritando a los cuatro vientos: «¡Vean los fabulosos Cacharros! ¡Coches trucados con motor de inyección! ¡El domingo! ¡El domingo! ¡El domingo!»

—Había olvidado qué día era.

—Un día de ocio para la mayoría. Pero para nosotros, no. Tenemos mucho trabajo.

Jeffers maniobró para tomar la interestatal.

Llegó el mediodía antes de que se aproximaran a la salida que conducía al circuito de carreras. La interestatal se hallaba casi vacía durante las horas de la mañana, y Jeffers se mantuvo a una velocidad constante, un poco por debajo de la media de los dieciocho ruedas que los adelantaban produciendo con sus motores de gasóleo un ruido inmenso que parecía amenazar con aplastar todo lo que encontraran a su paso y abofeteando el coche con la velocidad del viento. «Los camioneros que conducen los domingos por la mañana invariablemente llegan tarde. Encajan el palo de una escoba en el acelerador, dopan con café a un par de bellezones negros y tan pronto se te echan encima como te adelantan», pensó Jeffers.

Adelantó a un par de policías del estado de Pensilvania con radar que estaban explorando la carretera, y decidió que la próxima vez que hiciera un viaje por carretera se haría con un buen detector de radares, de los que leen varias bandas del radar de la policía. Pensó también que al invertir en un escáner policial portátil podría seguir el tráfico de radio de la policía. Estudió la posibilidad de volar hasta Miami a fin de hacer una visita a una tienda de la que le había hablado un periodista que acababa de regresar de un viaje a Colombia para escribir un reportaje en relación con la droga. Según el periodista, aquella tienda era de las preferidas de los que trabajaban en el ramo. Estaba especializada en equipos de vigilancia y lo último en electrónica de alta tecnología. Aparatos que permiten saber si te han pinchado el teléfono. Aparatos que arrancan el motor del coche desde una distancia de cincuenta metros, perfectos para personas a las que tal vez preocupe qué más puede suceder al accionar el contacto de su coche. Prismáticos de visión nocturna y radios portátiles de canales invulnerables. Jeffers no estaba seguro del todo de que lo que tenía aquella tienda fuera a serle de utilidad, pero se dijo que estamos entrando en una era más tecnológica y es importante estar al día. Sabía que la policía estaría actualizada. Y luego pensó que en efecto aquella forma de pensar era derrotista. Todo su método se basaba en la suposición de que la policía jamás se pondría a buscarlo a él.

«Soy invisible.»

«Anónimo. Mortalmente.»

«Y eso es lo que me mantiene totalmente a salvo.»

Lanzó una mirada a Anne Hampton y vio que parecía estar dando cabezadas.

—¿Boswell? —susurró, pero ella no contestó. De modo que decidió dejarla dormir.

«Va a necesitar fuerzas, pero no durante mucho más tiempo», pensó. Reflexionó sobre la carretera que se extendía frente a él y concluyó que las autopistas de Estados Unidos tenían algo intrínseco que resultaba reconfortante. Se extendían formando líneas interminables, trazando bucles adelante y atrás, cientos de miles de pequeñas conexiones que hacían una gran red del país, igual que las arterias en un organismo vivo. «No existe ni principio ni fin», pensó.

A su lado, Anne Hampton se revolvió.

Nada tiene fin.

Descubrió una valla publicitaria que indicaba el circuito de carreras y sintió una oleada de emoción. «Una lección de ventajas», pensó.

Una lección para ayudar a Anne Hampton a rematar su comprensión de las cosas.

Anne Hampton despertó cuando Jeffers paró en la cabina de peaje. Estiró los brazos todo lo que pudo dentro del reducido espacio del coche y empujó las piernas contra el habitáculo interior en un intento de infundir nuevo vigor a los músculos.

—¿Ya hemos llegado? —preguntó.

—Casi. Nos faltan dos o tres kilómetros. Sólo hay que seguir las indicaciones y los bólidos.

En aquel momento pasó rugiendo junto a ellos un Chevrolet de diez años de color rojo fuego con el tubo de escape levantado. Anne Hampton supo que se trataba de un Chevrolet porque llevaba todas las ventanillas adornadas con enormes calcomanías blancas con la palabra «Chevy».

—¿Cómo hará ese tipo para ver algo? —dijo en un impulso.

Jeffers rompió a reír.

—No ve nada. Pero tienes que entender que eso no es lo más importante. Las apariencias son algo crucial, tienen prioridad por delante de cualquier consideración trivial, como la seguridad, por ejemplo.

—Pero ¿no lo para constantemente la policía por llevar las ventanillas tapadas? Y tampoco lleva silenciador.

—En primer lugar, sí que tiene silenciador. Probablemente un conjunto de celdas de vidrio. Por lo menos, eso es de lo que hablaba todo el mundo hace veinte años, cuando yo estaba en el instituto. Había que tener un silenciador de vidrio y un «hemi-motor», lo que quiera que eso sea. O que lo fuera entonces. Y la razón por la que la mayoría de los polis no detienen a un chaval que conduce uno de esos trastos es que no hace tanto que ellos eran también chavales como ésos. Y se acuerdan muy bien de lo mucho que mareaban ellos a la pasma de su pueblo hace un par de años, así que ahora que tienen pistola y placa, saben que es mejor dejar el asunto en paz. Ese chaval tendría que ir a ciento treinta para poder detenerlo. O el poli debería haber tenido una discusión con su mujer esa mañana, los niños que llegan tarde al colegio chillando como unos descosidos, el café que quema, los nervios de punta, todo su buen humor echado a perder. Sería como ponerle una multa a él por todo lo que te ha pasado a ti. —Jeffers miró a Anne Hampton, la cual sonrió y afirmó con la cabeza—. Como ves —concluyó—, todo termina volviendo.

Tuvieron que hacer fila tras casi una veintena de vehículos a la entrada del circuito. Anne Hampton bajó la ventanilla y absorbió los ruidos que provenían de las gradas. El rugir y gemir de los motores al principio le sonó igual que el ruido de animales en busca de contrincantes a los que enfrentarse. Luego se dio cuenta de que cada motor emitía un sonido distinto, único en sí mismo, y que todos juntos se mezclaban formando un muro de diversos tonos y timbres. Era como una colcha tejida con muchos trozos de tela distintos.

El aparcamiento era una explanada polvorienta, repleta de varias hileras de coches y camiones de vivos colores que destacaban sobre el color marrón del suelo de tierra. Jeffers estacionó el suyo junto a un poste de teléfonos que estaba marcado con un signo escrito a mano que indicaba el área 12A.

—Aguarda un minuto —dijo.

Anne Hampton se quedó sentada en silencio, observando cómo Jeffers salía del coche. Lo vio correr por el pasillo que formaban los vehículos aparcados. Lo vio detenerse detrás de un par de coches deportivos. Escribió algo y seguidamente regresó. Pero antes de abrir la portezuela paró un momento junto al maletero y sacó varios objetos que ella no alcanzó a ver.

«Forma parte de un plan», pensó

El alma se le cayó a los pies, y contempló algunas de las parejas y grupos de personas que cruzaban el aparcamiento y se dirigían a la pista de pruebas. La marea de gente era incesante, y calculó que iba a haber un público considerable.

Sintió calor, luego frío, y si hubiera podido vomitar, lo habría hecho. Se acordó del vagabundo y del hombre de la calle de San Luis.

«Vamos a hacerlo otra vez.»

Movió la cabeza en un gesto negativo, temblando ligeramente. Por alguna razón, el hecho de visitar los recuerdos de Jeffers y los puntos que marcaban éstos, con independencia de lo macabro que fuera, al menos resultaba seguro, separado de la acción.

Jeffers le abrió la portezuela y ella salió.

Pero al ponerse de pie se le doblaron las rodillas, y Jeffers tuvo que sostenerla.

La miró fijamente durante unos instantes.

—¡Aaah! —dijo por fin, con cierto timbre de diversión pero con un horrible tono frío y calculador que ella no le había oído desde lo de San Luis—. Has adivinado que no estamos aquí sólo porque nos gusten las carreras...

No terminó la frase. En lugar de ello, la agarró por el brazo y la guió hacia la parte de atrás del coche.

En primer lugar sacó dos chalecos de fotógrafo de color caqui de una bolsa. Uno se lo puso a ella y el otro se lo puso él.

—Te queda bien —dijo.

—Esto, yo...

Acto seguido, Jeffers sacó media docena de tubos con carretes de película de un estuche y los introdujo en las trabillas de la pechera de ella. Después le colgó una bolsa fotográfica alrededor del cuello.

—Esto —dijo cogiendo un largo objetivo negro— es obviamente el teleobjetivo. —Volvió a dejarlo en la bolsa—. Este más corto es el gran angular. Cuando yo te pida uno u otro, o la cámara, tú me los entregas tal cual, como si fueras una experta.

—Sí.

Luego se colgó él mismo un par de cámaras del cuello. Una de ellas se la sujetó a un arnés del pecho, la otra quedó colgando suelta.

—Muy bien —dijo. Extrajo de su bolsa un montón de tarjetas de visita blancas, abrió el bolsillo delantero del chaleco de Anne Hampton y las guardó dentro de él—. Dale una a todo el que te la pida.

Tomó una y se la mostró. Decía lo siguiente:

JOHN CORONA
FOTÓGRAFO PROFESIONAL
Representante de *Playboy*, *Penthouse* y
otras publicaciones
Nuestra especialidad es la discreción
Oficina: 1313 Hollywood Boulevard, Beverly Hills
213-555-6646

—El nombre es una broma privada —explicó Douglas Jeffers—, sobre todo para los californianos. Por supuesto tú debes llamarme señor Corona. O John, si resulta apropiado. Eres mi ayudante. Ya te presentaré. Escucha atentamente y enseguida tendrás entendida la historia. ¿Preparada? —Ella afirmó con la cabeza—. Quiero oír tu voz —exigió en tono áspero.

—Preparada —se apresuró a contestar Anne Hampton.

—Quítate de la cara esa expresión de niñita asustada y prueba otra vez.

Ella tragó saliva.

—Estoy preparada —dijo con firmeza.

—Bien. —Jeffers la miró fijamente—. No debería tener que recordarte estas cosas.

—Lo haré bien —aseguró ella.

—Demuéstramelo.

Aquello fue más una amenaza que una petición. Ella asintió.

Douglas Jeffers dio media vuelta, y ella se apresuró a seguirlo.

Cuando llevaban recorrida la mitad de la zona de aparcamiento, Jeffers empezó a hablar de nuevo, pero por su tono de voz parecía distraído.

—Una cosa que siempre me ha extrañado es por qué nos intrigan tanto determinados comportamientos animales. No logramos entender por qué los *lemmings* se arrojan al mar. Los científicos pasan años estudiando por qué las ballenas de repente se embarrancan en la playa y se dejan morir abrasándose al sol, lo cual, si se piensa un poco, debe de ser una muerte horrible. Los ecologistas las devuelven al mar, y ellas, las muy tontas, nueve de cada diez veces regresan a la playa. Y eso que son animales inteligentes. Y muy saludables, además. En cierta ocasión yo fui a fotografiar a un grupo de ballenas en una costa de Carolina del Norte, para la revista *Geo*, que pagaba bien y no tardó en quebrar. Pero las ballenas eran preciosas, negras como el azabache y muy poderosas, con un cuerpo que se parece a una bala gigantesca. Son capaces de comunicarse a través de enormes distancias gracias a una habilidad para oír y producir sonidos que los humanos sólo podemos emular electrónicamente. Son una especie antigua y orgullosa, emparentada con los animales más grandiosos. Entonces, ¿por qué de vez en cuando, misteriosamente, se suicidan en masa? ¿Qué motivos tienen? ¿Enfermedad? ¿Engaño? ¿Confusión? ¿Histeria colectiva? ¿Locura? ¿Aburrimiento? ¿Por qué llegan a cansarse de la vida? No tiene mucho sentido. Y sin embargo se suicidan. A menudo, o por lo menos con la frecuencia suficiente para suscitar interés y consternación. Lo mismo sucede con las personas. —Pareció absorto en su reflexión—. ¿Tienes idea de la frecuencia con que la gente se deja morir en la playa? No estoy hablando de las típicas personas solitarias o abatidas, clínicamente depresivas y suicidas por naturaleza, de ésas ya hay muchas. Hablo de personas que aceptan su propia muerte. De cómo contribuyen a que les ocurran las peores cosas.

»Caminaban ordenadamente hacia las cámaras de gas. A ninguno se le ocurrió nunca decir: ¡Que os jodan! ¡No pienso entrar ahí! y asirse por un momento a su propia humanidad. ¿Sabías que el primer día de la batalla del Somme los británicos perdieron sesenta mil hombres? Y, sabiendo eso, al día siguiente, cuando sonaron los silbatos, los soldados aún se lanzaron contra una pared de ametralladoras y posiciones fortificadas. Eso sucedió en 1916. ¡En el mundo moderno! ¡Imposible!

»En el corredor de la muerte, prácticamente en todos los estados, los presos a los que se va a ejecutar son estrechamente vigilados la noche anterior. Se teme que encuentren un modo de matarse ellos mismos. Al Estado —dijo con amargura— no le gusta que lo engañen, ¿sabes? Pero en el fondo, ¿qué más da? Yo creo que en última instancia el suicidio es el mayor acto de libertad. Eso es lo que quizá podríamos aprender de las malditas ballenas. Ellas están enfermas, aunque no sepamos de qué. Habrá un sida para las ballenas, o algo semejante. Así que abrevian el proceso de morir, ellas mismas se hacen cargo de su vida, asumen el control y toman la decisión. Y nosotros nos preguntamos por qué. Es inexplicable, afirman los científicos. Están desconcertados. Lo que resulta inexplicable es que nosotros no podamos entender por qué hacen algo así cuando parece ser tan obvio. —Jeffers apretó el paso. Sacudía la cabeza adelante y atrás—. Boswell —dijo en un tono que tenía resonancias de soledad—. Estoy mezclando dos cosas distintas. Dependerá de ti desgajar una de la otra.

—¿A mí?

Tras una breve pausa Jeffers añadió:

—La lección de hoy en realidad trata de la aquiescencia. De los *lemmings*. De observar atentamente cómo las personas se aferran a aquello que va a provocar su muerte. Notable. Recuerdo haber leído en alguna parte lo de ese fotógrafo de Florida. ¿Te acuerdas tú? Fue hace sólo un par de años. Se llamaba Wilder,* y supongo que eso debió de dar lugar a bastantes bromas en las redacciones de los

---

* Wild, en inglés significa salvaje.

periódicos de todo el país. Sea como sea, ese tipo secuestró a una chica en el grand prix de Miami. Luego a otra en Daytona, me parece. Hizo un viaje por todo el país, matando gente a su paso y empleando siempre la misma técnica: acude a un acontecimiento deportivo o a un centro comercial, saca la cámara y empieza a tomar fotos de las chicas. No tardando mucho ya tiene a alguna detrás de él, y lo siguiente que recuerdan ellas es que están dentro de su coche y... —Se volvió hacia Anne Hampton—. El resto rellénalo tú.

—Lo recuerdo —dijo ella.

—Pero ¿sabes qué era lo más fascinante de todo? —prosiguió Jeffers—. ¡Que todo el mundo lo sabía! El FBI, la policía local, los periódicos, las cadenas de televisión, ¡todo el mundo! La foto de Wilder circulaba por todas partes, en todas las portadas, en todas las gasolineras. Se describía su *modus operandi*, se discutía, se diseccionaba, se hacía de todo. ¡Estaba por todas partes! No se podía formar parte de la cultura popular y no estar enterado. No había una sola conversación durante la cena ni una charla en los baños del instituto para echar un pitillo entre clases en que las chicas no dijeran: «Si se te acerca un tipo con barba que quiere hacerte una foto, ¡no te metas con él en el coche!» Pero ¿sabes qué ocurrió?

—Que murió.

—No antes, sin embargo, de que se le metieran en el coche otra media docena de chicas, buscando que las mataran. Notable. ¿Sabes una cosa? Ni siquiera se tomó la molestia de afeitarse la barba, que era el rasgo que dominaba en todas las descripciones que aparecían en los periódicos. Ése sí que es un fenómeno que merece ser estudiado.

—Murió en el Nordeste, creo.

—Sí, en New Hampshire. Dentro de poco iremos allí.

—Le disparó un policía, y la última chica logró sobrevivir —insistió Anne Hampton.

—Fue estúpido y poco cuidadoso —replicó Jeffers en tono tajante.

«Pero la última chica sobrevivió», pensó ella.

Se acercaban a las gradas de la pista.

—No te separes de mí —ordenó Jeffers—. Y mantente atenta a la palabra mágica.

Funcionó.

Una vez dentro de la zona de las gradas, una borrosa mezcolanza de gente, máquinas, vivos colores y ruido incesante, Jeffers demostró ser un experto en acercarse a las bandas laterales. Maniobró por entre la multitud de espectadores y los mecánicos y conductores de los coches escogiendo mujeres jóvenes, solas o en parejas, y empezando por hacerles la foto desde lejos para después acercarse poco a poco hasta conseguir no sólo su atención, sino también que posaran para él. Anne Hampton se sentía casi superada por aquella avalancha de hombros erguidos, mejillas metidas para dentro, perfiles de costado y sonrisas perfectas que saludaban al objetivo de Douglas Jeffers. A éste lo oyó contar la misma historia repetidamente, una y otra vez, mientras ella repartía tarjetas de visita con un entusiasmo ciego que hería su dolido corazón.

Jeffers les decía a las jóvenes que trabajaba para *Playboy* y que iban a hacer un reportaje titulado «Las chicas de las carreras». Estaba tomando una serie de fotografías preliminares, explicaba. Él y otro par de fotógrafos fotografiaban chicas en circuitos de carreras de diversas ciudades, y luego los editores de Chicago examinaban las fotos y decidían dónde realizar el reportaje completo.

Anne Hampton y él tomaban el nombre y el teléfono de algunas chicas; ella lo hacía con dudas, muy afectada, sabiendo que aquello no era más que una parte de la mascarada general. El público vitoreaba a los coches y a sus conductores, pero con frecuencia el ruido proveniente de la pista era tan estridente que ahogaba los gritos de las gradas. Anne Hampton levantó la vista cuando un coche trucado en particular, uno inmenso y de color negro, perforó el aire con el rugido de su motor, para ver cómo los espectadores se ponían en pie para aclamarlo. Pero no pudo oír lo que decían, y de pronto le vino a la cabeza la imagen de una hilera de puestos de pescado en la feria, colocados sobre el hielo picado con los ojos y la boca abiertos, como si estuvieran animados, y las luces y los sonidos ocultando el hecho de que en realidad estaban muertos.

—Boswell —dijo la voz de Jeffers amortiguada por el ruido del coche circulando por la pista—, dame otro rollo, haz el favor. Señoritas, ésta es mi ayudante, Anne Boswell. Saluda, Annie...

Ella inclinó la cabeza hacia una pareja de chicas jóvenes que probablemente tendrían su misma edad. Una de ellas era rubia, la otra morena, y ambas vestían unos tops muy ajustados y vaqueros azules recortados. No le parecieron especialmente guapas, la rubia tenía unos dientes que parecían haberle salido en la boca sin orden ni concierto, así que su sonrisa se veía ligeramente torcida, y la morena tenía una nariz demasiado respingona para ser mona de verdad, pues se le despegaba de la cara como si fuera una rampa de esquí. Anne Hampton se dijo que seguramente aquella chica tenía una madre que siempre le decía que era preciosa, de modo que ella sólo aspiraba a serlo y no se daba cuenta de que esa aspiración la llevaría a ser animadora en el instituto y luego a convertirse en una simple mujer casada con familia y vivir en una pequeña vivienda del área rural de Pensilvania o de Ohio, viendo la televisión por las noches y yendo todas las semanas al salón de belleza para mantener el palmito en la medida de lo posible tras los estragos causados por la maternidad. Trató de acordarse de su propia madre, que le hablaba en tono sereno pero entusiasta y le cepillaba el cabello con largas pasadas diciéndole lo preciosa que iba a ser cuando fuera mayor, lo cual, a los doce años, le parecía verdaderamente imposible. Recordó el gesto de consternación de su madre cuando regresó a casa después del primer semestre en la universidad con el pelo cortado a la altura del hombro.

«Siempre me he empeñado mucho en distanciarme», pensó Anne Hampton. Incluso cuando el cabello volvió a crecerle, algo había cambiado. Una pérdida de confianza. En sus recuerdos se coló una voz:

—... Debe de ser emocionante, ¿eh?

Era una de las chicas. La rubia.

—Perdona —contestó Anne Hampton—. No he oído lo que has dicho.

—Oh —repuso la joven agitando las manos—, sólo he dicho que supongo que ser la ayudante de un fotógrafo debe de ser emocionante. Es un trabajo especial de verdad. Yo trabajo en un banco, y eso no tiene nada de especial. ¿Cómo has conseguido este empleo?

Douglas Jeffers interrumpió:

—Oh, la escogí entre varios cientos de candidatas. Y hasta ahora lo está haciendo muy bien, ¿verdad, Annie?

Ella asintió.

—Vaya —dijo la joven—, pues seguro que es de lo más emocionante.

—Es diferente —replicó Anne Hampton.

La morena estaba examinando una de las cámaras de Jeffers. Anne Hampton reparó en que se había guardado la tarjeta de visita en el bolsillo delantero.

—Bueno —dijo—, supongo que salir en *Playboy* sería total. Quiero decir, me encantaría que saliera mi foto en esa revista, y a Vicki también. —Señaló con un gesto a la rubia—. ¡Y a mi novio le parecería alucinante! ¡Pero seguro que a mis padres les daría un ataque!

Anne Hampton vio que Jeffers sonreía.

—Bueno —respondió él—, como ya he explicado, estas fotos son sólo preliminares. Pero en ocasiones a las chicas guapas de verdad como vosotras las llaman para el reportaje...

—¿No hay alguna forma de que podamos, no sé, contribuir a que se fijen en nosotras? —preguntó Vicki, la rubia—. Quiero decir, a lo mejor usted podría hacernos unas cuantas fotos extra a Sandi y a mí.

Jeffers contempló fijamente a las dos jóvenes.

—Bueno —dijo—, no puedo garantizaros nada. A ver, poneos juntas un momento...

Extendió los brazos y después los cerró para dirigir a las chicas. Acto seguido levantó la cámara, y Anne Hampton oyó el avance del motor de la misma a medida que él sacaba una serie de fotos moviéndose alrededor de las chicas, agachándose y levantándose de nuevo, enmarcándolas ágilmente.

—... La verdad es que dais la imagen adecuada —les dijo—. Pero, veréis, están buscando algo más que una imagen, no sé si me explico...

—¡Oh! —profirieron las chicas al unísono.

Anne Hampton vio que las dos jóvenes juntaban las cabezas y soltaban una risita. «No estoy aquí —pensó de pronto—; esto no está sucediendo; no puede estar sucediendo.»

Y luego percibió de nuevo la voz de Jeffers.

—Mirad, lo más que puedo hacer, y no quiero que os hagáis ilusiones, es tomar unas cuantas fotos que sean, no sé, ligeramente más reveladoras, que puedan impresionar a los editores. Otras veces ha funcionado, pero por supuesto no existen garantías de nada.

Oyó que las dos chicas reían juntas otra vez y afirmaban con la cabeza.

—Sí, sí.

—En fin —siguió diciendo Jeffers con su tono de voz más alegre e inofensivo—, si os interesa de verdad, ¿por qué no nos vemos más tarde en mi coche, en el sector 13A, dentro de media hora? Os pido que no le digáis a nadie lo que os disponéis a hacer, porque les he dicho a todas esas otras chicas que no iba a hacer nada especial por ellas, y no quisiera que se corriera por ahí la voz de que os hago un favor a vosotras... —Las dos chicas se apresuraron a afirmar con la cabeza—. Así que si sabéis guardar un secreto, os escaqueáis de aquí y os reunís conmigo, y vemos qué se puede hacer. Boswell, dame el teleobjetivo, por favor.

—El teleobjetivo...

Jeffers miró a las dos jóvenes.

—Tengo que hacer un par de fotos en acción para que los editores se hagan una idea, ya sabéis a qué me refiero. Al fin y al cabo, quiero que elijan este lugar para el reportaje.

Las chicas asintieron nuevamente, Jeffers se despidió de ellas con un leve gesto de la mano y comenzó a abrirse paso entre el público. Anne Hampton se volvió y miró atrás una vez, y vio a las dos chicas charlando animadamente. Por un instante se sintió confusa: Jeffers les había indicado mal el sitio donde se encontraba el coche.

—¿Cómo van a hacer para encontrar el coche? —preguntó.

—No lo encontrarán. Irán a un punto situado a cincuenta metros de él.

—Pero...

—Venga, Boswell, utiliza el cerebro. Si se lo mencionan a alguien más, o si alguien las acompaña, yo, desde la posición en la que tengo el coche, tengo la posibilidad de salir sin armar jaleo. Y sin que me vea nadie. Pero —agregó— va a dar lo mismo. En realidad ésta es una precaución innecesaria, según mi experiencia. Esas dos están deseando hacerlo, no se lo van a decir a nadie y se escaquearán tal como se lo he pedido yo. Estarán allí puntuales, listas y deseosas, ¿no crees?

—Sí, creo que sí.

—Son *lemmings* —dijo Jeffers. Reflexionó unos instantes mientras empujaba por entre la masa de gente—. Boswell, ¿no te resulta contradictorio que en este país podamos tolerar por una parte la mojigatería religiosa más fundamental y más virtuosa, y que por otra lo más fácil del mundo sea convencer a alguien para que se quite la ropa? Observa.

Ella fue detrás de Jeffers mientras éste daba una sencilla vuelta a las instalaciones y hasta se detenía de vez en cuando a tomar una foto, y después se encaminaba de nuevo hacia el aparcamiento. Le vino a la memoria una noche, cuando estaba en el primer año de instituto. Ella y el chico con el que había quedado estacionaron el coche en una calle desierta. Todavía recordaba el tacto de aquellas manos torpes que le exploraban el cuerpo; la falta de astucia del muchacho y su excitación apenas reprimida fueron las cosas que la obligaron a ceder..., al menos en parte. No era un chico que le gustara demasiado, pero era lo que había, y además era una persona agradable y ella tenía muchas ganas de experimentar alguna de las cosas de las que siempre estaban hablando en clase, de modo que le permitió que la tocara y descubrió que los beneficios resultaban placenteros.

Cuando el chico intentó quitarle la ropa interior fue cuando ella tomó conciencia de la necesidad de parar, una exigencia moral, eso estaba claro, una necesidad que al recapacitar más tarde le pareció tonta. Recordó un momento de pavor cuando se resistió, y él la resistió a ella, y ella se dio cuenta de que él era mucho más fuerte. Todavía recordaba la súbita sensación de aquella fuerza que la atenazó y de la horrible impotencia que la embargó en aquellos instantes. Tembló al recordarlo. Aquello le había dejado una fuerte impresión, aquel instante de terror al saber que era débil y que podía ser forzada. Pero cuando, invadida por el pánico, exclamó un ahogado ¡No!, el chico respetó su petición y de repente relajó los músculos. Su gratitud no tuvo límites. Seis semanas después, ya mentalmente preparada, le permitió continuar. Fue algo doloroso un momento y exultante al momento siguiente, y descubrió que ese recuerdo le procuraba un extraño consuelo. Se preguntó dónde estaría ahora aquel chico; esperaba que fuera feliz.

Jeffers llegó al coche y abrió la portezuela.

—Vamos a meter eso aquí atrás —dijo.

—Vale.

Los recuerdos de Anne Hampton se evaporaron, y le entregó la bolsa del equipo fotográfico y el chaleco, que él guardó en el maletero.

—Sube al coche y espera —ordenó. Ella advirtió que su tono de voz había recuperado aquel timbre acerado.

Hizo tal como le decía. Su cerebro trabajaba a toda prisa, imaginándose a las dos chicas y lo que estaba a punto de suceder. Intentó cerrar la mente y expulsar aquellos pensamientos de su cabeza. «No puedo pensar en nada —se dijo a sí misma—. No ocurre nada a mi alrededor.» Permaneció sentada en el coche, con los ojos cerrados, procurando concentrarse en el ruido distante del circuito de carreras, dejando que aquellos sonidos la invadieran y excluyeran todo lo demás.

—¡Hola!

—¡Hola!

Levantó la cabeza abriendo los ojos rápidamente, y el sol la cegó.

—¿Pasamos al asiento de atrás?

—Si no os importa —dijo la voz de Jeffers—. Está un poco apretado, lo siento.

—Oh, no hay problema. Mi novio tiene un Firebird, que es bastante parecido, y he pasado mucho tiempo en el asiento de atrás... —Rieron las dos, Vicki y Sandi—. No me refería a eso —dijo Vicki—. De todas formas, ¡va a alucinar de verdad!

Las dos chicas se apretujaron en el asiento de atrás. Estaban arreboladas y emocionadas, y no dejaban de hacer risitas, al límite del control.

Jeffers se sentó al volante.

—Conozco un parque pequeño, aunque en realidad es casi un bosque, que está no muy lejos de aquí. Vamos hasta allí, hacemos unas cuantas fotos en algún lugar agradable, idílico, y después Boswell y yo os volvemos a traer aquí, ¿de acuerdo?

—Suena genial —contestó Vicki.

—Por mí, vale, siempre que estemos de vuelta para las seis.

—No hay problema —dijo Jeffers.

Las chicas rieron de nuevo.

Jeffers sacó el coche del área del circuito de carreras.

El cerebro de Anne Hampton gritaba a las dos chicas: «¡Por qué no preguntáis! ¡Preguntad cómo es que conoce un parque desierto! ¡Cómo es que sabe exactamente adónde va! ¡Ya lo tenía preparado de antemano!»

Pero no dijo nada.

Jeffers rompió el silencio.

—Ten el cuaderno a mano —le dijo en voz queda. Ella buscó instantáneamente papel y lápiz. Luego Jeffers alzó la voz para decir con un soniquete gregario—: Bueno, chicas, no quiero que os pongáis nerviosas, van a ser unas fotos de lo más inocente. Pero tengo que preguntaros una cosa: las dos tenéis más de dieciocho años, ¿verdad?

—Yo tengo diecinueve —respondió Sandi—, y Vicki veinte.

—¡No los cumplo hasta la semana que viene!

—Eh —dijo Jeffers—. Bueno, pues entonces feliz cumpleaños con una semana de adelanto. A ver si podemos hacer algo para que este cumpleaños sea algo especial que celebrar, ¿vale?

—¡Y tanto!

—Señor Corona —preguntó Sandi tímidamente—, no quisiera entrometerme ni, no sé...

—Adelante —la animó Jeffers en un tono de voz tan bondadoso como le fue posible—. ¿En qué estás pensando?

—¿*Playboy* paga las fotos que publica?

Jeffers rió.

—¡Naturalmente! No creerías que íbamos a hacerte pasar por toda esa pesadez que supone una sesión fotográfica sin pagarte, ¿no? Una sesión fotográfica es un trabajo duro. El maquillaje, el posado, la intensidad de los focos; y además siempre hay algo que sale mal. En ocasiones, conseguir una foto adecuada para la revista puede llevar horas. Creo que la tarifa habitual, por lo menos la última vez que yo hice algo así, era mil dólares por sesión...

—¡Vaya! ¡La de cosas que podría hacer yo con eso!

—Pero esto es más bien informal —continuó diciendo Jeffers—. No creo que la revista pague más de un par de cientos de pavos por lo que vais a hacer vosotras hoy.

—¡Nos van a pagar! ¡Fantástico!

Las dos jóvenes empezaron a hablar entre sí, emocionadas. Anne Hampton permaneció ciegamente en su sitio. Jeffers le dijo en voz baja:

—Boswell, te pido que hagas un esfuerzo para hacer esto. —Su voz fue como un manto negro que se abatió sobre ella. Después, con fingido entusiasmo, exclamó jovialmente—: ¡Ya casi hemos llegado! Conozco un sitio perfecto —anunció.

Estaba internándose en un parque.

—¡Genial! —respondió Vicki o Sandi desde el asiento de atrás, Anne Hampton no estuvo muy segura de cuál de las dos había sido, pero lo oyó de todas formas—. No me puedo creer que esto me esté pasando a mí.

«No pienses en nada —se dijo a sí misma—. Haz exactamente lo que te ordenen. Conserva tu vida.»

—Ya estamos —dijo Jeffers—. Conozco un punto concreto...

Anne Hampton vio que estaban internándose en una zona más frondosa, sin salirse de un pequeño camino que atravesaba las sombras que proyectaba el tupido follaje. Había un letrero marrón del Servicio de Parques Nacionales que decía que aquel parque en concreto estaba abierto desde el amanecer hasta la puesta del sol. Vio que cruzaban una amplia zona de grava que servía de aparcamiento y que después continuaban hacia el centro del bosque. Avanzaron lo que calculó que sería aproximadamente otro kilómetro más y luego torcieron para tomar un camino secundario de tierra por el que avanzaron varios minutos más sorteando baches, hasta que llegaron a un recodo en el que los árboles se abrían de pronto y dejaban al descubierto un pequeño claro bañado por el sol. Había una cadena floja que atravesaba el polvoriento sendero de lado a lado y otro pequeño cartel que rezaba: «Sólo personal autorizado.»

—Por suerte —dijo Jeffers en tono de triunfo—, yo tengo autorización del servicio del parque. Como la mayoría de los fotógrafos profesionales. Aguarden un momento, señoritas, mientras me encargo de la cadena.

Jeffers saltó del coche dejando a las dos chicas riendo en el asiento de atrás y a Anne Hampton con la mirada imperturbable y fija en los colores del bosque. Experimentó una punzada de preocupación; la muchacha parecía abstraída. Aunque estaba de espaldas al coche, mentalmente se la imaginó allí inmóvil, sujeta al asiento por los miedos superpuestos de saber lo que estaba sucediendo y de no poder decir ni hacer nada, atrapada en aquella situación e igual de inmovilizada que si la hubiera atado con una soga. Por un instante se preguntó si lograría dominarse. Quiero que consiga llegar hasta el final; no quiero tener que abandonarla aquí con las otras. Reflexionó si ella comprendería el peligro que corría y pensó que sí, porque parecía haber entrado en un estado de distanciamiento, como un maniquí de un escaparate o una marioneta manejada por los hilos.

Se dio cuenta de que aquello era exactamente como tenía que ser.

«Los hilos los manejo yo. Baila, Boswell, baila. Y cuando yo tire de los hilos que te sostienen, tú salta.»

Sonrió.

«Que todo siga en orden —se dijo a sí mismo—. Boswell representa tiempo, esfuerzo e inversión.»

Oyó más risas procedentes del coche.

«Ellas, no.»

La cadena estaba exactamente igual que la había dejado él la última vez que estuvo en aquel parque, el mes anterior. Se agachó y la agarró un poco por encima del punto donde estaba sujeta a una pequeña estaca de color marrón. Acto seguido, con la mano libre, desprendió unas cuantas astillas de dicha estaca. Se había podrido con el paso del tiempo. Dio un pequeño tirón a la cadena, y ésta se soltó. Seguidamente la llevó hasta el otro lado del camino para dejar el paso libre.

Regresó al coche arrastrando los pies por la superficie polvorienta del sendero. No tenía sentido dejar huellas de sus zapatos.

—Todo listo —les dijo a las tres que aguardaban dentro—. Allá vamos.

Hizo avanzar el coche con prudencia y recorrieron otros doscientos metros más llenos de baches hasta que doblaron una curva y se detuvieron. Anne Hampton se dio cuenta entonces de que no podía verlos nadie desde el camino principal.

—Muy bien, todas fuera —exclamó Jeffers con entusiasmo—. No nos conviene entretenernos demasiado, y todos queremos regresar a tiempo para ver la última carrera, así que vamos a darnos prisa.

Anne Hampton vio que Jeffers se había echado al hombro la bolsa marrón del equipo fotográfico. Titubeó unos instantes y observó cómo las dos chicas seguían a Jeffers al interior del bosque. «Están ciegas —pensó—. ¿Cómo pueden echar a correr detrás de él de esa manera?» Luego sintió que sus propios pies la instaban a caminar, y corrió a ponerse a la altura de él.

—La verdad —dijo Vicki o Sandi, ya las confundía a ambas—, esto es de lo más emocionante.

—Siempre es así —replicó Douglas Jeffers—. En más de un sentido.

Y las dos chicas rieron otra vez.

Anne Hampton pensó que si se detenía se pondría a vomitar. Notaba la respiración entrecortada y sentía que la cabeza le daba vueltas. El calor se le pegaba al cuerpo igual que una manta de lana, áspera e incómoda, y se sentía mareada. Vicki oyó su respiración trabajosa y se giró hacia ella... ¿O era Sandi?

—¿Tú fumas? ¿No? Bien. Pero por lo que se ve estás en baja forma. Un paseo de nada por el bosque no debería...

—He estado un poco enferma —replicó Anne Hampton. Percibió que le temblaba débilmente la voz.

—Oh, lo siento. Deberías tomar vitaminas como yo. Todos los días. Y hacer ejercicio. ¿Has probado a hacer aerobic? Eso es lo que hago yo. O a lo mejor deberías correr un poco, para coger fondo. A mí me gustaría dejar el empleo del banco y trabajar dando clases de baile en el gimnasio. Eso estaría genial. ¿Te encuentras bien?

Anne Hampton afirmó con la cabeza. Ya no se fiaba de su propia voz.

—Prueba a correr un poco —continuó la joven—. Empieza suave, quizás un par de kilómetros al día o así. Y después vas aumentando gradualmente. Verás qué diferencia.

De pronto Douglas Jeffers dejó de andar.

—Bueno, ¿qué tal aquí? Es bonito, ¿a que sí?

Se puso debajo de un pino al borde de un pequeño calvero en el bosque. Hasta a la propia Anne Hampton, en medio de su creciente terror, le pareció un lugar hermoso. Y eso la hizo sentirse peor.

En medio del claro había una roca enorme y aislada. A su alrededor se derramaba la luz del sol, lo cual hacía resplandecer el pequeño parche de hierba. La zona entera estaba rodeada por imponentes pinos que daban la impresión de recortarse contra el cielo a modo de silenciosos centinelas. Cuando puso un pie en el claro, Anne Hampton tuvo la sensación de penetrar en una estancia reservada cuya puerta se hubiera cerrado tras ella.

—Muy bien, señoritas, colocaos junto a la roca, por favor. Boswell, tú a mi lado.

Se situó al lado de Jeffers y ambos observaron cómo las chicas tomaban posiciones sobre la piedra. Cada una de ellas adoptó una pose lo más lozana e insinuante posible. Jeffers salió al sol y echó una mirada al alto cielo.

—Luminoso —dijo—. Hace un día perfecto y soleado.

A continuación fue hasta las dos chicas y sacó un fotómetro. Anne Hampton lo vio efectuar unos ajustes en su cámara y después empezar a accionar el disparador. Durante todo el rato las animaba sin cesar, en una corriente continua que resultaba hipnótica:

—Eso es, ahora sonreíd, ahora fruncid un poco los labios, ahora echad la cabeza hacia atrás, bien, muy bien, genial. Ahora giraos un poco, no dejéis de moveros, así, muy bien...

Contempló la actuación que tenía lugar ante ella, preguntándose dónde tendría la pistola, o si se trataría de una navaja. «Debe de estar en la bolsa del equipo», pensó. ¿Cómo ocurriría? ¿Deprisa? ¿O lo haría lentamente? «No va a darse ninguna prisa —se dijo—. Estamos solos y en silencio, tardará lo que haga falta.»

El calor del sol incrementó su sensación de vértigo, y temió que fuera a desmayarse. Cerró los ojos y los apretó con fuerza. Sigo siendo yo —se dijo a sí misma—. Estoy sola y aislada, y soy yo misma, y seré fuerte y voy a superar esto. Lo superaré. Lo superaré. Lo superaré. Se repitió aquella frase una y otra vez, como un mantra.

Levantó la vista y vio que Vicki y Sandi intentaban parecer seductoras.

—Eso está muy bien —oyó decir a Jeffers—. Pero me resulta un tanto, no sé, cohibido quizá...

Vio que las dos chicas se miraban la una a la otra y que sus risitas se mezclaban entre sí. Estaban divirtiéndose. Odió aquello, se sintió profundamente culpable. Así que cerró los ojos de nuevo.

—¡Ah, eso es mucho mejor! —oyó exclamar a Jeffers—. ¡Verás cuando los editores vean esto!

Abrió los ojos y descubrió que las chicas se habían quitado la ropa. Tenían unos cuerpos de líneas estilizadas, animalescas. Ambas estaban muy bronceadas, y ello hacía resaltar las zonas blancas de los senos y el pubis. Las contempló mientras ellas se estiraban y, en cuestión de segundos, perdían la última brizna de pudor que pudiera quedarles. Ofrecieron sus pechos a la cámara; se abrieron de piernas cuando el objetivo giró hacia ellas. Jeffers brincaba a su alrededor, girándose y contorsionándose, acariciándolas con la cámara. Anne Hampton oía el incesante zumbido del motor.

Todo aquello se le antojó una especie de ballet enfermizo.

Jeffers maniobró alrededor de las dos chicas, acercándolas entre sí, hasta que por fin quedaron abrazadas la una a la otra en la roca, todo brazos, piernas, nalgas y pechos. Anne Hampton contempló sus cuerpos, que a ella le parecían fuertes y terriblemente, horriblemente llenos de vida. No soportó seguir mirándolos, y desvió el rostro.

—¡Eh, Boswell, ven aquí! —Titubeó un instante y después se apresuró a obedecer. Advirtió que las chicas estaban sonrosadas y excitadas—. Ponte ahí para que pueda hacer una foto de las tres.

Se colocó entre las dos jóvenes desnudas.

—¡Tía, qué sensación de libertad! —exclamó Vicki o Sandi—. Me siento más guapa que nunca.

—A mí me pone cachonda —dijo la otra, un poco falta de resuello—. Ojalá estuviera aquí mi novio.

—Seguro —susurró su amiga— que el señor Corona se lleva un montón de sorpresas inesperadas cuando hace fotos.

Anne Hampton sintió un codo que la empujaba. De pronto comprendió que aquella última afirmación era una pregunta.

—Le va bien —contestó—. Le gusta hacer fotos.

—Vale, Boswell. Ya puedes apartarte. A ver, Vicki, pon una mano en el pecho de Sandi, bien, muy bien, sigue acariciándolo, así, y ahora baja la mano por el muslo, bien, eso es, pon ahí la mano, ¡perfecto! Genial. Es excitante, ¿eh?

Anne Hampton oyó a las dos jóvenes afirmar lanzando una exclamación. Se situó al lado de Jeffers y vio que ambas continuaban acariciándose la una a la otra a pesar de la pausa que hizo el motor de la cámara. Apreció un brillo de sudor en sus cuerpos y comprendió que estaban excitadas sexualmente.

—Bueno —dijo Jeffers—, dentro de un segundo va a ser más excitante todavía. Dejadme un momento que cambie el carrete...

Anne Hampton vio que Jeffers introducía una mano en la bolsa de equipo.

«Es ahora. Oh, Dios, es ahora.»

Sintió deseos de huir, de dar un salto en el aire y salir volando como un pájaro asustado.

Pero se quedó petrificada en el sitio. Rígida bajo el sol.

«Oh, Dios. Lo siento, lo siento mucho. Ojalá estuviera en otro lugar, de repente, en cualquier sitio menos en éste, en este preciso instante. Oh, Dios, lo siento, lo siento muchísimo.»

Vio que Jeffers había guardado la cámara en la bolsa y que había cerrado la mano en torno a la culata de una pistola.

«Ojalá pudiera hacer algo —pensó—. Lo siento, Vicki y Sandi, seáis quienes seáis. Lo siento mucho.»

Cerró los ojos.

Oyó a las dos chicas reír y percibió el roce de sus cuerpos al tocarse. También oyó una pareja de pájaros que gorjeaban en la espesura del bosque, un chillido estridente y áspero. Oyó la respiración de Douglas Jeffers a su lado; era uniforme y rápida, pero a ella le pareció gélida, y detrás de sus párpados cerrados creyó incluso ver el vapor que despedía. A continuación, todos los sonidos parecieron esfumarse y se sintió engullida por el silencio. Aguardó el primer ruido de confusión y pánico por parte de las dos jóvenes. Se preguntó si exclamarían, gritarían, si llorarían.

El tiempo se volvió vacuo, y esperó el primer momento de comprensión y terror. Pero éste no llegó.

En su lugar percibió una bocina lejana.

Fue un sonido extraño, sin relación alguna con el claro donde se encontraban. Ajeno. En un principio no supo ubicarlo. Entonces sonó otra vez.

Abrió los ojos.

Jeffers permanecía de pie a su lado. Estaba escuchando.

Transcurrieron unos instantes.

—Que no se mueva nadie —ordenó. Su voz se había revestido de autoridad. Anne Hampton vio que las dos chicas alzaban la vista, sorprendidas—. Es probable que no sea nada —añadió—, pero tengo que comprobarlo. —Se volvió hacia Anne Hampton y le dijo en voz baja—: Diles que se vistan. Actúa como si no hubiera pasado nada. Espérame aquí mismo. No digas nada. No hagas nada.

Jeffers levantó la bolsa del equipo fotográfico y, tras una sonrisa y un gesto de la mano hacia las dos chicas, se internó en el pinar. Anne Hampton pensó que fue como si de repente se lo hubieran tragado las sombras.

Se giró hacia las dos jóvenes. Éstas estaban mirando el hueco de la vegetación por el que había desaparecido Jeffers. Aún estaban abrazadas, en actitud natural, la una encima de la otra.

«¡Corred! ¡Escapad! ¿Es que no veis lo que está pasando?»

Pero en vez de eso dijo:

—¿Por qué no os vais vistiendo? Creo que ya prácticamente hemos terminado.

—Oh —dijo una de ellas frunciendo el ceño—, podría pasarme el día entero haciendo esto.

Anne Hampton no pudo decir nada. Se sentó, bloqueada por el miedo, esperando a que regresara Douglas Jeffers. Se miró las manos y se dijo a sí misma: «oblígalas a hacer algo».

Pero fue incapaz.

Douglas Jeffers sentía cómo el frescor del bosque iba secándole el sudor que le corría por la nuca. Se alejó del claro y avanzó despacio unos tres metros. Cuando supo que ya no podía verlo ninguna de las chicas, apretó el paso. Primero adoptó un suave trote y después echó a correr atravesando las sombras, brincando igual que un corredor de vallas por encima de algún que otro tronco o piedra que le cortaba el paso. Con una mano sujetaba la bolsa para que no fuera rebotando sin control, y con la otra se apartaba las ramas de los ojos. Sus pisadas hacían crujir las agujas de pino del suelo del bosque. Recorrió los últimos metros a toda velocidad y emergió de la luz moteada de los árboles al sol del camino en el que había dejado el coche.

Junto al mismo se había detenido un jeep verde oscuro del servicio de mantenimiento del parque.

Sobre el capó estaba sentado un guardia vestido con el uniforme del parque.

Estaba desarmado y solo.

Jeffers se ordenó a sí mismo que debía darse prisa. Evaluó rápidamente la situación. No había nadie más alrededor. Se fijó en el jeep; no vio que tuviera antena de radio de onda corta ni descubrió ninguna escopeta adosada al salpicadero. Examinó al guardia y vio que no llevaba ninguna radio de mano a la cintura. «Está aislado y no sospecha nada», pensó. Se acercó unos pasos a él y vio que en realidad se trataba de un muchacho. Un estudiante universitario desempeñando un empleo de verano. Introdujo una mano en la bolsa y sintió el tacto sólido y metálico del cañón de la automática.

«Podrías hacerlo. Podrías hacerlo y no se enteraría nadie.»

«¡Contrólate! —pensó—. Pero ¿qué eres? ¿Un matón y asesino de pacotilla?»

Retiró la mano de la bolsa sacando en ella su Nikon. Saludó al guardia, que le devolvió el saludo.

—Hola —dijo Jeffers—. He oído la bocina. Lo cierto es que me ha estropeado la foto.

—Oh, perdone —respondió el guardia. Jeffers vio que era un individuo nada prepotente, con unas gafas de montura metálica. Tenía una constitución débil, y supo que aquel joven no era rival para él. Ni física ni mentalmente—. Pero se supone que esta área es restringida. No puede entrar aquí con un coche. ¿No ha visto el cartel?

—Sí, pero cuando encontré el nido de búho el *ranger* Wilkerson me dijo que no pasaba nada.

—¿Perdón?

—El *ranger* Wilkerson. De las oficinas centrales, en la capital del estado. Es la persona con la que hablamos todos los fotógrafos de animales cuando queremos penetrar en áreas restringidas. La verdad es que no es para tanto. ¿Sabía usted que el año pasado encontré un nido de águila?

—¿Aquí dentro?

—Sí, bueno, exactamente aquí no, sino un poco más allá. —Jeffers gesticuló ampliamente con el brazo, señalando hacia un lugar indeterminado—. Para mí también fue una sorpresa. Llevé las fotos a la revista *Wild Life*, y entonces vino la Audubon Society en masa, fue un auténtico desfile por el bosque. Montaron un pequeño espectáculo, ya sabe. ¿No estaba usted aquí por entonces?

—No, éste es el primer año que estoy.

—Bueno —repuso Jeffers—, pero me extraña que no haya oído hablar de ello. Creo que una de las fotos la pusieron en las oficinas centrales.

—¿Obtuvo..., esto..., un pase o algo así?

—Claro —contestó Jeffers—. Tiene que estar en el archivo de fotografía de sus oficinas. Probablemente justo debajo de la foto del águila.

—Tendré que comprobarlo —dijo el guardia—. No sabía que tuviéramos un archivo.

—No hay problema. Busque por mi nombre: Douglas Jeffers.

—¿Es usted profesional?

—No —respondió Jeffers—. Ojalá. Bueno, he vendido algunas fotos, incluso le vendí una a *National Geographic*, pero no llegaron a publicarla. La verdad es que es sólo una afición. Yo me dedico a los seguros.

—Bien —insistió el guardia—, aun así tengo que comprobarlo.

—Claro. ¿Y cómo se llama usted, para que yo pueda llamar al *ranger* Wilkerson si surgiera alguna confusión?

—Oh, Ted Andrews, *ranger* Ted Andrews. —Sonrió—. Para cuando termine de acostumbrarme a ese título, ya habrá llegado la fecha de volver a las clases.

Jeffers sonrió.

—Oiga, de todas formas estaba ya a punto de dar por finalizada la jornada. Quisiera regresar a ver si no me he dejado ningún carrete de película ni nada por ahí tirado. No quisiera provocar un desastre.

—Se lo agradecemos. No se imagina la de cosas que deja la gente por el suelo. Y el que termina limpiando soy yo.

—¿El último de la fila?

El guardia rió.

—Exacto.

—No es necesario que me espere —dijo Jeffers—. Vaya a mirar en el archivo, y la próxima vez me pasaré por la oficina y verá que todo está en orden.

—Me parece bien —repuso el joven.

Se dio la vuelta para regresar al jeep, y Jeffers se lo quedó mirando fijamente a la espalda. «Podría hacerlo ahora, y sería muy fácil.» Calculó la distancia. «Un solo disparo, y nadie oiría lo más mínimo.» Nadie iba a enterarse. Su mano se cerró en torno a la culata de la pistola, pero la dejó caer de nuevo en el interior de la bolsa. Agitó la mano para despedirse del chico y observó cómo el jeep pasaba junto a su coche y viraba rebotando para tomar la carretera secundaria.

—Maldita sea —dijo fríamente Jeffers para sí—. Maldita sea.

Por un momento sintió un arrebato de furia y el impulso abrumador de aplastar algo con las manos. Hizo una inspiración profunda. Después otra. Escupió en el suelo para quitarse de la boca aquel sabor amargo a bilis. «Alguien va a pagar por esto», pensó.

Y a continuación exclamó en voz alta, sin dirigirse a nadie en particular:

—Van a salir vivas de ésta.

XI

Un viaje a New Hampshire

16

La detective Mercedes Barren conducía sin pausa a través del resplandor verde grisáceo de las luces de la autopista, que intentaba combatir la oscuridad de la madrugada. Eran casi las tres de la mañana y circulaba prácticamente sola. A lo lejos se veía de vez en cuando algún tráiler avanzando penosamente, emitiendo un gemido que lo asemejaba a una enorme bestia malherida que caminase por la frontera que marcaban las luces de la carretera y la negrura de la noche. Pisó el acelerador a fondo, como si pudiera transformar el empuje del coche en energía para su cuerpo. Estaba exhausta, y sin embargo le resultaba imposible conciliar el sueño. Sabía que las ardientes imágenes que albergaba, vívidas en su cerebro y en cambio tiradas con descuido en el asiento de al lado, iban a impedirle dormir durante algún tiempo.

Sentía a su alrededor el monótono zumbido del coche, e intentó obligar a aquel sonido a que penetrara en ella y se llevara los terrores de las pasadas horas. Se negó a pensar en el apartamento de Douglas Jeffers, aunque en su memoria tenía grabada una última visión: cristales rotos y decenas de marcos de fotos torcidos o rotos desperdigados por el suelo. En medio de su horror y de su pánico, finalmente había decidido romper las fotos para sacar las imágenes que escondían debajo. Los escombros de las obras de arte de Jeffers quedaron apilados en montones repartidos al azar por el salón del apartamento, rostros rasgados y momentos interrumpidos que la miraban fijamente tras ser profanados. Había cogido la bolsa de comestibles que formaba parte del ardid que sirvió para burlar al inquisitivo portero y la había volcado en el suelo; a continuación volvió a llenarla con las fotos ocultas, dobladas, arrugadas y manoseadas a causa de la impaciencia y la ansiedad. Cuando cerró la puerta del piso y echó la llave, y lo dejó atrás, fue como salir de una pesadilla y despertar aterrorizada, como desvelarse de un sueño inquieto en mitad de la noche por haber oído a un ladrón romper un cristal o el leve crepitar de las llamas en otra habitación.

La autopista describió una suave pendiente hacia arriba. A su derecha, un gigantesco avión de carga gimió mientras aceleraba para despegar del aeropuerto de Newark, y a su izquierda relucieron los focos que iluminaban los enormes depósitos de petróleo del puerto del mismo nombre. Le pareció una incongruencia, rodeada como estaba de tecnología, perseguir algo prehistórico. Cuando la autopista se separó de la costa y se internó en la oscura campiña, se sintió aliviada. Agachó la cabeza para contemplar el negro cielo, y vislumbró brevemente la luna, que pendía por encima de árboles y edificios.

—Una estupenda noche de luna —expresó en voz alta. Aquellas palabras procedían de un recuerdo antiguo que fluyó sin trabas—. Noche en mi habitación y un rojo balón, y las tres ositas en tres sillitas, noche en la casa y noche de ratas, chitón todo el mundo, chitón, a callar...

Intentó recordar cómo seguía la canción infantil del cuento, pero no estaba segura, después de tantos años. Se vio a sí misma, con su sobrina en brazos, la cabecita ladeada y los ojos cerrados y el biberón colgándole de la boca, cayendo en el sueño feliz de los niños. Recordó que las canciones del cuento siempre funcionaban, pero nunca las dejaba sin terminar; si Susan se quedaba dormida antes de llegar al final, ella continuaba leyendo.

—Una estupenda noche de luna —repitió.

Había encontrado la fotografía de su sobrina detrás de un retrato grande y a todo color de tres niños hambrientos de África cuyos ojos redondos y vientres hinchados lanzaban gritos de profundo sufrimiento. Fue tal vez la foto número quince o veinte que despegaba, en su frenesí. Había llegado al límite del autocontrol cuando atacó el marco y lo rompió con las manos. Saltó un trozo de vidrio que le causó un corte en el dedo pulgar, no grave, pero lo bastante para manchar la foto con un hilo de sangre fresca.

Al principio no reconoció a su sobrina. Había visto demasiados cuerpos destrozados en el apartamento para poder distinguirlo al instante. Pero de pronto la forma de aquellos miembros estimuló su memoria y el color rubio paja del cabello, fácil de distinguir incluso en blanco y negro, incidió vivamente en su recuerdo. Las facciones se veían serenas; el retrato había sido hecho desde un ángulo más bajo y desde un costado, con lo cual se había eliminado parte del horror que aparecía tan claro en las fotos de la escena del crimen que ella había estudiado tantas veces. De inmediato captó una diferencia entre la imagen acariciante que había tomado Jeffers, incluso en su prisa, y las estampas clínicas, atroces y sórdidas que tomaron el forense y sus compañeros especializados en escenas del crimen pocas horas después de que Jeffers se hubiera escabullido en la noche. En la foto que ella había sostenido en las manos, Susan parecía meramente dormida, y se sintió agradecida por aquel pequeño detalle.

Había contemplado largamente la foto. No sabía cuánto tiempo. No lloró, pero tuvo la sensación de que se le había vaciado el alma. Luego, con cuidado, casi con ternura, apartó la fotografía a un lado y continuó con la terrible tarea de mirar en los demás marcos.

Creía que era una persona calmada y controlada, pero cuando por fin depositó la foto de su sobrina en el enorme montón, junto con las demás víctimas asesinadas, y se dispuso a marcharse, le temblaban violentamente las manos.

Ahora conducía surcando la oscuridad

«No sé quiénes sois, pero estoy aquí por vosotras.»

«Estoy aquí. Estoy aquí. Y lo sé. Ahora lo sé todo.»

«Y pienso hacer justicia.»

Agarró el volante con fuerza y continuó avanzando veloz hacia la mañana que se acercaba.

Martin Jeffers no podía dormir. Ni tampoco quería.

Estaba sentado en el centro de su apartamento con una única luz que provenía de una pequeña lámpara de escritorio, en el rincón. Debatía consigo mismo la cuestión de si era mejor saber las cosas o no. Se cuestionaba, en caso de que desapareciera la detective, como suponía que había ocurrido, y en caso de que volviera su hermano, lo cual tenía seguro que haría, con su habitual estilo críptico y sabiondo, si él podría simplemente regresar al antiguo *status quo*, a la habitual paz difícil entre hermanos.

No sabía si tendría fortaleza suficiente para restaurar la normalidad en su vida.

Intentó imaginarse la confrontación con su hermano. En su

imaginación se vio a sí mismo adusto, acusador, fuerte, investido de pronto con los poderes que acompañan al hecho de ser el primogénito, despreciando con toda facilidad las débiles bromas y chanzas de Douglas hasta que éste finalmente sucumbía a su implacable severidad y le decía la verdad.

¿Y luego qué?

Martin Jeffers hundió la cara entre las manos en un intento de esconderse de la fantasía que había imaginado. ¿Qué iba a decir? No podía imaginarse a su hermano confesando entre lágrimas el crimen que había hecho que aquella detective entrara en sus vidas. ¿Qué diría? «Lo siento, Marty, pero recogí en el coche a esa chica, y todo iba estupendamente hasta que ella dijo que no, y entonces la situación se me fue un poco de las manos, sabes, y a lo mejor me pasé un poco empleando la violencia. Soy fuerte, Marty, y a veces se me olvida, y de repente dejó de respirar, y en realidad no fue culpa mía sino de ella, y de todas formas cargaron a otro con el crimen, así que ¿para qué hacer nada? Es agua pasada, si se piensa bien, es como si no hubiera ocurrido nunca.»

Se puso de pie y comenzó a pasear por la habitación a oscuras.

«Lo sabía, lo sabía, lo sabía. Siempre fue un rebelde, siempre creyó que podía hacer lo que se le antojara. No era como yo, no era organizado ni paciente. Jamás, nunca jamás me hacía caso.»

«¡Él mató a esa chica, maldita sea!»

«Y debe pagar por ello.»

Martin Jeffers volvió a sentarse.

¿Por qué?

¿De qué serviría?

Se levantó otra vez y al instante, igual de rápido, volvió a dejarse caer en el sillón.

«¿Por qué sacas conclusiones precipitadas?» Se dirigió a sí mismo en segunda persona, igual que en un debate.

La detective había desaparecido. De todas formas estaba loca. «¿Por qué te das tanta prisa en creer lo peor de Doug? Llevas demasiado tiempo con los miembros del grupo de terapia. Has oído ya demasiadas mentiras, demasiadas evasivas, demasiadas reconstrucciones falsas. Has visto cómo se echan la culpa unos a otros para no asumir ninguno sus responsabilidades. Has oído un horror tras otro, año tras año, sin que haya cambiado nada, y al final eso ha terminado sesgando tanto tu manera de pensar que ahora estás dispuesto a lanzarte a una conclusión cualquiera, por ridícula que sea.»

«Vete a la cama. Duerme un poco. Ya se aclararán las cosas.»

Sonrió para sí. No es ésa precisamente la actitud que deberían propiciar cuatro años en la facultad de medicina y otros cuatro como interno y residente en el hospital psiquiátrico. ¿Dónde escribió Freud: «Ya se aclararán las cosas»? «¿Qué enfoque neojunguiano es ése? ¿Lo has tomado de una revista científica o de alguna conferencia? ¿Tal vez de Dear Abby o de Ann Landers? ¿Cuándo has visto tú que las cosas se aclaren solas?»

Se oyó a sí mismo reír, brevemente, y el eco de su risa rebotó por toda la casa. Con todo, uno de los principios de su profesión era el de esperar los acontecimientos más que provocarlos, y aquello no tenía nada de malo.

—Ya veremos —se dijo en voz alta—. Ya veremos qué tiene que decir la detective Barren..., si es que vuelve a presentarse. Ya veremos qué tiene que decir Douglas. Y entonces pensaremos qué conviene hacer.

Aquello le pareció un plan de acción, la decisión de aguardar a que sucediera algo. Lo complació, y de repente se sintió cansado.

«Dios, ¿cómo esperas llegar a alguna conclusión respecto de este embrollo si no descansas un poco?»

Nuevamente se puso de pie, y consultó un pequeño reloj digital que parpadeaba con los números en rojo. Eran las cuatro de la madrugada. Se estiró y bostezó. Se dijo que lo mejor que podía hacer era irse a la cama Y su cerebro respondió como si se tratara de una orden: «¡Sí, señor!»

Dio tres pasos en dirección al dormitorio.

«Ya se aclararán las cosas.»

En eso sonó el timbre de la puerta.

Fue un sonido agudo e irritante que le atravesó el pecho. Lo sobresaltó profundamente, e involuntariamente dio un brinco.

Respiró hondo.

«¿Quién será?», se extrañó.

«Dios mío», pensó.

Tomó aire de nuevo. «¿Qué diablos? Son las cuatro de la mañana.»

El timbre sonó otra vez, un zumbido insistente.

Su cerebro giró confuso. Fue hasta la puerta. Ésta tenía una mirilla circular, y se asomó por ella.

Fuera, de pie, estaba la detective.

Se le cayó el alma a los pies y de pronto experimentó una sensación de vértigo y náuseas, y le entraron ganas de vomitar. Luchó para combatir el malestar y alargó la mano hacia la manilla.

En cuanto oyó que una mano había empezado a abrir la puerta, la detective Mercedes Barren se llevó una mano a la espalda, bajo la camisa, donde había escondido la pistola nueve milímetros, encajada en el cinturón de los vaqueros. La sacó y la sostuvo frente a sí, justo detrás de la bolsa de papel que llevaba en el otro brazo.

Levantó el arma a la altura de los ojos al tiempo que se abría la puerta.

Movió la pistola hacia delante de tal modo que quedó suspendida a escasos centímetros de la nariz de Martin Jeffers.

Vio que él palidecía rápidamente y retrocedía un paso, sorprendido.

—No se mueva —le dijo en un tono glacial, sin alterarse—. ¿Está aquí? Si me miente, lo mataré.

Martin Jeffers negó con la cabeza.

Sirviéndose de la pistola para gesticular, la detective penetró en el apartamento. Echó una rápida mirada a su alrededor. Presentía que estaban solos, pero no estaba dispuesta a fiarse de la primera impresión.

—Se lo ruego, detective, baje el arma. Mi hermano no se encuentra aquí, y sigo sin saber dónde está.

—Le creeré después de haber echado un vistazo.

Maniobró de forma que pudiera ver el interior de las demás habitaciones. Tras una rápida inspección, sin mover demasiado el arma en todo ese rato para que no influyera demasiado en Martin Jeffers, regresó al cuarto de estar y le hizo señas al médico para que se sentara.

—No puedo creer que... —empezó Martin Jeffers, pero ella lo interrumpió bruscamente.

—Me importa un bledo lo que usted crea o no.

Ambos guardaron silencio. Al cabo de un momento habló el médico.

—Se suponía que habíamos quedado ayer por la mañana. No aquí, ni a estas horas. ¿Qué pasa? Y por favor, aparte ese cañón. Me está poniendo muy nervioso.

—Como debe ser. Lo apartaré cuando me dé la gana. —Continuaron mirándose fijamente el uno al otro—. ¿Dónde está?

—Ya le he dicho que no lo sé.

—¿Puede buscarlo?

—No lo sé. No. Quizá. No lo sé. Pero desde luego no...

—No tengo mucho tiempo. No lo tiene nadie.

Martin Jeffers consiguió recobrar la compostura e hizo caso omiso de aquella misteriosa afirmación.

—Oiga, detective, ¿qué está haciendo aquí en mitad de la noche? Teníamos una cita acordada a la cual usted no acudió, y de repente se presenta en mi casa a las cuatro de la madrugada amenazándome con una pistola. ¿Qué diablos ocurre?

La detective Barren tomó asiento en un sillón frente a él. La pistola todavía se agitaba en el aire entre ambos. Se sacó del bolsillo el sobre que contenía la llave del apartamento de Douglas Jeffers y se lo lanzó al hermano.

Martin Jeffers lo miró.

—¿De dónde demonios ha sacado esto?

—De su mesa.

—¿Ha entrado aquí por la fuerza? Dios, pero ¿qué clase de policía es usted?

—¿Me lo habría entregado?

—De ninguna manera.

Jeffers hizo ademán de levantarse, ultrajado y furioso.

Ella alzó la pistola.

—Siéntese.

Él la miró fijamente y volvió a sentarse.

—Las amenazas son algo infantil —dijo.

—He estado en el apartamento de su hermano —anunció la detective Barren.

—¿Y?

Había depositado la bolsa de papel a sus pies. Bajó la mano y sacó la fotografía de Susan. Se la lanzó a Martin Jeffers, el cual la estudió por espacio de varios segundos.

—Ésa es mi sobrina —dijo en tono de amargura.

—Sí, pero...

—La he encontrado en el apartamento de su hermano.

Martin Jeffers giró la cabeza de pronto. La respiración se le volvió áspera. Dijo impulsivamente:

—Bueno, seguro que hay una explicación...

La voz de la detective Barren fue como el aire gélido de la mañana:

—La hay.

—Quiero decir que mi hermano debe de haber...

Ella lo interrumpió.

—No me venga con alguna excusa estúpida.

—Lo que quiero decir es que a lo mejor mi hermano obtuvo esta foto de alguna forma que... Al fin y al cabo, es un profesional.

La detective no contestó. Simplemente introdujo la mano en la bolsa y sacó otra foto, la cual dejó caer en el regazo de Martin Jeffers. Una vez más, él observó con atención las dos instantáneas.

—Pero no es la misma persona —dijo por fin.

Ella le lanzó otra foto.

Él separó las tres y las estudió detenidamente.

—Pero no lo entiendo, ninguna de ellas es...

La detective le tiró otra foto más.

El médico contempló esta última y luego se recostó en el sillón.

La detective Barren respiraba agitadamente, como si llevara corriendo largo rato.

Arrojó una foto más. Y después otra, y otra, hasta que por fin volcó la bolsa entera encima de las rodillas de Martin Jeffers.

—¿Que no lo entiende, dice? ¿Que no lo entiende? ¿Que no lo entiende? —repitió con cada sacudida de la bolsa.

Martin Jeffers miró frenéticamente a su alrededor, como si estuviera buscando algo a que aferrarse para conservar la calma.

—Ahora dígame —dijo ella, una vez desahogada toda la rabia reprimida—, ¿dónde está? ¿Dónde está su hermano? ¿Dónde? ¿Dónde? ¿Dónde?

Martin Jeffers hundió la cabeza en las manos.

Ella se puso a su lado de un salto y lo agarró violentamente por el hombro.

—Oh, no...

—Si se echa a llorar, lo mato —le dijo en tono agresivo.

Ella misma no sabía si lo decía en serio o no, es que de repente no pudo soportar la idea de que el hermano del asesino derramara una lágrima por sí mismo o por Douglas Jeffers, por alguien que no fueran las personas que tenía desparramadas frente a él.

—¡No lo sé! —exclamó el médico con la voz quebrada por la tensión nerviosa.

—¡Sí lo sabe!

—¡No!

La detective Barren lo miró fijamente. Después miró las fotos. Su voz sonó teñida de furia controlada:

—¿Está dispuesto a buscarlo?

Jeffers dudó, pues dentro de su cabeza bullían dos respuestas.

—Sí —dijo por fin—. Es posible. Puedo intentarlo.

La detective se dejó caer en el sillón. En aquel momento sintió deseos de llorar ella misma.

Pero en lugar de llorar, ambos se quedaron sentados el uno frente al otro, con la mirada absorta en el espacio que los separaba.

La luz del amanecer los sorprendió a los dos sentados en medio del montón de fotos, en silencio. Fue Martin Jeffers, cuyo cerebro era un desastre de emociones aplastadas, el que habló primero:

—Supongo que ahora el primer paso consistirá en que usted se ponga en contacto con sus superiores y les diga a qué cree que se enfrenta...

—No —replicó la detective Barren.

—Bueno, tal vez deberíamos hablar con el FBI —siguió diciendo Jeffers, sin hacer caso de su negativa—. Tienen una oficina aquí, en Trenton, y yo conozco a un par de agentes. Están muy bien preparados para sernos de ayuda, supongo...

—No —repitió la detective Barren.

Jeffers posó la mirada en ella. Enseguida lo invadió la cólera. Intentó morderse la lengua, pero la tenía suelta debido a la extenuación y al dolor.

—Mire, detective, si cree que voy a ayudarla a dar caza a mi hermano a fin de satisfacer alguna venganza personal, ¡está muy equivocada! ¡Peor: está loca! ¡Olvídese y lárguese de aquí!

La detective Mercedes Barren lo miró.

—No lo entiende —dijo con calma.

—Vaya, detective, pues a mí me parece que se le da muy bien amenazar con esa jodida pistola suya... —Se sorprendió a sí mismo al pronunciar un taco—. Pero que no es precisamente muy comunicativa a la hora de proporcionar detalles. Si mi hermano ha cometido algún crimen, vale, existe un procedimiento concreto para investigarlo...

Experimentó la inquietante sensación de que ya había dicho antes aquella misma frase y había resultado igual de inútil.

—No funcionará —repuso la detective.

La derrota se burló de ella.

—¿Por qué diablos no?

—Por mí.

Suspiró profundamente y sintió insinuarse la fatiga por todo su cuerpo y su mente. Martin Jeffers la observó, pues había advertido súbitamente que había algo torcido, errado; adoptó sin esfuerzo su postura profesional y aguardó, sin decir nada, pacientemente, sabedor de que la explicación terminaría por llegar.

El silencio se tiñó de débil luz matinal.

—Por usted...

—Por mí —repitió la detective y respiró hondo—. Soy la mejor, ¿sabe usted?, siempre he sido la mejor. Una sola vez cometí un error, y tengo una cicatriz que da fe de ello. Pero eso es todo. Sobreviví, me recuperé y ya no cometí más errores. Con independencia de cuál fuera el caso, siempre he sido muy competente, la mejor. La información que consigo, las pruebas que entrego, las detenciones que hago, ¡todo! Siempre acierto. Siempre es verdad. Siempre es exacto. Cuando pongo las manos en un caso, sólo existe una conclusión: los malvados terminan detenidos, y luego van a la cárcel. No me importa qué clase de abogado puedan tener, qué clase de defensa les asista. ¿Una coartada? Olvídela. Yo se las quito de en medio. Todas...

»Yo era muy equilibrada, ¿sabe? Tenía que serlo. Durante toda mi vida la gente me robó cosas sin que yo pudiera hacer nada al respecto. Pero cuando me hice policía, no. Ahí ganaba yo. Siempre. —Echó la cabeza hacia atrás y levantó la vista al cielo. Un momento después miró a Martin Jeffers a los ojos—. Tiene que entenderlo: no hay pruebas.

Martin Jeffers meneó la cabeza.

—¿Qué está diciendo? Mire las fotos.

—No existen.

—¿De qué diablos está hablando? —Tomó un puñado de fotos y las sacudió frente a la detective—. Viene usted aquí a decirme que mi hermano ha cometido estos... estos... —Se atascó en la palabra y finalmente la saltó y continuó—: ... ¡Y ahora me dice que no existen! ¿Qué diablos es esto?

—No existen.

Jeffers se reclinó en el sillón y cruzó los brazos sobre el pecho con gesto de enfado.

—Bien, explíquemelo.

—Yo siempre hice las cosas como es debido, hasta esta vez. Y cuando por fin me encargo de un asunto que significa algo, que significa todo, para mí, la cago. Lo echo a perder.

Estiró el brazo y cogió unas cuantas fotos más.

—Entré en este piso sin autorización, cogí la llave, entré en el otro piso. Esto rebasa con creces la definición de registro ilegal...

—¡Es un tecnicismo!

—¡No! —chilló la detective Barren—. Son las reglas. Peor aún: es la realidad.

—En ese caso —dijo Martin Jeffers, procurando conservar una actitud serena y analítica—, ¿por qué no acudimos al FBI? Por lo menos para enseñarles las fotos.

—Usted no lo entiende —replicó ella—. Vamos al FBI y digo, hola, señor agente, quisiera enseñarle unas fotos de homicidios que he obtenido en el curso de una investigación. Lo primero que me preguntarán ellos es qué investigación. Y yo les diré, no, en realidad estoy de baja médica en mi departamento. Eso captará su atención, llamarán a mi jefe y éste les dirá que yo estaba trastornada y obsesionada y, «cielos, espero que no le haya pasado nada». Pero no les va a decir «créanle», porque no se lo creerá él mismo. Y después llamarán a los de Homicidios del condado, y allí les dirán, sí, no es la misma desde que asesinaron a su sobrina, y sí, ya resolvimos ese caso en su día y detuvimos al agresor, está cumpliendo un trillón de años en confinamiento solitario. Y entonces el señor agente se enterará de que yo tengo acceso a cientos de fotografías igualitas que éstas, bueno, no tantas, pero casi, y llegará a la conclusión de que estoy loca. Fin de la historia...

—Suponga que yo digo...

—Que dice, ¿qué? ¿Que yo lo he convencido de que esto lo ha hecho su hermano? El señor agente se imaginará que estamos pirados los dos. Pero aunque él pensara que quizá, sólo quizá, no estaría de más asegurarse, lo que hará será buscar información sobre su hermano en el ordenador, y lo que encontrará será cero. Bueno, cero no; descubrirá que su hermano, para empezar, posee una acreditación de seguridad para entrar en la Casa Blanca aprobada por el Servicio Secreto, porque eso fue lo que descubrí yo cuando hice esa misma puta consulta. ¿Y sabe qué hará a continuación? Ya se lo digo yo: escribirá un pequeño informe y lo archivará junto con los casos de personas trastornadas. Dicho de otro modo: nada.

—Bueno, ¿y no puede usted persuadir a su gente?

—Piensan que estoy trastornada y enloquecida. —Entrecerró los ojos—. Y tienen razón, naturalmente.

Martin Jeffers miró en derredor, preguntándose qué hacer a continuación.

—¿Y qué quiere hacer, entonces? —inquirió.

—Encontrarlo.

—¿Para poder matarlo?

La detective Barren hizo una pausa.

—Sí.

—Olvídelo.

—Podría haber mentido y contestar no.

—En efecto, podría haberlo hecho. Un punto por su sinceridad.

La miró con expresión hosca, y ella le devolvió una mirada de igual intensidad.

—Está bien —dijo la detective Barren—. Écheles otro vistazo a esas fotos, un buen vistazo, y piense un minuto en ellas. Después sugiera una solución intermedia.

El médico respondió enseguida.

—Lo encontramos, lo detenemos y le enseñamos las fotos, y él confesará.

—Y una mierda.

—Detective, poseo amplia experiencia con personas que cometen múltiples crímenes. Casi invariablemente desean que se les reconozca el mérito de lo que han hecho...

De pronto se interrumpió.

«¡Dios mío! —pensó—. ¡Estoy hablando de Doug!»

Se levantó del asiento y paseó dando tumbos por la habitación, como si estuviera borracho de recuerdos.

—Esto es una locura...

—Creo que eso ya lo he admitido —replicó ella.

—Quiero decir, ¡se trata de mi hermano! ¡Es uno de los mejores en su profesión! Es periodista. Es un artista. ¡No es posible que haya hecho esas cosas! ¡No es propio de él! Nunca ha sido violento...

—¿No?

Se miraron el uno al otro. Ambos sabían que allí no había más que negaciones, incredulidad, ansiedad y confusión. De repente la detective Mercedes Barren pensó: ésta es mi única oportunidad. No va a regresar nunca a ese apartamento. Desaparecerá. Se lo tragará la tierra en cualquier parte del país y se perderá para siempre. Si el hermano no me proporciona el eslabón, no quedará eslabón ninguno.

Tragó saliva y obligó a su rostro a disimular la desesperación y la consternación que bombeaban por todo su organismo como un torrente de sangre.

También Martin Jeffers contempló a la detective Barren intentando evitar que su semblante no delatara lo que sentía. «No puedo perder de vista a esta mujer —se dijo—, porque en ese caso se saldrá por la tangente para cometer un crimen ella sola.»

Y después acudió a su mente un pensamiento todavía más duro: «He de descubrir por mí mismo qué ha hecho Doug.»

Sentía un vínculo casi palpable que lo unía a la detective Barren, ambos empeñados en una búsqueda igual pero completamente distinta. Dijo bruscamente:

—Si la ayudo a encontrar a mi hermano, para que podamos solucionar esto de manera inteligente, debe prometerme una cosa.

—¿Cuál?

Martin Jeffers calló de pronto. No estaba seguro. Hizo una inspiración profunda.

—Prométame que no va a empezar pegando tiros. Prométame que escuchará. ¡Joder, prométame que no lo matará! ¡Es mi hermano, por el amor de Dios! De lo contrario, olvídese.

Ella no se precipitó a dar su consentimiento. «Que piense que estás recapacitando detenidamente sobre ese punto.»

—Bueno, le prometo una cosa: antes le daré una oportunidad a usted. Después, en fin, pasará lo que tenga que pasar.

Dijo aquello con firmeza y seguridad.

Aunque sabía que era totalmente mentira.

—De acuerdo —contestó Jeffers con medida gratitud en el tono de voz—. Me parece justo.

Pero no se fiaba de ella ni lo más mínimo.

No hicieron nada tan absurdo como darse un apretón de manos para sellar el mortal asunto en el que se disponían a embarcarse. En vez de eso, los dos se acomodaron en sus asientos con la mirada fija, esperando a que llegara el siguiente momento con las novedosas revelaciones que pudiera contener.

Los envolvió la claridad de la mañana imponiendo un poco de razón, una pizca de nitidez en sus ideas. Finalmente la detective Barren rompió el silencio que habían mantenido hasta entonces con una pregunta metódica:

—Y bien —dijo directamente—, ¿por dónde empezamos? ¿Qué le dijo su hermano que tenía pensado hacer?

—No me dijo gran cosa. Que iba a iniciar un viaje sentimental. Ésas fueron sus palabras exactas. Yo señalé que no teníamos mucho sobre lo cual ponernos sentimentales.

—Tuvo que decir algo más.

Martin Jeffers cerró los ojos un instante y visualizó a su hermano en la cafetería del hospital, sonriendo como siempre.

—Dijo que iba a visitar algunos recuerdos. No especificó de qué tipo.

—Bueno, ¿y cuál cree usted?

—No estoy seguro.

—No hace falta que esté seguro.

Jeffers hizo una pausa para reflexionar.

—Bueno, a mí me dio la sensación, suponiendo que todo esto sea verdad —agitó una mano en la dirección de las fotografías— de que tal vez se refiriera a dos tipos de recuerdos. El primero, obviamente, son los recuerdos que conserva de la infancia. Y el segundo grupo, por supuesto, son los recuerdos de estos... —dudó— hechos.

—Hechos —dijo la detective.

Jeffers creyó que su propio tono de voz había sido calmado y razonable. Se odió.

—O, más probablemente, una combinación de los dos.

De pronto la detective Barren sintió un vigor renovado, como si todo su agotamiento la hubiera abandonado de improviso. Su cerebro funcionó a toda velocidad. Se levantó y comenzó a pasear por la habitación, golpeándose el puño contra la palma, pensando.

—Por lo general —dijo—, el proceso de deducción de los policías consiste en averiguar por qué ha sucedido algo y cómo. Son dos cosas que suelen estar relacionadas... —Se dio cuenta de que había adoptado casi el mismo tono de erudición que había empleado Martin Jeffers. Pero no hizo caso y prosiguió—: Rara vez se nos pide que preveamos...

—Mi profesión no es muy distinta —apuntó Martin Jeffers.

Ella asintió.

—Pero ahora tenemos que hacerlo. —Vio en los ojos del médico que éste estaba de acuerdo—. Así que supongamos por un momento que tardásemos meses en averiguar qué fotografía corresponde a cada escenario...

—Lo cual es verdad. Y tampoco sabemos qué clase de prioridades asigna mi hermano a cada una, cuál puede afectar a su itinerario —intervino Jeffers.

—Así que tenemos que fijarnos en el otro tipo de recuerdos, los personales.

—Ya, pero ahí el problema es casi el mismo. No tenemos modo de saber qué prioridades da a las cosas. Ni tampoco sabemos en qué orden puede estar realizando el viaje.

—Pero al menos podremos hacer algunas suposiciones.

—Y eso es lo que serán: suposiciones.

—¡Es suficiente! ¡Al menos es hacer algo!

Jeffers afirmó con la cabeza.

—Bien, en primer lugar, nos dejaron abandonados en New Hampshire. Probablemente figurará en la lista de prioridades de mi hermano.

—¿A qué se refiere al decir que los dejaron abandonados?

Martin Jeffers explotó:

—¡Solos! ¡Desvalidos! ¡Echados a patadas! ¡En la calle! ¿Qué es lo que se imagina usted?

—Perdone —dijo ella, sorprendida por aquel súbito acceso de cólera—. No sabía a qué se refería.

—Mire —repuso él con firmeza—, en el fondo no es nada fuera de lo corriente. Nuestra madre era la oveja negra de la familia. Se marchó de casa con un individuo que acababa de salir de la cárcel. Trabajaban en un espectáculo de feria, ya sabe, uno de esos que van viajando por los pueblos. No llegó a casarse con él, que nosotros sepamos.

»Sea como sea, llegó Doug, y después yo. No creo que a ninguno de los dos le importasen mucho los niños. Primero se fue mi padre, y luego mi madre organizó que nos adoptaran unos primos de ella. Se suponía que debía traernos aquí, a Nueva Jersey, pero imagino que le entró la impaciencia, porque nos dejó en New Hampshire. En Manchester, para ser exacto. —Calló unos momentos—. Todavía me acuerdo perfectamente de la maldita comisaría de policía en que nos tuvieron esperando. Había poca luz, y las paredes estaban llenas de dibujos y pintadas que yo no podía descifrar pero que sabía que eran algo malo. Y además, todo el mundo parecía enorme; ya conoce esa sensación que tiene uno cuando es pequeño y el mundo entero está construido para gente grande...

—¿Y su hermano?

—Él me ayudó a superar todo aquello. Cuidó de mí.

—¿Cómo reaccionó él?

Jeffers respiró hondo.

—Odiaba a mi madre por habernos abandonado. La odiaba por no habernos querido. Y odiaba igualmente a nuestros nuevos padres. Eran unos padres falsos, decía.

—¿Y usted?

—Yo odiaba, pero no en el mismo grado.

En aquel momento Martin Jeffers se preguntó a sí mismo si no estaría mintiendo.

—¿Dónde terminaron?

—Aquí.

—No, quiero decir...

—Ya sé lo que quiere decir. Es aquí. Los primos que nos adoptaron vivían en Rocky Hill, justo al otro lado de Princeton. Él era farmacéutico. Aunque en realidad era un negociante, y muy bueno. Era el propietario de una farmacia de la calle Nassau que terminó vendiendo a una cadena por un montón de dinero. Invirtió de forma inteligente. Era un tipo responsable. De clase media.

—No parece que usted...

—Yo no lo odiaba. Doug sí, mucho. Ese cabrón ni siquiera nos dio su apellido tras el proceso de adopción. Jeffers es el apellido de nuestra madre natural. ¿Se imagina lo duro que es eso, cuando uno se hace mayor? Uno se siente como si tuviera que explicar las cosas cada vez que se inscribe en un colegio o hace un amigo nuevo o lo que sea. Si él nos dio algo, nos lo ganamos nosotros.

—Pues lo han hecho bien.

—¿Eso cree?

La detective Barren no supo qué decir. El tono de voz de Jeffers se había tornado poco a poco furioso, amargo. Le gustaría saber cómo hacía frente a toda la rabia que llevaba dentro. El método de su hermano ya lo conocía.

—¿Por qué no probamos con Manchester? —sugirió.

—¿Y de qué va a servirnos? —Jeffers poco menos que escupió aquellas palabras.

—No lo sé —respondió ella calmadamente; sin embargo también empezaba a enfurecerse—. Pero por lo menos servirá para algo más que esperar sin hacer nada a que lo llame él por teléfono. Lo cual no ha hecho.

—Todavía.

—¿Cree que llamará?

Jeffers hizo una pausa.

—Sí.

—¿Por qué?

—Porque si está buscando recuerdos comunes a ambos, terminará recordando algo que deseará comentarme. O visitará un lugar que suscite en él la necesidad de expresar algo, y yo soy el único sitio lógico para expresarlo... aparte de ése... —Hizo un gesto en dirección a las fotografías—. Así es como funciona la mente. No es una garantía, pero sí una buena suposición. Una suposición informada.

La detective reflexionó unos instantes.

—No quiero esperar sin hacer nada.

Jeffers asintió.

—Hoy es sábado —dijo—. No tengo que volver al hospital hasta el lunes.

La detective Barren se puso de pie.

—Vamos a New Hampshire —dijo—. Podemos enseñar por ahí su foto, indagar un poco. —Pensó unos momentos y luego preguntó—: ¿Dónde se encuentran sus padres actualmente?

Vio que Martin Jeffers hacía una inspiración profunda, como si estuviera dando órdenes a su cólera para formar en fila militar. Cuando habló, fue en un tono bajo y a duras penas controlado. Su voz sorprendió a la detective Barren y le provocó un escalofrío. Se sentó en su sillón y observó cómo Jeffers luchaba con sus sentimientos y sus recuerdos, y por un instante se recordó a sí misma que no debía olvidar quién era, que no debía olvidar que eran hermanos.

—Nuestros padres adoptivos han fallecido —respondió Martin Jeffers con frialdad—. Nuestro padre natural... ¿quién sabe? Probablemente haya muerto en algún asilo del Estado. Nuestra madre natural, lo mismo, a no ser que...

Hizo una pausa.

—¿A no ser...?

—... A no ser que Doug se las haya arreglado para matarla.

En primer lugar pasó con el coche por delante de la farmacia, circulando despacio por la calle Nassau de Princeton. La universidad, con sus edificios cubiertos por la hiedra, se hallaba situada al otro lado de la calle, silenciosa, como si aguardara pacientemente la llegada del otoño, su emoción y su ajetreo, más allá de una gran verja negra de hierro y unos amplios céspedes de hierba. Martin Jeffers señaló que faltaban pocas semanas para que diera comienzo el semestre, lo cual transformaría la ciudad entera. La detective ya lo sabía; no quiso decirle lo bien que conocía toda aquella zona, no quería que supiera más de lo estrictamente necesario.

Al contemplar los edificios de piedra de las aulas y el área de residencia de los alumnos pensó en su marido. Sonrió al recordar lo cómodo que se había sentido en la universidad y lo raro que se le hizo tener que abandonarla para ir al ejército. Adoraba el mundo interno de las clases, se dijo la detective Barren. Se sentía cautivado por aquella falsa sociedad que daba valor a los libros y a las ideas y que medía los logros mediante exámenes eruditos y presentaciones habilidosas. ¿Logros en qué? En literatura, en matemáticas, en teoría política, en ciencias.

«También era ése el mundo de mi padre.»

«Pero el mío, no.»

Se había dado una ducha en su hotel mientras Martin Jeffers la esperaba fuera en el coche. Se cambió de ropa interior y se puso los vaqueros, se pasó un peine por el pelo y quedó lista, haciendo caso omiso de la falta de sueño, completamente despierta, pensando tan sólo en que estaba cada vez más cerca, en que estaba estrechando el cerco al mundo de Douglas Jeffers y en que iba a continuar acorralándolo hasta que dicho mundo no contuviera otra cosa que a ella y su pistola. Aquel pensamiento la obligó a esbozar una sonrisa amarga.

Se miró en el espejo de la habitación, pero en vez de examinar su aspecto físico alzó su arma y apuntó a su imagen reflejada. Entonces dijo en voz alta, a solas:

—Así es como va a ser.

Permaneció inmóvil en aquella postura y la fue asimilando en silencio.

A continuación metió en un pequeño petate varias cosas para hacer noche y guardó dentro la nueve milímetros. Encima de todo colocó también el autorretrato que Douglas Jeffers había tomado de sí mismo en la selva, junto con dos cartuchos de balas extra.

Martin Jeffers insistió en utilizar su coche, lo cual a ella le pareció bien. Pensó que él deseaba la esquiva sensación de control que le proporcionaba conducir su propio vehículo, como si de alguna manera él estuviera al mando de la expedición. Ella aceptó prontamente, pensando que la situación le permitiría relajarse, hacer acopio de energías, incluso dormir un poco, mientras él cargaba con el cansancio adicional que suponía tener que conducir.

Después de ver la farmacia, Martin Jeffers salió de la ciudad y al cabo de un rato estaba zigzagueando por carreteras comarcales estrechas y bordeadas de árboles. No tardaron en llegar a una sencilla urbanización de chalés que surgía de forma incongruente en medio de varias granjas. Se detuvo y señaló.

—La tercera casa hacia dentro. Ése era el domicilio de la familia. Hace diez años que no vengo por aquí.

La detective Barren vio una vivienda modesta, austera, de tres plantas, gris con marcos blancos, provista de un jardín verde y bien cuidado y un garaje. Delante de éste había un coche desconocido aparcado.

—Diez años...

—Cuando vivíamos aquí —prosiguió Martin Jeffers—, estaba pintada de marrón, un marrón soso, oscuro y feo. El interior era el reflejo del exterior, le faltaba imaginación. Nunca fue un hogar acogedor, abierto y extrovertido como debería ser el hogar de un niño. Fue siempre oscuro e incómodo. Pero era un hogar. No estábamos abandonados, como algunos niños de la calle. —Se encogió de hombros y continuó—: La gente a veces sobrestima los factores externos. Pero los internos son los que resultan críticos para los niños.

—¿A qué se refiere?

—Al amor, el contacto, el afecto, el orgullo, el apoyo. Con esas cosas se puede sobrevivir, e incluso florecer, en las circunstancias más horrendas. Sin ellas, el dinero, los estudios, las niñeras, lo que sea; todo es relativamente inútil. El niño de un gueto que consigue abrirse paso en los estudios y llega a ser abogado. El Kennedy de la última generación que muere por sobredosis. ¿Entiende a qué me refiero?

—Sí —contestó la detective Barren. Pensó en su sobrina, y se le encogió el corazón un breve instante. Se sacudió aquella sensación formulando una pregunta—: ¿Dice que sus padres adoptivos están muertos?

—Así es —respondió Martin Jeffers—. Nuestro padre adoptivo murió en un accidente cuando nosotros éramos adolescentes, y nuestra madre adoptiva falleció hace tres años de lo que a los patólogos les gusta llamar causas naturales, pero que en realidad son el resultado de un exceso de bebidas alcohólicas, tranquilizantes, comida rápida, tabaco, falta de ejercicio y un corazón demasiado agobiado por toda esa mierda para poder seguir así. En realidad, causas totalmente nada naturales.

—¿Dónde se encuentran enterrados?

—Los dos fueron incinerados. No se erigen monumentos a personas como ellos, a no ser que uno esté completamente fuera de...
—Se interrumpió y pensó que aquello era precisamente lo que, en

un sentido inusualmente indirecto y psiquiátrico, estaba haciendo su hermano.

La detective Barren absorbió la información, la archivó mentalmente y contempló la casa. He ahí un monumento, pensó, y de pronto se le ocurrió una idea.

—Espere aquí un momento.

—Ni hablar —replicó Jeffers.

Ambos se apearon del coche y se acercaron a la casa.

La detective Barren llamó al timbre. Al cabo de pocos segundos oyó unas pisadas rápidas en el interior y una voz joven que exclamaba:

—¡Ya voy yo! ¡Ya abro yo! ¡Seguro que es Jimmy!

La puerta se abrió de par en par, y vio a un niño de cabello muy rubio que tendría unos cinco o seis años. El pequeño miró a la detective Barren y a Martin Jeffers, puso cara de desilusión y se volvió, chillando hacia el interior de la casa:

—¡Mamá! ¡Son adultos! —Su voz llevaba un tinte de traición. Luego se giró hacia ellos y les dijo—: ¡Hola!

—¿Están en casa tu mamá o tu papá? —preguntó la detective Barren.

Antes de que el niño respondiera, oyó unos pasos presurosos y tímidos y surgió ante ella una mujer de aproximadamente su misma edad, vestida con vaqueros y llevando una paleta de jardinería en la mano.

—Perdonen —dijo, secándose la frente—. Estaba atrás y esperábamos a un amigo de mi hijo. ¿Qué puedo hacer por ustedes?

—Hola —saludó la detective Barren. Mostró su placa dorada de detective—. Me llamo Mercedes Barren y soy oficial de policía detective. Estamos investigando la desaparición de este hombre... —Alzó la foto de Douglas Jeffers—. Hemos pensado que a lo mejor usted podría haberlo visto.

La mujer miró la foto, claramente desconcertada por el hecho de estar hablando con un detective en mitad de un caluroso sábado por la mañana.

—No —contestó—. ¿Por qué? ¿Por qué iba a haberlo visto? ¿Ocurre algo?

—Nada de que alarmarse —mintió la detective Barren—. Ese caballero, que es familiar de mi compañero aquí presente, vivió en este mismo barrio. Se nos ha ocurrido que, dado que ha desaparecido, tal vez hubiera venido a echar una mirada al lugar en que se crió, eso es todo. Nada que sea motivo de alarma. Además, era una posibilidad bastante lejana, la verdad.

—Oh —dijo la mujer, como si el batiburrillo de mentiras y verdades de la detective Barren respondiera preguntas en lugar de plantear un millar de otras nuevas—. Oh —repitió. Volvió a mirar la foto—. Lo siento, pero no lo he visto nunca.

—Déjeme verlo —pidió el niño.

—No —replicó la madre—. Billy, vete de aquí.

—¡Pero quiero verlo! —insistió el pequeño.

La mujer miró a la detective Barren.

—Necesita a su amiguito —explicó.

La detective se agachó y le enseñó la foto al niño.

—¿Lo has visto alguna vez? —le preguntó.

El pequeño estudió largamente la imagen.

—Sí. A lo mejor ha estado aquí.

La detective Barren se puso interiormente en tensión, y notó que Martin Jeffers se apresuraba a dar un paso al frente.

—¡Billy! —exclamó su madre—. ¡Esto es serio! No es un juego.

—A lo mejor lo he visto —dijo el niño—. Y a lo mejor ha estado por aquí.

—Billy —dijo la detective Barren con calma, en tono amistoso—. ¿Dónde lo has visto? —El niño medio agitó la mano y medio señaló la calle—. ¿Dijo alguna cosa? ¿Qué hizo?

El pequeño se volvió tímido de repente.

—No. Nada.

—¿Viste el coche? ¿O alguna otra cosa?

—No.

—¿Cuándo fue?

—Hace unos días.

—¿Y qué pasó?

—Nada. A lo mejor lo vi, nada más.

En aquel momento la detective Barren oyó crujir la grava del camino de entrada de la casa, a su espalda, y vio que al niño se le iluminaban los ojos.

—¡Ya han venido! —le dijo el pequeño a su madre—. ¡Ya han venido! ¿Puedo salir, por favor?

La madre miró a la detective Barren, la cual se incorporó y afirmó con un gesto.

—Claro que sí —dijo la madre. El niño salió corriendo de la casa pasando junto a la detective y a Martin Jeffers. Su madre salió también y se situó junto a ellos para ver cómo su hijo y el amigo se ponían a jugar. Saludó con la mano a la otra madre, que estaba sentada detrás del volante del típico monovolumen—. No estoy segura de que se le pueda conceder mucha credibilidad... —empezó a decir.

—No se preocupe —la interrumpió la detective Barren—. Yo tampoco. Y no creo que haya visto a nadie.

—Ni yo —dijo la mujer.

—Gracias por su ayuda —se despidió la detective Barren. Ella y Martin Jeffers emprendieron el regreso al coche. Ella se detuvo un momento a despedirse del niño con la mano, pero éste se hallaba absorto en la emoción del juego y no la vio.

Ya en el coche, Martin Jeffers preguntó:

—¿Qué opina en realidad?

Ella reflexionó unos momentos.

—No creo que haya estado aquí —contestó.

—Yo tampoco —agregó él.

Ambos hicieron una pausa.

—Aunque podría ser que sí —apuntó ella.

—Podría ser. —Otra pausa—. Creo que ha estado aquí —dijo Jeffers.

—Yo también —confirmó la detective Barren.

Martin Jeffers asintió con la cabeza y metió la marcha. No se le había escapado con qué facilidad y sencillez la detective le había mentido a la madre. Acto seguido dio vuelta al coche y se alejó de la casa, así como de la esquiva y alucinatoria visión de la presa que perseguían y de los recuerdos combinados de ambos que ninguno había expresado en voz alta.

Una buena parte del camino hasta New Hampshire transcurrió en completo silencio, tan sólo interrumpido por los sonidos de la carretera que se colaban en los pensamientos de cada uno. Hicieron algún que otro esfuerzo por hablar de trivialidades. Nada más pasar New Haven, Martin Jeffers inquirió:

—¿Está casada, detective?

Ella pensó en mentir, en ofuscar, pero luego se encogió de hombros para sus adentros y se dijo que sería un esfuerzo demasiado grande.

—No. Soy viuda.

—Oh —repuso él—. Lo siento. —Era un convencionalismo.

—Fue hace muchos años. Me casé joven, y mi marido murió en la guerra.

—Por lo visto, la guerra afectó a todo el mundo de un modo u otro.

—¿Estuvo usted en ella?

—No, cuando me llegó el momento instituyeron el reclutamiento por sorteo, y yo extraje el número trescientos cuarenta y siete. Por lo general no soy una persona con suerte, pero esa vez la tuve. No llegaron a llamarme a filas.

—¿Y su hermano?

—La verdad es que fue muy curioso. Él estuvo en la guerra un par de veces, pero siempre trabajando para alguna revista o periódico. Y además abandonó los estudios universitarios. Debería haber sido un tipo con muchas posibilidades de ser reclutado, pero nunca lo llamaron. No sé por qué. —Hizo una pausa y después se atrevió a preguntar—: Usted parece joven. ¿No volvió a casarse?

Ella sonrió a pesar de sí misma.

—Mi marido era mi novio del instituto. Me resultó muy difícil encontrar a alguien que pudiera competir con todas esas emociones desbocadas de adolescente y con la manera en que se traducen en recuerdos de persona adulta.

Martin Jeffers rió levemente.

—No le falta razón —dijo. Y continuó preguntando—: ¿Y por qué le dio por trabajar para la policía?

—Fue accidental, supongo. Cuando llegué a Miami, justo entonces estaba teniendo lugar un juicio por la igualdad de oportunidades. Vi un anuncio en el periódico porque estaban obligados, por orden judicial, a contratar a más mujeres y miembros de minorías, y pensé que no estaría de más probar... —Rió otra vez—. ¿No es ése el estilo estadounidense? Pues eso, respondí al anuncio, casi por diversión, la verdad. Y entonces descubrí que era algo que se me daba bien. Finalmente resultó ser algo que se me daba mejor que a nadie. ¿Y qué me dice de usted?

—¿Lo de ser psiquiatra? Bueno, en realidad hubo dos razones. Una, lo cierto es que no me gustaba la sangre, y para ser buen médico hay que tratar a diario con sangre; y dos, no soportaba la idea de perder a los pacientes. Eso hizo que me alejara de muchas ramas de esta profesión. Y supongo que también hay un tercer motivo: que siempre es interesante. La gente fabrica infinitas variaciones de varios temas comunes...

—Eso es verdad —convino ella.

—Ya lo ve —replicó Jeffers—, otra vez estamos diciendo las mismas cosas.

Ella afirmó con la cabeza. Pensó en la carta encabezada con un «Querido John» que había leído en los archivos de Jeffers.

—¿No tiene a nadie con quien compartir todo eso?

Vio que él ordenaba sus ideas antes de hablar.

—No..., en realidad, no. No estoy seguro de por qué, pero he desarrollado una vida bastante encerrada, y además el trabajo en el hospital me exige mucho tiempo. Y luego, en psiquiatría como en cualquier rama de la medicina, hay mucho de estudio y de esfuerzo para mantenerse actualizado que requiere un tiempo considerable. Así que no, en realidad no hay nadie.

La detective asintió. «Y además tienes terror de ti mismo», pensó.

La conversación se desvaneció entre el rítmico rozar de los neumáticos sobre el asfalto y el constante zumbido del motor. La detective Barren se dijo que ambos rivalizaban bien. Concedió al médico un grado significativo de capacidad para impresionarla; había sufrido un estrés considerable, y sin embargo controlaba su lengua. Ella había tratado con muchos hombres resabiados, criminales en su mayoría, los cuales, cuando se los sometía a un grado de presión bastante menor del que había soportado Jeffers, se abrían igual que una flor.

No estaba segura de que Jeffers estuviera en lo cierto respecto de su hermano; si se enfrentara a la verdad y a las pruebas, a lo mejor confesaría. Aquello lo consideraba un problema; una confesión, aunque fuera egoísta y jactanciosa, podría ser suficiente para acusarlo de los crímenes. Se imaginó el cadáver de su sobrina tendido bajo los helechos y las sombras oscuras de las palmeras. Quizá no todos, pero seguro que algunos sí. La literatura policial está repleta de confesiones de hombres que, cuando se los detenía por imprudencia al cruzar la calle, de pronto empezaban a reconocer haber cometido asesinatos en serie. Se acordó de un individuo de Texas que admitió haber cometido más de doscientos o trescientos. Era un vagabundo que tenía una peculiar tendencia al suicidio. Lucas, se llamaba. Recordó haber visto una foto de él en una edición de noticias, de pie junto a un detective tocado con un sombrero tejano, delante de un mapa del sudeste de Estados Unidos. El sombrero era de color blanco, lo cual le hizo pensar que así era como se hacían las cosas en Texas. Quizá los malos debían vestir de negro. El mapa de la pared que tenían los dos hombres a la espalda estaba salpicado de puntos, que correspondían a pequeñas chinchetas de colores, y tardó unos momentos en comprender la conexión existente entre el mapa, las chinchetas y el hombre que sonreía obscenamente a la cámara.

«Todos los artistas son egoístas —reflexionó—. Y también todos los asesinos.»

Se imaginó mentalmente a Douglas Jeffers.

«Tal vez su hermano tenga razón. Tal vez admita sus crímenes para así obtener cierto grado de satisfacción con la publicidad.»

Se lo imaginó sonriente, posando, aceptando esa extraordinaria y perversa celebridad americana que acompaña a los crímenes que causan sensación. Seguro que disfrutaría inmensamente con toda aquella atención.

Se vio inundada de imágenes; Charles Manson en un tribunal, mostrando de pronto el *Times* de Los Ángeles para que lo vieran los miembros del jurado que se ocupaba de los casos Tate-LaBianca, con aquel gigantesco titular que gritaba: MANSON CULPABLE, AFIRMA NIXON; David Berkowitz entrando en la sala donde lo juzgaban, canturreando: «Stacy era una puta, Stacy era una puta», arrastrando la «u» como si fuera un mantra obsesivo, con la familia de la pobre víctima enfurecida y forcejeando, intentando echarle la mano encima a su atormentador. Al día siguiente, el *New York Times* publicó un notable retrato a lápiz y tinta, el cual ella y los demás detectives de la unidad contemplaron con tristeza e incredulidad; el doctor Jeffrey McDonald diciendo a un periodista que era absolutamente falso que hubiera matado a su esposa y sus dos hijos pequeños, y mucho menos en un ataque casi psicótico de furia, y que el hecho de que lo hubieran acusado de asesinato era una equivocación o, peor aún, una conspiración.

Imaginó a otros individuos convertidos al instante en celebridades gracias a un delito y una acusación. Recordó al aristocrático Claus von Bülow con una sonrisa satisfecha e irónica en la cara, posando para un fotógrafo de famosos de *Vanity Fair* con un traje de cuero negro y en compañía de su amante, en los días posteriores a que fuera exculpado del crimen de inyectar insulina a su mujer y causarle un coma irreversible. Vio a Bernhard Goetz parándose delante de una colección de micrófonos, mirando con expresión inofensiva por encima de sus gafas y diciendo a un sinfín de cuadernos y *flashes* y a las noticias de las seis que él no había hecho nada malo al disparar a los cuatro adolescentes que lo agredieron en el metro.

Vio a Douglas Jeffers sumándose al mismo desfile, y aquel pensamiento la puso enferma.

Bajó la ventanilla de su lado y aspiró una profunda bocanada de aire.

—¿Se encuentra bien? —le preguntó Martin Jeffers.

—Sí —repuso ella—. Es que necesitaba un poco de aire fresco.

—¿Quiere que paremos?

—No —respondió ella con firmeza—. No quiero parar hasta que lleguemos.

Y continuaron el viaje.

Ya hacía tiempo que había oscurecido cuando llegaron a las inmediaciones de Manchester. Se habían detenido una vez a poner gasolina, y la detective Barren había corrido a entrar en el restaurante estilo cafetería y al servicio que se encontraba al fondo del mismo mientras Martin Jeffers llenaba el depósito y miraba el nivel de aceite. Ella compró café, un par de refrescos y dos sándwiches, de atún y de jamón y queso. Los sándwiches eran de pan blanco y gomoso, y venían sellados en envases de plástico transparente. Cuando regresó al coche, le ofreció los dos a Jeffers.

—Escoja —le dijo.

—Dirá más bien que escoja un veneno —replicó él, mirando los sándwiches. Tomó el de jamón y queso y enseguida lo atacó—. Me encanta el atún —afirmó.

Ella se sumó a la carcajada.

En aquel momento Martin Jeffers pensó que hacía mucho tiempo que no oía a una mujer reír sin ambages. No creía que volviera a oírla reír de nuevo. Recordó por qué la detective estaba con él y qué pensaba hacer si se le presentaba la ocasión.

Así que se advirtió a sí mismo que debía actuar con cautela. «Nada de ir a tumba abierta; cuestiónalo todo para tus adentros.»

«No confundas un poco de risa con un síntoma de confianza. Ni tomes una sonrisa por un gesto de afecto.»

«No te fíes de nada, permanece alerta.»

Cobró ánimo contra la fatiga provocada por la carretera y las emociones y siguió conduciendo sin pausa, adentrándose en la creciente oscuridad.

En el extrarradio de Manchester descubrió el cartel de un Holiday Inn que resaltaba en fuerte contraste con la negrura de la noche de New Hampshire. Gesticuló y preguntó:

—¿Qué le parece ese sitio? Esta noche ya no vamos a poder hacer nada, y los dos llevamos muchas horas sin dormir...

Ella asintió; una parte de ella se negaba a reconocer que estaba extenuada, la otra exigía que lo aceptase.

—Bien.

Rellenaron dos hojas de inscripción individuales y cada cual utilizó su propia tarjeta de crédito, lo cual pareció tomar por sorpresa al empleado. Cuando les entregó las llaves, la detective Barren sacó de pronto la fotografía de Douglas Jeffers y se la enseñó.

—¿Lo ha visto? —exigió—. ¿Ha estado aquí durante las últimas semanas?

El empleado observó la foto.

—No puedo decir que recuerde su rostro —respondió.

—Revise el registro —dijo Martin Jeffers—. Busque Douglas Jeffers. Es mi hermano.

—No puedo hacer eso... —se defendió el otro.

La detective Barren extrajo su placa dorada.

—Sí que puede —le dijo.

El empleado miró la placa.

—No tenemos registro —dijo—. Todo está informatizado. Los nombres se borran todas las semanas...

—Mire de todas formas —insistió Martin Jeffers.

El empleado afirmó. Pulsó varias letras en un teclado de ordenador.

—Nada —dijo.

—¿Ese ordenador está conectado con los de otros Holiday Inn? —quiso saber la detective Barren.

—Pues sí, lo está —contestó el empleado—. Sólo para los tres que existen en esta zona.

—Pruebe en ellos —exigió otra vez.

—Bueno, no estoy seguro de cómo se hace, pero voy a probar de todos modos. —Estuvo enredando con el teclado, pulsando rápidamente diversas combinaciones de letras y números—. ¡Ya está! —exclamó de pronto.

—¡El nombre! —dijo Martin Jeffers.

—No, no, lo siento —dijo el empleado—. Es que acabo de averiguar cómo se hace. Ahora voy a examinar los nombres. —Pulsó más letras, y después sacudió la cabeza en un gesto negativo—. No aparece en los siete últimos días —declaró.

—Gracias por intentarlo —dijo la detective Barren.

—¿Tiene algún problema esa persona? —inquirió el empleado.

—Podría denominarse así —replicó la detective Barren—. Pero por el momento es tan sólo una persona desaparecida.

El empleado asintió.

Martin Jeffers llevó el petate de la detective Barren hasta la habitación. Ella le permitió hacerlo para dar un aspecto de inocencia a dicha acción. Sabía que si hubiera insistido en transportarlo ella, él habría deducido que era allí donde guardaba el arma. Sabía que probablemente lo descubriría de todas maneras, pensando un poco. Pero a lo mejor no, y ella siempre buscaba la menor ventaja que pudiera obtener.

Al llegar a la puerta de sus respectivas habitaciones, los dos se miraron el uno al otro.

—¿Quiere que intente buscar algo de comer? —ofreció Martin Jeffers.

Ella negó con la cabeza.

—Bien —repuso él.

Ambos guardaron silencio.

—Necesito que me dé su palabra —dijo Jeffers.

—¿Cómo dice?

—Prométame que, una vez que yo entre en la habitación, no se marchará sin mí.

Ella estuvo a punto de sonreír. Aquello mismo era lo que ella temía de él.

—Si usted me promete lo mismo.

Jeffers afirmó con la cabeza.

—¿Entonces estamos de acuerdo?

Ella asintió también.

—Por qué no salimos a las nueve —sugirió Jeffers—. Pediré en conserjería que nos despierten.

—A las ocho —repuso ella con firmeza—. Hasta entonces.

Moviéndose a la misma velocidad, cada uno abrió la puerta de su habitación y penetró en la misma. Pareció un extraño ballet, oculto a la vista, pero, gracias a las delgadas paredes del hotel, no necesariamente oculto al oído. Los dos se detuvieron y aguzaron los sentidos por si percibían algún sonido procedente de la habitación del otro. Acto seguido avanzaron hasta el centro de la habitación, y cuando se dieron cuenta de que el otro estaba al lado y probablemente escuchando con la misma desconfianza, tras unos momentos de actividad se metieron en la cama.

Manchester fue en otro tiempo una ciudad industrial, y aún conservaba una sensación de mugre de oficina y trabajo duro, con imperturbables edificios de ladrillo y fábricas que quedaban sólo parcialmente disimulados por el intenso verdor de finales del verano de New Hampshire. La detective Mercedes Barren y Martin Jeffers desayunaron brevemente y en silencio y a continuación partieron abriéndose paso entre los que madrugaban para ir a la iglesia y el fuerte sol. Hablaron poco, y tampoco llevaban un plan establecido; se limitaron a navegar por las calles deteniéndose en los restaurantes de comida rápida, gasolineras, otros moteles y hoteles, cualquier lugar en el que Douglas Jeffers hubiera podido pasar un rato y hubiera hablado con alguien lo suficiente como para que se acordaran de su rostro.

La detective dudaba que, incluso aunque lo recordara alguien, dicho conocimiento valiera la pena; pero, tal como apuntó Martin Jeffers, si habían de dar con su paradero, aunque sólo fuera por una vez, al menos tendrían una cierta idea de adónde se dirigía.

Ella se mostró escéptica. Él también. Pero ambos concedían, para sus adentros, que se sentían mucho mejor haciendo algo, aunque sólo fuera ilusionándose por creer estar haciendo algo, que habiéndose sentado a esperar.

Y ambos anhelaban lo mismo: algún ligero contacto que los pusiera al alcance de Douglas Jeffers. Era como si al llegar al mismo lugar en que había estado su presa consiguieran captar su olor.

Con todo, la detective Barren se sentía un poco tonta. Sabía que las probabilidades de tener éxito eran muy escasas; pero, nunca le había disgustado esta parte del trabajo policial. Algunos detectives odiaban la monotonía que implicaba el tener que formular la misma pregunta una y otra vez, intentando registrar el pajar entero, y preferían con mucho saltárselo. Por el contrario, ella se daba cuenta de que una buena parte de su éxito se debía a su tesón, y era capaz de sentirse perfectamente contenta, feliz de verdad, haciendo una pregunta tras otra. Martin Jeffers sentía de modo parecido; una gran parte de su trabajo consistía en repetir lo mismo una y otra vez, los mismos recuerdos, las mismas circunstancias, los mismos hechos, hasta que a fuerza de persistir quedaban desactivados.

Ya era por la tarde cuando Jeffers preguntó:

—¿Por qué no probamos en la comisaría de policía? Sólo por ver si ha estado allí.

—Lo estaba reservando para el final —replicó la detective Barren.

—Ya hemos llegado al final —dijo él—. Si mi hermano ha estado aquí, desde luego no ha armado mucho escándalo.

—No creo que haya estado aquí —dijo la detective—. Y eso sólo significa que puede que aparezca en cualquier momento.

Jeffers asintió.

—Pero yo todavía tengo un trabajo y compromisos que me esperan tras un viaje de regreso de ocho horas a Nueva Jersey. Si usted quiere quedarse por aquí...

—No —respondió ella. «Estamos juntos en esto», pensó al mismo tiempo—. No, continuaremos juntos hasta que...

Jeffers la interrumpió.

—Hasta que lo resolvamos.

—Exacto.

—Bien, vamos a la comisaría.

Martin Jeffers consultó la dirección de la Comisaría Central de Policía mientras la detective Barren enseñaba la foto a otro empleado de gasolinera, pero sin resultado alguno. Siguiendo las indicaciones que le dieron, recorrió una serie de deprimentes calles de la ciudad, cada una de ellas más ruinosa que la siguiente. La comisaría se encontraba en la zona más mugrienta del centro urbano. La detective Barren se fijó en el número de coches patrulla que pasaban por aquel barrio y supuso que debían de estar cerca. Por fin descubrió a su izquierda un edificio grande de ladrillo rojo.

—Ahí está —dijo, señalando.

Martin Jeffers reflexionó un instante.

—Ése no es —anunció—. Ése es nuevo, o sea, relativamente nuevo. El edificio que yo recuerdo era antiguo. —Detuvo el coche cerca del edificio—. Fíjese en la piedra de la esquina —dijo.

La detective Barren se volvió y siguió su mirada. «Erigido en 1973», leyó en una losa gris ubicada en la esquina del edificio. Martin Jeffers aparcó el coche y dijo:

—Vamos a preguntar.

En el interior todo eran luces fluorescentes y diseño moderno, pero ligeramente ajado por el uso. Se acercaron a un sargento que estaba detrás del mostrador y la detective Barren sacó su placa. El oficial era un individuo corpulento, probablemente feliz de ocuparse de la recepción e igual de ducho en evitar la polémica que en eludir una misión en la calle.

—Ah, Miami —dijo el sargento en tono de satisfacción—. Mi cuñado tiene un bar en Fort Lauderdale. Fui a verlo en una ocasión pero tiene demasiados críos, ya sabe lo que quiero decir. ¡Y qué calor hace! Bueno, ¿y qué puedo hacer por usted, detective de Miami? ¿Qué necesita de Manchester?

Pronunció el nombre de la ciudad con un acento que hizo sonreír a la detective Barren.

—Dos cosas —respondió, sonriendo—. ¿Ha visto a este hombre? ¿Y no había en otro tiempo una comisaría de policía antigua en el centro de Manchester?

El sargento estudió la foto.

—No, creo que no lo he visto. ¿Quiere que haga unas fotocopias y las distribuya cuando se pase lista? Si se busca a este tipo, deberíamos saberlo. ¿Qué opina usted?

La detective Barren reflexionó rápidamente acerca de aquel ofrecimiento. «No. Es mío.»

—No —respondió—, en este momento sólo se le busca para interrogarlo y en realidad no tengo suficientes motivos para que ustedes intenten detenerlo. Sólo estoy realizando ciertas indagaciones, ya sabe.

El sargento afirmó.

—Como quiera —dijo—. Era sólo por ayudar.

—Se agradece —repuso ella.

El policía sonrió.

—Bueno —añadió—, respecto a eso de la antigua comisaría, de hecho hubo dos. Hasta mediados de los años sesenta éramos como un conjunto de pueblecitos. Teníamos comisarías por todas partes. Después se agruparon todas en este único y bonito edificio que está viendo... —Señaló a su alrededor con las manos antes de proseguir—. La mayoría de ellas fueron derruidas. Una pasó a ser un montón de bufetes de abogados, la que estaba más cerca del juzgado. Me parece que otra fue convertida en un bloque de pisos. Ésa se encuentra en la otra parte de la ciudad, la parte bonita... —Rió—. A veces me da por pensar que eso es lo que nos va a pasar a todos cuando nos vayamos al otro barrio, que nos convertirán en un bloque de pisos. Directo hacia el cielo, supongo. —Rió nuevamente, y tanto Martin Jeffers como la detective Barren sonrieron con él, reconociendo que había algo de verdad en aquella queja.

—¿Cuál se transformó en la Comisaría Central? ¿La más grande de todas? —inquirió Jeffers.

—La que está situada enfrente del juzgado.

—¿Cómo se va a ella?

—Infringiendo la ley.

—¿Perdón?

—No era más que una pequeña broma. ¿Que cómo se va al juzgado? Pues infringiendo la ley... Bueno, ya digo que no era más que una broma. Vayan recto por esta calle, y pasadas seis manzanas giren a la derecha para tomar Washington Boulevard. Esa calle lleva al juzgado.

Le dieron las gracias al sargento y se fueron.

—Vamos a pasar por delante un momento —sugirió la detective Barren.

Jeffers se mostró de acuerdo.

—Bufetes de abogados. Resulta muy apropiado. Es como reciclar basura.

Ella sonrió.

—Otra bromita —dijo Jeffers.

Encontraron el edificio sin dificultad. Jeffers guardó silencio durante unos momentos, contemplándolo.

—La fachada parece ser la misma —terminó diciendo. La detective Barren tuvo la impresión de que su voz había adquirido súbitamente un tinte de falsa determinación, como si al hablar con voz fuerte él lograra serlo también. Aparcó el coche enfrente y se quedó mirando el edificio por la ventanilla—. Hacía viento, estaba oscuro y llovía —dijo—. Recuerdo que aquella noche este sitio parecía malvado y condenado, como si tuviera un cartel encima de la puerta que dijera: Abandone toda esperanza aquel que entre en este lugar...

Sin esperar a la detective Barren, se apeó bruscamente del coche y subió a zancadas un ancho tramo de escaleras que conducían a la puerta principal. Agarró el picaporte y tiró.

—Está cerrado con llave. Es domingo, y las oficinas están cerradas. —La detective Barren lo miró—. Gracias a Dios —dijo Jeffers. Ella vio que se estremecía ligeramente—. ¿Sabe lo que se siente cuando se es un niño y se está solo? Los niños son capaces de adaptarse maravillosamente a miedos concretos, como un dolor, una enfermedad o una muerte. Es lo desconocido lo que les resulta aterrador. Ellos no cuentan con una base de conocimientos de cómo funciona el mundo, así que se sienten completamente vulnerables.

»¿Sabe lo que recuerdo de aquella noche? Oh, lo siento todo vívido y atroz, pero también me acuerdo de que me apretaban mucho los zapatos y necesitaba otros nuevos, y pensé que ya no iba a poder tenerlos jamás y que tendría que hacerme mayor sin tener zapatos nunca más. Recuerdo que estaba sentado y que tenía tantas ganas de ir al baño que ya me dolía, pero estaba demasiado asustado para decírselo a nadie. Lo único que sabía era que no debía moverme de aquel banco en el que nos habían ordenado esperar. Doug cuidó de mí. Por alguna razón, él sabía más. No sé, de pequeño siempre tuve la sensación de que él sabía lo que yo estaba pensando antes de pensarlo siquiera. Supongo que todos los hermanos menores adjudican las mismas propiedades mágicas a su hermano mayor. Es probable que yo estuviera revolviéndome demasiado. Sea como fuere, él me llevó al cuarto de baño, y también me dijo que iba a cuidar de mí y que no me preocupase, que siempre lo tendría cerca. No sé hasta qué punto lo dijo en serio, pero el hecho de oírle decir aquello me dio una gran seguridad. Creo que pensé que aquella noche me iba a morir, hasta que él me cogió de la mano...

El sol estaba empezando a ponerse, y la voz de Martin Jeffers fue deslizándose hacia las sombras.

«En eso consiste la infancia —pensó la detective Barren—, en buscar refugio de un miedo tras otro hasta que uno se hace lo bastante fuerte, mayor y experto para ahuyentar dichos miedos. Claro que hay algunos miedos que no se vencen nunca.»

Miró a Martin Jeffers, que estaba contemplando el edificio.

—Doug es mi hermano —dijo—. Ahora ya somos adultos y él está haciendo esas cosas tan terribles y yo tengo que detenerlo. Pero aquella noche me salvó la vida. Estoy seguro. —Martin Jeffers desvió la mirada del edificio—. Vámonos ya. Vámonos de aquí de una vez.

»Tiene que detenerlo...

Agarró del brazo a la detective Barren y bajó las escaleras medio llevándola a rastras. Ella no se resistió.

—Vámonos del todo, de vuelta a Nueva Jersey. Ahora mismo —insistió.

La detective Barren no contestó nada, pero asintió con la cabeza. Percibió que el semblante del médico volvía a mostrar aquella expresión de conflicto y profundo dolor. Por un instante experimentó una especie de tristeza doble, una por el recuerdo del niño abandonado que continuó buscando a su madre durante toda la vida, otra por el adulto destrozado por conocer cosas terribles. Entonces pensó, extrañada, que había sido mala suerte que hubiera conocido a Martin Jeffers de aquella manera tan horrenda, que en otras circunstancias distintas probablemente habría llegado a caerle bien. Y aquella reflexión la hizo sentirse triste también por sí misma. Pero rápidamente se sacudió dicho sentimiento y pasó a su lado del coche.

«Lo siento, Martin Jeffers. Lo siento muchísimo, pero tienes que seguir adelante. Llévame hasta tu hermano.» Estaba segura de que así lo iba a hacer, pero también tuvo la seguridad, en aquel preciso momento, justo cuando Jeffers le daba la espalda al edificio manteniendo la cabeza en una postura con la que esperaba que ella no pudiera ver las lágrimas y se dejaba caer detrás del volante, de que jamás traicionaría a su hermano.

Ya era cerca de medianoche, cerca del final de otro viaje en silencio, cuando cruzaron el puente George Washington, dejaron a su izquierda la ciudad de Nueva York con su constante iluminación y se alejaron rápidamente de ella. La detective Barren, en el asiento del pasajero, tenía los ojos cerrados, y Martin Jeffers supuso que estaba dormida. Maniobró por entre el tráfico nocturno, todavía denso. Sus ojos captaron las series de enormes indicadores de carretera de color verde que dirigían a los viajeros hacia una docena de direcciones distintas, y reflexionó sobre la gran convergencia de personas y máquinas que se juntaban en el puente: carreteras 4, 46 y 9W, el Palisades Parkway y la gran cinta que forma la interestatal 95 que discurre norte-sur y la cinta negra, igualmente grande, que es la interestatal 80, que va de este a oeste. Las luces de los coches que venían en contra perforaban la oscuridad cegándolo brevemente con una ráfaga luminosa y después desaparecían. Cuando volvía la vista hacia los carriles contrarios, apenas alcanzaba a distinguir la forma de los otros coches, y se le ocurrió la extraña idea de que su hermano se encontraba entre ellos. «Podría estar en cualquier parte —se dijo—. Podría estar en cualquier parte, pero yo sé que está aquí. Podría ser cualquiera de esas luces que pasan. Ésa, o esa otra, o aquella de allí, pero seguro que es una de ellas.» Sintió deseos de llamarlo a voces, pero no podía. «Estás ahí. Lo sé. Por favor.»

Después meneó la cabeza para sacudirse aquel pensamiento y comprendió que era una tontería, que estaba agotado y probablemente sufría alucinaciones, y siguió conduciendo sin saber que además estaba en lo cierto.

XII

Otro viaje a New Hampshire

17

Doug Jeffers había anudado las cuerdas demasiado fuerte, y las hebras de nylon le cortaban las muñecas provocándole un intenso dolor. Anne Hampton había dejado de luchar contra él, pues se había dado cuenta de que cuando tiraba o se retorcía la cuerda se resistía y le abría las carnes. Intentó no hacer caso de la tensión que sentía en los brazos y conciliar el sueño, pero cuando cerraba los ojos no veía otra cosa que la rojez del sufrimiento, que resultaba imposible de eludir. Así que, pese a haber rebasado ya un límite indefinido de agotamiento físico y mental, permaneció totalmente despierta. La mordaza que tenía en la boca también le estaba causando problemas. Sólo podía respirar por la nariz, la cual él había hecho sangrar, y a cada inspiración el aire tenía que atravesar mucosa y coágulos de sangre con inmensa dificultad. Cuando él le puso la mordaza, le echó la cabeza hacia atrás violentamente y le apretó el nudo del pañuelo en la nuca sin prestar atención a lo que hacía. A continuación le puso encima de la boca una tira de cinta adhesiva gris. Dicha cinta olía a pegamento, y temió que pudiera asfixiarse, porque aquello podía matarla; si vomitaba ahora, debido al miedo y a la confusión, podía ahogarse. Se sorprendió a sí misma por el hecho de darse cuenta de aquel peligro, y a pesar de la nube que le provocaban las ataduras se sintió perpleja al descubrir lo mucho que había viajado, lo mucho que parecía saber a aquellas alturas. Aquel pensamiento se transformó en un miedo; experimentó una singular vulnerabilidad, al haber sobrevivido hasta aquel momento. Cerró los ojos ante la idea de que ahora él se disponía a matarla.

Anne Hampton no sabía por qué aquella noche Douglas Jeffers la había golpeado y maniatado, pero no la sorprendía.

Supuso que tenía algo que ver con el asesinato fallido de las dos chicas, ocurrido aquel mismo día. Pero Jeffers no había actuado como tenía por costumbre; había vuelto a desahogar su rabia sin más.

En cierto modo, ella ya se había imaginado lo que se le venía encima.

Jeffers se había marchado a toda prisa del circuito de carreras con un estado de ánimo taciturno, sin pronunciar palabra, sumido en un silencio que la asustó más que los discursos que solía soltar. La oscuridad se abatió sobre ellos, y aun así él no se detuvo hasta más allá de Nueva York, a medianoche, cerca de Bridgeport, Connecticut. Encontró alojamiento en uno de los espurios lugares de costumbre, se registró atendido por un empleado soñoliento y sin afeitar con el que apenas cruzó una palabra, y pagó la habitación, como siempre, en efectivo. Casi nada más cerrar la puerta de la habitación se abalanzó sobre ella, la abofeteó con las palmas abiertas y la arrojó al suelo. Anne Hampton levantó las manos para esquivar los primeros golpes, pero enseguida se resignó y recibió lo que a él se le antojó propinarle. Su pasividad tal vez decepcionó a Jeffers, pero casi tan rápidamente como los puños de él le vino a la cabeza la idea de que si intentaba resistirse era posible que pasara a ocupar ella el sitio de las dos chicas. Ellas habían salido vivas de aquello, y Anne Hampton no quería pagar el pato allí mismo.

Así que se quedó tirada en el suelo sin protegerse apenas y dejó que Jeffers se despachara a gusto.

La paliza fue como un espasmo, breve, aterradora pero con un fin rápido. Después Jeffers la empujó con desdén a un rincón, encajada entre las dos camas gemelas y hundidas de la habitación. No lo vio coger la cuerda; de repente la arrojó al suelo, y ella sintió las ataduras que la sujetaban con fuerza y la constreñían igual que una horrible boa. Aquello fue seguido de la violencia de la mordaza en la boca. Alzó la vista intentando verle los ojos, intentando discernir qué estaba sucediendo, pero no pudo. Jeffers la apartó con un último empujón, irritado, y salió del motel sin otra explicación que una críptica promesa:

—Volveré.

Con mucho, lo que más miedo le daba era la cuerda. Jeffers no la había empleado desde el primer día, y temía que fuera indicación de algún terrible cambio en la relación entre ambos. Una vez más ella era para él una posesión, en oposición, por algún motivo inusual que no alcanzaba a comprender, a compañera o socia. Había perdido identidad, importancia; y sabía que si también perdía relevancia Jeffers la abandonaría. Su cerebro hizo uso de la palabra «abandonar», pero sabía que se trataba de un eufemismo para no decir otra cosa. Se daba cuenta de que su posición era precaria y sumamente peligrosa. No pensaba que fuera a matar a Boswell, pero sí que podía asesinar fácilmente a una muchacha sin nombre y sin rostro, atada y amordazada, que lo molestaba con su presencia y le recordaba un fracaso. Recorrió con la mirada la habitación del motel lo mejor que pudo. Vio una vieja cómoda y un espejo, y dos camas con colchas de pana marrón que se veían baratas y gastadas, y pensó que era el lugar más horrible y miserable para morir.

Recordó a Vicki y Sandi, que se mostraron tan reacias a vestirse. Ella se sintió confusa; Jeffers había salido de entre el follaje sonriendo, bromeando, juguetón, como si no pasara nada malo, sin embargo ella sabía que algo había ocurrido que había desbaratado el plan, lo cual la aterrorizó todavía más. Jeffers hizo unos cuantos comentarios sobre lo guapas que estaban y les prometió que aparecería una estupenda foto suya en la mítica revista.

Recordó haber oído todo aquello como si le llegara de muy lejos. Permaneció rígida de expectación, levantó la vista y vio el arma en sus manos una docena de veces, pero al parpadear se dio cuenta de que no era más que la cámara.

Tras unas cuantas fotos más, Jeffers las instó a todas a regresar por el camino que atravesaba el bosque en dirección al coche. Acto seguido fue hasta el circuito de carreras bromeando todo el tiempo con las dos chicas, que no dejaron de decir entre risitas:

—No puedo creer la suerte que hemos tenido.

Ella también habría reído, si no estuviera tan aterrorizada.

Reflexionó que la ausencia de asesinato resultaba el doble de aterradora que el hecho en sí. No sabía qué era lo que había pasado, qué accidente o qué golpe de suerte había salvado la vida a las dos chicas. Lo único que sabía era que Jeffers volvió a depositarlas junto a las gradas, se despidió de ellas con un gesto de la mano y una carcajada y pisó el acelerador a fondo, de vuelta a la autopista. Aquella risa falsa resultaba de lo más impropio en Douglas Jeffers, salvo que indicara una rabia contenida.

Anne Hampton se relajó contra el dolor que le producían las ligaduras y reflexionó sobre lo sucedido.

Decidió que cuando volviera Jeffers lo obligaría a que la dejara libre. Se concentró en esa idea, diciéndose a sí misma: «no hay nada que importe más. No hay nada que tenga más importancia. Debes obligarlo a que reconozca quién eres. Y no lo reconocerá hasta que te quite las ligaduras.»

Tragó saliva y sintió que el estómago le daba un vuelco igual que un bote en medio de una tormenta.

Reprimió la náusea que le provocó el miedo.

«Estoy más cerca de la muerte ahora de lo que estuve al principio de todo.»

«Oblígalo a que te necesite.»

«Oblígalo.»

«Oblígalo.»

«Fuérzalo.»

Aguardó a que regresara repitiendo aquellas palabras para sí una y otra vez, a modo de una nana de pesadilla.

Douglas Jeffers condujo sin rumbo por las calles a oscuras, buscando una salida a su frustración. Por un momento estudió la idea de adentrarse en la ciudad y simplemente asesinar en la calle a alguna persona con mala suerte. Pensó en buscar una prostituta; era el objetivo más fácil, casi acomodaticio en la creación de su propia muerte. También lo tentó la idea de parar en una gasolinera de veinticuatro horas y volarle la cabeza al empleado; aquél era un gaje del oficio de servir gasolina por la noche a cambio de dinero. Con cierta frecuencia surgía alguien que quería el dinero y que estaba muy dispuesto a matar por conseguirlo. Douglas Jeffers se dijo que todas aquellas posibilidades poseían un encanto común: eran de lo que se alimentaban los registros de incidentes que realizaba la policía todas las noches. No ocuparían más de un par de párrafos en los periódicos del día siguiente. Constituían la norma de la desertización urbana, momentos de escasa importancia, rutina casi. El hecho de que terminara una vida apenas tenía trascendencia, era un añadido de última hora durante la noche que quedaba difuminado con la claridad de la mañana.

Aquéllos eran los tipos de crímenes a cuyo estudio un experto como él no precisaba dedicar más de un par de segundos.

Sacudió la cabeza negativamente. «En otra ocasión —se dijo—, lo habría hecho sin más.» Quizás una tienda de bebidas alcohólicas que hubiera permanecido abierta sólo hasta un poco más tarde de los horarios habituales. Se coge un pasamontañas y una pistola grande. Un momento verdaderamente norteamericano.

Soltó el aire en un silbido lento y prolongado.

«Ahora no, cuando estás tan cerca del final.»

«No la cagues.»

Deseó haber matado al joven guardia forestal, luego deseó haber matado a las dos chicas, pero sobre todo estaba furioso consigo mismo por no haber previsto todos los problemas que podía conllevar aquel crimen. Volvió a repasar mentalmente los detalles, se castigó amargamente a sí mismo. Siempre me he preparado como es debido para cualquier eventualidad, siempre he estudiado con antelación cualquier posible dilema. Debería haber descubierto un escondite mejor. Se reprendió a sí mismo por haber elegido aquel claro del bosque. Joder, me gustaba la luz y el entorno. Pensé como un fotógrafo, no como un asesino. De modo que todo aquel trabajo resultó inútil, ¡maldita sea!

Intentó apaciguar su furia pensando que la llegada del guardia forestal había sido casual, inesperada. Pero ese pensamiento se parecía bastante a una excusa, lo cual no le gustó nada.

Siempre consigo librarme. Siempre lo consigo.

Golpeó el volante con las manos y se removió con violencia en el asiento, manteniendo a duras penas el control del coche, incluso circulando a baja velocidad. Le entraron ganas de gritar, pero no pudo. Luego se acordó de Anne Hampton atada en la habitación del motel. «Que espere —pensó, furioso—. Que se preocupe. Que sufra.»

«Que se muera.»

Aspiró profundamente y contuvo un momento la respiración.

Lo sorprendió que aquellos pensamientos, tan duros, le causaran incomodidad, aunque leve.

Detuvo el coche en una calle desierta de un barrio industrial. Apoyó la cabeza en el reposacabezas y de pronto se sintió cansado.

«No ha sido culpa de ella. Ha sido culpa tuya. Ella ha hecho lo que le ordenaste.»

Cerró los ojos.

«Maldición. El plan era defectuoso.»

Lanzó un suspiro. «Bueno, queda demostrado que nadie es perfecto.»

De pronto toda su ira lo abandonó, y bajó la ventanilla del coche para que saliera el aire viciado y se mezclara con el frescor nocturno.

Entonces lanzó una sonora carcajada. La carcajada se transformó en una risita infantil.

«Nadie es perfecto. Exacto.»

«Pero te has librado por los pelos.»

Recordó a las dos chicas desnudas, haciendo poses. «No tenías por qué matarlas; lo más probable es que mueran enseguida de aburrimiento, estupidez y rutina, una vida que no promete nada y que da aún menos. Lo que era de verdad para morirse de risa, imaginó en aquel instante, era que acababan de experimentar el momento más singular, excitante y peligroso que iban a vivir en toda su vida, con independencia de los muchos o pocos años que vivieran. En una tarde sublime habían entrado en contacto con un genio y habían logrado salir vivas de la experiencia. Y las muy cerdas no lo sabían.»

Rió de nuevo. El agotamiento empezaba a minarlo, y comprendió que era importante dormir un poco. «Bueno —pensó—, todo sigue estando en su sitio. Al día siguiente irían despacio y sin prisas a New Hampshire. Pensó en la posibilidad de llevar a Anne Hampton al monte Monadnock o al lago Winnipesaukee, o a algún otro sitio agradable, antes de prepararse para lo de la tarde. Algo apacible y relajado. Pensó en una ciudad que conocía en Vermont, un poco apartada pero muy bonita, y todavía a un breve trayecto en coche para acudir a la cita de New Hampshire. Luego tendría que ocuparse de unas cuantas cosas antes de dirigirse a Cape Cod.

De pronto el cerebro se le llenó de una música de sintetizador abrumadora, densa, electrónica, y también de una imagen del sonriente actor vestido con traje de paracaidista, casco negro, botas de saltar y una probóscide de pega. Un retazo de la ultraviolencia de antaño, se dijo. Una auténtica película de miedo.

Y luego la libertad.

Pensó de nuevo en Anne Hampton. «Lo más seguro es que Boswell esté muerta de miedo», se dijo. Se encogió de hombros.

Aquello no era terrible; era sensato hacerla sentirse todo el tiempo en la cuerda floja.

Pero aún experimentó una punzada de culpabilidad.

«Tendré que dejarla respirar —pensó—. Sigue siendo necesaria.»

Aquel pensamiento le devolvió una sensación de contar con un propósito, y miró en derredor para orientarse, dispuesto a regresar directamente al motel. Empezó a pensar cómo iba a pedirle disculpas. Cuando estaba a punto de meter la marcha y arrancar, descubrió la furgoneta aparcada doscientos metros calle abajo. Al instante supo qué era: un almacén. Fuera de las áreas normales en las que patrullaba la policía. Pasada la medianoche. Una furgoneta. Era una ecuación sencilla, la suma de todos los factores daba como resultado un allanamiento. Se le ocurrió una idea y sonrió.

No, pensó. Pero a continuación dijo:

—¿Por qué no?

Le entraron ganas de echarse a reír, pero se impuso prudencia. «Ten cuidado.»

No encendió las luces, y dejó caer el coche lo más silenciosamente que le fue posible en dirección a la furgoneta. Ésta era de color claro y aspecto anodino, y estaba adecuadamente plagada de golpes y arañazos. No vio movimiento alguno en el interior, pero mantuvo la pistola en la mano por si acaso. Cuando estuvo junto a ella, la luz de una farola distante arrojó el resplandor justo para poder leer el número de la matrícula. Se detuvo un momento y se fijó en que la jamba de la puerta del almacén parecía retorcida, aunque le costó trabajo distinguirlo sin apearse del coche. Tuvo la sensatez suficiente para no bajarse. No era que tuviera miedo de los individuos que pudiera haber dentro, pero es que entonces perdería el elemento sorpresa. Pasó junto a la furgoneta y no encendió las luces hasta que llegó a un punto situado a un par de manzanas de allí.

Se detuvo en la primera gasolinera en la que vio una cabina telefónica y marcó el 911.

—Policía de Bridgeport, bomberos —respondió la voz inexpresiva con su estudiada indiferencia a las emergencias.

—Quiero denunciar un allanamiento que está cometiéndose en este momento —dijo Douglas Jeffers.

—¿Está ocurriendo ahora mismo?

—Eso es lo que acabo de decirle —insistió Jeffers con el grado justo de indignación—. En este preciso momento.

Le dio al policía la dirección y una descripción de la furgoneta, junto con el número de la matrícula.

—Gracias. Enseguida vamos. ¿Puede darme su nombre, para el archivo?

—No —replicó Douglas Jeffers—. Ponga que ha sido un ciudadano preocupado.

Y colgó el teléfono. Un ciudadano preocupado. Eso le gustó mucho. Si ellos supieran. Se imaginó un par de ladrones vestidos con ropas oscuras, sorprendidos de repente por las luces de un vehículo de la policía. Se los imaginó maldiciendo su mala suerte, agitando las esposas con gesto de frustración mientras los agentes disfrutaban de aquellos breves momentos de éxito y felicitaciones que acompañan a un buen arresto. Si tuvieran la menor idea de quién era el que les había dado el chivatazo... O los malos o los buenos. Se imaginó la expresión de sus caras.

Y entonces se rió a carcajadas del escándalo que constituía todo aquello.

Anne Hampton oyó la llave en la puerta y se puso en tensión contra las cuerdas. Desde donde se encontraba tumbada no alcanzaba a ver la puerta, pero oyó cómo chirrió al abrirse. Emitió un sonido amortiguado a través de la mordaza cuando la puerta se cerró y las pisadas se acercaron a ella. Levantó la cabeza para poder mirar a los ojos a Douglas Jeffers. Se había concentrado mucho a fin de suprimir el débil pánico cerval que sentía en su interior y reemplazarlo por una mirada tenaz, desafiante, exigente. Ambos se sostuvieron la mirada, y Jeffers pareció sorprenderse.

—Vaya —comentó—, por lo visto Boswell está enfadada.

Se agachó y le arrancó la cinta adhesiva de la boca. El ruido que hizo ésta al despegarse le dio a Anne Hampton la misma sensación que si le estuvieran rajando las mejillas. Permaneció inmóvil mientras él le aflojaba la mordaza.

—¿Mejor? —preguntó Jeffers.

—Mucho. Gracias. —Mantuvo un tono de voz sereno y ligeramente airado. Douglas Jeffers rió.

—Así que Boswell está enfadada.

—No —repuso ella—. Sólo incómoda.

—Eso era de esperar. ¿Tienes alguna herida?

Ella negó con la cabeza.

—Estoy un poco entumecida.

—Bueno, eso podemos arreglarlo.

Douglas Jeffers sacó una navaja. Anne Hampton advirtió que la hoja reflejaba la luz de la lamparilla de noche. Respiró hondo. «Boswell, Boswell —pensó—, te ha llamado Boswell, no tienes nada que temer. Al menos por el momento.»

Jeffers apoyó la hoja de la navaja contra la mejilla de ella.

—¿Te das cuenta de lo difícil que es distinguir si un cuchillo está caliente o frío? Depende de la clase de miedo que experimente uno. El contacto puede parecer el de un hierro candente o el de un témpano de hielo, igual que la sensación que se tiene en el estómago y alrededor del corazón.

Anne Hampton no se movió. Continuó con la mirada fija frente a sí.

Al cabo de un momento Jeffers apartó la navaja.

Comenzó a cortar la cuerda, y las manos quedaron libres.

—No debería haberte pegado —dijo en tono despreocupado—, no fue culpa tuya. —Ella no contestó—. Digamos que fue un momento de debilidad. Un momento poco común.

La ayudó a incorporarse.

—Gracias.

—Eso es. Se te ve un poco inestable, pero no estás tan mal. Usa el baño para lavarte.

Ella dio unos cuantos pasos inseguros sirviéndose de la pared para conservar el equilibrio. Una vez dentro del baño, vio que la sangre se le había coagulado alrededor de los labios y de la nariz, pero que desaparecía con sólo frotarse con un poco de energía. En aquel momento sintió que regresaba todo su agotamiento, y tuvo que aferrarse a los bordes del lavabo para no desplomarse.

Cuando salió, vio que Douglas Jeffers le había abierto la cama. Dejó caer los vaqueros al suelo y se metió en ella, agradecida. Él desapareció en el cuarto de baño, y se oyó correr el agua del grifo y luego la descarga de la cisterna. A continuación salió y se metió de un salto en la otra cama. Apagó la luz, y Anne Hampton sintió que la oscuridad la inundaba igual que una ola en la playa.

Jeffers guardó silencio durante unos momentos, y después habló:

—Boswell, ¿no has pensado nunca lo frágil que es la vida? —Ella no respondió—. No es sólo el hecho de vivir lo que resulta tan delicado, sino la totalidad de..., no sé, del equilibrio de la vida. Piensa en la madre que vuelve la espalda un instante y en ese momento su hijo cruza la carretera. O en el padre que, por una vez, no se toma la molestia de abrocharse el cinturón de seguridad de camino al trabajo en el coche de la familia. Accidentes. Enfermedades. Mala suerte. La muerte pone fin a la vida de algunas personas, en efecto. Pero, peor todavía, descoloca. Desequilibra el hecho de vivir, lo desbarata. Altera sus centros. Piensa en todas las personas que has conocido y que te han amado. Imagina por un instante lo que significará para ellos tu muerte...

Anne Hampton cerró los ojos, y de pronto todas sus intenciones de ser valiente se desvanecieron y sintió deseos de llorar.

—Todas las personas...

—... O de lo que significaría para ti la muerte de ellos. Un gran vacío. Un pequeño espacio desierto dentro de ti. Hay recuerdos que perduran. Tal vez un álbum de fotos que guardamos en alguna parte. Una lápida. Quizás una visita una vez al año. Todos estamos vinculados de muchas maneras, dependemos unos de otros para conservar nuestro equilibrio psicológico. Padres e hijos. Madres e hijas. Hermanos. Todo está unido por un tenue hilo. Hay demasiadas conexiones. Todo es completa, delicadamente frágil, como la porcelana. —Calló unos instantes y repitió la palabra—. Frágil. Frágil. Frágil. Eso es lo que más odio de todo —dijo. Su voz, teñida de amargura, contenía un levísimo control—. Odio que uno no escoja quién ser. Odio que no tengamos dónde elegir. Lo odio, lo odio, lo odio, lo odio...

Aun a oscuras, Anne Hampton alcanzó a ver que Douglas Jeffers estaba tendido de espaldas, pero que tenía ambos puños cerrados y suspendidos en el aire, frente a sí.

Jeffers dejó escapar el aire con fuerza en mitad de la noche.

—Todo el mundo es una víctima —dijo—. Excepto yo.

A continuación lo oyó girarse hacia un costado y entregarse al sueño.

Al día siguiente viajaron hacia el norte, buscaron en New Haven la carretera 91 y se dirigieron hacia Massachussets pasando de largo Hartford. Anne Hampton se dijo que Jeffers parecía estar actuando nuevamente de forma controlada; consultaba el reloj, calculaba las distancias, se preocupaba del tiempo que tardaba. Aquello la tranquilizó, de modo que se relajó a la espera de que sucediera algo nuevo.

Llegaron al sur de Vermont poco después del mediodía y continuaron hacia el norte a ritmo tranquilo. Anne Hampton se preguntó, casi de forma desganada, si no estarían yendo hacia Canadá. Intentó recordar algún crimen que se hubiera cometido en aquel país, pensando: «¿Qué puede haber allá arriba que quiere enseñarme?» No logró recordar ningún crimen, pero estuvo segura de que allí también se mataba la gente. «Allí hace frío, todo está oscuro y helado, y los largos inviernos deben de provocar que surja un horror u otro.»

Pero antes de que le viniera a la cabeza ningún otro pensamiento, Douglas Jeffers dijo:

—Hay por aquí cerca un pueblo que deberías ver...

No continuó describiendo la población de Woodstock, y prefirió conducir varias horas en silencio. «Ya lo verá por sí misma», pensó. Repasó mentalmente los elementos del plan que seguía en pie. Quería buscar en su maletín la carta del banco de New Hampshire, pero sabía que no era necesario. «No te esperan hasta mañana —se dijo—. Será rápido y preciso, tal como debe ser.»

Cuando salieron de la autopista para dirigirse al pueblo, dijo:

—¿Te has fijado en que casi todos estos viejos estados de Nueva Inglaterra tienen un Woodstock? Vermont, New Hampshire, Massachussets. Probablemente hasta Rhode Island, si le hace un poco de sitio. Rhode Island. Ellos pronuncian «Rowdilan». O «NeHampsha». Por supuesto, el Woodstock que importa es el del estado de Nueva York, y el festival que tuvo lugar allí. ¿Te acuerdas de él?

—Era muy pequeña —contestó ella—. No me enteré.

—Yo estuve presente —anunció Jeffers.

—¿De verdad? ¿Fue tan grande como dicen los libros?

Él se echó a reír.

—En realidad no estuve...

Ella puso cara de no entender.

—Existen determinados acontecimientos conocidos que se convierten en recuerdos comunes gracias a la cultura popular. Woodstock fue uno de ellos. En cierta ocasión conocí a un tipo que trabajaba en la prensa escrita, que fue el que creó el mito de Woodstock. Estaba empezando en su carrera, era el corresponsal en el mundo universitario. Era verano, así que le dijeron que acudiera al festival por si ocurría algo fuera de lo corriente. No tenían ni idea de que la masa del público iba a ser, en fin, lo que fue.

»Sea como fuera, se presentó allí el día antes para observar los preparativos del festival, lo cual fue una verdadera suerte, porque a media mañana del día siguiente había ya una fila de coches de veinte o treinta kilómetros de largo. Acudieron riadas de gente. Melenudos. Hippies. Moteros. Universitarios. Es probable que hayas visto la película. Bueno, como ya sabes, se convirtió en una gigantesca mezcla de música y gente y terminó siendo un reportaje que apareció en todas las portadas. Y allí estaba mi colega, sentado detrás del escenario, hablando por teléfono con la sección de noticias locales del *News*, y un director de periódico le estaba gritando: "¿Cuánta gente hay? ¿Cuántas personas?", y por descontado él no tenía ni zorra idea. Adondequiera que miraba había gente, camionetas y helicópteros pululando por todas partes, conjuntos subiendo el volumen, qué se yo. Y va el director del periódico y le grita: "¡Necesitamos un cálculo oficial de la policía del número de personas que hay!", así que él se acerca a un poli y le pregunta cuáles son sus cálculos respecto del número de personas que puede haber allí, y naturalmente el otro lo mira como si fuera un completo imbécil y le dice que cómo diablos van a saberlo. Entonces vuelve al teléfono, y de pronto el director cae en la cuenta de que está corriendo un peligroso riesgo, porque ha dado con el reportaje más grande con el que se ha encontrado en mucho tiempo y ha cometido la idiotez de enviar a un corresponsal universitario a cubrirlo, y no puede llevar allí a un reportero de verdad porque las carreteras están bloqueadas por los atascos y no quedan helicópteros que alquilar porque los han acaparado todos las malditas cadenas de televisión.

»Y entonces mi colega tiene una inspiración. Decide mentir. Chilla por el teléfono: "La policía calcula que se han acercado hasta este pueblo soñoliento más de medio millón de personas. ¡Woodstock

se ha convertido de repente en la tercera ciudad más grande del estado de Nueva York!" Y eso deja encantado al director del periódico. Lo deja encantado. Porque va a ser el titular de primera página al día siguiente. Cuando el *News* lo sacó en la portada, lo recogió el *Times* y después la Associated Press, y eso quiere decir el mundo. Y de pronto la mentira de mi colega se transformó en un hecho histórico...
—Chasqueó los dedos—. Así, sin más. Y todo el mundo se quedó contento, y todo el mundo supone siempre que ésa es la cantidad de gente que hubo allí. Todo porque mi colega tuvo la buena idea de mentir a una persona que estaba desesperada por oír una mentira.

»Así que también miento yo. Sólo digo que estuve presente. ¿Quién va a comprobarlo?

Douglas Jeffers hizo silencio. Su voz, como tantas otras veces, pareció haber oscilado entre el placer de un colegial que narra una historia y un profundo odio.

Esbozó una amplia sonrisa y luego hizo una mueca.

Anne Hampton vio que había diluido el tono frívolo de su relato con algún pensamiento más serio. Entonces extrajo un cuaderno y escribió unas cuantas anotaciones rápidas acerca de Woodstock, del medio millón de personas y de un tipo de edad similar a la suya que se sacó una cifra cualquiera de la nada.

—Medio millón de...

—Verás, en cierto sentido eso es lo que hacemos en el mundo de la prensa. Creamos una experiencia común. ¿Quién puede decir que no ha estado en Vietnam? Las imágenes nos invaden. ¿Y los disturbios de Watts? O algo más actual: Beirut. El terremoto de México. El secuestro de la TWA. Dieron una rueda de prensa, ver para creer. El colmo del absurdo. Delincuentes en medio de un delito buscando publicidad y recibiéndola. Y nosotros estábamos allí, allí mismo, con ellos. Todo depende, todo depende. —Volvió a callar unos instantes—. El negocio de la prensa es como el viejo dicho de un árbol que cae en medio del bosque. Si no hay nadie alrededor que pueda oírlo caer, ¿ha hecho algún ruido? Si mueren mil indios en la pluviselva, pero nadie informa de ellos, ¿ha sucedido? —Jeffers lanzó una sonora carcajada. Al principio se debió a la rabia, después fue más bien de liberación—. Hay veces que soy tan aburrido, que me sorprende que no me hayas matado.

Y volvió a reír.

Anne Hampton supo que su propia expresión era de estupefacción.

—Oh...

—Alegra esa cara, Boswell, ya casi hemos llegado al final. Era una broma. —Y sonrió—. ¿O no lo era? Pobre Boswell. A veces piensa que mis chistes no tienen gracia en absoluto. Y no puedo reprochárselo. Pero concédeme el capricho de sonreír, ríe un poco, por favor.

Lo último fue una exigencia.

Ella obedeció al instante, pero su risa le resultó enfermiza.

—Ja..., ja, ja...

—No es que hayas hecho un gran esfuerzo, Boswell, pero se agradece de todas formas. Sigue trabajando en ello, Boswell. Trabaja en todas esas pequeñas cosas que hacemos en la vida y que nos recuerdan quiénes somos. Concéntrate, Boswell. Pienso, luego existo. Río, luego existo... Si río, respiro. Si sonrío, siento. Si pienso, existo. —Fijó la vista en la carretera—. Boswell sigue viviendo —dijo. Ella sintió el corazón atenazado por la impotencia—. Pero Douglas Jeffers, también.

Con la vista fija en la autopista, salió por un lateral y tomó una carretera de dos carriles. Sobre ellos iba cayendo la tarde; los exuberantes verdes y marrones de las colinas de Vermont pasaban junto al coche y la creciente oscuridad se veía rota de vez en cuando por algún que otro débil retazo de luz diurna. Pasaron junto a la garganta Quechee, que se encuentra en la carretera que lleva a Woodstock, y Jeffers vio que Anne Hampton torcía la cabeza para ver el tremendo precipicio desde el coche.

Navegó por las calles silenciosas. Anne Hampton vio coquetas casas de tablones de madera blancos que se alzaban detrás de anchos jardines con cenadores cubiertos de hiedra y bordeados de pequeños canteros de flores.

—¿Lo ves? —dijo Jeffers señalando una iglesia blanca que se elevaba en fuerte contraste con el verde oscuro de la noche de Vermont—. ¿Ves lo relajante que es todo? ¿Quién iba a pensar que podría circular semejante horror por las calles de noche, en un pueblo tan seguro? —Aparcó el coche—. Bueno, pues hasta al horror le entra hambre. —Miró a Anne Hampton—. Es otra broma. Pero el mejor humor es el que está basado en la realidad.

Ella hizo un esfuerzo por sonreír.

La cogió de la mano y la condujo hasta un restaurante. Era un local con encanto, iluminado con velas, inundado por un resplandor dorado y acogedor. Anne Hampton percibió el aroma que provenía de la cocina, una mezcla de sensaciones que atacó su paladar. Todo aquello le provocó náuseas.

«¿Qué está pasando?»

«¿Qué sucede?»

«¿Qué estamos haciendo aquí?»

«¿Por qué parece todo tan normal cuando en realidad no lo es?»

«¿Qué me está pasando?»

La última pregunta fue como un grito dentro de su cerebro. A duras penas consiguió no derrumbarse.

«Estoy de pie, esperando una mesa en un elegante restaurante de un pueblo muy bonito. Pero todo va hacia atrás, todo está torcido. ¿Qué ocurre?»

Una vez más experimentó una sensación de malestar en el estómago.

—Podría comerme un caballo —comentó Douglas Jeffers.

Comieron en silencio, con eficiencia, sin alegría. Jeffers pidió vino y lo bebió lentamente, mirando a Anne Hampton por encima de la copa. Ella veía la luz reflejada en el cristal.

Después de pagar, Douglas Jeffers tomó a Anne Hampton del brazo y la llevó a dar un paseo nocturno por el área común del pueblo. Notó que la joven temblaba. El calor había huido del día y había sido reemplazado por la promesa del otoño de Vermont.

—Tranquila —le dijo—. Cálmate.

Pero ella no experimentó relajación alguna. Le costaba trabajo mantener el brazo levemente apoyado en el de Jeffers. Le entraron ganas de agarrarlo y chillarle: «¿Qué viene ahora?»

Pero no lo hizo.

Jeffers la condujo de vuelta al coche. Momentos después ambos estaban inmersos en la oscuridad de las carreteras secundarias del estado, de camino a la interestatal. Douglas Jeffers conducía despacio, obviamente pensando, con la concentración disminuida por el vino, el estómago lleno y sus planes.

Empezó diciendo:

—Conozco un par de moteles agradables, un poco más adelante...

Su frase quedó hecha pedazos de repente por un claxon y unas luces brillantes que inundaron el coche.

Paró bruscamente en el arcén de gravilla derrapando de manera enfermiza, al tiempo que pasaba junto a ellos otro coche a toda velocidad. Anne Hampton tuvo la impresión de que el otro coche iba a empotrarse contra el de ellos, y lanzó un grito que fue a la vez de miedo y de aviso.

Lanzó una exclamación ahogada y chilló:

—¡Cuidado! ¡Oh, por Dios!

Fue consciente de la terrible proximidad del otro vehículo. En eso, oyó un par de voces gritando en la noche y vio pasar los pilotos traseros de un jeep. Era un modelo modificado, con neumáticos anchos y pintura de un color brillante, barra antivuelco y dos críos colgando de un costado, gesticulando como locos.

Jeffers maldecía de forma incontrolable.

—¡Adolescentes! —exclamó enfadado, en una desatada cacofonía de rabia y alivio—. Debe de faltar una o dos semanas para que empiece el curso, y están desahogándose un poco. Dios, he estado a punto de volcar... —Señaló con un gesto el borde de la carretera—. Conozco esta carretera. ¡Maldita sea! Ese lado desciende bruscamente hacia un terraplén y después un arroyo. Dios, podíamos habernos matado. Malditos cabrones. Han salido a dar una vuelta en un coche robado un lunes por la noche, por Dios. Podrían habernos matado. —Continuó conduciendo a baja velocidad—. ¿Estás bien? —preguntó.

—Oh, sí —contestó Anne Hampton—. Pero me han dado un susto de muerte.

—Ha sido culpa mía —dijo Jeffers en tono de pedir disculpas—. Debería haberlos visto venir detrás de nosotros, a esa velocidad. Lo siento. —Sonrió—. A mí también me han asustado. —Levantó una mano en el aire y la sostuvo horizontal, con la palma vuelta hacia abajo—. Fíjate. Me tiembla un poco. Por los nervios, imagino.

Sonrió otra vez.

—Sí, le tiembla un poco.

—Supongo que esto quiere decir que sea uno quien sea, no deja de afectarlo un accidente de tráfico que no llega a tener lugar por los pelos. Un momento de intenso miedo, y después la vida recupera su ritmo normal. —Al cabo de unos instantes añadió—: No hay nada, nada en el mundo, más odioso que un adolescente con un coche, seguro de sí mismo y con un par de copas encima. Dios, actúan como si fueran los dueños del mundo. Inmortales. Eso sí que me cabrea... Y hace que me sienta viejo.

Luego se echó a reír.

La oscuridad de la carretera se vio interrumpida por la casi deslumbrante presencia de una estación de servicio. Al pasar por delante, tanto Anne Hampton como Douglas Jeffers vieron el jeep aparcado junto a los surtidores.

—Mire —dijo ella, casi sin darse cuenta—, ahí están.

Acertó a ver dos chicos, de espaldas a ellos, de pie ante la máquina de los refrescos. Ambos eran altos y delgados, llevaban gorras de béisbol y caminaban con una actitud natural de indiferencia y rebeldía.

Jeffers pasó por delante de la gasolinera conduciendo muy despacio. Tras recorrer cuatrocientos metros aceleró bruscamente, con lo cual hundió a Anne Hampton contra el asiento. Ella levantó una mano para sujetarse.

—Tengo una idea —dijo—. La clásica fantasía de carretera. —De pronto su tono de voz llevaba un tinte de emoción—. Más adelante hay un sitio muy interesante —explicó—. La carretera se bifurca, y un ramal baja por un pequeño barranco y el otro !leva a la interestatal.

En cuestión de segundos llegaron a la bifurcación. Jeffers tomó el ramal que ascendía y cien metros más adelante aminoró. Encontró un camino lateral oscuro y estacionó allí el coche.

—¿Paramos?

—Sí —dijo Jeffers—, vamos a ver si tenemos la suerte de nuestra parte. Tú no te muevas.

Una vez más habló en tono autoritario. Anne Hampton no movió ni un pelo.

Douglas Jeffers corrió al maletero del coche y lo abrió de par en par. Introdujo una mano y la cerró en torno al pulido acero del rifle semiautomático Ruger. Luego hurgó entre las demás armas hasta que encontró el cartucho de nueve casquillos largos. Lo introdujo en el rifle sintiendo la satisfacción que le produjo el chasquido que indicaba que había quedado encajado en su sitio.

Dejó el rifle dentro del maletero abierto, y rebuscó unos instantes hasta que dio con un estuche de cuero alargado y cilíndrico. Lo cogió, dio media vuelta y echó a andar a buen paso por la carretera. Mientras corría, agudizó la vista procurando captar sombras destacadas en el negro de la noche. Escrutó la zona en busca de algún signo de vida. Escudriñó la oscuridad intentando distinguir el barrido de los faros de un coche a lo lejos. También aguzó el oído, intentando percibir algún sonido que indicase la presencia de otra persona o de un vehículo que viniera en dirección a él.

Todo estaba en silencio salvo el leve murmullo del viento en un bosquecillo de pinos cercano. Volvió la vista hacia lo lejos, hacia el barranco, e intentó captar el susurro del agua que discurría por el arroyo. De pronto recordó un adagio de su infancia: Si quieres poder ver de noche, come muchas zanahorias. «Yo comía montones de zanahorias. Todo el tiempo. Y veo muy bien de noche. Pero veo todavía mucho mejor cuando empleo un visor nocturno.»

Abrió el estuche de cuero y se llevó el cilindro al ojo. El paisaje adquirió un tono verde sucio, y lo pasó de un lado a otro para darse la satisfacción de comprobar que sus sentidos no lo habían engañado. Estaba solo. Se le ocurrió que a los ojos de cualquier persona que lo viera daría la impresión de ser un marinero viejo y abandonado que buscara tierra desesperadamente.

Escrutó la carretera, a lo lejos.

—Ajá —exclamó en voz alta—, tenemos compañía. —Vio el jeep modificado, que se movía de manera errática a través de la noche—. Bien, bien, nunca se acaban las sorpresas.

El panorama permaneció desierto, a excepción de él mismo y del vehículo que se aproximaba. Imaginó a los dos adolescentes en el jeep, riendo, con las cabezas inclinadas hacia atrás por la fuerza del viento que barría los costados y la capota convertible. El estéreo estaría funcionando a todo volumen y su atención sería reducida, por culpa de un par de cervezas.

Se dio la vuelta y corrió de vuelta a su propio coche. Vio la cara de Anne Hampton en la ventanilla, mirándolo. Notó que ella se encogía en el asiento, abrumada por el ímpetu de la acción. Jeffers se movió deprisa pero estudiadamente, agarró el rifle y lo sopesó en las manos. «No hay nada tan reconfortante como el peso de un rifle», reconoció. Volvió a la carrera, cruzando el negro intenso de la noche, a su puesto de antes y se apostó ligeramente inclinado hacia delante pero bien apoyado, igual que un soldado veterano que pretende evadir el fuego de armas más pequeñas.

Miró en derredor una vez más para cerciorarse de que estaba solo. Pensó en Anne Hampton, que lo esperaba en el interior del coche, y al momento la apartó de su mente. Alzó el rifle a la altura de la mejilla y situó la mira entre los dos faros del jeep, cuya trayectoria siguió con todo cuidado.

«Coged el ramal que baja», ordenó en silencio.

Así lo hicieron.

Quedó impresionado por la conexión casi eléctrica que los unía a él, con un dedo en el gatillo, y al objetivo que tenía en la mira. Apoyó el rifle contra la mejilla y acarició el gatillo con el dedo.

—Buenas noches, chicos —dijo.

Disparó siete tiros. Los estallidos le sonaron extrañamente celestiales, como si el rifle estuviera suspendido en el oscuro cielo, apuntando hacia abajo siguiendo un minúsculo eje que partiera de una estrella.

Al bajar el arma vio que el jeep comenzaba a hacer virajes en un intento de adherirse al asfalto. En cambio no oyó nada, salvo el eco de los disparos. Fue un sonido similar a la música que percibe uno en la cabeza procedente de una canción que recuerda con frecuencia. De pronto le vino a la memoria una ocasión en Nicaragua... ¿o fue en Vietnam?, en la que giró la cabeza al oír el potente estampido de una granada propulsada por un cohete al estrellarse contra un jeep. Hubo una explosión, y él se apresuró a levantar su cámara pulsando al mismo tiempo el disparador, intentando captar aquella gran bola de fuego y cuerpos destrozados saltando por los aires. Recordó lo poco que oyó en aquella ocasión. No hubo chillidos, ni explosiones, ni gritos de socorro; tan sólo los sonidos hermanos del obturador y el motor de la cámara. Empezó a levantar el rifle, luego se dio cuenta de que no era una cámara, y lo dejó descansar.

El jeep volcó sobre su costado. Sabía que estaría produciendo un fuerte chirrido de metal retorcido y neumáticos que protestaban. Vio cómo rebotaba hacia el borde del barranco, igual que un dinosaurio agonizante que buscase el refugio de aquellas oscuras aguas. Pensó en el milisegundo de tiempo que transcurre después de tocar la primera ficha de dominó y hasta que ésta cae y toca la siguiente.

Entonces el jeep dio una vuelta de campana y desapareció en la negrura.

Ya no pudo imaginarse a los adolescentes que iban dentro.

Desvió la vista, seguro de que el jeep se había estrellado contra el fondo del barranco. Experimentó una satisfacción completa. No se volvió al oír la onda expansiva de la explosión. Vio el rostro de Anne Hampton dentro del coche, horrorizada y con el resplandor de las llamas en los ojos. Caminó en dirección al coche con la firme disciplina de Lot.

Jeffers dejó el rifle en el maletero y lo cerró de un golpe.

Acto seguido se colocó detrás del volante y, sin prisas, metió la marcha y aceleró suavemente. Pocos momentos después doblaban la primera curva de la carretera, y más adelante la segunda.

Anne Hampton giró en su asiento y sintió un escalofrío.

—Ya te lo he dicho —comentó Douglas Jeffers—, la suprema fantasía de carretera.

Ella lanzó una última mirada fugaz hacia atrás y le pareció ver todavía el resplandor del accidente. Se volvió de nuevo y vio las indicaciones de la interestatal. «Deprisa. Vámonos rápido de aquí. Por favor.»

Jeffers tomó el carril de acceso y aceleró por la autopista.

—Somos —dijo— una nación de asesinos y francotiradores. John Wilkes Booth y Lee Harvey Oswald. Charles Whitman y la Torre de Texas. Contamos con una larga y variada tradición de experiencia en emboscadas.

—Ellos no tenían un...

—La verdad es que no. Eso es lo importante en un asesinato. Una emboscada en X, una emboscada en L. Pillados por sorpresa. Despeñados. Sin tener un sitio al que ir, al que recurrir, en el que esconderse. En eso precisamente consiste todo el ejercicio.

Anne Hampton no respondió. «Ningún sitio», pensó. Observó las cuñas de luz que arrancaban los faros del coche a la oscuridad. «Noventa y cinco kilómetros por hora. Un kilómetro y medio por minuto. Cada segundo nos aleja un poco más.»

—¿Adónde vamos? —inquirió.

Ya conocía la respuesta: directo hacia el final.

—Al Estado de Granito* —contestó Jeffers—. Por suerte, nuestra pequeña aventura ha tenido lugar en Vermont. Y para cuando averigüen qué es lo que ha pasado, que no lo averiguarán, por cierto, nosotros ya seremos historia. Menuda foto. ¡Maldición! ¿Y sabes qué pensarán los polis? Nada. Encontrarán unas cuantas latas de cerveza dentro del jeep, y nada más. Lo considerarán un accidente, hasta que alguien recapacite un poco. Ojos que no ven, corazón que no siente. Además, ¿quién va a sospechar de un par de guapos turistas? —Se puso a canturrear—: «Habremos desaparecido, desaparecido...»

—¿Por qué Vermont? —preguntó Anne Hampton en tono inseguro—. ¿No puede matar a alguien en New Hampshire?

—Bueno —contestó Jeffers—, hace unos siglos el diablo lo pasó un poco mal en Marshfield. Y desde entonces limita su actuación a los estados vecinos. Mediante acuerdo, naturalmente. Así que yo hago lo mismo. —Sonrió—. Pero eso no significa que no podamos hacer una pequeña visita.

Y siguió conduciendo.

Esa mañana el sol calentaba bastante, y Anne Hampton se protegió los ojos con la mano. Por un instante aquello le recordó Florida, y se puso a buscar una palmera que se agitara en la suave brisa. Contempló la calle principal de Jaffrey, New Hampshire, y se preguntó si no lo habría soñado todo. Intentó recuperar datos concretos de su memoria; estaba el miedo que sintió cuando los chicos estuvieron a punto de sacarlos de la carretera; estaba la oscuridad de la curva; Jeffers internándose con el rifle en la densidad de la noche; el ruido de los disparos seguido del nauseabundo rugido del jeep al explotar. Examinó cada faceta de esa colección de sensaciones tal como estudiaría un joyero una piedra preciosa. Seguro, pensó, que había algún defecto que le demostraría que nada de eso no había sucedido, algo que demostraría que todo había sido un sueño, algo fingido, un trozo de cristal que reflejaba la luz.

Sacudió la cabeza negativamente y se obligó a imponer orden en sus recuerdos.

* Apodo del estado de New Hampshire. (*N. de la T.*)

Por supuesto que no había sido un sueño. Recordó la noche que había pasado, dando vueltas entre las sábanas empapadas de sudor. Los sueños son mucho peores. Se volvió y miró por el ventanal de la tienda de *delicatessen*. Vio a Jeffers en la caja, pagando el café y los donuts. Observó cómo se guardaba el cambio en el bolsillo y salía tranquilamente del establecimiento. Como siempre, sintió asombro; Jeffers iba silbando, libre del estorbo que suponía algo tan trivial como el miedo o el sentimiento de culpa.

—Te he comprado uno con mermelada —dijo cuando entró en el coche—. Y también café y zumo.

—Gracias.

Jeffers señaló la ciudad con un gesto.

—Es bonita, ¿a que sí? Está llena de antigüedades y de tiendas de oportunidades. La revista *Yankee* siempre publica fotos de Jaffrey. Mujeres blancas y felices delante de mesas repletas de tartas recién hechas. Percal. Ésta es la ciudad del percal. Percal, y en invierno lana. No es un sitio en el que la gente se fije en una pareja de turistas que conducen un coche con matrícula de otro estado. —Bajó la ventanilla—. Hoy va a hacer mucho calor. Aquí, a finales de verano el tiempo es totalmente imprevisible. De un día para otro puede llegar un poquito de aire canadiense y hacer que nieve. Y por el contrario, cuando las corrientes que atraviesan el país traen un poco de humedad del sur al norte, la temperatura se dispara. —Se sacó las gafas de sol del bolsillo y las limpió con el faldón de la camisa. Anne Hampton notó que penetraba calor en el coche y la atravesaba a ella, una sensación casi sensual. Bebió despacio el café mientras Jeffers abría un periódico. Rápidamente recorrió las páginas con mirada atenta.

»No, no, no, mira, te lo dije, ¡ajá! Aquí hay una cosa. —Hizo una pausa mientras leía. Después dijo en voz alta—: Dos muertos en un accidente ocurrido en Vermont. Dos adolescentes de la localidad de Lebanon fallecieron el lunes por la noche cuando su vehículo con tracción a las cuatro ruedas falló al tomar una curva en una carretera secundaria a seis kilómetros de Woodstock, Vermont. La policía sospecha que los dos jóvenes, Daniel Wilson, de diecisiete años, y Randy Mitchell, de dieciocho, habían estado bebiendo antes de estrellarse en la confluencia de la estatal ochenta y dos y el Camino del Barranco... —Posó la mirada de Anne Hampton—. Podría seguir. Hay dos párrafos más.

Ella bebió el café y paladeó el sabor amargo.

—No, gracias.

—¿No? Ya me lo imaginaba. —Jeffers dejó el periódico sobre las rodillas de ella—. Léelo tú misma.

Ella se enderezó de repente al percibir el tono de su voz.

—Sí, bueno...

—Bien, tengo cosas que hacer. Quiero que esperes dentro del coche.

Anne Hampton se apresuró a asentir con la cabeza.

Jeffers cogió su maletín y salió. Ella lo observó cruzar la calle y entrar en el Banco Nacional de New Hampshire. Experimentó un momentáneo pánico y miró frenéticamente a un lado a y otro. «¡Va a robar un banco!», pensó, pero enseguida se dio cuenta de que era una tontería. De modo que se recostó en el asiento y esperó. La idea de escaparse ni se le ocurrió siquiera, aunque en un momento dado pasó junto a ella un coche de la policía. El hecho de poder levantarse y hacer parar a un agente y poner fin a su situación desesperada le pareció simplista e imposible. No tenía la seguridad de que pudiera darse un desenlace tan obvio y tan fácil. Sabía que seguía siendo impotente, que Douglas Jeffers manejaba los hilos de los dos. De modo que, en lugar de eso, pensó tan sólo en el momento y dejó que el calor cada vez más asfixiante que la rodeaba se apoderase de su imaginación. Se preguntó qué sucedería a continuación, y cerró los ojos al mundo exterior para mirar hacia dentro y exigirse que debía extraer fuerzas.

Examinó su corazón buscando valentía, preguntándose si contendría alguna. Sabía que iba a necesitarla para sobrevivir.

Dentro del banco estaba oscuro y fresco, y Douglas Jeffers se quitó lentamente las gafas de sol. Se trataba de un edificio pasado de moda, con techos altos y suelos pulimentados que hacían resonar los tacones de los zapatos. Jeffers fue hasta una serie de mesas en las que trabajaban los empleados. Una secretaria alzó la vista y lo miró sonriente.

—Señorita Mansour, por favor. Soy Douglas Allen. Tengo una cita con ella.

La joven asintió y cogió el teléfono. Jeffers vio que en la mesa del fondo una mujer de mediana edad y rostro abierto levantaba el auricular y escuchaba. Un momento después le había estrechado la mano y estaba sentado en una silla situada junto a su mesa. Ella extrajo una carpeta que llevaba su apellido escrito en la tapa.

—Bien, señor Allen, nos disgusta ver marchar a un cliente tan antiguo. ¿Cuántos años lleva usted...?

—Diez.

—¿Podemos ayudarlo en alguna cosa? Tal vez abriendo una nueva cuenta en su... —Se interrumpió.

—En Atlanta —dijo él—. Un traslado de la empresa.

—Quiero decir que será un placer para mí llamar a alguien que... Jeffers negó con la cabeza.

—Es muy amable por su parte —le dijo—, pero de casi todas esas cosas se encarga el servicio de traslados de la empresa. Sin embargo, me quedaré con su tarjeta, y si surge algún problema puedo decir que la llamen a usted...

—Perfecto. —La mujer examinó los impresos—. Bien, en su carta decía usted que deseaba cerrar la cuenta y cobrar los fondos en cheques de viaje. Se los tengo ya preparados, de modo que lo único que tiene que hacer es firmarlos y después firmar esta orden de anulación de cuenta. Por último, vacía la caja de seguridad, me entrega la llave y todo listo.

Le entregó un fajo de cheques de viaje, y él empezó a firmar. Contempló el nombre y le dio vueltas en la cabeza. «Durante diez años, aquí en New Hampshire he sido Douglas Allen. Se acabaron las limitaciones, se acabó el fingir. Vamos a expandir nuestros horizontes.»

—Por favor, cuéntelos —rogó la señorita Mansour—. Son más de veinte mil dólares.

«Dinero ahorrado a lo largo de una década —pensó Jeffers—. Día a día.»

A continuación acompañó a la señorita Mansour a la zona de las cajas de seguridad y ella le entregó su llave.

—Cuando termine, deme las dos llaves —instruyó—. Estaré en mi mesa.

Él le dio las gracias con un gesto de cabeza y se metió en un cubículo. Una secretaria le trajo la caja cerrada con llave y después salió y cerró la puerta. Jeffers esperó unos momentos, disfrutando íntimamente de la facilidad de su plan.

Entonces abrió la caja.

—Adiós, Douglas Jeffers —dijo.

Encima se encontraba la antigua copia de la desaparecida revista *New Times,* que había sido el germen de la idea. Abrió las gastadas páginas hasta llegar al artículo. Le pareció irónico que éste hubiera sido consecuencia del activismo de los años sesenta y setenta. La premisa era muy simple: ¿Cuán fácil era hacer que a uno se lo tragara la tierra? ¿Cuán difícil era crear una nueva identidad? La respuesta era que no mucho. Particularmente en un estado como New Hampshire, que tanto énfasis ponía en las libertades individuales y la privacidad. Siguió religiosamente las instrucciones del artículo, desde cómo obtener un número de la Seguridad Social hasta abrir un apartado de correos y adjudicarse a sí mismo una dirección. Después, la cuenta bancaria y un par de tarjetas de crédito, las cuales usaría sólo para mantenerlas activas. Al mismo tiempo que estableció dichas credenciales, se sacó el permiso de conducir con su nuevo nombre y su nuevo número de la Seguridad Social. Sin embargo, su mayor triunfo le llegó cuando arregló su propia partida de nacimiento con el nuevo apellido. «Las maravillas de las copiadoras modernas», pensó. Cuando presentó la maltrecha copia junto con todos los demás documentos en la oficina de correos, nadie abrió la boca para protestar. Seis semanas después, le llegó por correo su posesión más preciada. La sacó de la caja. Un pasaporte estadounidense recién expedido a nombre de Douglas Allen. Sin falsificación alguna.

Lo guardó en su maletín junto con el permiso de conducir, las tarjetas de crédito y la tarjeta de la Seguridad Social.

«Soy libre», pensó. Rió para sus adentros y dijo en voz alta:

—Bueno, no del todo. No puedo viajar a Albania ni a Vietnam del Norte.

El dinero en efectivo que había reservado para una emergencia, varios miles de dólares en billetes de veinte y de cien, se lo guardó en el pantalón. Miró el billete de avión, que descansaba en el fondo de la caja. Era un pasaje de primera clase, con la fecha abierta, sólo de ida, de Nueva York a Tokio. Sabía que desde Tokio podría desandar fácilmente el camino y dirigirse a donde se le antojara, y perderse al instante en el Lejano Oriente. Sidney, pensó. Perth. Melbourne. Aquellos nombres sonaban exóticos pero extrañamente familiares. «Será como ir a casa.» El último objeto de la caja de seguridad era un revólver Magnum 357 limpio y de acero azulado, el cual también fue a parar al maletín. Lo había comprado en Florida varios años antes, tan sólo unas semanas antes de que la legislatura de dicho estado aprobase una nueva ley que restringía parcialmente el uso de armas. Después, con sentido de la oportunidad, denunció que se la habían robado. «Gracias a Dios —pensó—, que tenemos la Asociación Nacional del Rifle.» Se quedó unos instantes mirando la caja de seguridad ya vacía, y recordó lo reconfortante que había sido saber que estaba allí todo aquello, por si acaso lo necesitaba alguna vez. «Mi válvula de emergencia.»

Se reclinó en la silla. Australia. Un lugar maravilloso para empezar desde cero. «A ver quién echa el lazo a este canguro.»

Regresó a la mesa de la señorita Mansour tarareando en voz baja *Waltzing Mathilda.*

—¿Todo bien? —le preguntó ella en tono jovial.

—Todo en orden —contestó él.

Firmó unos cuantos papeles más. Contempló su firma y se sintió satisfecho de ella. Se saludó a sí mismo: «Hola. Encantado de conocerte. ¿A qué has dicho que te dedicabas? A lo que te apetezca. Absolutamente a lo que se te antoje.»

El sol lo iluminó de lleno cuando salió de la penumbra del banco, y sus ojos tardaron un momento en adaptarse a la claridad. Confirmó la presencia de Anne Hampton en el interior del coche, esperando. «Ya no falta mucho, Boswell.»

Canturreando satisfecho para sí, cruzó la calle. Saludó a una anciana que pasó por su lado y dio los buenos días a un par de niños que probablemente no tendrían más de seis o siete años y que estaban saboreando los últimos días de asueto antes de que comenzaran las clases con sendos cucuruchos de helado de chocolate.

Anne Hampton levantó la vista hacia él cuando regresó al coche.

—Vamos a la playa —anunció Jeffers.

Anne Hampton pasó una buena parte del día dormitando mientras Douglas Jeffers atravesaba el estado de Massachussets en dirección a Cape Cod. Parecía ensimismado, pero sin estar preocupado. Encendió la radio y encontró una emisora que ponía música de los años sesenta y rock and roll, la cual, según le había dicho Jeffers, era la única música que merecía la pena oírse por la radio. Insistió en tono ligero en que el único tipo al que él prestaba atención era el de Nueva Jersey, y eso porque llevaba dos décadas comportándose como un refugiado. Le habló de una ocasión en la que le encargaron hacer fotos de un concierto de rock.

—Es la única vez en toda mi vida que he pasado miedo de verdad. Nos tenían allí abajo, enfrente del escenario, y cuando salieron aquellos cuatro individuos con leotardos, maquillaje fosforescente y boas de plumas, Dios, la masa del público que estaba detrás de las barreras se puso a empujar hacia delante. Yo ya me veía aplastado por una falange de adolescentes de ojos llorosos.

»Todos los fotógrafos luchaban por un poco de aire y de espacio, y de pronto vi en el escenario a un tipo de melena rubia que le llegaba hasta el culo y ojillos brillantes agitando los brazos y dando saltos para animar al público. Muerto a causa del rock and roll... —Douglas Jeffers rompió a reír—. Y allí estaba yo, empujado contra el escenario, sin espacio para moverme, con niñas chillando por todas partes, y lo único en que pensaba era que aquello era contra lo que nos habían advertido nuestros padres. Una conspiración de los rojos. Por lo menos eso era lo que parecía en aquella época.

Conducía sin prisas, permitiendo que lo adelantaran los demás coches. Anne Hampton advirtió que Jeffers no parecía sentirse presionado, sin embargo se veía a las claras que seguía un plan establecido.

Ya caía la tarde cuando llegaron al desvío para tomar la carretera 6, la cual lleva a Cape Cod. Ella nunca había estado en aquel lugar, y contempló detenidamente las hileras de destartaladas tiendas de antigüedades, los puestos donde vendían melaza de agua salada y los emporios de camisetas, que se mezclaban con restaurantes de comida rápida y gasolineras a un lado de la carretera.

—No lo comprendo —dijo—. Tenía entendido que Cape Cod era muy bonito.

—Y lo es —replicó Jeffers—. Al menos en el lugar al que vamos nosotros. Pero nadie ha dicho que fuera bonita la carretera. Que no lo es. De hecho, bate el récord mundial de fealdad.

Pasaron por el puente Bourne con las últimas luces del día. Anne Hampton vio barcazas allá abajo, surcando lentamente el canal. Más adelante había una rotonda, y Jeffers hizo bromas acerca del elemento de libertad para todos y supervivencia del más apto que regía en el tráfico del estado de Massachussets. Tomaron un rápido almuerzo en una cafetería de Falmouth y después continuaron carretera adelante hacia el muelle del transbordador de Woods Hole. Anne Hampton vio una lancha guardacostas atravesando la oscuridad con su casco pintado de un blanco reluciente. El transbordador en sí se hallaba bañado por la luz de las farolas de la calle y los faros de los coches. Había una fila de vehículos alineados en la calle y un adolescente con una gorra de visera que sostenía un radiotransmisor. Jeffers bajó la ventanilla.

—Tengo una reserva en el transbordador de las ocho treinta —dijo.

—Muy bien —respondió el adolescente. A Anne Hampton se le ocurrió que seguramente aquel chico era exactamente igual que los jóvenes que habían visto la noche anterior—. Sitúese detrás de ese monovolumen.

Jeffers avanzó un poco. Apareció otro muchacho que le pidió los billetes.

—¿Sabes qué es lo que me ha gustado siempre de este transbordador? —dijo Jeffers, pero no esperó la respuesta—: Que tiene un diseño completamente funcional. No tiene parte delantera ni parte trasera. Se puede decir que lo de delante es como lo de atrás. Uno entra con el coche en Woods Hole y sale en Vineyard Haven. Tiene el mismo portón en ambos extremos, y se limita a ir y venir como un yoyó entre los dos muelles.

Anne Hampton miró a su alrededor y contempló cómo entraba y salía gente de la achaparrada oficina del transbordador ubicada junto al muelle. Vio una hilera de ciclistas con mochilas que se colocaban delante de la fila de coches. Vio que los encargados del transbordador iban haciendo entrar a los coches por un portón que tenía el barco, que se alzaba blanco y negro contra el cielo del ocaso. Desde donde se encontraba no alcanzaba a ver el mar abierto, pero lo notó en el aire que penetraba por la ventanilla de Jeffers.

—¿Adónde...?

—A la isla de Martha's Vineyard —contestó Jeffers—. La residencia de verano de la clase alta. Ricos de toda la vida, nuevos ricos, todos vestidos con vaqueros y camisas corrientes. En donde rodaron la película *Tiburón*... —Se puso a imitar la conocida e inquietante música—. También han venido aquí todos los Kennedy. ¿Recuerdas aquella ocasión en que Teddy cruzó a nado desde Chappaquiddick hasta Edgartown? Por lo menos afirmó haberlo hecho. Jackie tiene allí una casa, y también Walter Cronkite, la mitad de la plana mayor del *New York Times* y más poetas y novelistas por metro cuadrado de los que se pueden contar. John Belushi fue propietario de una casa en Chilmark durante unos cinco minutos, antes de que se las arreglara para que lo asesinaran en Los Ángeles, y ahora está enterrado aquí, en un lugar sorprendente denominado la Colina de Abel. Su tumba está siempre rodeada de críos que acuden a verla. Es una isla muy inofensiva —afirmó Jeffers—, está llena de la sofisticación de la elite de la Costa Este. Es tranquila, agradable, bonita y relajada. Para los que viven en ella, argumentos de polémica serían una escasez de filetes de pez espada o un exceso de ciclomotores en las carreteras. Sus habitantes son simpáticos y aprecian las cosas buenas de la vida asequibles para todo el que tenga un porrón de dinero, envueltos en una visión descafeinada de la vida cotidiana. Un montón de gente guapa que vive en armonía intelectual. Desde el uno de junio hasta la fiesta del trabajo. —Calló unos instantes—. El lugar perfecto para que suceda algo indeciblemente horroroso.

Jeffers condujo un poco al azar alrededor de la isla, recorriendo sus carreteras estrechas y sin iluminar. Los faros del coche arrancaban formas caprichosas a la tenue bruma y los árboles vecinos. Al doblar una curva se toparon con un gran búho cornudo que estaba devorando un conejo o un ratón almizclero que no había logrado cruzar la carretera con éxito. El animal extendió de pronto sus enormes alas blancas y graznó irritado por aquella inoportuna interrupción. Pareció erguirse como un espectro frente a ellos, justo encima del capó del coche, y por un instante Anne Hampton creyó que iba a chocar contra ellos, y dejó escapar una exclamación de miedo ahogada que la sacó de su agotamiento.

No sabía qué hora era, pero sí que era más de medianoche y que iban adentrándose en la madrugada. Jeffers parecía infatigable, con la adrenalina a tope y la voz alerta y jovial.

Jeffers cruzó la isla de un extremo a otro varias veces, lo cual desorientó completamente a Anne Hampton a pesar del hecho de que durante todo el tiempo fue siguiendo un folleto de viajes. Escogía diversos puntos y los vinculaba a un recuerdo, igual que una persona que visita un lugar favorito al cabo de muchos años. Anne Hampton intentó tomar apuntes, pero descubrió que la atención de Jeffers iba saltando de un recuerdo trivial a otro, nada que tuviera que ver con la muerte o con morir. En vez de eso, hablaba de cuál era el mejor sitio para buscar arándanos silvestres o de los senderos secretos que conducían a las mejores playas de la isla. La llevó a los acantilados de Gay Head y la dejó asomarse al borde para contemplar el océano. Ella vio espuma blanca allí donde las olas chocaban contra la playa, e incluso en la oscuridad logró distinguir el lento movimiento de las grandes ondas que surcaban el negro mar. Soplaba una suave brisa que le azotaba el rostro, y por un momento se imaginó a sí misma precipitándose por aquellos gigantescos acantilados grises y rojos y perdiéndose en el olvido. Sintió la mano de Jeffers en el brazo y vio que estaba señalando hacia alta mar.

—Allá a lo lejos —dijo— hay una isla llamada Tierra de Nadie, utilizada por la Marina para ensayar armas. Se puede ver en un día despejado, y si el viento es el adecuado, de vez cuando se puede oír el retumbar de los explosivos. Siempre he querido ir, desde que era pequeño, no por las prácticas que realiza la Marina, que son interesantes, a veces se ve el humo de los reactores, sino para ver cómo está después de llevar tantos años sufriendo bombardeos. Es como una visión del futuro, diría yo...

»Pero nunca he ido. En una ocasión estuve a punto, cuando era pequeño, una vez que fuimos a pescar. Estábamos de lo más ajetreados, y de repente apareció encima de nosotros un helicóptero de los guardacostas que nos dijo que nos fuéramos de allí cagando leches. —Rió—. Y obedecimos.

—¿Venía aquí a menudo? —inquirió Anne Hampton.

—Unos cuantos veranos, cuando era pequeño. Dejamos de venir cuando, en fin, cuando me hice mayor. —Miró en derredor—. Ha cambiado. Es lo mismo, pero diferente. Hay algunas cosas nuevas y muchas otras viejas. Hay estabilidad, continuidad. Pero también crecimiento. Todo cambia. Todo sigue igual. Como la vida.

Rió otra vez.

Pensó en el pasaporte, el billete de avión y el dinero que aguardaban dentro del maletín.

Volvieron a subirse al coche y Jeffers enfiló de nuevo hacia el centro de la isla. Anne Hampton no se tomó la molestia de preguntar qué planes tenía ni dónde pensaba parar a dormir.

Jeffers se preguntó por qué, en lugar de su habitual actitud de rígida satisfacción, sentía una especie de placer relajado, casi de lasitud. Notaba un leve mareo, como si se hubiera pasado de la raya bebiendo un vino excelente y no estuviera borracho como una cuba pero sí un poco achispado. Después de haber respetado de forma tan estricta ideas y conceptos, de haberlo planificado todo, hasta los billetes de ida y vuelta en el transbordador, ahora no tenía prisa alguna. Se dijo que quería paladear aquel último acto, ejecutarlo hasta el final. Sintió una oleada de sangre en las venas, caliente, excitante. Escuchó su corazón y se dijo que iba a resultar difícil despedirse de su antigua identidad.

«Pero, piensa en la creación de la nueva.»

Sonrió para sus adentros.

Pasaron por el pueblecito de West Tisbury, y Jeffers se llamó a sí mismo al orden. «Ya no falta mucho», pensó. Cobró ánimos mentalmente y se concentró en los problemas que tenía entre manos.

Anne Hampton se volvió hacia Jeffers y vio que de pronto éste parecía muy atento. Se había inclinado hacia delante en el asiento, y sabía que aquello quería decir que iba a ocurrir algo. Hizo que todo su cuerpo se pusiera en tensión, y se escurrió hacia el borde del asiento. Jeffers había mencionado algo acerca de un final, y sospechó que estaba empezando a producirse. Notó que su sensación de adormecimiento huía de ella, y gobernó sus sentimientos igual que una reserva militar que se mantiene bajo control en ese momento crítico de toda batalla en que está en juego la victoria o la derrota.

Jeffers giró para tomar una arenosa carretera secundaria, y de inmediato comenzaron a transitar dando tumbos por un camino sin asfaltar y lleno de altibajos. Los arbustos y los retorcidos árboles de la isla parecieron envolverlos como si fueran por un túnel, y Anne Hampton enseguida tuvo la sensación de haberse apartado de la civilización para adentrarse en un entorno más salvaje, prehistórico. El coche bostezaba y gemía obedeciendo a las manos de Jeffers, que lo conducía lentamente por el camino. De vez en cuando los neumáticos resbalaban brevemente en la arena y el habitáculo interior se llenaba con el ruido áspero y rasposo de los matorrales que rozaban los costados. Tras recorrer dando botes lo que a Anne Hampton se le antojó más de un kilómetro y medio, internándose cada vez más en aquel bosque de la playa, llegaron a un cruce de cuatro minúsculos senderos. Había unas pequeñas flechas de diferentes colores que apuntaban cada una a una ruta distinta. Los cuatro senderos parecían todavía más pequeños, más angostos y más oscuros.

—Esas flechas señalan las diferentes viviendas —explicó Jeffers—. Es muy rebuscado. Hay que saberse el color que lleva a la casa que uno quiere. De lo contrario termina en el lado opuesto de la charca.

Tomó el camino de la izquierda.

El constante bostezar y rebotar del coche empezaba a causar náuseas a Anne Hampton. Intentó ver algo entre las ramas de los árboles que colgaban y alcanzó a vislumbrar la luna, en lo alto del cielo.

Viajaron durante otros diez minutos. Por lo menos un kilómetro, calculó. Puede que más.

En eso, como si alguien hubiera cortado el bosque con un cuchillo, salieron de la espesura y desembocaron en una zona abierta. Jeffers apagó los faros al emerger de entre los árboles y manejó el volante despacio guiándose por la luz de la luna.

Anne Hampton vio a su derecha una amplia extensión de agua.

—Ésa es la charca —anunció Jeffers—. Aunque charca no es la palabra acertada, porque en realidad es tan grande y tan profunda como un lago. —Detuvo el coche y bajó la ventanilla—. Escucha —dijo.

—Escucho.

Anne Hampton distinguió el oleaje que rompía contra la costa, a lo lejos.

—La charca separa las casas de la playa —explicó Jeffers—. Para cruzar, nosotros teníamos que tomar un pequeño bote fueraborda o uno de remos. Había mucha gente que utilizaba pequeños veleros. También canoas, kayaks, tablas de windsurf. Bien, mira atentamente. ¿Ves aquello de allí?

Señaló la otra orilla.

—Sí, lo veo.

—Es un terreno virgen. La única persona que vive ahí es un viejo pastor de ovejas que se llama Johnson. Está loco. En sentido literal. Roba motores de embarcaciones a los veraneantes que traen barcos que a él no le gustan. Dispara con su escopeta a la gente que mete el coche en las dunas. En una ocasión fabricó una mina terrestre casera y una trampa para los niños y los turistas que intentaban usar su camino para llegar hasta la playa. Una vez, el muy cabrón me hizo salir de su propiedad a punta de escopeta. Eso sucedió hace veinte años, pero no ha cambiado un ápice. Lo expulsaron del ejército por incapacidad mental, y no ha mejorado nada. Está loco de atar, pero es un viejo isleño, así que le permiten salirse con la suya. Por supuesto, los veraneantes opinan que es un tipo pintoresco. —Jeffers hizo una pausa. Cuando volvió a hablar, fue en tono furioso—. En un principio, le echarán a él la culpa de lo que vamos a hacer nosotros. —Luego señaló la continuación del sendero—. Este territorio termina en un espigón que se proyecta hacia dentro de la charca, llamado Finger Point. Por este camino, a ochocientos metros, hay una casa. Si te fijas con atención, verás apenas la línea del tejado. Es lo único que hay por aquí. La gente paga grandes sumas de dinero por disfrutar de la soledad. Sea como sea, ahí es adonde nos dirigimos nosotros.

De repente Jeffers subió la ventanilla y metió la marcha atrás. El coche retrocedió en dirección al bosque botando de forma pronunciada. A continuación giró bruscamente el volante y se metió por una pequeña senda lateral en la que ella no había reparado antes. Y por fin apagó el motor.

—Bien —dijo—. Aquí nos quedamos. Tú espera.

Jeffers fue a la parte trasera del coche y cogió el petate en que guardaba las armas. Abrió la cremallera y extrajo un par de monos de trabajo negros y otras cuantas cosas más. Se vistió uno de ellos y se metió una pistola en el cinturón. Luego volvió a cargar el rifle con un cartucho nuevo y se echó el petate a la espalda.

—Muy bien —dijo—. Sal del coche. Ella obedeció al instante—. Ponte esto.

Ella se vistió el mono negro mientras se decía que pronto formaría parte de la noche.

Jeffers elogió su aspecto.

—Bien, bien. Estás casi en tu papel. Sólo te falta esto.

Le entregó un pequeño gorro de punto. Ella lo contempló con expresión interrogante.

—¡Así! —exclamó Jeffers a punto de perder los nervios. Se acercó a Anne Hampton, agarró el gorro y se lo encajó en la cabeza. Acto seguido, con un movimiento violento, le bajó el borde y le cubrió la cara. Era un pasamontañas. Ella creyó asfixiarse bajo aquella presión. Vio que Jeffers también se tapaba la cara con el suyo.

—Cui...

—Una auténtica película de miedo —dijo él.

A continuación dio media vuelta y se alejó trotando por el camino. Ella tuvo que correr para no perderlo de vista.

XIII

Una sesión irregular de los «niños perdidos»

18

La detective Mercedes Barren aguardaba impaciente en el despacho de Martin Jeffers, sufriendo por el tiempo perdido. Tenía problemas para sentarse; cada vez que descansaba en una silla experimentaba como un impulso furibundo que la recorría de arriba abajo y le recordaba que el asesino no estaba precisamente esperándola a ella en alguna parte con los pies apoyados en una mesa. «Está ahí fuera —se dijo a sí misma—, poco más que al alcance de mi mano. Ha hecho algo.»

Su cerebro estaba inundado de las imágenes que había robado en su apartamento. Hizo una mueca de disgusto y pensó: «Jamás me desharé de ellas; esas fotos estarán conmigo para siempre.»

Se frotó despacio los ojos y se acordó de una charla a la que había asistido en sus primeros tiempos en la academia de policía, cuando llegó un agente del FBI con los brazos, los bolsillos y la cabeza llenos de estadísticas de delincuencia. Había empleado modelos de reloj y un tono de voz lento y monótono para demostrar con qué frecuencia tenía lugar en Estados Unidos cada robo a mano armada, cada allanamiento de morada, cada asesinato. «Son las diez de la noche —pensó—; un partido en un gueto termina en una reyerta con navajas; once de la noche, una discusión de una pareja de la zona del extrarradio concluye con un tiroteo; medianoche, Douglas Jeffers convence con buenas palabras a otra jovencita para que entre en su coche.» Le entraron ganas de coger algo y sacudirlo violentamente. Le entraron ganas de ver cómo se rompía algo y se hacía añicos. Sintió deseos de oír cómo se estrellaba algo. Pero lo único que la rodeaba era un silencio calmo, exasperante, y tuvo que consolarse paseando arriba y abajo, jugueteando con sus papeles, imaginando momentos pasados y otros que aún estaban por venir, intentando prepararse psicológicamente para una confrontación.

«Ocurrirá.»

«Y estaré preparada.»

Se imaginó a sí misma como un guerrero que se prepara para la batalla.

Recordó que Aquiles se untó el cuerpo de aceite antes de luchar con Héctor. Sabía que iba a vencer, porque era algo que estaba predestinado, pero también sabía que su propio fin se acercaba rápidamente, señalado por la victoria de aquel día. Luego desechó esa visión; Aquiles ganó, pero perdió. «Y no es eso lo que pretendes tú. Los caballeros de la Edad Media rezaban antes de una batalla implorando que la Providencia los guiara, pero tú sabes lo que tienes que hacer. No hace falta que te lo diga nadie, ni siquiera la Providencia. Por supuesto, Rolando era obstinado, no quiso soplar el cuerno y eso le costó la vida de su amigo y la suya propia, pero en cambio ganó la inmortalidad.» La detective Barren sonrió para sí: mala idea. Luego se preguntó a sí misma si en realidad era diferente. No quiso conocer la respuesta. Pensó en los rituales de los samuráis y en el baile de los espíritus de los indios de las llanuras. Una vez que el espíritu penetraba en ellos, quedaban convencidos de que las balas de los soldados a caballo los atravesarían sin más. Por desgracia, acertaron. El único problema fue que aquellas balas les robaron la vida, además, de lo cual no los había advertido nadie. Toro Sentado era viejo y sabio, y sabía esas cosas, pero luchó de todas formas.

Reflexionó si John Barren habría hecho algo especial antes de una batalla. ¿Se habría vestido con especial cuidado, igual que un atleta supersticioso que se pone siempre los mismos calcetines para no irritar al dios que guía las victorias y evita las lesiones? Imaginó que sí, John era un romántico y estaba lleno de ideas absurdas acerca de los mitos y la caballería que probablemente impregnaban incluso las aguas y los pantanos de Vietnam. Sonrió al acordarse de que cuando remitieron sus pertenencias a casa, varias semanas después de enviar lo que había quedado de él mismo, lo que hizo que se le enrojecieran los ojos y le brotaran las lágrimas fue un manoseado ejemplar de *Camelot*.

Le gustaría saber qué fue lo que John dejó de hacer el día que murió. ¿Habría algún amuleto especial que olvidó llevar consigo? ¿Cambió el orden a la hora de vestirse en algún detalle insignificante pero letal? ¿Qué hizo para alterar el delicado equilibrio de la vida?

Y también le gustaría saber si John lo supo, si lo sabía cuando iba andando bajo el sol con los ojos bien abiertos y los sentidos alerta, pero consciente en lo más recóndito de su cerebro de que había algo que no estaba bien del todo en aquel día que olía y sonaba como otro día cualquiera.

Pensó que se lo habría sacudido de encima y habría seguido andando.

Seguir andando.

Eso diría él: «Haz lo que debas hacer. Haz lo que sea correcto.»

Estiró las manos frente a sí.

Estaban serenas.

Les dio la vuelta para mirar las palmas. Secas.

«Es hora de prepararse», pensó.

A continuación cerró las manos en dos puños fuertes y sólidos.

—Elige el campo de batalla —dijo, dirigiendo sus energías mentales hacia el etéreo Douglas Jeffers—. Haz algo. Ponte en contacto con tu hermano.

Se imaginó a Martin Jeffers. Lanzó una mirada al reloj de la pared. «Está a punto de reunirse con ese maldito grupo suyo. Y yo aquí encerrada, esperando a que recuerde algo, o a que llame su hermano, o a que llegue en el correo una postal que diga: "¡Hola, me lo estoy pasando genial! ¡Ojalá estuvieras aquí!"»

Se sintió invadida por un sentimiento de furia, y recorrió el despacho por enésima vez, dándose cuenta de lo tenue que era el hilo que la unía con el hermano, de lo mucho que dependía de él y por lo tanto de lo impotente que era para hacer nada excepto lo más arduo y difícil de todo: esperar.

Martin Jeffers contempló el grupo de pacientes reunidos y cayó en la cuenta de que había estado equivocado en todo momento al compadecerlos por la debilidad de sus perversiones cuando su propia aquiescencia y su impotencia ciega eran infinitamente más depravadas.

Edipo por lo menos se arrancó los ojos de la cara al contemplar el horror que había creado, su ceguera fue justa. Martin Jeffers hizo un esfuerzo para sonreír, reflejo del íntimo sentimiento de que el mito de Edipo era sagrado para su profesión. «Pero no aceptamos lo que sucedió después, no nos acordamos de que tras el deseo y el acto, el que en otro tiempo había sido rey se vio obligado por su sentimiento de culpa a vagar por la vida ciego y vestido con harapos, impulsado a cada paso por la hondura de su desesperación.»

Se preguntó si aquellos mismos sentimientos serían tan claros en su propio rostro. Intentó adoptar su habitual mirada de ligero distanciamiento emocional fija en el centro de la sala, pero supo que no lo consiguió. De modo que miró a los hombres con expresión de cautela.

Los miembros integrantes del grupo de los «niños perdidos» estaban inquietos. Se removían en sus asientos y hacían ruiditos incómodos. Sabía que habían percibido su cansancio en la sesión del día anterior, y también sabía que había pasado otra noche más sin dormir y que aquel agotamiento se le notaba igualmente. Llevaba insomne y sonámbulo todo el lunes, después de regresar a altas horas de New Hampshire, y apenas había prestado atención a la habitual mezcla de quejas y dolencias triviales que formaban su vida cotidiana. Había creído que iba a agradecer de buena gana un día normal, que de alguna manera ello postergaría todos los sentimientos difíciles, pero había descubierto que éstos eran demasiado potentes. Su cerebro continuaba lleno exclusivamente de imágenes de su hermano.

De pronto lo embargó un sentimiento de rabia.

Vio a su hermano en una postura familiar, relajada, sonriente. Sin una sola preocupación por el mundo.

Luego aquella visión se oscureció y vio a su hermano con la mirada fija, letal. Era la imagen de un agresor, duro y pragmático.

Un asesino.

«¿Por qué has hecho esas cosas? —imaginó que le preguntaba—. ¿Por qué te has convertido en lo que eres? ¿Cómo puedes hacerlo una y otra vez, y que no se te note ni por un instante?»

Pero el hermano de su cerebro desapareció, negándose a responder, y Martin Jeffers comprendió que eran preguntas absurdas. Pero aunque resulte ridículo preguntar, debía hacerlo.

Sintió que sus manos se aferraban a los brazos de la silla y que su rabia se redoblaba, rebosando, floreciendo, y sintió deseos de gritarle al hermano que habitaba en su mente: «¿Por qué haces esas cosas? ¿Por qué? ¿Por qué?»

Y luego, todavía con más furia: «¿Por qué me has hecho estas cosas a mí?»

Respiró hondo y miró de nuevo al grupo de terapia, que estaba esperando. Sabía que tenía que decir algo, que tenía que iniciar la sesión, y entonces podría perderse en la monotonía de la conversación de ellos. En cambio, en vez de lanzar un tema o una idea para que sus pacientes se preocuparan de masticarla, pensó en New Hampshire y trató de recordar cuál había sido la última vez que había visto a su auténtica madre. La tenía clavada en la memoria, un rostro pálido enmarcado en la ventanilla de un coche, girándose hacia atrás una única vez antes de desaparecer para siempre de su vida. La vio tan nítida ahora como la noche en que sucedió. Jamás le describió a nadie aquella visión, y menos aún a su terapeuta. Sabía que aquello violaba una confianza fundamental, la que él mismo exigía hipócritamente a sus pacientes. «No soy libre. Y tampoco espero serlo. No lo seré jamás.» Pensó de nuevo en su verdadera madre. «¿Qué hicimos mal?» Pero conocía la respuesta: nada. Los antiguos lo tenían muy claro. La psiquiatría ha demostrado que son los pecados de los padres los que recaen sobre los hijos. «Fuimos abandonados, y luego fuimos tratados con crueldad, sin amor, los dos pilares de la desesperanza. ¿Es de sorprender que Doug haya decidido, ya adulto, cobrarse venganza de un mundo que lo odió tanto?»

«Pero ¿por qué él sí, y yo no?»

«¿Dónde estará?»

—Bueno, doctor, ¿qué lo tiene preocupado? Tiene cara de tener un pie en la tumba.

—Sí. ¿Nos va a arrastrar a nosotros con usted?

Aquello provocó una carcajada general.

Martin Jeffers levantó la vista y vio que los que habían hecho aquellas preguntas eran Bryan y Senderling. Pero todos los presentes tenían la misma expresión interrogante en la cara.

Su primera reacción fue hacer caso omiso de aquellas preguntas e intentar llevar al grupo en otra dirección. Ésa habría sido la técnica apropiada. Al fin y al cabo, los miembros del grupo debían centrarse en ellos mismos, no en el líder. Pero al mismo tiempo lo invadió una insistente irritación que le decía que arrojase a un lado todas las preciadas normas de su profesión y se apoyara por un instante en la sagacidad de aquellos pacientes.

—¿Tan mala pinta tengo? —les preguntó.

Se hizo un momentáneo silencio. Aquella pregunta directa los sorprendió. Pasados unos instantes, rezongó Miller desde el fondo de la sala:

—Sí, está fatal. Como si tuviera algo en la cabeza...

Rió cruelmente.

—... Lo cual es un cambio, la verdad.

Una vez más se hizo el silencio entre los presentes, hasta que Wasserman farfulló:

—S-s-si no s-s-se s-s-siente con fuerzas, p-p-podemos volver mañana...

Jeffers negó con la cabeza.

—Estoy bien. Físicamente.

—¿Y qué le pasa, doctor? ¿Ha pillado una especie de gripe emocional?

Aquél era Senderling, y Bryan lo acompañó con una carcajada. Era un buen concepto: gripe emocional. Ya lo usaría en alguna ocasión, calculó Jeffers.

—Estoy preocupado por un amigo —dijo.

Hubo una pausa antes de que irrumpiera Miller:

—Usted está mucho más que simplemente preocupado —dijo—. Está hecho polvo. Mire, yo no soy médico, pero lo veo. Es mucho más, ¿a que sí? Más que una simple preocupación.

Jeffers no contestó. Recorrió las miradas de todos los pacientes del grupo, que estaban clavadas en él, y se le ocurrió que aquellos doce hombres eran como un maldito jurado que esperaba a que cometiera un error y se acusara él mismo con sus propias palabras. Posó los ojos en Miller.

—Dime —le dijo en tono autoritario—, cuéntame cómo empezaste.

—¿A qué se refiere? —replicó Miller, removiéndose en su asiento.

Al igual que todos los delincuentes sexuales, Miller odiaba las preguntas directas y prefería que lo interrogasen de forma oblicua para poder controlar por qué derroteros discurriría la conversación. Jeffers pensó que seguramente todos se habían quedado estupefactos ante semejante rudeza.

—Quiero saber cómo empezaste a hacer lo que haces.

—Se refiere a..., o sea...

—Exactamente. Lo que les haces a las mujeres. Cuéntame.

En la sala se había hecho un completo silencio. El vigor de la petición de Jeffers los había dejado a todos paralizados. Él sabía que estaba infringiendo los procedimientos establecidos, pero de pronto se sintió cansado de las reglas, cansado de esperar, cansado de la pasividad.

—¡Dímelo!

Alzó la voz hasta un tono que jamás se había oído en los confines de aquella sala.

—Diablos, no sé...

—¡Sí que lo sabes! —Jeffers taladró con la mirada a todos los presentes—. Lo sabéis todos. ¡Pensad! La primera vez, ¿qué os pasó por la cabeza? ¿Qué fue lo que os estimuló?

Aguardó.

Pope rompió el silencio. Jeffers miró a aquel individuo de más edad, el cual le devolvió la mirada con evidente odio hacia cualquiera que sondeara su memoria.

—La oportunidad —contestó.

—Explícate, por favor —pidió Jeffers.

—Todos sabíamos quiénes éramos. Sólo que quizá no nos lo habíamos dicho a nosotros mismos. A lo mejor no se había formado en la cabeza la manera de expresarlo, pero aun así lo sabíamos, ¿comprende? De modo que todo se reducía a esperar la oportunidad adecuada. La exigencia ya estaba, doctor. Uno sabe que va a hacer algo, lo sabe. Va a ocurrir. Sólo hace falta que..., no sé cómo lo llama usted..., que se den las circunstancias adecuadas.

Vio cabezas que empezaban a asentir, a modo de confirmación.

—Hay ocasiones —era Knight el que había interrumpido— que una vez que ya has tomado la decisión de ser lo que eres, como que eso se apodera de ti. Y empiezas a buscar. A buscar, y a buscar. No va a ocurrir nada que cambie las cosas, porque ya está todo preparado. Ya estás buscando. Y cuando encuentras lo que buscabas...

—Y-y-o lo od-d-iaba de todas formas —irrumpió Wasserman.

—Yo también —apuntó Weingarten—. Pero eso no significaba nada.

—Exacto. —Era otra vez Pope—. No significaba nada...

Y luego Parker:

—Porque una vez que empiezas, ya no paras, tío.

Y después Meriwether:

—Da casi igual que odies lo que haces, o que te odies a ti mismo, o que odies a la persona a la que se lo vas a hacer.

Martin Jeffers absorbía todo lo que decían los miembros del grupo.

—Pero la primera vez... —comenzó a decir, pero lo interrumpió Pope.

—¡No lo entiende! ¡La primera vez no es más que la primera vez que ocurre físicamente! ¡En tu cabeza, tío, dentro de tu cabeza lo has hecho un centenar de veces! ¡Un millón!

—¿A quién? —inquirió Jeffers.

—¡A todo el mundo!

Jeffers reflexionó profundamente.

Vio que los hombres se inclinaban hacia delante en sus asientos, sentados en el borde, previendo sus preguntas. Estaban alerta, interesados, emocionados, más implicados de lo que los había visto nunca. Percibió el brillo depredador de sus ojos y pensó en todas las personas que habrían visto aquella misma mirada dura antes de ser estranguladas, o asfixiadas y apaleadas y después violadas.

—Pero tuvo que haber algo —preguntó despacio—. Tuvo que haber un momento, una palabra, o tuvo que suceder algo que hizo que os convirtierais en lo que sois... —Los miró fijamente—. Algo que os impulsó. ¿Qué fue?

Silencio de nuevo. Todos estaban estudiando la pregunta.

Wasserman tartajeó:

—Y-yo r-r-recuerdo que mi m-m-adre m-m-e dijo que yo nunca sería el hombre que f-f-ue mi p-p-adre. Es-s-o no se m-m-e olvidó nunca, y c-c-uando lo hice por p-p-primera vez, no p-p-ude p-p-ensar en otra c-c-osa.

Recorrió la sala con la vista y de pronto su farfulleo desapareció:

—¡Y ya lo creo que lo fui!

—Bueno, en mi caso no fue nada de eso —dijo Senderling—. Simplemente terminé cansándome de esperar. Quiero decir, había una chica en la oficina, una auténtica calientapollas, ya sabe, y en fin, supongo que todo el mundo se la beneficiaba, así que yo también quise un trozo del pastel.

Bryan lanzó un bufido.

—Querrás decir que no quiso salir contigo.

—No, no, no fue así la cosa.

Los demás empezaron a lanzar silbidos.

Bryan insistió:

—Te dio calabazas, así que tú la esperaste en el garaje del edificio de su apartamento. Tú mismo me lo has contado.

—Era una putona —dijo Senderling—. Se lo merecía.

—¿Sólo porque te dijo que no? —preguntó Jeffers.

—¡Sí!

—Pero ¿por qué decidiste hacerlo esa vez? Ya te habían dicho que no otras mujeres, ¿no es cierto? —preguntó Jeffers.

—Porque... porque... porque... en fin... —Aguardó—. Porque me sentía solo. Mi hermana y el idiota de mi cuñado se habían ido por fin de casa, y me libré de tener que seguir manteniendo a ese pedazo de vago, y también a ella, porque lo único que hacían era pasarse el puto día follando como conejos mientras yo hacía todo el trabajo y llevaba a casa el puto dinero para que por lo menos pudiéramos comer. Así que los puse de patitas en la calle. ¡Y va esa zorra y no quiere salir conmigo! Mira, se lo tuvo bien merecido.

—¿Así que te sentiste libre?

—¡Sí! Exacto. Libre. Libre para hacer lo que me apeteciera, joder.

Jeffers recorrió la sala con la vista una vez más.

—¿Hubo algo que os liberó a vosotros? —Vio varias cabezas que iban asintiendo lentamente—. Habladme de ello.

Vio vacilación.

En eso, Knight dijo:

—Es diferente en cada caso.

Weingarten añadió:

—Puede que sea algo grande, o algo pequeño, pero...

Knight repitió:

—Es diferente en cada caso.

Martin Jeffers hizo una aspiración profunda. «Todo está perdido», pensó. Y seguidamente preguntó:

—Supongamos que hubiera algo más. Más de lo que habéis hecho. Supongamos que hubierais dado un paso más.

Todos parecieron alterarse con aquella sugerencia.

—Sólo hay un paso más —dijo Pope—. Y usted ya sabe cuál es.

—¿Y por qué no lo diste?

—Puede que algunos de nosotros sí lo hayamos dado —dijo Meriwether—. No yo, no estoy admitiendo nada. Pero puede que algunos de nosotros sí lo hayan dado.

—¿Qué os impulsaría a hacerlo?

Los pacientes no respondieron.

Jeffers aguardó. Él tampoco dijo nada.

—¿Para qué quiere saberlo? —le preguntó Meriwether.

Él dudó un momento, intentando escoger las palabras.

—Necesito encontrar a una persona.

—¿Una persona como nosotros? —lo interrogó Bryan.

—Una persona como vosotros.

—¿Peor que nosotros? —Aquél fue Senderling. Jeffers se alzó de hombros—. ¿Una persona a la que conoce bien? —probó Senderling de nuevo.

—Sí, una persona a la que conozco bien.

—Y cree que se ha largado a alguna parte y no sabe adónde, ¿es eso? —preguntó Parker.

—Más o menos.

—¿Es una persona muy cercana? —volvió a preguntar Senderling.

Jeffers lo perforó con la mirada y no respondió.

—¿Y piensa que nosotros podemos ayudarlo? —dijo Weingarten.

—Sí —repuso Jeffers.

Weingarten rompió a reír.

—La verdad es que opino que tiene usted razón.

—Esa persona —interrogó Parker— ¿está haciéndolo en este momento?

—Sí.

—¿Y usted necesita obligarla a que deje de hacerlo?

—Sí.

—O si no...

—Exacto —afirmó Jeffers—. Que lo deje, o si no...

—¿Es imp-p-ortante de verdad? —intervino Wasserman.

—Sí.

Miller rompió a reír a carcajadas.

—Que le jodan, doctor. Esto lo cambia todo.

—Sí, así es —admitió Jeffers. Miró fijamente a Miller, el cual dejó de reír al instante.

—Bueno, cuéntenos algo más.

Jeffers pensó unos instantes.

—Creo —dijo despacio— que está visitando los lugares donde se han cometido crímenes.

Miller rió otra vez, pero con menos malicia.

—¿El criminal regresa a la escena del crimen?

—Supongo.

Miller sonrió de oreja a oreja.

—Tal vez sea un cliché, pero no es tan tonto. Los crímenes también se transforman en recuerdos, sabe. Y a todo el mundo le gusta visitar sus recuerdos agradables.

—¿Agradables? —inquirió Jeffers.

Los miembros del grupo rieron y resoplaron.

—¿Es que no ha aprendido nada aquí? —preguntó Miller. La voz del violador llevaba un tinte de sarcasmo. Jeffers ignoró la pregunta, y Miller prosiguió—: ¡Para hombres como nosotros todo es distinto! Nosotros amamos lo que odiamos. Odiamos lo que amamos. El dolor es placer. El amor es dolor. Todo está torcido a un lado y a otro, vuelto del revés. ¿Es que no lo ve? ¡Por Dios!

Y de pronto lo comprendió.

—Sigue.

—Así que —continuó Miller, y los demás se sumaron a él afirmando con la cabeza— busque un recuerdo que esté lleno de todo lo peor. Y ése será el mejor de todos.

Jeffers aspiró profundamente, asustado de los pensamientos que habían empezado a formarse y juntarse en su cabeza, semejantes a nubes de tormenta. Levantó la vista cuando Pope, medio canoso y tatuado, rebosante de rabia y de odio e irrevocable en su antipatía hacia el mundo, exclamó en un tono grave y contundente:

—Busque una muerte o una separación. Son la misma cosa. Eso es lo que lo libera a uno. Muere alguien, y uno se siente libre para ser él mismo. Es simple. Es de lo más simple. Busque una muerte.

La primera imagen que le vino a la cabeza fue la de la oscuridad atrapada en los árboles la noche en que fueron abandonados en New Hampshire.

«Yo he ido allí. He regresado a ese recuerdo, y no lo he encontrado a él. Era allí donde se suponía que debía estar, pero no estaba.»

Pero de pronto hubo otra imagen que se abrió paso hasta su cerebro.

Otra noche.

Y no era una separación, sino una muerte.

Hundió la cabeza entre las manos e hizo caso omiso del silencio que fue rodeándolo poco a poco.

«Ya lo sé.»

«Ya sé adónde se dirige mi hermano.»

Jeffers levantó la vista hacia el techo, y la pintura blanca del mismo pareció girar a su alrededor, mareante, sólo por un instante.

«¿Cómo has podido no darte cuenta?, se increpó a sí mismo. Está muy claro. Es evidente. ¿Cómo has podido estar tan ciego?» Rabia, tristeza, esperanza y desesperación; todas aquellas emociones lo recorrieron de arriba abajo. Supo que tenía que ir allí, supo que tenía que marcharse inmediatamente. De pronto el tiempo comenzó a pesarle como una losa y se sintió atrapado en su tenaza. Expulsó el aire lentamente, para rehacerse. Miró a los miembros del grupo, que lo contemplaban con expresión viva, expectante.

—Gracias —dijo. Y se puso de pie—. No va a haber más sesiones. Durante unos días. En los tablones de anuncios encontraréis la fecha de reinicio. Gracias otra vez.

Vio elevarse una gran oleada de desilusión entre los miembros del grupo. Pensó que sentían curiosidad. Que les gustaba el chismorreo y estar al tanto de todo, como a todo el mundo. No quiso pedir disculpas, y en vez de eso ignoró los murmullos y los ruiditos de excitación del grupo y se lanzó de cabeza a la oscura noche de su memoria.

«Ya lo sé. Ya lo sé.»

En eso se acordó de la detective, que lo estaba esperando en su despacho.

«Estará vigilando. Estará alerta a cualquier cambio.»

Por un instante sintió una terrible tristeza.

Acto seguido dio la espalda a sus pacientes y salió despacio de la sala. Cuando cerraba la puerta oyó voces excitadas hablando todas a la vez. Pero las apartó de su mente y se concentró en la importancia de las próximas horas. Hizo acopio de fuerzas en su interior.

«Ten cuidado. Que no se te note nada. Nada de nada.»

Martin Jeffers se alejó rápidamente de la puerta, y las voces se perdieron a lo lejos. Apretó el paso mientras iba atravesando una sala tras otra hasta convertirlo en una marcha rápida y finalmente en un ligero trote que levantó un sonoro eco sobre el suelo de linóleo. No hizo caso de las miradas de sorpresa de los pacientes y el personal cuando empezó a correr en serio, jadeando, ajeno a todo excepto la revelación que vibraba en su cabeza.

—Ya lo sé —repitió una y otra vez—. Ya lo sé.

Aminoró el paso al entrar en el pasillo en que se encontraba su despacho. Aguardó un instante, recobrando el aliento y pensando de nuevo en la detective. Después, un poco más repuesto, recorrió los treinta últimos metros andando despacio y pensando cómo escaparse.

La detective Mercedes Barren estaba de pie, mirando por la ventana, cuando Martin Jeffers entró en el despacho y le preguntó a bocajarro:

—¿Ha ocurrido algo? ¿Alguna novedad?

Ella aguardó unos instantes.

—Eso iba a preguntarle yo a usted.

Jeffers negó con la cabeza, evitando momentáneamente su mirada. Cobró ánimos. «Mírala a los ojos», insistió para sus adentros. Así que levantó la cabeza y tomó asiento detrás de su mesa.

—No —le respondió—. No he sabido nada. Le he dicho a la operadora de la centralita que me llamara al busca si había cualquier llamada, estuviera dentro de una sesión o no. Pero de momento no ha habido nada.

La detective Barren se dejó caer en una silla frente a él.

—¿Y en su casa?

—Dejé conectado el contestador. —Levantó el teléfono y abrió el cajón de la mesa para sacar un pequeño artilugio de color negro—. Tiene uno de esos chismes que reproducen los mensajes —dijo—. Podemos escucharlos.

Marcó el número de su casa y puso el dispositivo electrónico sobre el auricular. Se oyó una serie de chasquidos y pitidos antes de que comenzara a girar la cinta.

Escucharon un mensaje de un fontanero y otro mensaje grabado del rollo publicitario de un candidato local. Después se oyó el siseo de la cinta vacía.

—¿Y aquí?

—Tampoco había nada en el correo de aquí —dijo Jeffers—, pero el de casa no lo reparten hasta aproximadamente las cuatro.

—A la mierda los correos —replicó la detective Barren sin comprender—. Su hermano no va a enviarle ninguna postal.

—Pues ya lo ha hecho en otras ocasiones.

—Y para cuando la recibamos nosotros, estaremos sólo cuatro o cinco días por detrás de él.

—Pero puede que nos indicara en qué dirección estaba viajando.

La detective Barren reconoció que aquello era verdad. Aun así, su frustración pudo más.

—A la mierda el correo —dijo otra vez, y lanzó un suspiro—. ¿Qué me dice de sus recuerdos? Eso me inspira más confianza.

—Yo creía que iba a estar en New Hampshire —repuso Martin Jeffers—. Estaba seguro de que estaría allí. Me pareció el sitio más lógico por el que empezar.

—Pues piense otra vez.

Martin Jeffers echó la cabeza hacia atrás.

—¿No está usted agotada como yo? —dijo—. Dios, es que no hemos parado. Cuesta trabajo pensar. ¿No quiere tomarse un respiro?

—Ya descansaré cuando haya terminado esto.

Martin Jeffers asintió. Sabía que la detective no iba a detenerse hasta que se detuviera su hermano..., y entonces hizo una pausa. No quiso llenar el resto con una palabra, aunque se dio cuenta de lo que estaba diciendo ella.

—Tiene razón —dijo—. Continuaremos adelante.

Vio que ella se relajaba, aunque sólo fuera ligeramente.

Al cabo de unos instantes dijo la detective:

—En el fondo no es una propuesta tan difícil.

—¿El qué?

—La idea de que en un momento dado uno deba saber dónde se encuentra su hermano. O su hermana, ya puestos.

A Martin Jeffers aquella idea le resultó provocadora. Pero dio una respuesta.

—Quizá de niños. Cuando nos hicimos mayores, yo lo supe siempre. Incluso mientras estudiaba, en todo momento podía decir dónde se encontraba mi hermano. Pero cuando nos convertimos en personas adultas, en fin, los adultos hacen las cosas cada uno a su manera. Nos convertimos más en nosotros mismos y menos en el hermano de otro.

La detective Barren negó con la cabeza, irritada.

—No me dé lecciones. Eso no es verdad. Precisamente su profesión dice que la persona adulta se limita a enmascarar todos los deseos de la infancia con la edad, la responsabilidad, la moralidad y la ética. ¡Así que haga un esfuerzo y piense! ¡Piense como pensaba antiguamente, no como piensa ahora!

Lo miró con una expresión que contenía agotamiento y tensión a partes iguales.

Martin Jeffers se dio cuenta de que la detective estaba completamente en lo cierto.

De modo que se levantó de la silla y dio la vuelta a la mesa, nervioso.

—Lo intento, lo intento. Tengo un montón de posibilidades en la cabeza. Pero entre hermanos que se crían juntos existe un sinfín de momentos compartidos. Miles. ¿Cuál será el que lo impulsa en este momento?

—Usted lo sabe —replicó ella—. Sólo que lo tiene bloqueado.

Jeffers sonrió.

—Habla igual que yo.

La detective Mercedes Barren se llevó las manos a la cara e intentó masajearla para eliminar la fatiga. Sonrió débilmente.

—Tiene razón —dijo—. Perdone. A veces me paso un poco.

Aquella confesión la sorprendió a ella misma.

—Pero usted también tiene razón —continuó Jeffers—. Es probable que lo tenga bloqueado.

Esbozó otra leve sonrisa que se sumó a la de ella.

Martin Jeffers miró largamente a la detective. Se le encogió el estómago al pensar hasta dónde debía de llegar su desesperación. Por un instante pensó que ambos debían darse un abrazo y llorar juntos, el uno sobre el hombro del otro, llorar por los vivos, llorar por los muertos, llorar por todos los recuerdos juntos. Sintió deseos de tocarla, triste y enfadado al mismo tiempo por la razón que los había reunido en aquel pequeño despacho, en el mundo siempre cambiante que había creado y definido su hermano. Notó que su mano iniciaba un movimiento para tocar el brazo de ella, pero enseguida ordenó a los músculos que se detuvieran, y ocultó la mano en el bolsillo de su bata blanca de laboratorio. En vez de hacerlo, habló:

—Detective, ¿qué va a hacer usted cuando termine todo esto? —Alzó una mano para obligarla a esperar antes de responder—. Con independencia del resultado.

Ella rió, pero sin humor.

—En realidad no lo he pensado —dijo, negando con la cabeza—. Supongo que volveré al trabajo, como antes. Me gustaba lo que hacía. Me gustaba la gente con la que trabajaba. No tengo motivos para cambiar. —No le cabía duda de que aquello era mentira. Estaba segura de que ya nada iba a volver a ser igual. Miró al médico—. ¿Y usted, doctor?

Él asintió.

—Lo mismo.

«Juntos mentimos muy bien», pensó ella con ironía.

—La mayoría de las vidas no ofrecen tantas opciones —dijo—, ¿verdad?

—Cierto —repuso él tristemente—, no las ofrecen.

Pero ambos estaban perplejos por el hecho de que ambos conocían a una persona cuya vida parecía llena de opciones.

La detective Mercedes Barren miró fijamente a Martin Jeffers y por un instante intentó imaginarse a sí misma en el lugar de él. Luego, cuando ya inundaban su corazón los primeros sentimientos de empatía, se endureció. «¡Concéntrate! ¡Recuerda!» Advirtió las arrugas que mostraba el médico en los ojos, el tono pálido de su piel, y pensó que sin duda era presa del arrepentimiento. Lo que me ha sucedido a mí ha sucedido. Lo que me queda a mí es la justicia, que no es un sentimiento sino una necesidad. Pero él aún está sufriendo su pena.

La detective Barren sintió deseos de decir algo, pero no se le ocurrió nada que fuera siquiera remotamente apropiado.

Martin Jeffers era consciente del silencio que flotaba entre ellos y de la súbita disminución del grado de tensión. Reconoció aquel momento por lo que era, sabedor de que su duración sería breve. Se recostó en su silla y se estiró. Pero aunque por fuera parecía relajado, por dentro se sentía rígido.

¡Lanza la trampa, ya!

—Mire —dijo lentamente—. Usted tiene toda la razón. Tenemos que continuar con esto hasta que yo consiga dilucidar adónde ha ido mi hermano. Es posible que corra peligro la vida de alguien, no lo sabemos. Pero seguiremos, ¿le parece?

La detective Barren afirmó con la cabeza.

—Es lo que creo.

—Lo que opino es lo siguiente —dijo Jeffers, lanzando una mirada al reloj de la pared—: Ya está avanzada la tarde. La dejaré en su hotel para que me espere una hora más o menos. Deme tiempo para tomar una ducha y recargar las pilas. Luego reúnase conmigo en mi casa. Podemos tomar algo, y yo sacaré todas las fotos antiguas y cartas que tenga, e intentaremos asociar una respuesta a todo esto. Podemos fijar una especie de cronología. Tendrá que escuchar la historia de mi vida, pero es posible que si empiezo a hablar de ello en voz alta salga algo de verdad. Y de todas formas, si suena el teléfono los dos estaremos para cogerlo. Es mucho más probable que mi hermano me llame a casa que al trabajo.

La detective Barren reflexionó sobre el plan. La idea de bañarse en agua caliente le resultó seductora. Por un momento oyó una vocecilla que le pidió prudencia, y se obligó a fijar los ojos en Martin Jeffers. Se dio cuenta de que se revolvía ligeramente en su asiento. Buscó indicios de ansiedad, de nerviosismo, de cualquier cosa que no fuera el desánimo y el cansancio que ella misma sentía constantemente. Pero no vio nada. «Ya ha contado con un montón de oportunidades para echar a correr, pensó. Pero no va a hacerlo; hasta que tenga noticias de su hermano, no.»

—Empezaremos con la cabeza más despejada —dijo el médico débilmente—. A ver qué surge.

—De acuerdo —contestó ella—. Iré a su casa a, digamos, las seis y media.

—A las seis está bien —repuso Jeffers—. Y trabajaremos sin parar hasta que tengamos al menos una idea de adónde debemos ir. Y entonces iremos. El hospital puede prescindir de mí durante un tiempo.

—Bien —dijo la detective Barren. Experimentó una sensación de aflojamiento en el cuerpo ante la idea de que iban a actuar en vez de esperar. Sintió que la inundaba una oleada de sangre caliente al pensar en Douglas Jeffers, al sentir de nuevo que estaba embarcándose en la tarea de perseguirlo. Aquello la reconfortó, y no le permitió captar el detalle de que el hermano del asesino de pronto había desviado el rostro para evitar su mirada.

Martin Jeffers detuvo el coche junto al bordillo del hotel de Trenton en que se alojaba la detective Barren. Quitó la marcha y se volvió hacia ella.

—Oiga, ¿qué tipo de sándwiches le gustan? Tengo pensado parar en el «deli» que hay camino de mi casa a comprar algo para más tarde.

Ella abrió la portezuela del coche y puso un pie en la acera.

—Me vale cualquier cosa —respondió—. Rosbif, jamón y queso, atún. —Sonrió—. Sándwiches de protestantes. Nada de carne de vaca en conserva, nada de mostaza, y sí mucha mayonesa.

Martin Jeffers rió.

—Y un poco de ensalada, si tienen alguna.

—No hay problema.

Consultó el reloj.

—Venga a casa a las seis —dijo—. Vamos a ponernos a trabajar.

Ella asintió.

—No se preocupe. Hasta luego.

—Muy bien —contestó él.

La contempló mientras cruzaba con paso decidido la entrada del hotel y desaparecía en el interior del vestíbulo. Se dijo que la trivialidad de su plan había sido el elemento más fuerte del mismo. La detective Barren estaba tan centrada en su presa y en el mal que ésta representaba, que descuidaba la posibilidad, más banal, de que Martin Jeffers pudiera abandonarla. Si se mezcla la obsesión con el agotamiento, todo está listo para que suceda cualquier cosa inesperada. Por un instante se arrepintió de su traición. «Va a matarme», pensó. Luego se dio cuenta de que aquella extravagancia probablemente no fuera imposible.

Razonó consigo mismo; quiso ser realista.

Sacó el coche a la calle.

«No te pares. No vayas a casa. Pasa sin cambiarte de ropa, sin el cepillo de dientes, sin nada. Vete sin más. Vete ya mismo.»

Exhaló el aire con fuerza y reflexionó en su destino. «Si me doy

prisa —pensó—, puede que llegue a coger el último transbordador.»
Su cerebro empezó a imaginarse a la detective en el momento de
comprender que él había desaparecido. Aquí de lo que se trata es de
salvar vidas, decidió; la de mi hermano, la de la detective, la mía.

«Con todo —se dijo—, va a enfadarse lo bastante como para pegarme un tiro cuando vuelva a verme.»

No se le ocurrió que tal vez su hermano sintiera lo mismo.

Martin Jeffers se quitó preocupaciones de la cabeza y se concentró en conducir, luchando contra el tráfico de aquellas horas de la
tarde.

La detective Mercedes Barren salió desnuda de la ducha y se
secó sin prisas. Después de frotarse todo el cuerpo hasta enrojecerse la piel, se envolvió en la blanca toalla de baño y se dejó caer sobre la cama, refrescada en parte por el agua pero también por disponer de un momento de soledad. Estiró el cuerpo sintiendo cómo
se tensaban los músculos y luego se relajó lentamente. Permaneció
tumbada y se pasó las manos por el cuerpo. Se sentía dolorida,
como si hubiera sufrido un accidente o hubiera tenido una pelea y
sus heridas fueran internas, escondidas bajo la superficie de la piel.
Cerró los ojos y notó cómo la atraía el sueño. Luchó contra él
abriendo primero un ojo, después el otro, parpadeando para no
hacer caso de las exigencias de su cuerpo. Discutió consigo misma,
hizo frente a todas las corrientes de su organismo que exigían descanso, primero engatusando, después negociando, y por fin prome-
tiendo a nervios, músculos y cerebro que sí, que descansaría pronto,
y con creces.

Pero todavía no.

Hizo acopio de fuerzas de su interior y se incorporó en la cama.
Gritó órdenes al estilo prusiano a los brazos y a las manos, igual que
un sargento en un ejercicio en el cuartel: «Coge la ropa. Póntela.
Camina.»

Aún batallando con las rebeldes exigencias de su cuerpo, se vistió con unos vaqueros y una camisa. Se esmeró en arreglarse el pelo
y maquillarse un poco. Tenía la necesidad de parecer menos desaliñada, a causa de los acontecimientos, de lo que se sentía en realidad.
Se negó a permitir que la venciera la frustración. Momentos después

se miró en el espejo. «Bueno —insistió—, si no más fresca, por lo menos sí pareces más dispuesta.»

Echó un vistazo al reloj de alarma digital que descansaba sobre la mesilla de noche. «Voy a llegar un poco temprano —pensó—. Así podremos empezar antes.»

Condujo despacio a través de las sombras cada vez más alargadas y dejó atrás la pequeña ciudad para meterse en el tráfico del extrarradio y dirigirse al apartamento que el médico poseía en Pennington. Le vino a la cabeza la opinión que tenía John Barren sobre el estado de Nueva Jersey. Siempre le había gustado mucho, recordó la detective Barren, porque no existía ningún otro lugar que concentrara tan variadas formas de vida: la abyecta miseria de Newark, la increíble riqueza de Princeton, el vibrante Asbury Park, las tierras de cultivo de Flemington. Era un estado capaz de una belleza extraordinaria en unas regiones y de una fealdad excepcional en otras. Fue mirando a un lado y a otro, fijándose en la avenida bordeada de árboles que atravesaba verdes colinas. Ésa era la parte bonita, concluyó la detective.

Salió de la avenida principal y se introdujo de lleno en Pennington. Vio las escenas típicas de una tarde en las ciudades dormitorio: padres que llegan a casa vestidos de traje, niños jugando en las aceras o en los jardines, madres preparando la cena. De algún modo todo aquello le chirrió un poco; parecía demasiado normal, demasiado ideal. Descubrió a un par de chicas adolescentes riendo en una esquina de la calle, con las cabezas juntas en la típica actitud de complicidad. ¡Pero no estaban a salvo!... La idea la aterrorizó. Se le encogió el corazón y sintió que le faltaba el aliento. Experimentó la imperiosa necesidad de parar y gritarle a todo el mundo: «Sois felices, ¡pero no sabéis nada! ¡No lo entendéis! ¡Ninguna de vosotras está a salvo!»

Soltó el aire despacio y giró para tomar la calle de Martin Jeffers. Hizo un alto en mitad de la calzada, apenas mirando a su alrededor. No tenía ganas de ver más retratos de despreocupada felicidad. No quería más estampas de Norman Rockwell. Volvamos a Salvador Dalí.

Se bajó del coche y paró en seco.

De repente se le puso la carne de gallina.

«Aquí pasa algo —pensó—. Hay algo que no concuerda.» De pronto la cabeza le dio vueltas.

«¡Está aquí!»

Miró frenéticamente a un lado y a otro, pero no vio nada que no estuviera donde debía estar. Se informó a sí misma de que estaba mostrándose excepcionalmente paranoica, pero aun así escrutó las ventanas de las casas de la calle intentando detectar un par de ojos clavados en ella.

No vio ninguno.

Moviéndose muy despacio, se pasó el bolso al costado derecho. Procurando ser lo más discreta posible, bajó la mano por detrás de la solapa de cuero marrón. La nueve milímetros ocupaba casi todo el espacio del bolso. Asió la culata.

Experimentó un instante de pánico. «¿Tiene una bala en la recámara?»

No se acordaba. Quitó el seguro y se dijo a sí misma que debía suponer que no había ninguna bala en la recámara. «Primero amartilla la pistola. Estás actuando como una neurótica, porque no pasa nada, pero de todas formas introduce un cartucho.» Sin soltar la pistola, deslizó la mano izquierda al interior del bolso, echó hacia atrás el mecanismo y lo dejó cargado, listo para disparar. Notó que el corto vello de los brazos se le ponía de punta y se imaginó a sí misma como si fuera un perro, olfateando olores desconocidos, con el pelaje del lomo erizado, sin entender de verdad cuál era el peligro pero aceptando las exigencias de un instinto desarrollado a lo largo de muchos siglos.

Miró hacia el apartamento de Martin Jeffers y sintió la boca seca.

«¿Dónde está su coche?» Su cerebro gritaba alarmado.

Dio un paso a un costado, después otro, para asomarse al pequeño camino de entrada de la casa. No había ningún coche. Salió de nuevo a la calle para mirar mejor arriba y abajo.

No había coche.

Se dijo a sí misma que a lo mejor el médico había ido al «deli»; que seguramente eso era.

Pero todos los nervios de su cuerpo le decían que aquel pensamiento tranquilizador era falso. Se cercioró de poder sacar la pistola del bolso sin trabas cuando así se lo exigiera la situación.

Fue hasta la puerta principal y entró.

Lo que vio hizo que el alma se le cayera a los pies.

El correo de Martin Jeffers yacía sin recoger en el suelo, delante del apartamento.

—No. ¡No!

Fue hasta la puerta y sacó la pistola. Con la mano que le quedaba libre golpeó el marco de madera.

No hubo respuesta.

Aguardó un momento y luego volvió a golpear.

Nada.

No hizo ningún esfuerzo por ocultar el arma cuando salió al exterior y dio la vuelta al edificio. Miró por las ventanas y se detuvo delante de la que había abierto ella misma para colarse en el apartamento, hacía ya tanto tiempo.

No captó movimiento alguno. El interior permanecía oscuro.

Regresó a la puerta principal y golpeó otra vez.

Y una vez más le respondió el silencio.

Dio un paso atrás y se quedó mirando la puerta cerrada. Le pareció extrañamente simbólico. «Me han dejado cerrada aquí fuera. Debería haberlo imaginado, y lo imaginé, sólo que me negué a aceptarlo, me negué a creer que fuera a dejarme aquí fuera. Ellos son hermanos.»

Y entonces se derrumbó y se sentó en los escalones que llevaban a los pisos superiores del edificio.

—Se ha ido —se dijo a sí misma en tono inexpresivo—. Lo sabe y se ha ido.

Sintió una momentánea oleada de rabia que se evaporó tan rápido como había llegado. Permaneció sentada, sin sentir nada y sintiendo sobre ella una enorme y absorbente nube gris de derrota que hizo llover desesperación sobre su corazón.

Un camión enorme había quedado atravesado en la carretera 95, no lejos de Mystic, Connecticut, lo cual causó un atasco en el tráfico que abarcaba como diez kilómetros. Martin Jeffers se removió impaciente en su asiento, con el rostro bañado por las luces estroboscópicas azules y amarillas de una ambulancia y de los vehículos de la policía estatal. Cada pocos segundos se iluminaban los pilotos traseros del coche que tenía delante y se veía obligado a pisar el freno. Odió aquel atasco; se entrometía en la frenética presión de los recuerdos que acudían a él desde los recesos de su imaginación. Intentó pensar en los buenos momentos que habían compartido, instantes en el tiempo que crean la relación entre hermanos: una noche de acampada, la construcción de una casita en un árbol, una titubeante y embarazosa conversación sobre chicas que se transformó en una charla sobre la masturbación. Aquello lo hizo sonreír. Doug jamás reconocía nada, pero siempre tenía a mano los consejos de una persona que practicaba con frecuencia, con independencia del tema. Le vino a la memoria una ocasión, cuando él tenía seis o siete años, en que fue agredido por otros niños del barrio armados hasta los dientes con bolas de nieve. Fue incapaz de devolver con la misma intensidad los misiles y las burlas de los otros. Aquél fue un reto inocuo, provocado no por la competitividad o la animosidad, sino por los quince centímetros de nieve recién caída y por el hecho de que aquel día se hubieran suspendido las clases. Doug escuchó el relato que hizo él de la emboscada y el ataque y acto seguido se puso una bufanda, un chaquetón de invierno y unos chanclos de goma y salió por la puerta trasera de la casa. Su hermano se apresuró a seguirlo, ambos dieron la vuelta a la manzana y finalmente llegaron al lugar en cuestión desde atrás, recorriendo los cincuenta últimos metros arrastrándose por el suelo, por detrás de un seto cargado de nieve. Su ataque fue semejante al de un grupo de comandos y obtuvo un maravilloso éxito. Hubo dos lanzamientos que se estrellaron en las caras de un par de los agresores antes de que éstos tuvieran idea de dónde provenían las granadas.

Martin Jeffers pensó bruscamente que ya en aquel entonces su hermano Doug sabía cómo acechar a su presa.

Miró adelante y vio una hilera de bengalas anaranjadas que ardían en la carretera. Había un policía estatal armado con una linterna amarilla que hacía avanzar a los coches con grandes gestos. Aun así, la gente frenaba para contemplar el accidente.

«Siempre nos fascina el desastre.»

«Retorcemos el cuello con tal de ver la pesadilla. Frenamos para investigar las desgracias.»

De repente deseó estar él por encima de la curiosidad, pero comprendió que no lo estaba. Él también frenó al pasar, y acertó a captar un breve vislumbre de una figura cubierta por una manta, tendida en el asfalto, en la inmovilidad de la muerte.

En la Antigüedad, se acordó, el viajero que descubría un augurio tan inoportuno le daba la espalda, agradecido de que los cielos le hubieran enviado una señal que presagiara la tragedia que lo aguardaba.

«Pero yo soy moderno, yo no soy supersticioso.»

Siguió conduciendo. Consultó su reloj de pulsera y comprendió que iba a perder el último transbordador de Woods Hole.

—Maldición, voy a tener que coger el primero de por la mañana.

Esperaba que la empresa transbordadora todavía tuviera en funcionamiento el barco de las seis. Se acordó de que había un buen motel cerca, desde el que se podía ir andando al embarcadero. Por un momento acarició la idea de llamar a la detective cuando se hubiera registrado en el mismo; no para comunicarle dónde estaba, sino para pedirle disculpas e intentar explicarle que estaba haciendo lo que tenía que hacer, lo que le dictaban los vínculos familiares. Quería que ella lo perdonase. Quería que ella se perdonase a sí misma. «Se reprochará a sí misma haberme dejado solo, aunque sólo haya sido durante unos minutos. Debería comprender que ha habido muchas ocasiones en las que yo podría haberla abandonado.» Sabía que aquélla era justo la racionalización que la pondría furiosa. «Bueno, te equivocaste con lo de New Hampshire. Puede que también te equivoques ahora con Finger Point. El cerebro engaña al corazón.»

—Puede que no esté ahí —expresó Martin Jeffers en voz alta—. Puede que esto no sirva más que para ponerme yo solo en ridículo llamando a la puerta de una familia que está de vacaciones y que se imaginará que estoy loco, y nada más.

Salió de su mente la detective Barren y fue sustituida por su hermano. Experimentó un gran vuelco en su interior. Se vio atrapado en un fuerte conflicto de sentimientos. Dos partes iguales, una que exigía que se enfrentase a su hermano, y otra que abrigaba la esperanza de que no tuviera que hacerlo.

La noche había ido asentándose, y se sintió más solo de lo que se había sentido nunca desde aquella noche en New Hampshire, ya más de tres décadas atrás.

La detective Mercedes Barren permaneció inmóvil en los escalones de la entrada del apartamento de Martin Jeffers, dejando que la envolviera poco a poco la oscuridad.

Estaba llena de recuerdos propios; de su marido, de su sobrina. Vio mentalmente un retrato de Susan, pero no de la Susan que había sido estrangulada, agredida sexualmente y arrojada debajo de unos helechos del parque, sino la Susan que venía a cenar, a poner la música a todo volumen y a bailar a su casa, inundada de ruido, a duras penas capaz de contener toda la vitalidad de la joven. Luego aquella imagen se disipó y la detective Barren la recordó de niña, toda vestida de rosa y con lazos, corriendo a su encuentro, haciéndola sentirse, aunque sólo fuera por un instante, completamente llena, completamente amada. Pensó en John Barren, volviéndose hacia ella en mitad de la noche con exigencias amorosas, y en la cálida y familiar sensación de recibirlo en su cuerpo. «Si lo hubiera sabido —pensó—; si alguien me hubiera dicho "procura que cada momento sea especial, porque te queda poco tiempo".»

Luego se vio a sí misma de pequeña, aferrada de la mano de su padre.

Volvió la vista hacia la puerta oscura del apartamento de Martin Jeffers. «Bueno, utiliza la lógica de tu padre. Es lo único que te ha dejado en herencia. Ya te ha ayudado en otras ocasiones. ¿Qué haría él?»

«Examina los hechos. Investiga cada elemento.»

—Muy bien —se dijo con sensatez—. Procedamos con simplicidad.

Jeffers le había dicho que se encontrarían allí.

Una mentira.

Había sido una mentira fantástica. Simple, amable, sobre todo el detalle de los sándwiches. Se había servido de la familiaridad de los últimos días.

Pero ¿cuándo había empezado a mentir?

Repasó el último encuentro entre ambos, en el despacho de él. Jeffers no señaló que hubiera cambiado nada, pero era evidente que sí había cambiado algo. No había recibido llamadas telefónicas, no había correo. Estaba claro que no había regresado a su apartamento y sin embargo decidió marcharse. Dicha decisión tuvo que tomarla antes del encuentro en el despacho. La detective repasó la situación una vez más. No, pensó rápidamente, no había ningún indicio de Douglas Jeffers.

Así que tuvo que haber sido algo que el médico había recordado de golpe.

Se recostó en la oscuridad y reflexionó profundamente.

Jeffers hizo las visitas de pacientes individuales y después acudió a la sesión con aquel horrendo grupo de degenerados. Luego regresó al despacho y empezó a mentir, y después desapareció. La detective Barren se incorporó y por fin se puso de pie. Se puso a pasear por la entrada, en honda concentración. Su agotamiento desapareció barrido por la furia de su cerebro, que trabajaba a toda velocidad. Sintió una embestida de adrenalina que la recorrió de arriba abajo. «De vuelta al caso. Estás otra vez de vuelta en el caso. Actúa como una detective. Claro que ahora tienes dos presas en vez de una.»

—Muy bien —dijo en voz alta—. Empecemos por el hospital. Empecemos por los pacientes que visitó. Hay que pedirle la lista a la secretaria. Si ella no quiere dármela, se la robaré.

Aquellas últimas palabras levantaron eco en el pequeño recinto.

Respiró hondo. De nuevo vio a su sobrina, a su marido, a su padre. Sonrió y apartó aquellas imágenes de su cabeza. «Al trabajo», se dijo. Y reemplazó aquellas visiones con retratos de Martin y Douglas Jeffers.

«Voy por vosotros. Os estoy siguiendo los pasos.»

La débil luz del amanecer iluminaba la proa del transbordador, y Martin Jeffers sintió cómo lo envolvía el frío de la madrugada. Se subió un poco más el cuello de la bata de laboratorio y dejó que lo azotara la brisa. Veía ante sí varias millas de un liso océano verde grisáceo que resplandecía bajo las primeras luces. Se volvió de espaldas al viento y contempló la isla que se erguía a lo lejos. Distinguió la costa bordeada de bonitas viviendas de verano y también, un poco más allá, el blanco resplandor de Vineyard Haven, donde se detendría el transbordador. El sol incidía sobre una hilera de media docena de depósitos de combustible que había junto al embarcadero. En el puerto, decenas de veleros cabeceaban en sus amarres. Pensó en el leve ruido de chapoteo que hacían las olas pequeñas contra el casco de un velero.

El transbordador avanzaba con rapidez por el mar. Cuando comenzó a aproximarse a la rampa, hizo sonar una sola vez la estridente bocina de aire. Martin Jeffers vio que algunos pasajeros daban un respingo, sobresaltados por el ruido.

El transbordador se detuvo con un leve topetazo y sus enormes motores de gasóleo terminaron de acercar la proa al embarcadero. Se produjo una pausa momentánea mientras se abatían las pasarelas y empezaba a bajar la gente. Martin Jeffers se abrió paso por entre aquella muchedumbre de madrugadores. Los coches que aguardaban para subir al transbordador ya estaban alineados a lo largo de la calle. Aquello le recordó a Jeffers lo cerca que estaban de que finalizara el verano, ya que el barco en el que había venido él se encontraba casi vacío. De regreso al continente iría lleno.

Miró brevemente a su alrededor al descender del transbordador y echó a andar por la zona de carga, más allá de la taquilla. «Todo está igual —pensó—, pero al mismo tiempo distinto. Hay más edificios, tiendas y un aparcamiento nuevos. Sin embargo todo sigue estando igual.»

«Creía que no iba a volver aquí nunca más.»

Empezó a contar los años, pero se detuvo. Sabía que la casa seguiría estando donde siempre, junto a la charca, en línea perpendicular respecto del mar. Sus ojos escrutaron las gentes y los vehículos. «Seguirá estando aislada y salvaje, se dijo. Habrá permanecido tal cual.»

No basaba aquella conclusión en ningún dato, sino más bien en una abrumadora sensación de familiaridad.

Era el lugar mejor y peor.

Se acordó de lo que habían dicho los «niños perdidos». Había venido al lugar donde ellos le dijeron que buscara.

Que buscara una muerte.

«En fin —se dijo—, aquí estoy.»

«Éste es el lugar para los dos.»

Cruzó la calle para dirigirse a la oficina de alquiler de automóviles, y barrió de su mente todo lo que no fuera el insistente miedo de que tal vez hubiera acertado.

El empleado estaba tomándose un donut con un café.

—¿En qué puedo servirle?

—Soy Martin Jeffers. Anoche hice una reserva, cuando estaba el otro empleado.

—Sí, esta mañana he visto la nota. Ha venido en el primer transbordador, ¿verdad? Y quería un coche para un par de días, ¿correcto? ¿Unas pequeñas vacaciones?

—Trabajo, más bien. Puede que dure poco, o puede que se alargue.

—Lo único es que tiene que devolver el coche en viernes. Este fin de semana es el Día del Trabajo, ya sabe. Está todo reservado, en todas partes.

—No hay problema —repuso Jeffers.

—¿Tiene una dirección en la isla para ponerla en el impreso?

El médico pensó unos instantes.

—Sí. Chilmark, al lado de Quansoo. Lo siento, pero no hay teléfono.

—Pero tendrá una playa fantástica, supongo.

—Exacto.

—La verdad —dijo el empleado mientras rellenaba el impreso— es que yo no suelo ir mucho por ahí. No se me da muy bien nadar, y con esas olas y la resaca y todo eso me da un miedo de muerte. Pero a los surfistas les encanta. No será usted surfista...

—No.

—Bien. Esos chavales alquilan coches y se meten en la playa con ellos, se quedan atascados y rompen las transmisiones.

Cogió un manojo de llaves que colgaba de la pared que tenía detrás.

—¿Necesita un mapa? —preguntó.

—No, a no ser que hayan cambiado mucho las cosas en un par de años.

—Las cosas siempre cambian. Así es la vida. Pero las carreteras no, si se refiere a eso. —El empleado le acercó el impreso a Martin Jeffers para que lo firmase—. Ya está todo. Es el Chevy blanco que está aparcado en la puerta. Devuélvalo con el depósito lleno, ¿de acuerdo? Antes del viernes.

—Hasta entonces.

Martin Jeffers arrancó el coche y avanzó con dificultad por entre el tráfico de la mañana, cada vez más intenso. Cayó en la cuenta de que no tenía ningún plan, aparte de trabar conversación con la gente que hubiera allí. «¿Qué vas a decir? —se preguntó a sí mismo—. ¿Qué vas a decirles? "Perdone, señor o señora, pero ¿no habrá visto por casualidad a un hombre que guarde un parecido familiar conmigo goteando sangre por el barrio?" ¿Qué otra cosa puedes decir, sino la verdad?»

Comprendió que era imposible. Aquella verdad en concreto se alejaba demasiado de la realidad para poder absorberla a las ocho de la mañana de un día de verano, cuando uno está desayunando placenteramente antes de bajar a la playa.

Así que pensó que era mejor que les dijera que su hermano se había perdido y que él estaba intentando encontrarlo. «Di que se ha fugado, que anda deambulando perdido en sus recuerdos, desconectado de la realidad, igual que la tía Sadie loca que todo el mundo tiene, que un día se fue de casa y tomó un tren a San Luis. Di que es un ser inofensivo. Di que estás preocupado. Di cualquier cosa.»

Toda invención que se le ocurrió se le antojó igual de descabellada.

«Diles simplemente que estás buscando a tu hermano y que tiempo atrás los dos vivisteis en esa casa y has pensado que a lo mejor ha venido a hacerle una visita.»

«Diles lo que desean oír.»

«Pero eso va a resultar imposible.»

En cambio se dio cuenta de que aquella sensación de embarazo era, con mucho, lo menos terrible que podía llegar a suceder.

Condujo surcando las primeras horas de la mañana, atravesando a toda velocidad las sombras que los verdes árboles proyectaban con tanta naturalidad sobre el pavimento. Conducía de forma automática, permitiendo que sus recuerdos se hicieran cargo de llevar el coche. Las distancias parecían extrañamente distintas, primero más largas, luego más cortas. Vio las casas que recordaba, y también otras nuevas que no recordaba. Lo complació, cosa extraña, ver que la tienda de comestibles del pueblo de West Tisbury no había cambiado. Pasó por delante, en dirección al desvío.

Siguió sin descanso la trayectoria marcada por su pasado. «El hospital está por ahí —pensó—. Pero no teníamos por qué darnos prisa, porque no había esperanza.»

Vio a su derecha la gran entrada al camino de arena y redujo la velocidad. Le sorprendió haberlo encontrado, y le sorprendió igualmente que aún conservara el mismo aspecto. Dudó sólo un momento antes de empezar a avanzar por él. La desigual superficie sin asfaltar hacía dar tumbos al coche, y oyó ruiditos que indicaban que la pintura de los costados estaba arañándose debido a las zarzas que se inclinaban sobre el camino. Recordó el motivo por el que aquella senda no había sido asfaltada: la gente que vivía al final de la misma quería desalentar a los posibles turistas. Chocó contra algo y oyó el violento roce de los bajos del coche contra las piedras y la arena. Siempre les había salido bien.

Llevaba recorridos varios kilómetros cuando llegó a los árboles pintados con las flechas de colores. No se molestó en mirarlas; ya sabía qué dirección tomar, incluso después de tantos años. Sintió que se le aceleraba el pulso al meterse entre el ramaje de los árboles.

«Jamás imaginé que iba a regresar aquí», pensó.

Emergió del bosque y vio por primera vez la charca, a un lado del camino. Allá a lo lejos distinguió a duras penas el brillo del sol en la superficie del mar. Destacaban media docena de velas triangulares de pequeños bajeles que ya cruzaban la charca en dirección a la playa. Sus ojos se fijaron en una casa de campo situada al otro lado de la charca, varios centenares de metros tierra adentro. El viejo Johnson. Aquel viejo cabrón. «¿Todavía se dedicará a disparar a los chicos que se meten con el coche en las dunas de arena?» Hizo un alto y bajó la ventanilla. Oyó el rumor del oleaje a lo lejos y se preguntó cómo podía ser que un sonido tan constante y tan violento resultara también tan balsámico.

Entonces volvió la vista al camino y descubrió la casa.

El mejor y el peor de los sitios.

Cerró los ojos e intentó pensar qué iba a decir, y se dio cuenta de que simplemente tenía que confiar en lo que le saliera de forma espontánea. «Lo importante —se dijo—, es parecer abierto, simpático e inofensivo.»

«Tú acércate hasta la puerta y a ver qué pasa.»

Recorrió los doscientos últimos metros y metió el coche en un pequeño camino de entrada. Se apeó del mismo y contempló el edificio. Advirtió que le habían puesto varias piedras grises de más y que algunas ventanas parecían nuevas. Era una vivienda alargada y de una sola planta, al estilo tradicional de Cape Cod, con una puerta principal que daba al camino y otra trasera orientada hacia la charca y el mar a lo lejos.

Finger Point, pensó. Un brazo de tierra que se introduce en la charca apuntando hacia el océano. No era un método precisamente interesante para poner nombre a una propiedad, pero sí preciso. Contempló cómo se agitaban las hierbas a causa de la brisa en la otra orilla, en la propiedad de Johnson, y recordó cómo corría él de pequeño entre aquellas hierbas que le arañaban la piel, ajeno al dolor, intentando seguir el ritmo de su hermano. Cerró los ojos y notó el sol en la cabeza y en los hombros. Por un momento se sintió como un completo idiota, y al momento siguiente experimentó un agudo terror. Le entraron ganas de volver al coche y marcharse de allí.

«Doug no está aquí. Está en otra parte, perdido por el país, haciendo cosas atroces. Se ha ido para siempre. Da media vuelta y vete, y no vuelvas a pensar en él.»

Pero sabía que aquello era imposible, de modo que abrió los ojos.

«Has llegado hasta aquí sin mirar atrás. Bien podrías ponerte totalmente en ridículo.»

Fue hasta la puerta principal y llamó haciendo un ruido manifiesto.

«Lo siento —se dijo—. Espero no sacar a nadie de la cama.» Oyó unas pisadas en el interior de la casa, y entonces se abrió la puerta.

Se trataba de una mujer joven y guapa, de veintipocos años, calculó Jeffers, con una melena rubia que se veía contrarrestada por su atuendo, negro y mecánico.

—Disculpe —empezó Martin Jeffers. Le pareció que la joven iba vestida de modo insólito para una mañana de verano, pero no tuvo tiempo de evaluar aquella idea—. Ya sé que es muy temprano, y lamento muchísimo molestarla, pero...

De pronto se interrumpió.

La joven lo estaba mirando con los ojos muy abiertos, como si su presencia le hubiera causado una fuerte impresión. Vio que sus ojos absorbían los detalles de sus rasgos faciales.

—Disculpe... —empezó de nuevo.

—Pero ¿por qué? —dijo a su espalda una voz terrible, burlona, pero totalmente familiar.

Los componentes del grupo de los «niños perdidos» fueron desfilando lentamente al interior de la sala bañada por el sol y ocupando sus asientos habituales. Hacían aquello por costumbre y por cumplir las normas de la programación del hospital, las cuales dictaban que a aquella hora del día debían estar en esa sala, recibiendo la consabida terapia. Se recomendaba no desviarse de la norma cotidiana. Así que acudían, sabiendo que la norma cotidiana ya se había roto. Pero todos ellos estaban lo bastante versados en burocracia para entender que, aunque no fuera a haber sesión, sin duda las normas exigían que todos acudieran a la sala hasta que se les ordenara explícitamente lo contrario. Sabían que Martin Jeffers no iba a asistir, porque él mismo lo había dicho. Sabían que la siguiente sesión iba a consistir en permanecer sentados mientras algún otro médico, llamado a causa de la precipitada marcha del suyo, vendría a ocupar su lugar. Y también sabían que al médico nuevo no iban a decirle nada de nada.

Aguardaron fumando, conversando en voz queda unos con otros, con ociosa curiosidad respecto a lo que iba a pasar.

Todos a una se quedaron estupefactos cuando entró por la puerta la detective Barren.

En el silencio que acompañó a su entrada, la detective Barren recorrió la sala con una mirada pétrea. «Éstos son mis enemigos naturales», pensó. Notó que se le ponía la piel de gallina.

En la sala no se oyó el menor ruido.

Esperó unos instantes y después dio unos pasos para situarse enfrente del grupo. Sintió todas las miradas sobre sí. No sabían quién era, por supuesto, pero ella supo que suscitó un odio instantáneo, profundo.

El mismo que sintió ella.

Giró y se encaró con el grupo.

Poco a poco, exagerando los movimientos, introdujo una mano en el bolso y sacó su placa dorada. La sostuvo en alto para que todos pudieran verla con claridad. La chapa reflejó la luz del sol y relumbró en su mano.

—Me llamo Mercedes Barren —dijo en tono firme—. Soy detective, del departamento de policía de la ciudad de Miami. —Hizo una pausa—. Si yo hubiera llevado los casos de ustedes, ahora estarían todos entre rejas. —Esto último lo dijo como un hecho indiscutible. En la sala reinó el silencio. Le cupieron pocas dudas de que aquellos individuos habían asimilado cuidadosamente lo que acababa de decir. Ahora vamos a sorprenderlos con un giro inesperado—: El médico que suele ocuparse de este grupo es el doctor Martin Jeffers. Pero ayer por la tarde abandonó súbitamente el hospital, poco después de la sesión con ustedes... —Hizo otra pausa—. ¿Dónde está?

La sala explotó en una cacofonía de voces; los miembros del grupo juntaban las cabezas y hablaban todos a la vez.

La detective Barren alzó una mano, y los doce pares de ojos se posaron de nuevo en ella.

Alguien murmuró:

—Que la follen.

La detective hizo caso omiso.

—¿Adónde ha ido?

Se produjo otro revuelo de conversaciones que rápidamente fue acallándose y dando paso a un silencio beligerante. Por fin uno de los presentes, un individuo fornido, picado de viruela y con una mueca burlona en la cara, dijo:

—Jódase, señora.

—¿Cómo se llama usted?

—Miller.

—Miller, cuando se le acaben estas pequeñas vacaciones, se enfrenta a una temporadita en prisión, ¿verdad? ¿Qué le parecería ir a pasarla a una cárcel de máxima seguridad?

—Puedo hacerlo —replicó Miller.

—Eso espero.

Una vez más el silencio volvió a apoderarse de la estancia, hasta que un hombre pequeñajo y redondeado llamó la atención de la detective Barren agitando la mano. Ella lo instó con una inclinación de cabeza, y él dijo en un tono sarcástico y afeminado:

—¿Por qué, detective, debemos molestarnos en ayudarla?

—¿Cómo se llama usted?

—Soy Steele —repuso él—, pero mis amigos me llaman Petey.

—Si tuvieras alguno —dijo otra voz. La detective no pudo distinguir quién había sido, y tuvo que hacer un esfuerzo para no sonreír. Se elevó un murmullo de risas.

—Muy bien, Steele, voy a decirle por qué deben ayudarme. Porque todos ustedes son delincuentes. ¿Y quién coño cree que ayuda a la policía? Así es como funcionan las cosas, ¿sabe? Los malvados saben dónde están los otros malvados.

—¿Está diciendo que el doctor Jeffers es uno de los malvados? —El que hablaba era Bryan.

—No, no estoy diciendo eso. Pero ha ido a buscar a un tipo malo de verdad.

—¿A quién? —Esta vez fueron Senderling y Knight al mismo tiempo.

Ella titubeó. Bueno, ¿y por qué no?

—Si me ayudan, se lo diré. Pero antes quiero que acepten.

Recorrió la sala con la mirada. Vio que todos juntaban las cabezas unos con otros.

—De acuerdo —dijeron Knight y Senderling juntos—. La ayudaremos. —Rieron ligeramente—. No tenemos nada que perder.

—Excepto quizá la c-c-onfianza del doctor Jeffers —tartamudeó Wasserman.

Aquello logró que todos hicieran una pausa.

—¿Y qué ganamos nosotros? —preguntó Miller.

—Nada tangible. Sabrán un poco más. La información siempre vale mucho.

Miller lanzó un bufido.

—Es usted como todos los polis, aunque no esté equipada como es debido. Quiere obtener algo a cambio de nada.

La detective Barren no respondió.

—Mire —dijo Parker—, si la ayudamos un poco, ¿nos promete que al doctor Jeffers no le va a pasar nada? Quiero decir legalmente, no sólo en el aspecto físico.

—El doctor Jeffers no es el objeto de mi investigación —repuso la detective Barren—. Pero él conoce a la persona que sí lo es. Y lo que quiero es evitar que se meta en más problemas. ¿Le basta con eso?

—No me fío de los polis —dijo Miller.

—Bueno, ¿y corre peligro el doctor Jeffers? —inquirió Bryan.

Pude que sí. Puede que no. La detective Barren no lo sabía. De modo que mintió.

—Sí. Sin duda alguna. Pero él no lo sabe.

Aquello provocó nuevos murmullos entre los presentes.

—Voy a decirle una cosa —propuso Knight—. Usted nos dice en qué consiste el trato, quién es ese colega peligroso, y nosotros decidimos si la podemos ayudar o no.

La detective Barren se encogió de hombros. Sabía que si quería extraer alguna información al grupo tenía que mantener viva la conversación. Si se ponía a la defensiva, ellos harían lo mismo.

Respiró hondo y contestó:

—Es su hermano.

Se produjo un instante de silencio, y a continuación Steele empezó a lanzar silbidos y batir palmas. Saltó de su asiento y se puso a bailotear.

—Lo sabía, lo sabía. ¡A pagar! ¡A pagar! Tú, Bryan, dos paquetes de tabaco. Tú, Miller, tres paquetes. Todos los imbéciles que habéis apostado contra mí... ¡Os dije que era un familiar! ¡Tenía que serlo! ¡Hala, a pagar todos!

La detective Barren vio que los miembros del grupo gruñían entre sí.

—Y bien —exigió—, ¿adónde se ha ido?

—N-n-no lo dijo —respondió Wasserman.

—No fue nada concreto —intervino Weingarten—. Lo único que dijo fue que ese tipo, sin mencionar el nombre, era peor que nosotros. Dijo que estaba visitando recuerdos. No creo que nosotros le dijéramos gran cosa que pudiera ayudarlo.

—Sí, excepto que de repente va y se las pira. —El que habló fue Parker.

—En cualquier caso lo tenía todo muy revuelto —refunfuñó Miller—. No estaba seguro de cuál era el recuerdo que andaba buscando. Tuvimos que aclarárselo nosotros. Le dijimos que buscase el recuerdo peor, porque ése sería el mejor para un tipo como nosotros.

—¿Qué le dijeron exactamente? —La detective Barren se inclinó hacia delante.

—Mierda, vete tú a saber. Dijimos muchas cosas.

—Sí, pero entre ellas hubo una que le hizo acordarse de algo.

Todos los presentes volvieron a hablar unos con otros.

—Dijimos muchas cosas —insistió Miller.

—¡Venga, maldita sea! ¿Qué dijeron?

—Quería saber qué ocurrió para que nosotros nos sintiéramos libres, ya sabe, libres para hacer lo que se nos antojara.

—¿Qué?

—Nos preguntó qué fue lo que nos hizo empezar. Ya sabe, el chispazo que nos hizo arrancar.

La detective Barren respiró hondo. Aquello le resultó perfectamente lógico. Él había exigido la llave. Y ellos se la habían entregado.

—¿Y qué dijeron? ¿Qué fue, exactamente?

Los presentes la miraron irritados. Ella percibió la intensidad del odio que sentían hacia ella, no meramente como policía, sino también como mujer. Les sostuvo la mirada con toda la intensidad que pudo encontrar en su interior.

El silencio reinante era como el aceite, se extendía por todas partes.

Sintió deseos de chillar.

«Díganmelo —gritó mentalmente—. ¡Díganmelo!»

—Yo lo sé —dijo una voz grave desde el fondo de la sala. Era Pope.

La detective Barren se inclinó hacia delante y lo miró a los ojos. «He aquí, pensó para sus adentros, un hombre verdaderamente terrorífico.» De pronto tuvo una visión horrible de aquel individuo haciendo presa en ella y desgarrándole la ropa. Le gustaría saber cuántas mujeres habían tenido aquella pesadilla en la realidad.

—Yo sé lo que dije. Y eso le recordó algo.

—¿Qué?

Pope calló unos momentos. Después se alzó de hombros.

—Espero que muera todo el mundo —dijo en voz baja. Miró a la detective Barren—. Dije: busque una muerte o una separación. Esto siempre empieza con lo uno o con lo otro. En ocasiones son una misma cosa.

La detective se reclinó en su silla. «Una separación —pensó—. Nosotros hemos ido allí, a New Hampshire.»

—¿Eso fue todo? —preguntó. Ocultó la sensación de derrota en el tono de voz.

—Eso fue todo. Después se levantó y se largó.

—Pe... pe... perdone, de... de... detective...

Ella miró fijamente al tartamudo. Se preguntó cuántas muertes habría esparcidas por aquella sala. Cuántas vidas destrozadas. Sintió un escalofrío interior.

«Una muerte —pensó—; una vida destrozada.»

Esa idea fue tomando forma poco a poco, como un ciclón a lo lejos, pero aumentando de potencia y de peso a cada segundo que pasaba. Notó que se sonrojaba, como si la temperatura de la sala se hubiera incrementado de repente, y le vinieron a la cabeza dos frases que había pronunciado Martin Jeffers de paso unos días antes: «Ese cabrón ni siquiera nos dio su apellido... y murió, en un accidente.»

Apoyó la mano en la frente como si quisiera comprobar si tenía fiebre. Observó los ojos brillantes de los hombres que la rodeaban. Entonces se puso en pie, sin darse cuenta de que estaba repitiendo lo mismo que había hecho Martin Jeffers.

—Gracias —les dijo—. Me han sido de gran ayuda.

«Ya lo sé. Ya lo sé.»

Quizá, quizá, quizá. Al menos es un sitio por el que empezar.

Visualizó el ajado periódico que guardaba Martin Jeffers en aquella caja bajo la cama.

«¡Ve! —gritó una voz dentro de ella—. ¡Ve! ¡Te dirá adónde se ha ido!» Sólo gastó un momento en reprenderse a sí misma por no haber caído en algo que era obvio la primera vez que allanó el apartamento de Martin Jeffers. «En esta ocasión —se dijo—, ya sabes lo que estás buscando.»

Dio media vuelta y dejó al grupo murmurando a su espalda.

Salió del hospital con tanta prisa, que los tacones de sus zapatos sonaron igual que una ametralladora a ritmo *staccato*.

XIV

En tierra de nadie

19

Holt Overholser, de sesenta y tres años de edad, jefe del cuerpo de policía de West Tisbury y único miembro permanente del mismo durante todo el año, manoseaba los papeles de su mesa quejándose para sus adentros del flujo de veraneantes que todos los años pagaban su sueldo, pero que también se negaban a obedecer las señales de limitación de la velocidad y se empeñaban eternamente en arrojar la basura en el vertedero del pueblo en los días en que éste se encontraba cerrado oficialmente. Había pasado una buena parte de la tarde ocupado con el radar, multando vehículos. Los encargados municipales habían colocado una señal de prohibido circular a más de veinticinco kilómetros por hora a ochocientos metros del centro urbano, sabedores de que nadie iba a frenar tanto por lo menos hasta que hubieran rebasado la iglesia presbiteriana. Allí fue donde aparcó Holt y donde se dedicó a hacer parar a uno de cada dos coches y poner al conductor una multa de veinticinco dólares por exceso de velocidad, la cual había tenido la previsión de rellenar por adelantado.

Aquello se había convertido en una importante fuente de ingresos para el pueblo; los encargados del ayuntamiento estaban contentos, y Holt también. El año anterior habían recaudado lo suficiente para que él pudiera comprarse un Ford Bronco con tracción a las cuatro ruedas y el equipamiento especial para la policía. Este año pensaba comprarse uno de esos radiotransmisores que se llevan en el cinturón, con el micrófono sujeto al hombro, como los que usaban a veces en *Canción Triste de Hill Street*. Aquélla era la serie favorita de Holt, y una buena parte de su entrenamiento como policía la había adquirido viendo religiosamente esa y otras series de televisión que se remontaban hasta la época de *La patrulla de caminos*. Cada vez que apagaba la radio decía: «Veinte cincuenta llamando a jefatura», con el mismo acento áspero que había hecho famoso a Broderick Crawford. Le gustaría saber si emitirían alguna serie buena de policías en la próxima temporada televisiva, pero lo dudaba; los polis parecían haber perdido otra vez el favor del público, y era posible que pasaran un par de años antes de que la televisión probara algo nuevo. Porque no podía contar *Corrupción en Miami* como serie de policías.

Holt pasó las páginas del bloc de multas para cerciorarse de que todo fuera legible antes de enviarlo a la oficina del secretario del ayuntamiento. Había puesto cuarenta y siete multas en cuatro intensas horas. Aquello suponía tres por debajo de su récord, pensó con cierta tristeza. Pero el Día del Trabajo estaba ya al caer, y no le cabía duda de que no sólo iba a batir su récord, sino que además iba a hacerlo pedazos.

Se estiró y miró por la ventana del pequeño despacho. La oscuridad se había insinuado sobre aquella noche de finales de verano. Lo único que quedaba del día era un resplandor rojizo al oeste que iba desapareciendo rápidamente. Holt no había viajado nunca en esa dirección más allá de la casa de su hermana, en Albany, con ocasión de la festividad de Acción de Gracias, pero leía con avidez, sobre todo novelas y libros de viajes, y anhelaba ir. Le gustaba imaginarse a sí mismo como alguien que da un salto atrás hacia otra era, la del Salvaje Oeste; se veía como un pacificador de una localidad pequeña, duro pero simpático, una persona justa pero a la que no convenía contrariar, un buen hombre al que tener al lado en una pelea.

Naturalmente, no había tenido una sola pelea en los treinta y tres años que llevaba trabajando en la policía de Martha's Vineyard. Lo más a que se había enfrentado era algún que otro borracho pendenciero.

Cerró los ojos y se echó hacia atrás en su sillón. Tenía para cenar pescado azul fresco, guisado con verduras de su propio huerto. Holt se congratulaba de comer bien, algo que resultaba de la dedicación de su esposa. Se golpeó el pecho; sesenta y tres, y aún estaba fuerte como un roble, se enorgulleció. Los encargados de asuntos municipales habían intentado jubilarlo tres años atrás, pero Holt superó el examen médico de la policía estatal por delante de media docena de hombres que tenían la tercera parte de sus años, y esa evidencia convenció a los funcionarios para conservarlo en su puesto. Además, les divertía el método que empleaba Holt para sacarles unos buenos dineros a los muchachos que contrataba como ayudantes de policía para la temporada de verano. Holt era capaz de luchar con cualquiera de ellos y tumbarlos valiéndose tan sólo de la mano izquierda; cuarenta años antes había trabajado en un barco langostero de Menemsha, y la tarea de levantar cajas sin parar desde el fondo le había proporcionado una considerable fuerza física en la mitad superior del cuerpo. También había aprendido a jugar al póquer de joven, lo cual le servía ahora para complementar jugosamente sus ingresos. «Los universitarios siempre creen que saben jugar. Son meros aprendices», pensó.

Examinó el fajo de multas y decidió que podía esperar hasta el día siguiente. Así ocurría con la mayoría de las cosas, incluso en la temporada veraniega. Lanzó un bostezo y cogió con gesto de desgana la radio de policía apoyada en un extremo de la mesa.

—Central, les llama Uno, Adam, Uno, West Tisbury. Soy diez-treinta y seis de la oficina principal. Ruego me pongan en línea de urgencia, diez-cuatro.

—Hola, Holt ¿Cómo estás?

—Esto... Bien, central.

—¿Recibió Sylvia la receta que le envié?

—Afirmativo, central.

Odiaba que Lizzie Barry hiciera el turno de noche de la red de emergencias de la isla. Era mayor que él y estaba un poco senil. Nunca utilizaba la terminología apropiada.

—Uno Adam Uno, afirmativo, diez-cuatro.

—Buenas noches.

Colgó el micrófono y ya empezaba a recoger sus cosas cuando vio a la mujer que entraba por la puerta. Sonrió y le dijo:

—Justo estaba recogiendo para cerrar, señora. ¿En qué puedo ayudarla?

—Necesito ciertas indicaciones —respondió la detective Barren.

—Oh, cómo no —repuso Holt mirando a la mujer de arriba abajo. A pesar de los vaqueros azules y la camisa, no parecía una turista de vacaciones. Tenía un aire de gran ciudad, y Holt olfateó que venía por trabajo. Probablemente se trataba de otra de esas malditas promotoras inmobiliarias, esa raza.

—Estoy buscando un lugar en el que hubo un accidente hace aproximadamente veinte años.

—¿Un accidente? —Holt se sentó y señaló con un gesto la silla que tenía enfrente. La solicitud le había picado la curiosidad.

—Hará unos veinte años, se ahogó en South Beach un comerciante de Nueva Jersey, propietario de una farmacia. Necesito saber dónde tuvo lugar dicho accidente.

—Bueno, South Beach se encuentra a veintisiete kilómetros de aquí, y veinte años es mucho tiempo. Tendrá que darme algún dato más.

—¿Recuerda usted el incidente?

—Señora, usted me perdonará, pero todos los veranos tenemos uno o dos ahogados. Llega un momento en que ya todos parecen iguales. Además, de eso se ocupan los guardacostas. Yo sólo me encargo del papeleo.

—Tengo la reseña que apareció en el periódico. ¿Serviría?

—No se pierde nada con verla.

Holt se inclinó hacia delante mientras Mercedes Barren extraía de su bolso el viejo ejemplar del *Vineyard Gazette*. El policía entrevió por un momento el cañón de la pistola automática, y sin pensar una reacción inteligente, dijo en un impulso:

—¿Lleva encima un arma, señora?

—Sí —contestó ella. Introdujo una mano en el bolso y sacó la placa dorada—. Debería haberme presentado. Soy la detective Mercedes Barren, de la policía de la ciudad de Miami.

Holt quedó fascinado al instante.

—Por aquí no tenemos muchas visitas que se diga de policías de ciudades importantes. ¿Está investigando un caso?

—No, no, sólo vengo a visitar a unos amigos.

—Oh —repuso Holt, desilusionado—. ¿Y por qué lleva la pistola, entonces?

—Es por costumbre profesional, lo siento.

—Ya. ¿No querría dejarla aquí depositada?

—Jefe, si no le importa, tengo que marcharme pronto, y me resultaría más cómodo llevarla conmigo encima. Seguro que puede usted forzar un poco alguna norma por un compañero de profesión.

Holt le sonrió e hizo un leve gesto con la mano para indicar que podía quedarse con el arma.

—Es que en esta isla no nos gustan mucho las armas. Nunca sirven para nada bueno.

—Jefe, eso también sucede en la gran ciudad.

Le mostró el periódico al policía. Éste leyó rápidamente la hoja.

—Sí, ya me acuerdo, pero vagamente. Un tipo que quedó atrapado en un remolino, me parece. No pudo hacer nada. —Levantó la vista hacia Mercedes Barren—. Imagino que en Miami no tienen remolinos en las playas.

—No, jefe.

—Bueno, un remolino se forma cuando el movimiento de las olas levanta parte de la arena del fondo, como si abriera un agujero. El agua entra por ahí, y de pronto tiene que volver a salir. A un par de cientos de metros de la costa, desaparece. El problema es que la mayoría de la gente forcejea como loca al sentir que la arrastra la corriente de la playa. No saben que lo único que tienen que hacer es dejarse llevar y luego volver nadando. O, si tienen que hacer algo, nadar paralelo a la playa. Lo más normal es que la resaca del remolino abarque tan sólo veinte o treinta metros. Pero no, la gente no mantiene la calma. Agitan brazos y piernas, se agotan, y se acabó. Más papeleo para mí y una salida de los guardacostas en busca del cadáver. En South Beach ocurre una o dos veces al año.

—El periódico sólo dice South Beach.

Holt siguió leyendo.

—Aquí dice que la familia se quedaba en West Tisbury, pero no aclara dónde.

—Ya lo sé. Pensé que a lo mejor usted se acordaba.

Holt negó con la cabeza y volvió a mirar el periódico.

—¿Y qué tiene que ver esto con los amigos que ha venido a visitar?

Mercedes Barren rió.

—En fin, jefe, es una historia muy larga, pero voy a tratar de resumirla. Mis amigos tienen alquilada la casa, y se encontraron con este periódico viejo. Sabían que yo iba a venir a verlos y se les ocurrió que esto me resultaría interesante, de modo que me lo enviaron a Miami, junto con unas instrucciones para encontrar el sitio en cuestión. Bueno, pues se lo crea o no, he perdido el papelito de las instrucciones y el número de teléfono, pero aún conservo este periódico. Así que ahora intento localizarlos.

—Ajá.

—Estoy segura de que a lo lago del verano debe de pasar por aquí mucha gente de lo más raro.

—Ajá.

—Bueno, pues póngame en la lista de los turistas raritos y ayúdeme a averiguar adónde tengo que ir.

Holt sonrió de pronto.

—Sería una lista larguísima, si me diera por hacer una.

Rieron los dos.

—Lo sospechaba —dijo la detective.

El policía volvió a fijarse en el periódico.

—Supongo que podríamos hacer una llamada a alguna inmobiliaria para ver si se han ocupado ellos del alquiler. Pero tardaríamos un montón de tiempo. Hoy en día hay muchas inmobiliarias en esta isla. ¿Ha probado a llamar al *Gazette*?

—Sí, pero a estas horas ya han cerrado.

Holt caviló unos instantes.

—Bueno, tengo una idea, a lo mejor tenemos suerte.

Tomó el micrófono que conectaba con la policía y dijo:

—Central, aquí Uno Adam Uno, otra vez.

—Hola, Holt —respondió Lizzie Barry—. Ya deberías haberte ido a casa. Seguro que se te está enfriando la cena en la mesa.

—Central, tengo en la oficina a una mujer que busca a unos amigos. Es una historia muy larga, pero sus amigos se quedan en la misma casa en que se quedó un tipo llamado Allen el verano en que se ahogó. Hace veinte años. ¿Te acuerdas de ese caso? Cambio.

La radio crepitó durante unos instantes.

—Por supuesto que me acuerdo, Holt. Estaba dándose un baño por la tarde. Fue aquel verano que sufrimos la ola de calor, acuérdate, cuando llegamos incluso a cuarenta grados. Lo recuerdo porque aquel mismo día se me murió el perro. De un golpe de calor. Era un perro muy bueno, Holt, ¿no te acuerdas de él?

Holt no se acordaba.

—Claro. Claro. ¿No era un setter?

—No, un golden retriever.

—Ah. —Holt esperó a que la voz continuara hablando, pero no fue así—. Bien, central..., Lizzie, ¿recuerdas dónde vivía aquel tipo? Cambio.

—Creo que sí. No estoy segura, pero me parece que se quedaba junto a la gran charca de Tisbury. En Finger Point. Claro que podría estar equivocada.

—Gracias, Lizzie. Diez-cuatro.

—Cuando quieras, Holt. Cambio y corto.

Holt Overholser colgó el micrófono.

—Qué le parece —dijo—. La buena de Lizzie es como una enciclopedia. Se acuerda prácticamente de todo lo que sucede aquí. Por lo menos de todo lo que resulte emocionante. Pero, oiga, le va resultar más bien peligroso intentar dar con ese sitio de noche. Debería buscar un hotel para dormir, y ya se acercará mañana por la mañana.

—Me parece una buena idea. Pero ¿podría simplemente indicármelo en el mapa?

Holt se encogió de hombros. Fue hasta la pared y le mostró a la detective la entrada arenosa por la que se accedía y dónde giraba el camino sin asfaltar. También le enseñó la bifurcación y qué ramal conducía a Finger Point. No recordaba cuánto hacía que no iba él por aquel lugar; probablemente los mismos veinte años que habían transcurrido desde el accidente. Sacudió la cabeza.

—Tiene que aprendérselo de memoria —dijo—. Allí no hay iluminación de ninguna clase, todo parece igual. Podría perderse de verdad. Espere a mañana.

—Es un buen consejo, jefe. Se lo agradezco. Creo que voy a acercarme a Vineyard Haven a buscar un hotel. Pero le agradezco el esfuerzo.

—No hay problema.

Holt Overholser acompañó a Mercedes Barren al exterior, donde ya había oscurecido.

—Esta noche hace calor —comentó—. Hace tres días bajó la temperatura a ocho grados, así que estos viejos huesos aún están diciendo que vamos a tener un otoño adelantado y un invierno duro. Claro que cuando se llega a mi edad todos los inviernos son duros.

Mercedes Barren rió.

—Jefe, por la pinta que tiene usted, seguro que es capaz de aguantar lo que el invierno le eche encima.

—Bueno, imagino que ahí abajo, en Miami, no se preocupan mucho del frío.

—Así es. —La detective sonrió—. ¿Me recomienda algún hotel?

—Son todos bastante buenos.

—Gracias otra vez.

—Cuando quiera. Pásese por aquí y charlaremos del trabajo de los policías.

—Puede que lo haga —respondió Mercedes Barren.

Holt observó cómo ella volvía a subirse a su coche. No advirtió la instantánea desaparición de aquella actitud amistosa y abierta, que fue sustituida de inmediato por una concentración rígida y una mirada dura. La detective salió de la entrada de la pequeña comisaría de policía. Entonces fue cuando Holt empezó a saborear ya el pescado que lo aguardaba, aunque advirtió que la detective Barren había tomado la carretera que conducía no al pueblo, sino al interior de la isla, y eso hizo que se detuviera un momento, con una ligera preocupación, antes de dirigirse a su casa.

La detective Mercedes Barren condujo con cuidado a través del negro de la noche. «Con esta oscuridad me va a costar más trabajo dar con la casa —pensó—, pero en cambio me va a resultar más fácil acercarme a Douglas Jeffers sin que me vea, lo cual me proporcionará una ventaja.»

No tenía en mente ningún plan concreto, salvo el de no concederle ninguna oportunidad a su presa.

«Le dispararé por la espalda si es preciso —decidió—, y si puedo. No dudaré. No esperaré. Sencillamente aprovecharé para disparar cuando se presente la ocasión.»

«Un solo tiro, con eso bastará.»

«Es todo lo que voy a conseguir, y es todo lo que necesito.»

Continuó con la vista fija en la carretera, un poco por delante del trecho que alcanzaban a iluminar los faros del coche, buscando el desvío que la llevaría en dirección a Finger Point.

Las imágenes de aquel día parecían distantes, y sin embargo se entrometían en su concentración. Visualizó a los «niños perdidos», sentados alrededor de ella, en equilibrio al borde de su perversión, observándola. Se dijo que los había manejado bastante bien. Se quedó momentáneamente perpleja por el poder que tenían las sugerencias, el hecho de que decir las palabras adecuadas en el contexto adecuado podía desatar casi cualquier conclusión. Se fue de aquella sala totalmente convencida de que Martin Jeffers había ido a buscar a su hermano en el lugar en que había fallecido el padre adoptivo de ambos. Aquel convencimiento permaneció firme, inquebrantable, cuando se acercó a una de las ventanas de su apartamento con una palanca para neumáticos y penetró en él como lo había hecho en la ocasión anterior, sólo que esta vez hizo caso omiso del ruido que pudiera hacer y no disimuló en absoluto estar actuando a hurtadillas.

Fue directamente al dormitorio en busca de lo que necesitaba: el periódico viejo y descolorido. Experimentó una rabia momentánea al leer la reseña buscando detalles y descubrir que ésta era menos específica de lo que necesitaba.

En cambio, ese viejo policía de pueblo había estado perfecto.

Recordó cómo salió a toda prisa de Nueva Jersey, peleando contra el tráfico vespertino del área que rodeaba Manhattan, gritando de frustración por las retenciones en la carretera.

Tuvo que esperar lo que se le antojó una eternidad en Woods Hole, paseando nerviosa en el interior de la oficina del transbordador con los puños cerrados. El propio trayecto en el transbordador había resultado tedioso, las imágenes de postal de la puesta de sol y los veleros surcando las verdes aguas la irritaron sobremanera.

Pero, para compensar el malestar, obtuvo un éxito especial cuando acudió a la oficina de alquiler de coches que estaba más cerca del embarcadero. El hombrecillo que aceptó su tarjeta de crédito y le entregó las llaves, también la informó de que tenía toda la razón, que en el transbordador de la mañana había llegado en efecto un tal Martin Jeffers.

—Dijo que tenía asuntos en la isla. ¿Es amigo suyo?

—Bueno, en realidad somos de la competencia.

—Algo de inmobiliarias, seguro. Ustedes siempre están yendo de acá para allá, intentando adelantarse al siguiente que venga.

Ella no lo corrigió.

—Bueno, ganar dinero no es nada fácil.

—Aquí, sí. Esto está lleno de bandidos. —El empleado miró el carné de conducir—. No viene por aquí mucha gente de Florida. Vienen sobre todo de Nueva York, Washington, Boston. Pero de Miami, no.

—Yo trabajo para una empresa grande —mintió la detective—. Tienen muchas oficinas.

—Bueno —siguió diciendo el empleado—, en mi opinión, ya tenemos demasiado desarrollo urbanístico aquí, la verdad.

La detective Barren captó un deje de rabia en su tono de voz.

—¿Usted cree? —replicó—. Yo trabajo para una empresa especializada en la restauración de propiedades antiguas. No como mi colega Jeffers; él lleva moteles y bloques de pisos.

—Maldición —dijo el empleado—. Ojalá no le hubiera dado el coche.

—¿Qué tipo de coche le ha dado?

—Un Chevy Celebrity blanco. Matrícula ocho, uno, siete, seguido de tres jotas. Búsquelo bien.

—Gracias —contestó la detective Barren—. Lo buscaré. ¿Dijo exactamente adónde se dirigía?

—No.

—Bueno, ya daré con él.

—Buena suerte. Devuelva el coche mañana antes de las ocho de la tarde para no tener que pagar el recargo.

Encendió las luces largas y descendió por una pequeña bajada de la carretera. Cada cien metros veía otro camino sin asfaltar que salía a la derecha, y maldijo enfadada para sus adentros porque todos parecían iguales.

«Sigue adelante, no te pares. Busca la entrada de arena, como te ha dicho el policía.»

Se cruzó con otro coche, que le dio las luces para indicarle que bajara las suyas. Ella así lo hizo, y el otro coche se deslizó por su lado con un fuerte estruendo en aquella estrecha carretera. Ella tuvo la sensación de haber pasado a escasos centímetros del otro y sintió un momento de pánico. Vio cómo se perdían las luces rojas traseras y de pronto volvió a engullirla la oscuridad.

Miró fijamente la noche.

—Es aquí —dijo en voz alta, reconfortada por el sonido de su propia voz en el interior del coche—. Estoy segura de que es aquí. —Siguió adelante y fue reduciendo la velocidad poco a poco—. Vamos, vamos, ¿dónde estás?

Se encontraba sola y a la deriva, con la isla oscura como el océano. Contempló el perfil del horizonte, y a duras penas logró distinguir dónde terminaban los árboles y dónde comenzaba el cielo. Sintió una cierta inquietud, como si estuviera suspendida sobre el agua, asida a una delgada cuerda. Notó la tensión que le inundaba todo el cuerpo. Sintió que estaba cerca. Experimentó una sensación de ahogo, como si se hubiera agotado todo el aire del interior del coche. «Él está aquí, estoy segura. Pero ¿dónde? ¿Dónde?» Hizo rechinar los dientes; estrujó el volante con las manos hasta que se le pusieron los nudillos blancos; se gritó a sí misma, casi chillando para contrarrestar la soledad del automóvil y de la noche:

—¡Vamos, vamos!

Y entonces vio el desvío.

Anne Hampton se hallaba sentada a la mesa, con la mirada fija en el cuaderno abierto que tenía ante sí. Leyó lo que había escrito: «Hago lo que hago porque tengo que hacerlo, porque quiero hacerlo. Porque todos tenemos dentro algo que nos dice lo que tenemos que hacer, y si no hacemos caso, nos asfixia con el deseo de hacerlo.»

A continuación había anotado la respuesta del hermano: «Puedes pedir ayuda. No tiene por qué ser así.»

Anne Hampton movió la cabeza en un gesto negativo. Aquélla era una táctica completamente errónea para tratar con Douglas Jeffers. Volvió a leer los apuntes. Aquella parte de la conversación databa de hacía cuatro horas. Tal vez tuviera algún otro método en mente, pero lo dudaba. En su opinión, el hermano parecía perdido, incapaz de comprender la situación, arrastrado a aquella confrontación y, luego, apenas capaz de articular una frase, y no digamos ya de persuadir a su hermano mayor de que depusiera el arma. Cerró los ojos. «Yo podría habérselo dicho —pensó—; podría haberle dicho que ya estaba todo organizado, que no hay forma de escapar, que no existe un final para el guión más que el que Douglas Jeffers inventó antes, en otra época, en el pasado, cuando yo todavía era una estudiante e hija de alguien, y siglos antes de convertirme en la biógrafa de un asesino.»

Anne Hampton se preguntó distraídamente qué iba a sucederles a todos ellos a continuación. Se sentía ajena a la situación, casi como si fuera otra persona desgajada de su cuerpo, invisible a todo el mundo, que observara cómo se desarrollaban los acontecimientos en lo alto de un escenario. Recordó que ya se había sentido así en otra ocasión, en el transcurso de uno de los asesinatos, en los primeros momentos pasados en el motel. ¿Cuánto tiempo hacía de aquello? No sabría decirlo. Se dijo que así eran siempre los recuerdos, semejantes a una serie de instantáneas que uno guarda en el cerebro, trozos de película de bordes mellados y movimientos parpadeantes e inconexos. Pensó: «me veo a mí misma corriendo por la nieve. Veo el dolor y el frío en mi rostro, pero ya no puedo recordar cuál era la sensación que me provocaban. No pude salvarle». Después vio al vagabundo y al hombre solitario que caminaba por la calle, y también a aquellas dos chicas con suerte... ¿cómo se llamaban?, dentro del coche. «No puedo salvar a nadie. No puedo, no se me permitió. Pero yo sí que quería, oh Dios, yo quería salvarle, era mi hermano, pero no pude, no pude. No puedo.»

Sintió deseos de echarse a llorar, pero sabía que no iban a permitírselo.

—¡Boswell!

Al oír la voz de Douglas Jeffers, alzó la vista de pronto y se levantó de un salto.

—Lleva un poco de agua a nuestros invitados.

Asintió y corrió a la cocina. En un armario situado encima de la encimera encontró una jarra y la llenó de agua. Después, caminando deprisa pero con cuidado de no derramar el contenido, cruzó el salón, donde estaban sentados los dos hermanos el uno frente al otro, ahora silenciosos, tras un día entero hablando; abrió la puerta que daba acceso al dormitorio que había en la planta baja y entró sin hacer ruido. Pensó que quizás estuvieran dormidos, y no quería despertar a ninguno. Pero el roce de sus pies contra el suelo provocó que se alzaran cuatro pares de cejas presas del pánico.

Se sintió fatal.

—No pasa nada, no pasa nada —dijo.

Sabía que lo que decía sonaba tonto, que era una idiotez intentar consolarlos. Sabía que iban a morir, y pronto. Aquél era el plan desde el principio.

Que aquellas personas no fueran importantes le traía sin cuidado a Douglas Jeffers, estaba segura de ello. Lo importante era que se encontraban allí, en aquel lugar, un lugar que sabía que era importante para él. Recordó lo que dijo, en voz baja, segundos antes de penetrar en la casa por una puerta corredera del porche que alguien había dejado sin cerrar con llave, abierta a la brisa estival:

—Tengo que llenar esta casa de fantasmas.

Puso una mano sobre el brazo de la mujer con suavidad, un gesto tranquilizador.

—Les traigo un poco de agua —dijo—. Muevan la cabeza para decir que sí quieren beber. ¿Usted primero, señora Simmons?

La mujer afirmó con la cabeza, y Anne Hampton le aflojó la mordaza que le tapaba la boca y le acercó la jarra a los labios.

—No beba demasiado —le recomendó—, no sé si me permitirá llevarlos al cuarto de baño.

La mujer se detuvo a medio tragar y asintió otra vez.

—Tengo miedo —dijo, aprovechando la mordaza floja—. ¿No puede ayudarnos usted? Parece una chica muy amable. Y no es mucho mayor que los gemelos, por favor...

Anne Hampton estaba a punto de responder, cuando de pronto oyó una voz procedente del cuarto de estar:

—Nada de conversación. Limítense a beber. No me obliguen a hacerles cumplir las reglas.

—Por favor —susurró la mujer.

—Lo siento —susurró a su vez Anne Hampton. Volvió a colocarle la mordaza, aunque no tan apretada. La mujer se lo agradeció con un movimiento de cabeza.

Anne Hampton pasó al primero de los gemelos, después al segundo.

—No habléis —le susurró a cada uno. Cuando llegó al padre, esperó unos momentos—. Por favor —le dijo—, no intenten nada. No lo presionen.

El hombre asintió, y ella le aflojó la mordaza. Una vez que hubo bebido, volvió a ponérsela. Él tiró un poco de la cuerda que los ataba a todos juntos y dijo, a pesar del pañuelo que le tapaba la boca:

—Ayúdenos, por favor.

Pero ella no pudo contestar.

—Lo siento —se disculpó.

Cerró la puerta con la familia dentro y regresó a la habitación principal de la casa.

—¿Qué tal están? —preguntó Douglas Jeffers.

—Están asustados.

—Como debe ser.

—Doug, por favor —dijo Martin Jeffers—. Por lo menos suéltalos. ¿Qué han hecho ellos...?

Pero su hermano mayor lo interrumpió bruscamente.

—¿Es que no has aprendido nada en todo el día? Por Dios, Marty. Te lo he explicado muchas veces ya. Es importante que no hayan hecho nada, es crucial. ¿No lo entiendes? Los culpables nunca son castigados, sólo los inocentes. Así funciona el mundo. Los inocentes y los que carecen de poder. Ellos conforman la clase social de las víctimas. —Douglas Jeffers meneó la cabeza negativamente—. No puede ser tan difícil de entender.

—Lo intento, Doug, créeme. Lo intento.

Douglas Jeffers lanzó una mirada despectiva a su hermano.

—Pues inténtalo con más empeño.

Se sumieron en el silencio. Douglas Jeffers jugueteó con su pistola automática mientras Martin Jeffers permanecía sentado y silencioso. Anne Hampton atravesó la estancia y fue a ocupar su asiento. Abrió un cuaderno nuevo.

—Apúntalo todo, Boswell.

Ella asintió y aguardó. «Todo es una locura —pensó—. Ya no queda nada normal en el mundo, sólo sufrimiento, muerte y demencia. Y yo formo parte de todo eso.»

Cogió el lápiz y escribió: «Nadie saldrá vivo de aquí.»

Se sorprendió a sí misma. Era la primera vez que escribía un pensamiento suyo en aquellos cuadernos. Se quedó mirando la frase, y le infundió terror.

Los renglones escritos en esas páginas temblaron y se ondularon igual que el aire caliente que se elevaba de las carreteras por las que habían viajado. Luchó contra el agotamiento y contra aquel pensamiento tan negativo y reconstruyó mentalmente la jornada bloqueando el miedo con los recuerdos.

No sabía por qué Douglas Jeffers había postergado el asesinato de la familia Simmons, sólo sabía que, con la ayuda de ella, los había sacado a todos de la cama y los había encerrado en el dormitorio adicional atados, amordazados y con los ojos vendados. Los dejó allí mientras él se relajaba con los pies en el sofá, paladeando la salida del sol. A continuación se preparó un desayuno abundante.

Lo único que dijo fue que el hecho de tenerlos allí encerrados durante un día entero daría aliciente al juego. Ella se quedó sorprendida; casi había sido como si Jeffers no quisiera darse prisa, como si estuviera disfrutando de aquella situación y no tuviera ninguna gana de precipitarse a la siguiente. El riesgo que corrían en aquellas circunstancias no parecía afectarlo. No sabía cuál podía ser el motivo de que se tomara aquello con tan estudiada calma, pero le dio mucho miedo.

«Hemos llegado al final. Estamos en la última escena, y él quiere interpretarla en su plenitud.»

Dos pensamientos se colaron en el laberinto de sus miedos: «¿Qué les hará a ellos? ¿Qué me hará a mí?»

Douglas Jeffers preparó huevos con beicon, pero ella fue incapaz de tragar nada. Justo estaban terminando cuando llegó el coche al camino de entrada de la casa. Anne se sintió horrorizada al pensar que alguien pudiera toparse con Douglas Jeffers; y entonces su terror se duplicó al ver al hermano. Supuso al instante que él sería igual. Y cuando descubrió que no, le resultó desconcertante y la turbó todavía más.

Miró de nuevo a los dos hombres.

Tan sólo los separaban un par de metros, pero se dio cuenta de que en realidad estaban muy lejos el uno del otro. Tuvo el vago presentimiento de que aquello era importante para ella, pero no consiguió imaginar por qué.

Le entraron ganas de gritarles: «¡Quiero vivir!»

Pero en vez de hacerlo permaneció pacientemente sentada, sin decir nada, esperando instrucciones.

Hasta el momento, habían pasado el día tal como cabría esperar de dos hermanos cualesquiera. Hablaron de cosas antiguas, de recuerdos. Rieron un poco. Pero para después de comer la conversación ya se había desintegrado, marchitada bajo la presión inexorable de la situación, y ahora estaban sentados apartados el uno del otro, a la espera.

Volvió media docena de páginas del cuaderno y leyó parte de lo que había escrito. Martin Jeffers había dicho: «Doug, me cuesta trabajo creer por qué estamos aquí. ¿Podemos hablar de ello?»

Y Douglas Jeffers había contestado: «Pues créetelo.»

Levantó la vista para observarlos a ambos y vio que Martin Jeffers se removía en su asiento. No sabía qué pensar de él. «¿Me salvará?», se preguntó de repente.

—Doug, ¿por qué estás haciendo esto?

—Esa pregunta ya ha sido respondida. Eso es lo que dicen los abogados en el tribunal cuando intentan proteger a su testigo de las preguntas del contrario. Pregunta ya respondida. Pase a la pregunta siguiente.

—No hay más que una.

—No es cierto, Marty, no es cierto. Claro que existe un porqué, eso te lo puedo garantizar. Pero también hay un cómo y un cuándo, y un qué piensas hacer ahora. Eso parece más pertinente.

—Está bien —aceptó Martin Jeffers—. ¿Qué piensas hacer ahora?

—No preguntes.

Douglas Jeffers lanzó una carcajada. Resultó un sonido extraño, imposible dentro de aquella pequeña habitación. Anne Hampton reconoció esa risa: era la de los peores momentos vividos. Esperó que el hermano pequeño tuviera la sensatez de dar marcha atrás.

Y lo hizo. Guardó silencio. Al cabo de unos momentos, el hermano mayor agitó la mano en el aire como si quisiera despejar el espacio que los separaba.

—¿Hasta dónde sabes? —preguntó Douglas Jeffers.

—Lo sé todo.

El hermano mayor hizo una pausa.

—Vaya, eso no es nada bueno. Nada en absoluto. —Calló unos instantes antes de continuar—. Eso quiere decir que has ido a mi casa. Supuse que esperarías a que acabase todo. Debías esperar.

—No, lo cierto es que ha sido otra persona.

—¿Quién?

Martin Jeffers dudó. De repente no tenía ni idea de qué decir. Pensó en todas las ocasiones en que había tenido una conversación intensa con un delincuente u otro. Siempre había sabido qué gestos componer, cómo actuar. Pero esta vez estaba completamente en blanco. Se quedó mirando a su hermano y la pistola que éste agitaba en la mano. Pero detrás del hombre vio al niño, y entonces lo comprendió: él también lo era. El hermano pequeño. Sintió nacer dentro de sí un resentimiento profundo, quemante. «Yo siempre era el último en enterarse de todo, siempre el último en llegar a todo.

Siempre hacía exactamente lo que quería él, con independencia de lo que opinara yo. Él nunca me escuchaba. Siempre me trataba como si fuera un indeseable apéndice. Siempre era él quien mandaba. Él siempre era importante. Yo nunca era nada. La ocurrencia tardía. Siempre, siempre.» De pronto sintió odio hacia todo y le entraron ganas de hacer daño a su hermano.

—Un detective.

Aquella palabra le salió de los labios en un impulso, y de inmediato lamentó haberla pronunciado.

—¿Él también lo sabe todo?

Martin Jeffers advirtió que su hermano se ponía en tensión y luchaba, pero mantuvo la compostura. Pero en aquel mismo momento su tono de voz perdió toda la ligereza y relajación que podía haber tenido antes y se transformó en un ruido áspero. Era un tono que Martin Jeffers no le había oído nunca, pero que reconoció con una familiaridad fruto de los años. «Es la voz de un asesino», pensó.

—Sí —respondió—. En realidad, se trata de una mujer.

Douglas Jeffers aguardó y después dijo:

—En fin, eso nos acerca un poco más al momento de morir.

La detective Mercedes Barren tenía problemas para controlar aquel enorme coche americano, con una suspensión blanda que lo hacía rebotar y guiñar adelante y atrás cada vez que intentaba absorber los baches de aquel camino de tierra. Se oyó un agudo rasponazo que resonó por todo el interior del habitáculo cuando una rama de árbol arañó la pintura del costado. Oyó un golpe que dio el tubo de escape contra el suelo, pero siguió avanzando tercamente, haciendo caso omiso de la dificultad de la ruta.

Se negaba a aceptar que se hubiera perdido. Pero el negro envolvente de la noche y del bosque le provocaban un sentimiento de desesperación, como si la razón y la responsabilidad hubieran quedado abandonadas en la carretera principal y ella estuviera descendiendo hacia una especie de inframundo en el cual las normas las dictaba la muerte. Las sombras parecían apartarse de los faros del coche, cada una de ellas semejante a un espectro, un heraldo de muerte que portaba el rostro de Douglas Jeffers. Lanzó una exclamación ahogada de miedo y siguió conduciendo, ahora con la pistola agarrada en la mano derecha, encima del volante.

Cuando llegó al punto en que el camino se dividía en múltiples ramales y los faros del coche iluminaron las cuatro flechas de colores, paró y se apeó.

Se quedó mirando fijamente los cuatro ramales.

Notó que la invadía un sentimiento de frustración. Se acordó de la descripción que le hizo el jefe de policía y se hizo una imagen mental del mapa colgado en su oficina. Pero no guardaba correlación con las opciones que se le presentaban ahora.

—Tiene que ser ése —dijo en voz alta señalando un sendero negro—. Estoy segura —agregó desafiando el miedo y la inseguridad que sentía en realidad.

La idea incongruente de que pudiera terminar, pistola en mano, en la casa de algún veraneante flotó durante un instante en lo más recóndito de su cerebro. Pero enseguida la desechó.

—Vamos allá —dijo.

El sonido de su voz le resultó pequeño e insignificante en comparación con el bosque. Volvió a sentarse detrás del volante y continuó por el camino.

Doscientos metros más adelante el camino se bifurcaba de nuevo, y echó mano de su instinto para tomar el ramal de la izquierda. Sabía que estaba buscando la charca y que el brazo de tierra en el que encontraría a su presa esperando era estrecho y alargado. Bajó la ventanilla en un intento de presentir dónde se encontraba el agua, pero sólo sirvió para que la noche penetrara en el interior del automóvil. Continuó conduciendo y pasó por encima de una valla de madera abierta provista de un letrero que decía: «No entrar. Nos referimos a usted.» Hizo caso omiso y se internó en la espesura de pinos y arbustos, hasta que el bosque pareció envolverla todo alrededor. Le entró miedo de asfixiarse y comenzó a respirar hondo, hiperventilando.

Se negó a pensar ni por un solo instante que pudiera haber tomado una dirección completamente errónea.

—No te detengas —dijo.

De pronto vio un pequeño claro entre los árboles, y pisó el acelerador con más fuerza, agradecida. El coche dio un salto adelante y a continuación se hundió en el suelo, dando la impresión de caer, igual que un atleta que tropieza justo unos centímetros antes de la línea de meta. Lanzó un grito de miedo. Oyó un ruido parecido a un chasquido, y después otro como de triturar.

Detuvo el coche y se apeó.

Las dos ruedas delanteras se habían metido en un hoyo pequeño pero, desgraciadamente, eficaz. Golpeó el volante en un momentáneo arrebato de frustración, y después tragó saliva y miró en derredor. Apagó el motor y las luces. «Está bien. Puedes recorrer andando lo que queda. No es tan terrible, de todas formas tenías planeado abandonar el coche. Tú no te detengas, no te detengas.»

Echó a andar hacia el claro que se abría entre los árboles, acomodando rápidamente la vista a la oscuridad reinante. Asió con fuerza la pistola y empezó a correr, primero con suavidad, temerosa de hacerse en un tobillo lo mismo que le había hecho el hoyo a las ruedas del coche. Pero el paso vivo la estimuló, de manera que aceleró la marcha escuchando el golpeteo que hacían sus pisadas contra la superficie de arena del camino.

La senda se asemejaba a un túnel, cuyo final alcanzó a ver. Apretó el paso, y de pronto salió de las bajas ramas de los árboles a una ancha explanada de hierba bañada por la luz de la luna. Un tanto mareada, dirigió la mirada hacia el cielo y quedó abrumada por los miles de estrellas que parpadeaban en la inmensidad. Se sintió minúscula y sola, pero confortada por el hecho de haber salido de los árboles. Por un instante creyó que iba a cegarla el resplandor de la luna y se detuvo, jadeante, para orientarse un poco.

Vio un ancho reflejo a su izquierda: la charca. Distinguió con nitidez la franja de arena que había entre la explanada de hierba y la orilla del agua. Contuvo un momento la respiración y se dio cuenta de que incluso percibía el rítmico chocar del oleaje contra la costa. Dirigió la vista hacia allí y distinguió sin dificultad el perfil negro de South Beach, a un kilómetro de distancia.

Lo he encontrado.

Ya estoy aquí.

Miró al frente, esperando ver la casa, pero no la vio. Entonces se volvió para mirar a la derecha, esperando ver más charca, pero lo único que encontró fue el oscuro bosque, que se estiraba adentrándose en la isla.

—Esto no puede ser —exclamó en voz alta, titubeando, preocupada de pronto—. Esto no puede ser en absoluto. Se supone que Finger Point es un brazo de tierra estrecho, con agua por los dos lados.

Avanzó tres metros, como si la topografía fuera a cambiar por el hecho de mirarla desde un ángulo ligeramente distinto.

—Esto no puede ser —volvió a decir.

Una docena de sentimientos contradictorios y disonantes reverberaron dentro de ella.

—Por favor —dijo—, tiene que ser.

Bajó hasta la orilla del agua y contempló la charca. El brillo de la luna se reflejaba en el suave chapoteo de las olas. Miró fijamente la noche, hacia la orilla opuesta.

Entonces se agachó y hundió las rodillas en la arena.

—No —dijo en voz queda—. Por favor, no, no, no.

Frente a sí tenía el lago, que en una dirección se extendía hacia las filas de dunas de arena de South Beach. Pero atrás, justo en línea recta respecto de donde se encontraba, descubrió un espigón de tierra negro que se introducía en el centro de la charca.

—No —dijo con suavidad—, no es justo.

Vio la casa que había en el extremo del brazo de tierra y supo entonces que lo que estaba viendo era el lugar donde aguardaban los hermanos Jeffers. Concentró la vista y advirtió que el resplandor de la luna alcanzaba a iluminar lo que supuso que era la forma blanca del coche de alquiler de Martin Jeffers.

Se dobló por la cintura y golpeó la arena con los puños.

—No, no, no —gimió.

Todavía arrodillada, giró la cabeza y volvió a mirar el bosque. «Me he equivocado de camino —pensó—, he tomado el que no era y he llegado a la orilla contraria de la charca. Venir hasta aquí, para luego equivocarme al escoger la senda.»

Sintió que la invadía el desánimo e intentó sobreponerse.

Por fin, jadeando como si acabara de correr los cien metros lisos, recuperó el control.

Se puso de pie.

—No pienso dejarme vencer —declaró en voz alta, y alzó un puño hacia la casa—. Esperadme, porque voy a por vosotros.

Holt Overholser se apartó de la mesa mirando lo poco que había quedado en el plato de su segunda ración de pescado guisado, y dijo:

—Maldita sea.

—¿Qué sucede, querido? —preguntó su mujer—. ¿Le pasa algo al pescado?

Él negó con la cabeza.

—Es que ha ocurrido una cosa que me tiene preocupado —repuso.

—Bueno, no te lo guardes para ti —dijo ella, recogiendo los platos de la cena—. ¿Qué estás rumiando todo el rato? Las preocupaciones son malas para la digestión, ya sabes.

Holt reflexionó por un instante sobre el hecho de que su esposa veía el mundo organizado de una forma bastante tajante: todo era digestión. Si los árabes y los judíos comieran más grano, no estarían siempre luchando. Si los rusos llevaran una dieta más equilibrada y redujeran la ingesta de calorías, no estarían a todas horas golpeándose el pecho y lanzando amenazas contra la paz en el mundo. Si los terroristas dejaran de comer carne roja y consumieran más pescado, no necesitarían secuestrar aviones de pasajeros. Los republicanos comían demasiados alimentos grasos, lo cual les dañaba el corazón y les proporcionaba un aspecto físico conservador, por eso ella siempre votaba a los demócratas. En cierta ocasión Holt probó a preguntarle acerca de algunos miembros de la delegación del Congreso en Massachussets, que eran más robustos que los republicanos, como Tip y Teddy, pero ella no le hizo caso.

—Pues que justo cuando iba a cerrar he recibido la visita de una detective. Ha venido nada menos que desde Miami.

—¿Estaba investigando un caso, querido? Ha debido de ser emocionante.

—Ha dicho que no.

—¿Y por qué no la has traído a cenar a casa?

—Pero iba armada. Y me ha dado una explicación que cuanto más pienso en ella menos sentido le encuentro.

—Bueno, querido, ¿y qué vas a hacer?

Holt Overholser reflexionó unos instantes. Puede que él no fuera Sherlock Holmes, pero desde luego estaba a la altura de Mike Hammer.

—Creo que voy salir a dar un paseo —anunció—. No te preocupes, estaré de vuelta para ver *Magnum*.

Se puso el cinturón militar tipo Sam Browne con su correa sobre el hombro y se dirigió hacia el gran furgón policial con tracción a las cuatro ruedas.

Martin Jeffers seguía inmóvil en su asiento, observando a su hermano, que paseaba nervioso por la habitación. En un momento dado intentó cruzar su mirada con la de Anne Hampton, pero ésta se hallaba en una postura rígida, sentada a la mesa con el lápiz suspendido en el aire. Por un instante se imaginó lo que debía de haber pasado; no tenía ni idea, pero sabía que debía de haber sido duro, para haberla llevado a aquel estado semi-catatónico en el que parecía encontrarse.

Esa observación lo sorprendió. Era la primera reflexión que hacía, desde que llegó a Finger Point, que por lo menos revelaba cierto conocimiento psicológico rudimentario. Intentó darse una orden a sí mismo: «¡Haz uso de lo que sabes!»

Luego negó apenas con la cabeza, en un levísimo gesto de aceptación, para decirse que no había esperanza. «En este momento, no soy nada más que el hermano pequeño.»

Miró a Douglas Jeffers y pensó: «Con él, es lo único que seré siempre.»

Clavó la mirada en su hermano, el cual parecía muy excitado. Daba la impresión de estar evaluando la situación a cada paso que daba.

—No deja de ser curioso —dijo Douglas Jeffers en un tono de voz desprovisto de humor— que uno se meta en una situación tan compleja emocionalmente que clama al cielo, y que en cambio haya tan poca cosa, si es que hay algo, que decirse el uno al otro. ¿Qué vas a hacer? ¿Decirme que no puedo ser como soy? —Ese comentario vino acompañado de una risa explosiva—. En fin —dijo el hermano mayor—, cuéntame algo que venga al caso, algo que sea importante. Háblame de esa mujer policía.

—¿Qué quieres saber?

Su hermano paró en seco y lo apuntó con el arma.

—¿Crees que dudaría un segundo? ¿Crees que el hecho de que seas hermano mío te concede una dispensa especial? ¡Has venido aquí! ¡Sabías lo que pasaba! De modo que también conocías los riesgos..., así que no me jodas con respuestas evasivas.

Martin Jeffers afirmó con la cabeza.

—Es de Miami. Está convencida de que tú asesinaste a su sobrina... —No pudo afirmar lo que sabía y en lo que su cerebro no dejaba de insistir: «¡Tú mataste a su sobrina! ¡Las mataste a todas!—...» Fue ella la que entró en tu apartamento y encontró las fotos.

—¿Y dónde está ahora?

—La he dejado en Nueva Jersey.

—¿Por qué?

—Porque tiene la intención de matarte.

Douglas Jeffers lanzó una carcajada.

—Vaya, eso resulta muy sensato desde su punto de vista.

—Doug, por favor, ¿no podemos...?

—No podemos, ¿qué? Marty, siempre has sido un soñador. ¿No te acuerdas de todos aquellos libros que te leía yo cuando eras pequeño? Siempre eran fantasías, aventuras, con héroes que luchaban por causas justas haciendo frente a inmensos obstáculos. A ti siempre te gustaban las historias de soldados que luchaban en batallas desesperadas, caballeros que se enfrentaban a dragones. Te gustaban los libros en los que triunfaba la bondad...

»¿Sabes una cosa? No es así. Nunca sucede así. Porque aun cuando gane el bien, éste se rebaja y se ve obligado a vencer al mal con sus propias reglas de juego. Y eso, querido hermano, es una derrota mucho peor.

—Eso no es verdad.

Douglas Jeffers se encogió de hombros.

—Cree lo que quieras, Marty. Da lo mismo. —Hizo una pausa y después prosiguió—: Cuéntame más. ¿Es buena detective? ¿Cómo se llama?

—Mercedes Barren. Supongo que sí es buena detective. Me encontró a mí...

Douglas Jeffers resopló, burlón:

—¿Y crees que también va a encontrarme a mí?

Martin Jeffers asintió.

Su hermano lanzó una carcajada estridente, furiosa.

—No tiene la menor posibilidad. A menos que tú le hayas dicho adónde tiene que ir. Pero no se lo has dicho, ¿verdad, hermano?

Martin Jeffers negó con la cabeza.

Douglas Jeffers frunció el ceño.

—No te creo una palabra. —Calló unos instantes—. Mira, es probable que no supieras que se lo estabas diciendo, pero se lo has dicho. Te conozco, Marty. Te conozco tan bien como a mí mismo. Eso forma parte de lo que significa ser el mayor: el mayor carga con el hecho de comprender las cosas, el menor tan sólo carga con respeto y envidia a partes iguales. Así que, aunque tú creas que te has librado de ella, lo más probable es que sea que no. Le habrás dicho algo, seguramente ni siquiera sabes qué. Pero lo habrás dicho, y ahora seguro que viene para acá. Sobre todo si es lo bastante inteligente para venir buscándote a ti primero. Pero ¿estará muy cerca? Ésa, querido hermano, es la pregunta que hay que hacerse. ¿Estará al otro lado de esa puerta?

Los ojos de Martin Jeffers se posaron involuntariamente en las puertas de cristal correderas. Su hermano rió de nuevo, en tono amenazante.

—¿O estará un poco más atrás? Quizá se encuentre a unas horas de aquí.

Sonrió, pero con un humor sobrenatural.

—Oh, Doug...

—Mira —continuó—, después de esta noche desapareceré durante mucho tiempo. Se me ocurrió venir a Finger Point porque lo consideré un sitio excelente en el que volver a nacer. Y no lo digo en sentido religioso fundamentalista. Tenemos gran cantidad de recuerdos, diría yo, flotando por aquí. Es una broma. En cualquier caso, aquí es donde todo vuelve a empezar para mí. A empezar desde cero. De vuelta a la línea de salida, libre como un pájaro.

—Explícate.

Douglas Jeffers indicó con un gesto la bolsa del equipo fotográfico.

—Detalles, detalles. Baste decir que en el interior de esa bolsa está mi nuevo yo.

—Sigo sin entenderlo —dijo Martin Jeffers.

—Sólo hay una cosa que necesitas saber —dijo bruscamente su hermano mayor—. Mi nuevo yo no tiene hermanos.

Aquellas palabras golpearon a Martin Jeffers en lo más hondo.

Sintió un amago de náusea y procuró serenarse aferrándose a los brazos del sillón.

—No lo harás —dijo—. No te creo capaz.

—No seas ridículo —replicó Douglas Jeffers, irritado—. Boswell te lo puede confirmar: en ningún momento he tenido escrúpulo alguno en matar a nadie, ¿verdad, Boswell?

Ambos se giraron hacia Anne Hampton. Ella negó con la cabeza.

—Entonces, ¿por qué habría de dudar en matar a mi hermano? ¡Vamos! Caín mató a Abel, ¿no? ¿No es ése el mayor secreto que guardan todos los hermanos? Todos queremos matarnos el uno al otro. Ya deberías saber eso, el loquero eres tú. Sea como sea, ¿qué mejor camino puede haber para alcanzar la libertad plena y total? Estando tú vivo, yo siempre sabría que existes, como un vínculo sólido e indestructible con el pasado. Supón que un día tropezáramos el uno con el otro en la calle. O que vieras una foto mía en alguna parte. Yo nunca podría estar seguro, nunca podría tener la seguridad total. ¿Sabes una cosa tonta de verdad? Que estaba dispuesto a correr ese riesgo. Hasta que tú te presentaste aquí. En ese momento, nada más verte, comprendí lo equivocado que estaba. Si quería vivir, en fin..., lo entiendes, ¿no? Al desaparecer tú, bueno... —Se alzó de hombros—. Me parece razonable.

—Doug, tú no, no seas, qué es lo que... —Martin Jeffers dejó la frase sin terminar. Se sentía confuso y perplejo. ¡Pero si he venido a salvarlo!, pensó.

En eso, dando un salto que aterrorizó a todos, Douglas Jeffers atravesó la habitación y apoyó el cañón de la automática bajo la garganta de su hermano.

—¿Sientes la muerte? ¿La hueles? ¿Notas su sabor en los labios? Todos lo sintieron, aunque sólo fuera por un instante, pero lo sintieron.

—Doug, por favor, por favor...

Douglas Jeffers retrocedió.

—La debilidad es repugnante. —Miró a su hermano—. Debería haberte soltado, y así también tú habrías muerto.

Martin Jeffers sacudió la cabeza en un gesto negativo. Inmediatamente supo de qué estaba hablando su hermano.

—Yo sabía nadar muy bien. Tan bien como tú. Mucho mejor que él. Lo habría salvado.

—No se merecía que lo salvaran.

Se miraron fijamente el uno al otro, y ambos vivieron el mismo recuerdo.

—Fue igual que esta noche —dijo Martin Jeffers.

—Lo recuerdo —agregó su hermano, que había abandonado un poco el tono amenazador mientras recordaba—. Hacía calor y quiso darse un baño. Nos llevó a la playa, pero tú dijiste que no querías meterte, veías el agua muy revuelta. Lo recuerdo.

»Unos días antes había habido tormenta, ¿te acuerdas? Las tormentas siempre desbaratan mucho la playa. Ésa fue la razón. Yo imaginé que podía haber un remolino y que de noche resultaba difícil verlo...

—Por eso tú no me dejaste meterme en el agua.

Douglas Jeffers asintió.

—Pero el muy cabrón dijo que éramos unos gallinas. Tuvo lo que se merecía.

Martin Jeffers guardó silencio unos momentos.

—Podríamos haberlo salvado, Doug. No era un remolino tan fuerte, pero él luchó contra la resaca. Nosotros éramos mucho más fuertes que él. Mucho. Podríamos haberlo salvado, pero tú no quisiste. Me retuviste en la playa y dijiste que preferías que se bañase en su propia mierda, lo recuerdo perfectamente. Yo lo oí gritar pidiendo socorro. Pero tú me sujetaste hasta que dejó de gritar.

Douglas Jeffers sonrió.

—Supongo que ése fue mi primer asesinato. Dios, qué fácil fue. —Miró a su hermano—. A su manera, todos han sido fáciles.

Martin Jeffers le preguntó:

—¿Fue eso lo que te dio pie para empezar?

Douglas Jeffers se encogió de hombros.

—Pregunta a Boswell. Está todo en los apuntes.

—¡Dímelo tú!

—¿Por qué?

—Porque necesito saberlo.

—No lo necesitas.

Martin Jeffers hizo una pausa. Aquello era cierto.

Al cabo de un momento preguntó:

—Bien, ¿y qué vas a hacer?

Douglas Jeffers se apartó y se incorporó.

—Ya te lo he dicho, Marty, aquella noche debería haberte dejado meterte en el agua. Así os habríais ahogado los dos. Eso es lo que debería haber ocurrido. ¿Sabes que ésa fue la última vez que tuve compasión por nadie? No, supongo que no lo sabes. Aquella noche cuidé de ti, por mucho que tú forcejearas y por mucho que gritara él. No estaba dispuesto a permitir que te lanzaras al agua a salvar a ese cabrón. Aquella noche te salvé la vida. Te di todos estos años buenos, malos, tristes. Pues ahora exijo la devolución. Se agotó el tiempo. Se ha terminado el juego. ¿No lo entiendes? En realidad, lo único que voy a hacer es algo que ha sido postergado todos estos años: voy a permitirte que corras hacia tu muerte.

»Es posible que lo hubieras salvado. No se lo merecía, pero puede que lo hubieras salvado. Habría sido bonito que llevaras a cabo un acto de valentía... Pero no tuviste ocasión. —Douglas Jeffers aspiró profundamente—. Y nunca tendrás ocasión.

Alzó la pistola y apuntó con ella a su hermano.

—Es probable que tengas alguna idea romántica de que esto es difícil —dijo en tono inexpresivo—, pero no lo es.

Y disparó el arma.

El eco de la detonación cruzó volando las negras aguas de la charca y se perdió en el cielo estrellado. La detective Mercedes Barren corrió hasta la orilla y escrutó la noche negra como la tinta, segura de que aquel disparo había salido de la casa situada enfrente de donde se encontraba ella. Sintió las suaves olas del lago rozarle las punteras de las zapatillas. Se le revolvió el estómago y su cerebro aulló.

«¡No hay tiempo! ¡No hay tiempo! ¡Ya está ocurriendo! ¡Estoy segura!»

Se quedó mirando fijamente el agua, llena de rabia e impotencia.

—¡No sé nadar! Oh, Dios, no sé... A lo mejor no está muy profundo —dijo en un intento de convencerse a sí misma.

Pero sabía que era mentira.

Dio un paso y se metió en el agua con gesto vacilante. Se le congeló el corazón, y sintió cómo empezaba a cerrarse en torno a ella la oscuridad opresiva. Experimentó un leve mareo y retrocedió. Giró la cabeza para mirar a su espalda, hacia el largo camino que atravesaba el bosque.

«No hay tiempo.»

«Estoy a cien metros del éxito —pensó—, pero igual podría ser un millón de kilómetros.»

Se sintió inundada por una sensación que fue mitad determinación, mitad pánico, y que la llenó de desesperanza y devoción.

—Llegaré hasta ahí —dijo apretando los dientes—. Llegaré. Llegaré.

Pero no sabía cómo.

Se volvió y escudriñó la playa. La luz de la luna incidía en el agua proyectando un resplandor mortecino que creaba extrañas figuras y formas. Vio un objeto oscuro y oblongo como a unos cincuenta metros del borde de lago. Dio un paso inseguro hacia allí, y luego otro. Su cerebro no quería dar forma al nombre: un bote. Pero el corazón le gritaba órdenes, y de pronto echó a correr por la playa de arena en dirección al objeto. A cada paso que daba, el objeto iba adquiriendo una forma más nítida, hasta que por fin vio que se trataba de un pequeño esquife.

«Ya voy. Gracias, gracias.» Se abalanzó sobre un costado de la embarcación y la asió con las manos.

En eso se quedó petrificada.

No había motor. Ni remos. Únicamente un solo mástil, sin vela.

Sin permitir que la decepción se apoderara de ella, se acercó a la proa del bote. Estaba encadenada a un poste hundido en la arena, y la cadena tenía un candado.

Se dejó caer en la arena abrumada por la frustración y el desánimo. Respiró hondo para contener las lágrimas. Se dijo que ya no podía seguir luchando contra los caprichos de la vida.

—Todo está mal. Todo se tuerce. Todo se ha torcido siempre. Lo siento. Lo siento. Dios, lo he intentado, lo he intentado con todas mis fuerzas.

Volvió a contemplar las luces de la otra orilla.

«Conseguirá escapar —se dijo—. Nunca he estado más cerca que ahora. Siempre ha habido alguna cosa que me ha impedido llegar hasta él.»

«He perdido.»

Hundió la cabeza entre los brazos y se recostó contra la borda del bote.

«Lo siento.»

La luz de la luna lograba que pareciera que el bote resplandecía en la oscuridad. Arrancó un destello a un objeto blanco, arrinconado en el fondo del casco.

Se incorporó, picada su curiosidad, con una vaga sensación de alivio temporal. Alargó la mano y agarró un cojín forrado de plástico que tenía dos asas a los lados. Le temblaron las manos: una almohadilla flotador.

Miró de nuevo la casa, en la que estaba segura de que Douglas Jeffers se estaba preparando para marcharse, para escapar para siempre de sus garras de animal de presa. «Ahí lo tienes. Es tu única oportunidad.» Después miró las rizadas aguas del lago, negras y sin fondo. Pensó en su sobrina y recordó cómo nadaba sin esfuerzo en aquella piscina azul opaco, elegante, tranquila, sin miedo.

—Oh, Dios —repitió.

Recordó también la furia aplastante que la rodeó a ella y la empujó hacia el fondo, la dejó sin respiración, intentó aspirar toda la vida que guardaban sus pulmones infantiles. Recordó la promesa que había hecho cuando niña y que había cumplido al hacerse adulta. Su cerebro se llenó de la suma de todas las pesadillas que había tenido en su vida y sintió que se le revolvía todo el cuerpo en un fuerte estremecimiento.

—No puedo —dijo.

Se acordó de su padre viniendo descalzo hasta su cama, con la casa a oscuras, para consolarla cada vez que la despertaba una pesadilla. Le ponía sus grandes manos en la cara y le frotaba las sienes con suavidad, y le decía que así convencía al mal sueño de que saliera de su cabecita. Después volvía la mano cerrada hacia arriba, como si guardara dentro de ella el pensamiento causante de su miedo, y a continuación decía: «Adiós, mal sueño; hasta nunca, pesadilla», y tomaba aire y soplaba para mandar aquel sueño inquietante para siempre al olvido. Recordó que ella acariciaba la frente a su sobrina de la misma manera para que pudiera volver a sumirse en el dulce sueño de los jóvenes.

Respiró hondo y expulsó el aire despacio, al tiempo que se decía a sí misma:

—¡Hasta nunca, pesadilla!

Dio un paso en dirección al agua.

No puedo...

Pero metió los brazos por las asas del cojín flotador y se guardó la pistola en el cinturón.

—No sé nadar.

Sintió el agua en torno a los tobillos. Le dio la sensación de que intentaba atraparla, atraerla hacia su oscuro vacío.

—No puedo —dijo por última vez.

Y entonces se metió suavemente en el agua.

Durante los veinte primeros metros los dedos de los pies fueron tocando el fondo, y eso le dio confianza. Fue en el metro veintiuno cuando lanzó las piernas hacia abajo esperando tocar el blando fondo y no encontró más que el fluido. Empezó a invadirla el pánico.

«No te pares, no te pares.»

Agitó los bazos suavemente y pataleó despacio con los pies.

«Puedes conseguirlo.» Su valor era falso.

Una pequeña ola se alzó y le chocó en la cara.

La hizo perder el equilibrio, y titubeó como si estuviera en lo alto de un pináculo. Se agitó con nerviosismo y pataleó a un lado y a otro en el intento de recuperar el control. En eso llegó otra olita, la cual la hizo girar sobre sí y perder apoyo. Sintió que la atenazaba un pánico negro, y forcejeó para recobrar el equilibrio. Pero cada movimiento, por pequeño que fuera, sólo conseguía hacer que se bambolease con más intensidad. Apretó la almohadilla con todas sus fuerzas, pero ésta resbalaba y se le escapaba.

Le entraron ganas de gritar, pero no podía hacerlo.

Rompió contra ella otra ola más, y sintió que todo se le escapaba de las manos.

—¡No! ¡No! ¡No!

Cayó rodando hacia un costado, igual que una tortuga, y de repente las negras aguas le pasaron por encima de la cabeza causándole la misma sensación que si se hubiera cerrado sobre ella la puerta de un armario.

—¡Ay, Dios! ¡Voy a ahogarme!

Era como si el agua tirase de ella hacia abajo. Luchó contra la fuerza que la arrastraba hacia el fondo.

El agua la abrazó como si fuera un amante demoníaco, privándola de todo aliento, arrastrándola hacia su negrura. Ya no era capaz de distinguir lo que era arriba y abajo. La noche había desaparecido de un plumazo, sustituida por el fuerte abrazo de las aguas del lago.

«¿Dónde está el aire?»

«¡Socorro! ¡Socorro! ¡Oh, Dios, por favor, no permitas que me ahogue!»

Luchó y pataleó como una tigresa, a solas en la negrura, contra la muerte.

«¡No quiero, no quiero, no quiero que sea de este modo! ¡Susan! ¡Dios! ¡Socorro! ¡Susan, no!»

De repente pensó que era un despropósito morirse estando tan cerca de la victoria, y en el microsegundo de raciocinio que traspasó el miedo que la atenazaba. «No te rindas, Mercedes», pensó.

Así que no se rindió.

Inmersa en aquel vacío creado por el pánico, supo que tenía que asirse al flotador. Lo aferró con furia, gritándose a sí misma que deseaba vivir. Forcejeó con él hasta que súbitamente lo tuvo bajo el pecho. De repente notó que el flotador la empujaba hacia arriba, y en un segundo su cabeza asomó por la superficie del agua.

No entendía exactamente cómo había ocurrido, pero, sintiéndose agradecida, aspiró grandes bocanadas de aire y descansó un poco.

Su mirada permaneció fija en la casa. Se encontraba más cerca.

—Aún sigo aquí —dijo con los dientes apretados.

En el momento en que empezaba a darse impulso hacia delante, vio una escena extraordinaria: un grupo de seis cisnes de un blanco fantasmal volando un metro por encima de la superficie; pasaron en bandada por encima de ella como si le señalaran el camino a seguir. Observó cómo, con las alas iluminadas por la luna, giraban en la vertical de la casa y después desaparecían en el cielo nocturno.

—Susan —exclamó en voz alta, cercana al delirio—. Ya voy.

Entonces se dio cuenta de que había perdido el juicio.

«A lo mejor me he muerto. A lo mejor esto es un sueño.»

«En realidad estoy muerta, bajo el agua, y todo esto es la última fantasía que estoy viviendo antes de entrar en el vacío.»

Continuó remando, luchando con todas las fibras de su cuerpo por alcanzar aquella mezcla de seguridad y peligro que la aguardaba en la orilla.

—Bueno —dijo Douglas Jeffers en tono rígido—, eso demuestra una cosa.

Martin Jeffers estaba con los ojos abiertos como platos, al borde del pánico. Notaba el olor de la cordita y la pólvora, y aún sentía en los oídos la ensordecedora explosión del arma. No se atrevió a volver la cabeza para inspeccionar la pared en la que se había incrustado la bala, aproximadamente a unos treinta centímetros por encima de él.

—Ahora ya lo sabes —dijo Douglas Jeffers—. Ahora ya lo sabes.

«¿Qué es lo que sé?», se preguntó Martin Jeffers. Pero se lo calló.

Douglas Jeffers dio media vuelta y fue hasta las puertas correderas. Una vez allí, se quedó mirando la superficie del agua y guardó silencio unos instantes, al parecer absorbiendo todas las sensaciones de la noche.

Martin Jeffers parpadeó y aspiró profundamente, como si quisiera cerciorarse de que efectivamente seguía vivo. Observó a su hermano.

«Tiene razón. No tiene alternativa.»

—Jamás se lo diría a nadie —dijo Martin Jeffers.

—Sí que lo dirías —replicó Douglas Jeffers con un bufido de burla—. Tendrías que hacerlo, Marty. Te obligarían. Diablos, tú mismo te sentirías obligado.

—Sé guardar las confidencias, en mi profesión...

El hermano mayor lo interrumpió.

—Esto no forma parte de tu profesión.

—Bueno, hay muchas familias que tienen secretos importantes que no desvelan nunca. Se ve en la literatura, aparece en decenas de novelas y obras de teatro. ¿Por qué no...?

Douglas Jeffers lo interrumpió de nuevo con una débil sonrisa en la cara, contrariado:

—Oh, vamos, Marty.

Hizo una pausa antes de continuar.

—Además, en cualquier caso, ello te destrozaría la vida. Piénsalo. No hay nadie que pueda cargar toda la vida con ese secreto de su hermano. Te iría minando poco a poco, te iría socavando igual que una rata que te royera las entrañas. No, terminarías contándolo. Y entonces la detective me encontraría.

—¿Cómo?

—Encontrándome. Jamás subestimes lo que es capaz de hacer una persona impulsada por la locura y la venganza.

Martin Jeffers no dijo nada. Sabía que su hermano tenía razón. Se hizo el silencio en la habitación.

—¿Y bien? —dijo Martin Jeffers. Se sentía completamente confuso. Se oía a sí mismo hablando, pero era como si otra persona le diera la orden de hablar. ¿Qué estás diciendo?, pensó, pero siguió hablando, sin obstáculo alguno—: Imagino que vas a tener que matarme.

Douglas Jeffers siguió contemplando el paisaje desde la puerta. El silencio fue su respuesta.

—¿Y qué me dices de Boswell? —preguntó Martin Jeffers.

Douglas Jeffers continuó sin responder.

Anne Hampton miró a los dos hermanos. «Esto es el final —pensó—. Ya no tiene necesidad de nadie. Tiene los cuadernos. Tiene una nueva vida.»

Intentó ordenar a su cuerpo que efectuara algún movimiento. «Corre —pensó—. ¡Huye!, Pero no pudo. «Sé que soy capaz. Sé que soy capaz.» Apretó los dientes con fuerza y se retorció las manos. Bajó la vista y vio que los nudillos que sujetaban el lápiz se le habían puesto blancos, de modo que comenzó a empujarlo hacia la otra mano. La invadió un súbito dolor.

«¡Todavía estás viva! Si te duele, es que estás viva.» Miró otra vez a los dos hermanos y, muy despacio, se dijo a sí misma: «Me llamo Anne Hampton, Anne terminado en e. Tengo veinte años y estudio en la universidad estatal de Florida. Mi domicilio está en Colorado, y estudio literatura porque me encantan los libros. Yo soy yo.»

Aquello se lo repitió a sí misma varias veces seguidas.

«Yo soy yo. Tú eres tú. Nosotros somos nosotros. Yo soy yo.»

Martin Jeffers observaba a su hermano, con miedo por lo que podría hacer, con desesperación por lo que era.

—Doug, ¿por qué te has convertido en lo que eres ahora? ¿Por qué no he hecho yo lo mismo?

Douglas Jeffers se encogió de hombros.

—¿Y quién demonios lo sabe? A lo mejor la causa está en la diferencia de edad. Unos cuantos meses pueden hacer que uno vea las cosas de modo distinto. Es como pedir a diez personas que relaten un mismo suceso que han presenciado las diez. Todas dan una versión diferente de una misma cosa. ¿Por qué varía según las personas? —Rió—. Yo soy simplemente una versión un poco más desviada.

—Lo siento —dijo Martin Jeffers.

—Que te jodan, hermanito —replicó Douglas Jeffers.

No quería que Martin viera las diversas facciones que pugnaban entre sí dentro de él, y se esforzaba por disfrazar aquella batalla interior con todas las expresiones agresivas que se le ocurrían. «Todo se ha ido a la mierda —pensó—. Con lo perfectamente bien que estaba transcurriendo todo antes de que se presentara él. Se suponía que debía aprender algo después de que desapareciera yo. ¡Maldición! ¡Maldita sea esa detective!»

Permaneció de espaldas a su hermano, por miedo a que éste viera la indecisión que había aparecido en sus ojos. Por su mente cruzaron centenares de imágenes de la niñez de ambos. Recordó aquella noche en New Hampshire. Recordó todas las noches en que acudió al lado de su hermano, que lloraba, para consolarlo lo mejor que pudiera. «¿Se acordará él? ¿Se acordará de todas aquellas nanas, aquellos cuentos, de todas las veces que lo mecí hasta que se durmió? ¿Se acordará del modo en que lo sujeté contra la arena de la playa para que no corriera a meterse en el agua, directo a la muerte? Aquel hombre nos habría matado, si hubiera tenido ocasión. Pero yo lo protegí. Siempre lo he protegido. Incluso cuando le gastaba bromas o me burlaba de él. Incluso cuando supe en qué me estaba convirtiendo. Siempre he cuidado de él, porque él ha sido siempre la parte buena de mí. Se equivocan. Hasta los psicópatas tienen sentimientos, si uno sabe buscarlos.»

«También puede ser que no.»

Comparó, en su balanza personal, su vida con la de su hermano.

«Uno de los dos empieza de nuevo esta noche.»

«Uno de los dos va a morir.»

No vio más alternativas.

Volvió la cara y contempló de nuevo las negras aguas.

—Sabes, todos los veranos que pasamos aquí, siempre me encantaron —dijo—. Todo era agreste y hermoso al mismo tiempo.

Su mirada captó una fugaz forma blanca, y observó una bandada de cisnes que cruzaban la superficie de la charca en vuelo rasante.

—¿Te has fijado? —dijo—. Todo está igual. Hasta la familia de cisnes que vive en la charca.

—Ya nada es igual —replicó Martin Jeffers.

Pero su hermano no lo oyó, pues de pronto su atención estaba fija en otra cosa.

Fue como si le hubieran clavado un hierro candente en el corazón. Douglas Jeffers se puso rígido y taladró la oscuridad con la mirada, clavada en la forma que había visto debatiéndose en el agua. Por un instante sintió confusión. «¿Qué diablos es eso?», se preguntó. Pero enseguida lo comprendió.

¡Era ella!

Giró en redondo y, bruscamente, apuntó con la automática a su hermano.

—¡Boswell! ¡La soga y la cinta adhesiva!

Anne Hampton fue incapaz de rechazar la orden. Agarró el petate que contenía el equipo y se lo llevó a Douglas Jeffers.

—Marty, no la jodas, no intentes nada. Limítate a extender las manos y dejar que te las ate.

Martin Jeffers, con una súbita aprensión, obedeció sin pensar, tal como haría cualquier hermano pequeño. Sintió cómo la cuerda se enrollaba fuertemente en torno a sus muñecas. Quiso quejarse, pero antes de que tuviera ocasión de hacerlo su hermano le pegó un trozo de cinta adhesiva en la boca. Levantó la vista intentando decir: «No quiero morir como un animal atado.» Pero su hermano actuaba demasiado deprisa para pararse a leerle los ojos.

—¡Boswell! Ponte ahí. No te muevas. Pase lo que pase, no te muevas.

Anne Hampton se quedó petrificada en el sitio y esperó.

Douglas Jeffers miró rápidamente en derredor, salió por la puerta abierta del porche y desapareció en la oscuridad que presionaba contra la débil luminosidad del cuarto de estar.

Permaneció unos segundos en el porche, mirando en dirección al punto en el que había visto la forma en el agua. Después buscó a un lado y a otro. Entonces se le ocurrió una idea, y se situó en posición.

La detective Mercedes Barren sintió un enorme alivio cuando sus pies y sus rodillas tocaron fondo.

Se lanzó hacia delante al comprender de pronto que el agua era ya menos profunda. Se puso de pie goteando líquido como si fueran grandes lagrimones y levantó los ojos hacia el cielo en actitud agradecida. A continuación salió del agua procurando hacer el menor ruido posible y se dejó caer sobre la playa. Hundió las manos en la arena para sentir cómo se deslizaba entre sus dedos aquel material sólido y seco, semejante a monedas de oro. Se permitió disfrutar a rienda suelta de unos instantes de felicidad y alivio.

Después respiró hondo y susurró para sí:

—Ésta ha sido la parte fácil.

Se puso de rodillas y se orientó.

Seguidamente se incorporó del todo, un poco agachada, y fue hasta el principio de la playa para esconderse tras la enmarañada vegetación de matorrales y arbustos. Desde aquella posición veía las luces de la casa, pero no logró ver a nadie en el interior de la misma. Se sacó la pistola del cinturón y comenzó a avanzar.

Se abrió paso por entre los matorrales.

Era como si la noche hubiera cobrado vida a su alrededor. Captó el ruido que hizo un pequeño animal al escabullirse, tal vez una mofeta o un ratón almizclero que huía a toda prisa. Por todas partes se oía el constante canto de las cigarras, casi ensordecedor, aunque sabía que aquello no iba a enmascarar el ruido que hiciera ella.

Permaneció semi agachada, reptando casi, y fue acercándose a la casa. Se detuvo una vez para cerciorarse de que tenía el arma lista, con el seguro quitado y un cargador puesto.

—No vaciles —se susurró a sí misma por millonésima vez—. Dispara a la primera oportunidad.

Deseó oír algún sonido proveniente de la casa, pero estaba silenciosa. Continuó avanzando despacio, pacientemente. «La muerte nunca se apresura, la muerte avanza a su propio ritmo», pensó.

Llegó al borde de una pasarela de madera y alzó los ojos por encima. Vio un conjunto de sillones y más allá el cuarto de estar. Se fijó en que la puerta corredera de cristal estaba abierta de par en par, a modo de invitación.

«Bien, pues allá vamos.»

Subió gateando a la cubierta de madera pensando que cada crujido que provocaba era como una campana en medio de la noche. Se incorporó con precaución, manteniendo la postura agachada, pero ahora empuñó la pistola con las dos manos y se afianzó. La sorprendió no sentir más nerviosismo.

Estoy tranquila. Soy letal.

Se acercó al borde de la entrada.

Hizo una aspiración profunda.

Acto seguido, muy despacio, se asomó.

Al instante la embargó la confusión. Vio a Martin Jeffers atado y amordazado, sentado perpendicular a la puerta. También vio a una joven de pie, inmóvil como una estatua, a escasos metros de él. Al hermano no lo vio por ninguna parte. Dio un paso titubeante hacia la puerta.

Y entonces fue cuando oyó la voz.

—Detrás de usted, detective.

Ni siquiera tuvo tiempo de experimentar pánico.

«Estoy muerta», pensó.

Pero nada más oír esa voz giró sobre sí apuntando al mismo tiempo con la pistola, intentando situarla en posición de disparar. Acertó a vislumbrar brevemente una silueta tendida en uno de los sofás de fuera, y después todo explotó ante ella cuando Douglas Jeffers disparó su arma.

El dolor impactó en todo su ser.

La fuerza del disparo que la hirió en la rodilla derecha la hizo girar sobre sí misma como una peonza y la lanzó hacia atrás, al interior del salón, donde se desplomó en el suelo retorciéndose de dolor.

Su propia pistola se le había escurrido de las manos y había salido volando por la habitación para ir a aterrizar violentamente al otro extremo mientras ella se debatía impotente.

Cerró los ojos con fuerza y pensó: «he fracasado».

Los abrió de nuevo al oír la voz encima de ella.

—¿Es la detective, Marty? Boswell, quítale la cinta adhesiva a mi querido hermano para que pueda responder. —Douglas Jeffers permaneció de pie junto a Mercedes Barren—. Me quito el sombrero ante usted, detective. O lo haría si llevara uno puesto.

Holt Overholser iba lanzando juramentos mientras el gran Ford avanzaba por el camino de tierra rebotando y rozando contra el suelo. Se había detenido un momento, casi rindiéndose, al llegar a la bifurcación múltiple.

—Maldición —dijo—. ¿Cuál será el camino que hay que tomar? Tiene que ser el de la flecha azul. —Tomó nota mentalmente de ponerse en contacto con los propietarios de la Gran Charca de Tisbury para informarles de que, por razones de seguridad, todos los caminos debían estar claramente señalados con nombres, direcciones y toda clase de material identificativo.

¡Maldición!

Pero cada diez metros cambiaba de opinión.

—¿Qué diablos estás haciendo, Holt? —protestó—. ¿Acaso tienes alguna buena razón para venir aquí, al refugio de la gente rica, en mitad de la noche? Dios, espero que los del ayuntamiento no se enteren de esta pequeña escapada. Debería darme la vuelta ahora mismo y largarme de aquí antes de ponerme más en ridículo.

La perorata hizo que se sintiera mejor. Siguió conduciendo.

Cuando salió del bosque y llegó al claro, su malestar se esfumó.

«Bueno, reflexionó, la verdad es que no es tan tarde, y si no pasa nada, en fin, lo más seguro es que ella agradezca que me haya preocupado. Al fin y al cabo es policía, y lo entenderá.»

Soltó una risita.

—Bien, tal vez. —Detuvo el vehículo, apagó el motor y se apeó para contemplar la noche estrellada—. Más te vale que el sitio sea éste, Holt, muchacho, porque si no vas a quedar como un imbécil.

Estaba a punto de volver a subirse al coche cuando oyó el disparo.

—Pero ¿qué ha sido eso? ¿Qué demonios ha sido eso?

Contestó él mismo a la pregunta exclamando en silencio: «A mí me ha sonado como el disparo de una pistola. Maldita sea. Maldita sea. ¿Qué diablos estará pasando?»

Se subió al coche y pisó el acelerador.

Martin Jeffers no le preguntó cómo los había encontrado. Se limitó a decir lo que le vino a la cabeza:

—Lo siento, Merce. —Cayó en la cuenta de que era la primera vez que la llamaba por su nombre de pila—. Siento que nos hayas encontrado...

—Pero ha sido lista, muy lista. Dígame, rápidamente, ¿cómo lo ha hecho? ¿Cómo lo ha adivinado? —intervino Douglas Jeffers.

—Por una cosa que dijo uno de ellos —gimió la detective Barren.

—¿Uno de quiénes?

Respondió Martin Jeffers.

—Ha debido de estar hablando con mi grupo de terapia. Fueron ellos los que me inspiraron la idea de venir aquí.

Douglas Jeffers miró a su hermano.

—Todos somos «niños perdidos» —afirmó, y después miró a la detective—. Lista. Muy lista.

Mercedes Barren se retorcía de dolor en el suelo. Deseó poder lanzarle una mirada desafiante, pero el dolor que le recorría todo el cuerpo igual que un desenfrenado impulso eléctrico le impedía adoptar ninguna expresión de bravura. Se dio cuenta de que se le estaban llenando los ojos de lágrimas. «Lo he intentado —pensó—, he hecho todo lo que he podido; lo lamento.»

Douglas Jeffers le apuntó a la cabeza con su automática.

—Esto es como pegarle un tiro a un caballo que se ha roto una pata. —Dudó unos instantes—. Voy a darle unos segundos, detective. Prepárese para morir.

Ella cerró los ojos y pensó en Susan, en su padre, en John Barren. «Lo lamento —pensó—. Lo lamento muchísimo. Me gustaría despedirme de todos vosotros, pero no tengo tiempo.» De pronto abrigó la esperanza de que hubiera un Cielo y de que aquel dolor la lanzase directamente a los brazos abiertos de sus seres queridos. Se apretó los brazos con fuerza y se dijo que estaba preparada para morir.

La explosión la absorbió por entero.

La cabeza le dio vueltas en rojo y en negro, en un movimiento vertiginoso, fuera de control.

«Estoy agonizando...»

Pero entonces se dio cuenta de que no era así.

Abrió los ojos y vio a Douglas Jeffers de pie sobre ella, con la pistola todavía suspendida en el aire, pero sin haberla disparado.

Y le dio la impresión de que retrocedía a cámara lenta.

Buscó frenéticamente con la mirada, y vio a la joven que estaba de pie a escasos metros. En sus manos estiradas sostenía la enorme pistola de la detective Barren.

—Boswell —dijo Douglas Jeffers con la voz teñida de auténtica sorpresa—. ¡Que me aspen!

Bajó la vista y descubrió un reguero de color rojo en su camisa.

La bala le había atravesado el costado, desgarrando la carne a la altura de la cintura, y después se había perdido en la noche. Supuso al instante que no era una herida mortal, que sería dolorosa pero que podía sobrevivir a ella.

Y en aquel mismo momento supo que aquello lo había matado.

Enseguida lo inundó una oleada de emociones.

«No puedo ir a un hospital —pensó—. No puedo entrar en la sala de urgencias diciendo: venga, cúrenme esta herida de bala sin hacer preguntas.» Lo comprendió al instante, con total naturalidad. «Se acabó —se dijo—. Ha terminado por obra del disparo infortunado de una niña confusa.»

—Boswell —dijo con suavidad—, me has matado.

Doug Jeffers alzó su propia arma y apuntó con ella a Anne Hampton.

La joven dio un respingo, y se le resbaló de entre los dedos la pistola de la detective Barren, que se estrelló contra el suelo. Se quedó rígida, a la espera de ver salir su propia muerte por el cañón del arma.

—Lo he intentado..., lo he intentado.

La detective Barren vio que la muchacha dejaba caer las manos a los costados rindiéndose, aceptando aturdida su destino. Vio que Douglas Jeffers apuntaba con su arma, listo para disparar. Fue como si todo lo que le había ocurrido hasta entonces convergiera sobre aquel segundo concreto, y los recuerdos y la fuerza se unieron para combatir el dolor. Se arrastró hacia el asesino gritando:

—¡No, no, no! ¡Susan! ¡Corre! ¡Yo te salvaré!

Sabía que esta vez sí que podía, sí que podía. Avanzó por el suelo empleando hasta el último gramo de fuerza residual que pudo encontrar y alargó el brazo para agarrar al asesino de la pierna, para hacerlo perder el equilibrio, para obligarlo a caer hacia ella.

—¡Corre! —chilló de nuevo, ya ajena a todo salvo los sufrimientos que llevaban tantos meses atormentándola—. Susan... —gimió al tiempo que lanzaba las manos hacia delante, arañando el suelo con las uñas, en un desesperado esfuerzo por hacer presa en el hombre al que llevaba tanto tiempo persiguiendo.

En eso, Martin Jeffers saltó de su silla, todavía atado con la cuerda.

—¡No, no, no! —chilló al tiempo que caía sobre una rodilla y se levantaba de nuevo y se arrojaba hacia delante mientras su hermano hacía una curiosa pausa en medio de aquel baile mortal. Se interpuso delante de la joven y se volvió hacia su hermano.

—No, Doug —le dijo—. Más, no.

Los dos hermanos se miraron el uno al otro. Martin Jeffers vio que los ojos de su hermano primero relampaguearon y al momento siguiente cedieron.

—Por favor —repitió. Douglas Jeffers dio un paso atrás, todavía apuntando a Anne Hampton, y ahora también a su hermano. Lanzó una mirada a la detective, que se retorcía en el suelo—. Por favor, Doug.

Aquella voz hizo que Douglas Jeffers recordara a su hermano en todos los momentos perdidos de la infancia, cuando Marty lo llamaba, necesitado de tenerlo a su lado.

Titubeó de nuevo. Se llevó una mano a la cintura y la retiró manchada de sangre. Creyó oír una vez más aquel «por favor».

Entonces dio media vuelta y desapareció por la puerta.

Holt Overholser llegó por el camino de entrada de la casa de Finger Point y descubrió al individuo que salía a toda prisa por el porche delantero. Accionó el interruptor que ponía en marcha las luces estroboscópicas azules y rojas del techo del vehículo. Al tiempo que pisaba bruscamente el freno, vio que el individuo se volvía y adoptaba la postura de disparar.

—¡Me cago en la leche! —gritó Holt, agachándose al tiempo que la luna del parabrisas estallaba en mil pedazos—. ¡Madre del amor hermoso!

Enseguida se revolvió y sacó su revólver reglamentario, y le vino a la cabeza el terrible presentimiento de que quizás hubiera olvidado cargarlo aquel año.

No se tomó la molestia de comprobarlo. Blandiendo la pistola, se bajó del coche y disparó cuatro tiros en la dirección del fugitivo. El primero dio en el capó del Ford produciendo un ruido similar a un gato en celo. El segundo explotó en el suelo, a unos tres metros del coche. El tercero se metió en la casa en la que se encontraban las personas a las que sin saberlo aún debía salvar, y el cuarto se perdió en la oscuridad de la noche.

—Santo cielo bendito —exclamó.

Hizo el esfuerzo de acordarse de lo que le habían enseñado, y por fin adoptó la postura adecuada, con las piernas separadas, las dos manos en la pistola, ligeramente agachado, listo para la acción.

Pero no hubo acción.

Ante sí se abría la noche, inacabable.

—¡Joder! —dijo.

Echó a correr hacia la casa. Si el departamento de policía de West Tisbury tenía algún procedimiento para acontecimientos como aquéllos, sin duda lo había escrito Holt. Pero él no había escrito nada, y ellos tampoco, de modo que se limitó a irrumpir alegremente en el interior de la casa empuñando la pistola.

Lo que vio no logró sino confundirlo aún más.

Anne Hampton había desatado a Martin Jeffers, y los dos estaban ayudando a la detective Barren a sentarse en un sofá.

—¡Santo cielo! —exclamó Holt.

Anne Hampton señaló con gestos la habitación de atrás.

—Ahí dentro está la familia Simmons —dijo—. Sáquelos.

Holt corrió a la puerta de dicha habitación y descubrió a la familia atada y amordazada. Se agachó y cortó las ligaduras del señor Simmons.

—Desátelos usted —le dijo. Seguidamente regresó a toda prisa a la habitación principal. Anne Hampton y Martin Jeffers estaban intentando atender la pierna herida de la detective Barren.

Holt vio el teléfono y lo levantó. Marcó el número de emergencias y aguardó hasta que oyó la voz de Lizzie, que le resultó exasperante por la calma con que le habló.

—Policía, emergencias y bomberos —dijo.

—Por Dios, Lizzie, soy Holt. Estoy en una situación comprometida, no sé, santo cielo, ¡ese tipo me ha disparado!

—Holt —contestó Lizzie con gran dominio de sí misma—, ¿dónde te encuentras exactamente?

—¡Por el amor de Dios, me refiero a que ha habido disparos! Podrían haberme matado. ¡Estoy en Finger Point, por Dios bendito!

—Está bien, Holt, cálmate. ¿Se trata de una emergencia?

—Por todos los santos del paraíso —exclamó Holt—, ¡puedes estar segura de ello!

—Muy bien —repuso Lizzie—. En unos minutos sale para allá la policía estatal. ¿Necesitas una ambulancia?

—¡Dios de los cielos, necesitamos una ambulancia, necesitamos a todo el mundo! ¡A los guardacostas, a la policía, por todos los santos! ¡Necesitamos a los marines!

—Está bien, Holt, ya van para allá.

Lizzie Barry se puso a hacer las llamadas correspondientes, y comenzaron a sonar las sirenas perforando la noche.

Martin Jeffers y Anne Hampton se sentaron cada uno a un lado de la detective Barren. Anne Hampton le preguntó:

—¿Podrá aguantar? La ambulancia ya está en camino.

La detective Mercedes Barren apoyó la cabeza sobre el hombro de la joven y asintió. Martin Jeffers dijo con expresión de perplejidad:

—¿Te has fijado, Boswell? ¿Te has dado cuenta de cómo habla ese poli?

Anne Hampton sonrió.

—Me he fijado.

Martin Jeffers rió y rodeó a ambas mujeres con los brazos.

Los tres se miraron entre sí.

—Bueno, imagino que esto se ha acabado —dijo Anne Hampton.

Los otros dos asintieron, y todos juntaron las cabezas. A Martin Jeffers le empezaron a rodar las lágrimas por la cara, y poco después se le sumaron la detective Barren y Anne Hampton. Ninguna de las dos lloraba porque le doliera algo, sino por el inmenso, el indescriptible alivio que los embargaba a todos.

Holt Overholser contempló a los tres sentados en el sofá, y lo primero que pensó fue que estaban locos. Luego se dijo que la detective iba a quedar lisiada para siempre con una herida así. No cayó en la cuenta de que la idea era aplicable por igual a los tres.

Douglas Jeffers hizo caso omiso de los disparos del policía que le había cerrado el paso hacia su coche y echó a correr por el camino de arena en dirección al lugar en el que dejaban sus embarcaciones todos lo que alguna vez habían vivido en Finger Point. Vio dos pequeños veleros varados en la playa y junto a ellos una lancha neumática con un pequeño motor fueraborda acoplado. Agarró el cabo de amarre de la neumática y pocos segundos después la tuvo enfilando hacia el oleaje que se oía proveniente de South Beach. Bombeó dos veces la pequeña espita de la gasolina y seguidamente tiró del cable de arranque.

El pequeño motor tosió una vez, después se encendió, y por último Jeffers metió la marcha.

Era consciente de que el ruido del motor interrumpía la quietud de la noche. «No se puede evitar», pensó.

Guió la embarcación dejándose llevar exclusivamente por su memoria, en dirección al punto en que la charca se aproximaba más al océano y en que sabía que las olas se encontraban tan sólo a cincuenta metros de arena lisa de las tranquilas aguas del lago.

«Podría haberlos matado a todos.»

Sonrió. «Ellos lo saben.»

Mientras conducía, examinó el cargador de su pistola. En la nueve milímetros le quedaban siete balas. Ella estaba usando la misma arma —pensó distraídamente—. Probablemente signifique algo.»

Vio la playa que se extendía a lo lejos, semejante a una franja de luz mortecina dibujada en la eternidad de la noche. El murmullo de las olas del océano pareció redoblarse. Dirigió la neumática hacia la playa y notó el roce de la arena contra el fondo, raspando la gruesa tela de caucho.

Apagó el motor y lo sacó del agua para que la hélice no fuera arrastrando por la arena. A continuación se puso de pie y saltó a la playa.

«Está exactamente igual que ha estado siempre.»

Permaneció inmóvil, casi extasiado por el continuo romper de las olas contra la playa. «Es tan constante, tan poderoso —pensó—. Hace que nos sintamos pequeños.»

Se agachó y agarró la neumática por la proa para sacarla del agua. El esfuerzo le provocó un dolor en el costado, y de pronto tuvo conciencia de que se debía al disparo de Anne Hampton.

Pero decidió no hacerle caso.

Tiró a duras penas de la lancha y la arrastró tres metros tierra adentro.

Jamás hubiera imaginado que tenía tanta determinación. Jamás hubiera imaginado que era capaz de hacer esto. Se sentía extrañamente orgulloso. «En todo momento he sabido que era una chica fuerte, sólo que ella no sabía dónde encontrar esa fuerza.»

Siguió arrastrando la neumática por la playa, haciendo un ruido parecido a un siseo.

Le vinieron muchas imágenes a la mente, procedentes de todos los lugares en que había estado y de las fotos que había hecho. «Nadie podía tocarme», pensó.

Siguió tirando de la lancha inexorablemente hacia las olas, inclinado hacia delante.

Pensó en sí mismo con orgullo: «Mis fotos siempre eran las mejores —se dijo—. Tanto en color como en blanco y negro. Daba igual. Siempre captaba el momento oportuno. Hablaban, gritaban, contaban historias.»

Se hundió hasta las rodillas en el agua, con una mano en el costado y una ligera sensación de vértigo.

—Duele mucho, Marty, duele mucho.

Se obligó a mantenerse erguido. «No te pares.»

Entonces empezó a cantar:

—Rema, rema, marinero, sigue la corriente...

Con cada palabra empujaba hacia delante, tirando de la lancha neumática para adentrarse en el agua poco profunda que se alejaba de él, rumbo al océano. Soltó la proa de la embarcación y se situó a un costado cuando ésta comenzó a bambolearse, ya flotando. Divisó una ola lenta y gruesa que se dirigía hacia la playa, y empujó hacia delante para ir a su encuentro.

Se abatió contra él una cascada de agua verde y blanca, pero continuó empujando la lancha hacia las olas.

Entonces se aferró a un costado y pasó una pierna por encima al tiempo que la neumática giraba en redondo. Con la misma pierna enderezó la lancha e hizo fuerza contra la blanda arena para recibir la siguiente ola de proa.

Cabalgó la ola, aturdido, y alcanzó a ver un momento la luna suspendida justo por encima del agua, tan cerca que le dio la sensación de poder cogerla con la mano. A continuación se vio arrastrado por la parte posterior de la ola, al espacio que separaba una de otra. Las olas rompían sin parar a su alrededor, y en cuestión de segundos quedó empapado. Se volvió para cebar el motor tirando al mismo tiempo del cable de arranque. El motor arrancó a la primera, y él le metió gasolina, justo a tiempo para recibir la siguiente ola, que se le vino encima amenazando con devolverlo a la playa. La lancha neumática se abalanzó hacia delante y pasó por encima del remolino de espuma blanca.

Apretó el mando del acelerador, y la neumática dio otro salto hacia delante.

En un segundo, como si hubiera sido tocado por algún misterio, quedó fuera de la acción del oleaje y se vio surcando aguas profundas y negras, cabeceando suavemente, llevado por el ruido constante del motor, cada vez más lejos de la costa.

«En Tierra de Nadie», se dijo.

Siempre había querido ir a la Tierra de Nadie.

Maniobró para alejarse de la playa dejando atrás la masa oscura de la isla, y puso rumbo al mar abierto. Calculó la dirección en que se encontraba el punto al que se dirigía y orientó la neumática hacia allí.

Vio otra vez la luna, y eso le procuró cierto consuelo.

Canturreó para sí:

—El búho y el gatito se echaron a la mar, en un bello barquito de color azahar... —Sonrió y continuó navegando. Cantó alegremente—: «Y mano con mano bailaron en la arena, a la luz de la luna, la luna morena...»

De pronto pensó en su hermano. A Marty siempre le habían gustado las canciones infantiles. Recordó a su madre y se preguntó qué habría sido de ella. Cayó en la cuenta de que la noche en que se marchó, antes contempló fijamente la noche, igual que estaba haciendo él ahora. Y la noche se la tragó para siempre.

Entonces le vino a la imaginación su padre adoptivo. Frunció el ceño, pero comprendió.

—¡Voy a por ti, cabrón! —gritó—. ¡Voy a por ti!

Aquellas palabras surcaron las olas, devoradas por la noche. Pensó en el final del forcejeo contra la resaca, que tiraba de modo terrorífico. Debió de sentirse exhausto y vencido. Debió de ser como caer en un sueño profundo e indoloro.

De nuevo notó la sangre y el desgarro en la piel.

«Me duele.»

Pero se consoló.

No pasa nada.

A aquellas alturas la isla ya había quedado muy atrás, y cerró los ojos. El ruido del motor lo arrulló, y el movimiento suave y lento de las olas lo meció como en una cuna, instándolo a dormirse.

«Estoy cansado. Estoy muy cansado.»

En medio del apacible mar, recordó un retazo de otra canción infantil:

—Pececillo, pececillo, déjate llevar... —Echó la cabeza hacia atrás y experimentó un profundo agotamiento en su interior. Cantó en voz baja—: Dormidito en los brazos del inmenso mar.

De pronto le vino una idea desafiante.

—Nunca me han cogido —dijo—. Nunca han podido.

Se le antojó tremendamente apropiado.

Apagó el motor y permaneció unos segundos escuchando el rumor del océano. Entonces cogió su pistola y apuntó al suelo de la embarcación, directamente entre sus pies. Gastó las siete balas.

La neumática se estremeció.

A su alrededor comenzó a surgir una agua negra a borbotones.

«Está tibia, está tibia», pensó con placer infantil.

Entonces extendió las manos y abrazó el mar negro como el carbón.

Índice

OTROS TÍTULOS
DE ESTA COLECCIÓN

JUICIO FINAL

John Katzenbach

Matthew Cowart, un famoso y ya establecido periodista de Miami, recibe la carta de un hombre condenado a muerte que asegura ser inocente. Pese a su escepticismo inicial, Cowart empieza a investigar el caso, comprende que el acusado no cometió los delitos que se le imputan y pone al descubierto mediante sus artículos una información que permite al convicto Robert Earl Fergurson salir en libertad. Cowart obtiene entonces un premio Pulitzer por su tarea periodística. Sin embargo, y para su horror, el escritor se percata de que ha puesto en marcha una tremenda máquina de matar y que ahora le toca a él intentar, en una carrera contrarreloj, que se haga justicia fuera de los tribunales.

Katzenbach, maestro del suspense psicológico nos enfrenta de nuevo a una historia tan hipnótica como aquellas de *El psicoanalista* y *La historia del loco*.